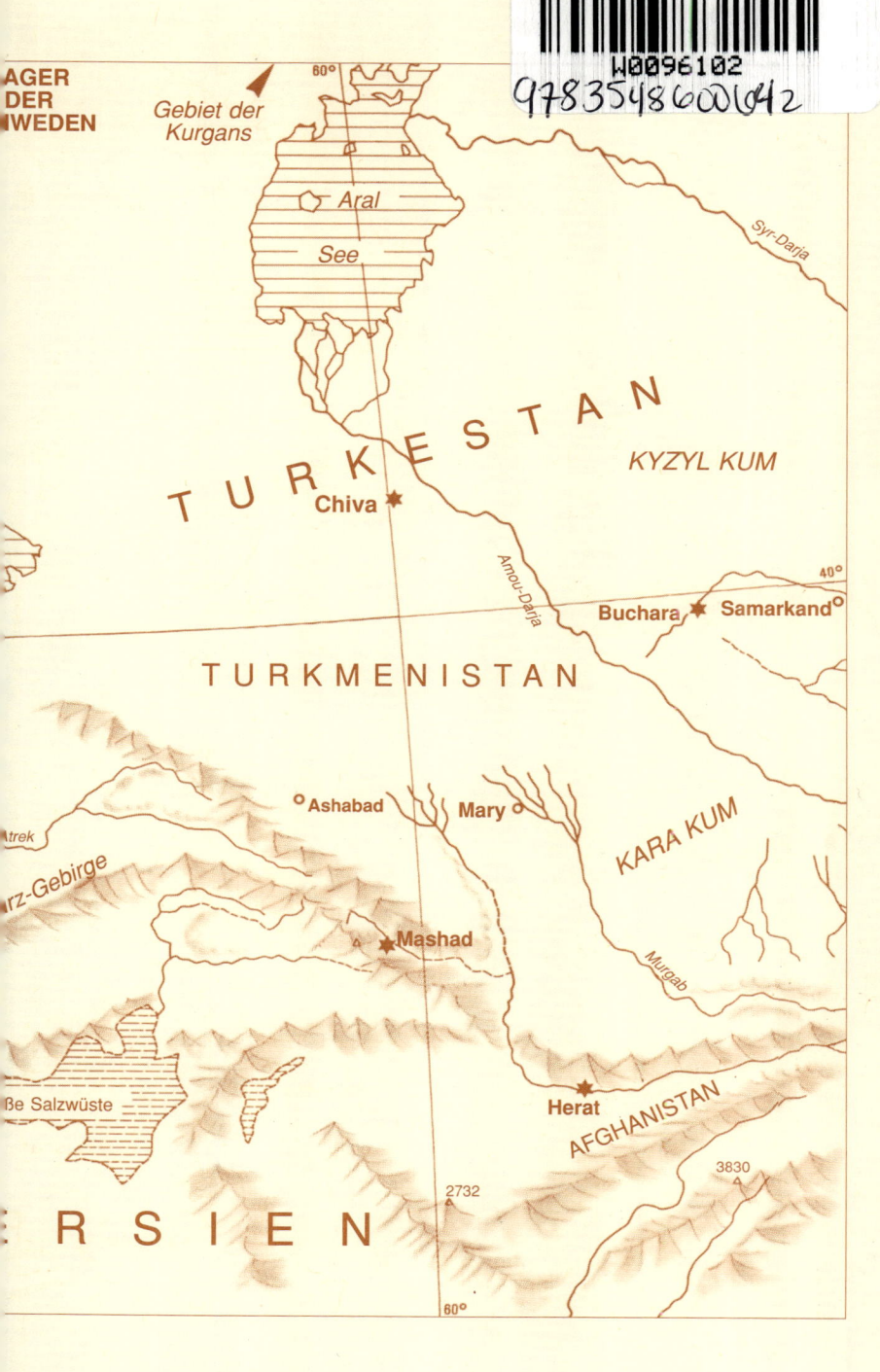

AGER
DER
WEDEN

Gebiet der
Kurgans

60°

*Aral*

*See*

Syr-Darja

T U R K E S T A N

*KYZYL KUM*

Chiva

Amou-Darja

40°

Buchara ✶ Samarkand

T U R K M E N I S T A N

Ashabad    Mary

*KARA KUM*

Atrek

rz-Gebirge

Mashad

Murgab

ße Salzwüste

Herat
AFGHANISTAN

3830

2732

E R S I E N

60°

Jean-Christophe Rufin
*Die Tochter des Abessiniers*

Jean-Christophe Rufin

# *Die Tochter des Abessiniers*

Roman

Aus dem Französischen von
Claudia Steinitz

Claassen

# Inhalt

# I
## Die erste Lüge

# Erstes Kapitel

Niemand konnte ahnen, welch ein Skandal bevorstand. Zu jener Zeit war die königliche Karawanserei von Kashan noch die bei weitem schönste unter all den geräumigen Herbergen, in denen die Reisenden, ihre Diener und die Reittiere auf den beschwerlichen Wegen durch den Orient Sicherheit und Erholung fanden. Hundert Jahre zuvor war die Karawanserei auf Befehl des großen Königs Abbas, des Befreiers von Persien, errichtet worden. Man erzählte sich, daß Schah Abbas, als er die Küchen der Karawanserei besichtigte, mit großer Befriedigung zur Kenntnis nahm, wie sich die Deckel der Töpfe zwei Finger breit hoben, wenn er vorbeiging, um ihm die Ergebenheit der leblosen Welt ebenso wie die der Menschen zu bezeugen. Seitdem hatte diese Herberge alle Reisenden, die sie betraten, mit ihrer Herrlichkeit geblendet. Man atmete dort förmlich den Frieden, und nichts deutete an jenem ersten Augusttag des Jahres 1721 darauf hin, daß dieser Frieden jäh gestört werden sollte.

Allerdings war am Vorabend die Ankunft eines armseligen Franken von seltsamem Aussehen allgemein belächelt worden. Man konnte sich kaum eine bescheidenere Reisegruppe vorstellen: Außer auf sich selbst konnte der Fremde nur auf einen einzigen Diener zählen – einen winzigen, hinkenden Mongolen –, um sein altes Maultier zu striegeln. Das flache Gesicht dieses Dieners, in den Augen der Perser, die der Durchmarsch von Tamerlan vor allen Steppenvölkern gewarnt hatte, eine scheußliche Fratze, war von tiefen Falten durchzogen und am Kinn von ein paar grauen, fest gezwirbelten Haaren geschmückt, die wie Sisalstricke aussahen. Um seine Waden waren mit schmutzigen Rindslederriemen schäbige Gamaschen gebunden. Sein Herr bot kaum einen besseren Anblick. Am ersten Abend hatte man ihn nur im Kerzenschein gesehen, und er hatte Sorge getragen, daß seine Züge nicht deutlich erkennbar wurden. Er hielt den Kopf tief in den hochgeschlagenen Kragen seines Gewandes gesenkt. Ein großer Filzhut warf einen Schatten auf das Gesicht. Seine Kleidung war abgenutzt und sehr schmutzig, aber offenbar hatte er kein Verlangen, sie zu wechseln. Nach dem äußerst geringen Umfang seines Gepäcks zu urteilen, war er im übrigen wohl auch kaum dazu in der Lage. Gegen zehn Uhr hatte man ihn geräuschlos den Hof überqueren sehen, ohne daß bis dahin jemand seine Stimme vernommen hatte. Auf dem Weg zu seinem Zimmer hatte er sorgsam die Mitteltreppe gemieden, welche die Perser *mâh tâb*, Mondleiter, nennen, weil sie gewöhnlich abends dort sitzen, um das kühle Licht dieses Gestirns zu genießen. Die Gäste machten untereinander ein paar Bemerkungen über die merkwürdige Gestalt: Der Fremde hatte seltsam breite Hüften, und seine Hosen, die die Franken gewöhnlich sehr eng tragen, waren wie Pluderhosen geschnitten. Die meisten Perser jedoch hatten sich an die Besonderheiten von Fremden gewöhnt. Deren Unförmigkeit war der Beweis dafür, wie das unreine Fleisch, das der Prophet ihnen in seiner Weisheit verboten hatte und an dem sich die Ungläubigen so abscheulich weideten, die Menschen verdarb.

Auch hatte jeder an demselben Abend zwei persische Händler ankommen sehen, die mit einer Karawane von Maultieren, welche mit großen, verschnürten Ballen beladen waren, in die Hauptstadt zurückkehrten. Diese beiden waren allen Stammgästen der Karawanserei zumindest vom Sehen bekannt, vor allem der Jüngere, der den gesegneten Namen Ali trug. Er war ein Bursche in der Blüte seiner Jahre und hatte

Persien in allen Richtungen durchwandert, nach Kandahar und Herat zu den Afghanen, zum Fürstentum Chiva, wo man die Sklaven verkauft, gen Westen nach Basra am Euphrat und im Osten bis nach Indien und zu den Ländern des Großmoguls. Einmal war er bis kurz vor Mekka gelangt, und als eifriger Moslem hatte er sich vorgenommen, beim nächsten Mal ganz dorthin zu kommen.

Ali und sein älterer Gefährte hatten ungestört zu Abend gegessen, während sie ab und zu einen kurzen Blick auf den Fremden warfen, der sich ein wenig abseits niedergelassen hatte. Aber bis zum nächsten Tag sollte nichts geschehen, und an diesem war bereits die Stunde der Mittagsruhe erreicht, als die günstige Gelegenheit eintrat.

In dem großen, quadratischen Hof, der von einer doppelten Reihe Giebelarkaden umrahmt wurde, ließ die Sonne den Glanz des weißen Porphyrs vibrieren. Eine wohltuende Schlaffheit hatte zu dieser Nachmittagsstunde Mensch und Tier erfaßt. Die Reisenden lagen schweigsam und schläfrig auf ihren Teppichen, die im Schatten der holzgetäfelten Vorzimmer auf den Steinen ausgebreitet waren, und lauschten dem reinen Klang der Wasserspiele, die an allen vier Ecken des Hofes in den Becken aus rosafarbenem Marmor unermüdlich plätscherten. Der Himmel selbst, ohne Wolken und ohne Vögel, war nicht mehr der Verbündete der glühenden Atmosphäre, sondern ein ferner, köstlicher Deckel aus kühler Fayence.

In ebendiesem Moment gab der Fremde seine Vorsicht ein wenig auf und trat barhäuptig und in Hemdsärmeln auf den Treppenabsatz, um ein wenig frische Luft zu schnappen. Er stützte die Ellbogen auf die Balkonbrüstung aus kleinen Säulen direkt über dem Hof und reckte das Gesicht voller Wohlbehagen der Sonne entgegen.

Ali, der auf dem Ardebil-Teppich lag, den er auf all seine Reisen mitnahm, richtete sich auf und legte die Hand auf den Arm seines Begleiters, um ihn zu wecken: »Sieh doch!«

Der Reisende trug langes Haar, das mit einem Band im Nacken zusammengehalten wurde, wie es der Perückenmode jener Zeit entsprach. Dennoch sah es nicht wie eine Perücke aus, sondern eher wie echtes Haar, dick und tief in der Stirn ansetzend. War es dieses Detail, das Ali auffiel, oder konnte er aus dieser Entfernung die rundlichen Hände und die zarten Handgelenke erkennen?

»Seit zwei Tagen sage ich es dir«, flüsterte Ali seinem schläfrigen Gefährten zu.

Der Blick des Fremden, der über den Hof und die Arkaden schweifte, traf auf Alis im Halbschatten funkelnde Augen, die ihn anstarrten. Der Fremde zuckte zusammen. Rasch trat er von der Brüstung zurück und verschwand eilig in seinen Räumen.

Dieser hastige Rückzug überzeugte Ali davon, daß sein Verdacht begründet war. Er sprang auf und bat seinen Freund, auf ihn zu warten. Er lief an den Arkaden entlang, stieg zum Obergeschoß hinauf und blieb vor der Tür des Fremden stehen. Wie in einer Karawanserei üblich, war diese unverschlossen, und man konnte das Vorzimmer betreten, eine quadratische Säulenhalle von zehn Fuß Höhe, die von einer Halbkuppel abgeschlossen wurde.

Das armselige Zaumzeug des Maultiers lag in einer Ecke. In die stickige Luft mischte sich ein widerlicher Geruch, der von den Polstern der Tragegurte kam, der Geruch vom sauren Schweiß eines alten, vertrockneten Tieres, das nur noch sein Blut und die Säfte seiner Eingeweide ausschwitzen kann. Der Mongole saß auf einem Juteballen und schien wie benommen von diesen Dämpfen. Ehe er sich auch nur rühren konnte, war Ali an der zweiten Tür und öffnete sie. In dem großen, gewölbten Zimmer, welches das Zentrum der Gemächer bildete, lehnte der Fremde im Gegenlicht am Kamin.

Schon griff der Mongole mit einer für seinen schmächtigen Körperbau erstaunlichen Kraft nach Alis Arm, aber der Fremde gab dem Diener ein Zeichen, woraufhin dieser ihn wieder losließ.

Der Händler trat zwei Schritte ins Zimmer. Auf ein weiteres Zeichen zog sich der Mongole ganz zurück und schloß die Tür. Der Fremde wies auf eine Steinbank an der Wand und lud den

Perser ein, sich zu setzen. Ali lehnte mit einer Handbewegung ab und fragte den Fremden, ohne seinen brennenden Blick von ihm abzuwenden, auf Farsi: »Verstehen Sie unsere Sprache?« Der Reisende schüttelte den Kopf.

»Türkisch?«

»Sehr wenig«, antwortete der Fremde auf türkisch mit einer sehr mangelhaften Aussprache.

Er fügte hinzu, daß er eher des Arabischen mächtig sei. Seine Stimme klang gepreßt, wie von Erregung entstellt oder vorsätzlich verfälscht.

»Nun gut«, sagte Ali, »sprechen wir arabisch.«

Seine Augen blitzten noch immer. Das Schweigen hielt an, während sie einander regungslos beobachteten.

»Was wollen Sie von mir?« fragte der Franke schließlich.

»Was ich will?« wiederholte Ali mit einem beunruhigenden Lächeln. »Ich möchte ... Ihnen einfach nur vorschlagen, mit mir in den Hammam zu kommen.«

Der Fremde zuckte zusammen.

»Das Bad dieser Karawanserei ist eines der besten im ganzen Land. Wir werden uns dort angenehm unterhalten können, während ein Sklave uns massiert und die Frauen Rosenmilch auf unseren Leibern verteilen.«

»Ich danke Ihnen für diese Einladung«, entgegnete der Reisende mit Anzeichen größter Verwirrung. »Sie ehrt mich sehr und macht mich zu Ihrem ergebenen Diener. Dennoch ...«

»Dennoch?«

Alis Lächeln wurde immer drohender und boshafter, und ohne auch nur für ein Blinzeln den Blick abzuwenden, trat er langsam auf den Reisenden zu, der zu stottern begann.

»Dennoch ist es mir unmöglich. Zum einen muß ich gestehen, daß ich arm bin. Die Sitte verlangt, daß man den, der einen mit einer solchen Einladung beschenkt, mit einem Gegengeschenk ehrt ... Leider hätte ich nicht die Mittel, dies zu tun.«

»Lassen wir das. Ich sage Ihnen doch, Sie sind mein Gast. Ich genieße das Vergnügen und die Ehre, und wenn jemand zum ergebenen Diener wird, dann der, den ein Fremder mit seiner Anwesenheit beschenkt.«

»Nein, nein, ich sage Ihnen, das ist unmöglich. Ich habe ... ein Gelübde abgelegt.«

»Sich nicht mehr zu waschen?« fragte Ali sanft und immer noch lächelnd.

Er stand jetzt ganz dicht vor dem Fremden. Je genauer er die feine Nase, die zarte Haut, in der sich die zahllosen, feinen Falten des Alters kreuzten, und die samtigen Wangen betrachten konnte, desto mehr verstärkte sich Alis Überzeugung und mit ihr die Verwirrung seines Gesprächspartners.

»Aber bitte, mein Herr«, sagte dieser schließlich in einem letzten Versuch der Auflehnung, die seine Stimme vollends entgleisen ließ, »warum legen Sie so großen Wert darauf, mich in den Hammam zu führen?«

»Warum?« knurrte Ali und machte einen letzten Schritt. »Warum?«

Bleich, wie versteinert, sah der Reisende, wie der Händler die Hände hob und ihn am Kragen seines Batisthemdes packte. Jeder andere hätte erwartet, daß der Angreifer nun die Fäuste gegeneinander pressen würde, um ihm die Kehle zuzuschnüren. Aber der Unbekannte hatte eine andere Vorahnung und schloß einfach die Augen, während er dachte: ›Alles ist verloren.‹

»Warum?« wiederholte Ali noch einmal ganz dicht vor seinem Gesicht. Dann zog er mit einem heftigen Ruck das Hemd des Reisenden auseinander, der Stoff zerriß und entblößte einen üppigen Busen.

»Nur deshalb«, schrie er laut genug, um die ganze Karawanserei in Aufruhr zu versetzen, »um ganz sicher zu sein, daß Sie ein Weib sind.«

Europäische Städte sind vor allem Flächen, grün oder auch nicht, Straßen, Plätze, Bürgersteige, auf denen sich mehr oder weniger dicht die Masse der Gebäude erhebt. Eine Stadt des Orients dagegen ist ein dichtes Gewebe von Bauten, ohne Unterbrechung und so dicht, daß man kaum die engen Einschnitte der Gassen darin erkennt. Nur selten weist dieser Stoff Löcher auf, und es erscheint die eingegrenzte Fläche eines Gartens oder eines mit hohen Bäumen bewachsenen Platzes. Isfahan, zu jener Zeit die Hauptstadt Persiens, schien beiden Traditionen gleichermaßen zu folgen. Das Zentrum der Stadt nahm der Chahar Bagh ein, ein riesiger Park, der an Europa erinnerte. Die Perser stellen sich das Paradies wie einen Garten vor: So war der Chahar Bagh, ein Paradies auf Erden für diejenigen, die genug Tugend bewiesen hatten, damit Gott ihnen Reichtum schenkte. Im Paradies des Himmels, so heißt es, kreuzen sich zwei quellfrische Wasserläufe in einem zentralen Becken und begrenzen vier Gärten, welche die vier Seiten der Welt darstellen.

Ebenso wurde auch der Chahar Bagh durch die rechtwinklige Kreuzung des Flusses Zayandehrod und einer geraden Straße, die ihn auf einer Brücke mit dreiunddreißig Bögen überquerte, in vier Bereiche unterteilt. Von dieser Brücke aus gewährte der Chahar Bagh einzig den Anblick einer harmonischen Grünfläche, so dicht wie in den europäischen Parks, ein Netz von Gärten und Baumgipfeln, unter denen Pappeln und Linden überwogen. Darunter verbargen sich die schönsten Paläste Persiens, die die safawidischen Könige im letzten Jahrhundert erbaut hatten. Sie lagen nicht zwischen Hof und Garten, wie man es aus Paris kennt, sondern zwischen zwei Gärten – wahrlich ein herrlicher Anblick. Das Ganze vermittelte einen Eindruck eleganter Unordnung und Schlichtheit. Mit dieser Natürlichkeit konnte sich nur das unermeßliche, ewig fortdauernde Werk vergleichen lassen, das die Gärtner alltäglich vollbrachten, um sie zu schaffen.

Außerhalb dieser Oase von Grün entsprach die Stadt der Tradition des Orients. Auch dort gab es verstreut schöne Gebäude, Paläste oder Moscheen, meist aus der Zeit der türkischen und mongolischen Herrschaft, die mit großen Patios und zuweilen wahren Gärten in diesen Innenhöfen versehen waren. Eingezwängt von gewundenen Gassen, wandten sie den Passanten jedoch nur verächtlich einen fensterlosen Steinrücken zu. Einige wenige Häuser in der unmittelbaren Umgebung des Chahar Bagh hatten an beiden Welten teil, den offenen Parks und den ineinander verkeilten Mauern.

Eines von ihnen, weder das schönste noch das größte oder am reichsten ausgestattete, war vor allem für seinen sachkundig gestalteten Garten und seine Feste berühmt. Die Perser nannten es das Haus des Mirza Poncet. Der Mann, der darin wohnte, war ein Franke, der wegen seiner herausragenden Leistungen Respekt und allgemeine Zuneigung genoß. Jeder in der Hauptstadt wußte, daß dieser Jean-Baptiste Poncet, ein sehr ehrbarer Apotheker und Arzt, fünfzehn Jahre zuvor fast ohne einen Heller auf einem Pferd angekommen war, nachdem er Palästina und das Euphrat-Tal durchquert hatte. Jeder wußte auch, daß er mit seiner Frau gekommen war – zumindest stellte er sie als diese vor – und daß sie Alix hieß.

Eine Zeitlang hielt sich das Gerücht, der Arzt habe das junge Mädchen entführt und sie habe sich nur zu gern dazu hergegeben, ja sogar dafür einen Mord begangen. Aber in diesen ersten Jahren äußerten sich weder Poncet noch seine Frau auch nur im geringsten zu diesem Punkt und enthielten sich vorsichtigerweise aller Kontakte zur diplomatischen Kolonie der Franken. Die große Zahl von Ausländern in Isfahan, darunter eine Mehrheit Engländer und Niederländer, bot bald Anlaß für andere Skandale und Nachforschungen. Die Perser erfuhren also niemals etwas Genaueres. Der Verdacht nährte jedoch nur noch mehr ihre Sympathie für diesen Mann, der womöglich solche Beweise brennender Liebe geliefert hatte, denn die Leidenschaft, ihre Tränen, ihre Verrücktheiten, bis hin zu ihren Morden wird im Orient als die schönste Sache der Welt angesehen.

Der gute Ruf des Arztes, die Fröhlichkeit und Gastfreundschaft seines Hauses ließen nach und nach das restliche Mißtrauen schwinden.

Alix hatte einen großen Anteil an dieser Zähmung. In einem Land, wo die Frauen im Harem eingesperrt waren, genoß sie das Privileg, sich überall frei bewegen und ein gastfreundliches Haus führen zu können.

Kurz nach ihrer Ankunft in Isfahan hatte sie einem

Mädchen das Leben geschenkt. Die Schwangerschaft hatte sie jedoch offenbar nicht angegriffen. Sie bewahrte die anmutige, selbstbewußte Gestalt der Zwanzigjährigen, dieselben klaren blauen Augen. Ihre Erscheinung war voller Eleganz, ganz gleich, ob sie sich auf orientalische Weise in zarte Schleier hüllte oder europäische Gewänder trug, die der Mode entsprechend mit sperrigen Reifrockgestellen versehen waren. Meistens trug sie jedoch ein einfaches Jagdgewand – eine kurze Jacke, Stiefel und Samthosen –, mit dem sie wie ein Mann zu reiten pflegte.

In diesem Land, wo alle Goldmünzen der Welt – Dukaten, Taler, Gulden – an den Grenzen eingeschmolzen und mit dem Bildnis des Königs von Persien geprägt wurden, war Alix' Haus das Zentrum einer entgegengesetzten Alchimie: Kaum eingetroffen, löste sich jegliches Gold auf, verwandelte sich in feine Speisen, kostbares Geschirr, in Feste und Feuerwerk. Nichts konnte die Perser mehr für Alix und Jean-Baptiste einnehmen, als zu sehen, daß sie im Einklang mit diesem Land lebten, das gleichzeitig auf dem Höhepunkt des Luxus stand und von allen Seiten bedroht war und dem der fortschreitenden Verfall zum Ansporn für die Vergnügen des Augenblicks diente.

Dieses heitere Dasein geriet durch einen wahren Knalleffekt völlig in Unordnung. Nach dem Tod Ludwigs XIV. wurde ganz Isfahan davon überrascht, daß der französische Regent einen persönlichen Briefwechsel mit Jean-Baptiste Poncet gepflegt hatte. Der Botschafter hatte dies entdeckt, als er – wozu er sich durchaus berechtigt hielt – die offizielle Post öffnete, die an seine Mitbürger gerichtet war. So erfuhr man von einer Einladung Poncets nach Versailles, wo er den Regenten über Abessinien informieren sollte, in das ihn einst eine Gesandtschaft geführt hatte. Als Poncet zwanzig Jahre zuvor von dieser Mission zurückgekehrt war, hatte jener, damals noch Herzog von Chartres, keine Zeit gehabt, ihn zu treffen. Nun war er völlig begeistert von seinen Memoiren. Die Perser wurden von einer wilden Neugier ergriffen, als sie erfuhren, daß dieser Apotheker, der ihnen so vertraut war, bis ins

Herz eines märchenhaften arabischen Königreiches vorgedrungen war und später Ludwig XIV. getroffen hatte. Sie fühlten sich darüber hinaus geschmeichelt, daß Poncet, der sich wahrlich in der Welt auskannte, schließlich das Leben in Isfahan allem anderen vorgezogen hatte.

Auch die französische Kolonie stellte nun endlich den Zusammenhang her zwischen dem Poncet in Persien und dem Mann, der zwanzig Jahre zuvor das gesamte diplomatische Korps tief gekränkt hatte, indem er die Tochter des französischen Konsuls in Kairo entführte. Glücklicherweise war das Verbrechen verjährt, und obendrein war Monsieur de Maillet, dem man diese Schmach angetan hatte, nicht mehr im Dienst des Außenministeriums: Einige Jahre nach der ärgerlichen Entführung seiner Tochter hatte der französische Konsul in Kairo ein seltsames, für vernünftige Leser unverständliches Buch über Philosophie veröffentlicht, das den kirchlichen Würdenträgern derart skandalös erschien, daß sie es in aller Form verurteilt hatten. Seit seiner Entlassung durch den König wußte im übrigen niemand, was aus dem armen Mann geworden war, ja, ob er überhaupt noch lebte. Die Enthüllungen hatten also keine unangenehmen Auswirkungen für Poncet, außer daß er nun zahllosen Einladungen Folge leisten mußte, um die märchenhafte Geschichte zu erzählen, die ihn einst zu dem »Abessinier« gemacht hatte.

Alix und Jean-Baptiste hatten sich diesen Erinnerungen gern hingegeben. All das führte sie in ihre Jugend zurück, die längst vergangen war. Diese Augenblicke wieder aufleben zu lassen, und sei es auch nur für andere, das war, als spüre man erneut das Feuer der einstigen Glut. Außer ihnen beiden waren alle Mitspieler in dieser Geschichte seit langem verschwunden, vielleicht tot. Dieser Gedanke trübte ein wenig ihre Stimmung, wenn sie von damals erzählten. Sie empfanden gleichzeitig die Freude, beieinander zu sein, diese glücklichen Zeiten miteinander geteilt zu haben, die entschwundenen Empfindungen wieder aufleben zu lassen, und den Kummer, die Spur jener verloren zu haben, die in diesen wunderbaren Stunden an ihrer Seite gewesen waren.

Es war etwa um diese Zeit, daß sie einen dreizehnjährigen englischen Jungen bei sich aufnahmen, dessen Eltern bei der Erforschung Zentralasiens ums Leben gekommen waren. Jean-Baptiste hatte einen langen Briefwechsel über botanische Fragen mit ihnen geführt, denn sie waren Mitglieder einer Gesellschaft von Wissenschaftlern in Liverpool gewesen. Als übereinstimmende Zeugnisse mehrerer Reisender keinen Zweifel mehr daran ließen, daß man die beiden umgebracht hatte, galt George offiziell als ein weiteres Kind des Hauses.

Nach diesen Zwischenfällen nahm das Leben wieder seinen gewohnten Lauf. Ohne es einander einzugestehen, schraken Alix und Jean-Baptiste plötzlich vor der Aussicht zurück, eine endlose Zeit der Ruhe vor sich zu haben. Zwar ließen sie den Gedanken nicht zu, daß das Glück sie nicht glücklich machte. Aber ihre Freuden, ihre Leiden, ihre Hoffnungen – mit einem Wort ihr ganzes Leben – waren von nun an, was sie auch taten, in eine beständige Wehmut gehüllt.

Alles hätte so bleiben können, wenn Jean-Baptiste nicht an einem friedlichen Sommertag, der zunächst allen anderen glich, eine seltsame und äußerst beunruhigende Nachricht erhalten hätte.

## Zweites Kapitel

Unter den hochgestellten Persönlichkeiten, die Jean-Baptiste zu seinen Patienten zählte, war ein vornehmer persischer Herr, der das Amt eines Nasirs bekleidete, was in etwa dem obersten Verwalter an einem abendländischen Hof entsprach und ihn in den Rang eines Fürsten erhob. Er gebot über alles, was dem König gehörte, und das war nicht wenig. So verfügte er beispielsweise über etwa dreihundert Häuser, die der Monarch persönlich in der Hauptstadt besaß und die er diesem oder jenem Höfling je nach Verdienst zusprach. Außerdem erhob er die königlichen Steuern und wachte darüber, daß alles bezahlt wurde, was man der Krone an Strafgeldern oder Verbindlichkeiten schuldete. Selbstverständlich nahm sich der Nasir jedesmal, wenn es ohne allzuviel Aufsehen möglich war, seinen Anteil aus all diesen Quellen. Nur seine Furcht vor dem König verhinderte, daß er zum größten Geldeintreiber der Welt wurde. Aber auch so war er überaus reich und sehr mächtig.

An jenem Morgen ging Poncet zu Fuß zu diesem Edelmann, denn nichts bereitete ihm größeres Vergnügen, als bei Tagesanbruch den Chahar Bagh zu durchqueren. Die Schatten der großen Ahornbäume, die entlang der Allee gepflanzt waren, ließen das Wasser des schmalen Kanals, der in ihrer Mitte floß, grünlich schimmern. Man hörte ein sanftes Murmeln, wenn sich das Wasser bisweilen in kleinen Kaskaden in bebende, dunkle Becken ergoß. In diesen frühen Stunden, wenn die Vögel zwitscherten und die Fensterläden von verschlafenen Gestalten geöffnet wurden, war es, als erwachten eine Stadt und ein Wald gleichzeitig nach der zärtlichen Nacht, die sie vereint hatte.

Der Arzt schwenkte noch immer denselben Lederkoffer mit Medizinfläschchen, den er schon in Kairo benutzt hatte. Sein langes Haar war noch immer lockig und kaum weniger schwarz als damals. Die langjährigen Erfahrungen im Orient hatten ihn eine formvollendete Höflichkeit gelehrt, die der Ungezwungenheit seines Auftretens und seines Denkens jedoch keinerlei Abbruch tat.

Als er den Eingang des Palastes erreichte, nahm er in der schon lauen Luft dieses Morgens die zarten, klagenden Jasmindüfte wahr, die aus dem Garten aufstiegen. Eine stattliche Kutsche stand vor den Ställen, und ein Dutzend prächtig gekleideter Diener schlenderte um sie herum.

»Der Erste Minister führt gerade ein vertrauliches Gespräch mit meinem Herrn«, erklärte der Wächter, der Jean-Baptiste am Tor empfing.

»Schön, dann komme ich morgen wieder.«

Die Aussicht auf freie Zeit und einen langen Spaziergang stimmte ihn fröhlich.

»Nein, nein, er hat darauf bestanden, daß Sie hereinkommen.«

Ohne eine Antwort abzuwarten, führte der Diener den Arzt zu einem kleinen, abseits gelegenen Pavillon im Garten, den ein von steinigem Boden und Hyazinthen gesäumter Teich umgab. Dort verbrachte Jean-Baptiste fast eine Stunde und beobachtete, versorgt mit Tee und Gebäck, wie sich die schwarzen Rücken der Karpfen im grünen Wasser des Bassins wiegten.

Endlich führte man ihn in einen niedrigen Raum, fast zu ebener Erde, wo ihn der Nasir, auf einem Seidenteppich sitzend, erwartete. Der Mann trug einen kurzen Bart auf Wangen und Kinn, während er den Schnurrbart nach der Art, die bei den Persern Georgiens in Mode war, so lang hatte wachsen lassen, daß er ihn um die Ohren hätte zwirbeln können. Die weite Tunika aus Brokat verbarg kaum seinen mächtigen Leib, der aus ebensoviel Muskeln wie Fett zu bestehen schien. Er besaß die robuste Statur von Bergbewohnern. Seine riesigen Hände mit den kräftigen Gelenken lagen auf seinen Knien wie Werkzeuge, die man am Feldrain ablegt.

Unter den Bauern ist es vielen nur durch die Bemühungen mehrerer Generationen möglich, in die bessere Gesellschaft aufzusteigen. Einige aber gelangen aus eigener Kraft zum Gipfel, indem sie schlicht die einfachen Fähigkeiten nutzen, mit denen sie einst Stiere bändigten und Kälbern auf die Welt halfen. An allen Höfen der Welt und in jeder Epoche findet man Beispiele für jene Mischung aus Grobheit und Schmeichelei, aus Flegelei und Vornehmheit. Grundlage dieser Verbindung bildet gewöhnlich die Durchtriebenheit, und wenn diese zu verkaufen gewesen wäre, hätte der Nasir sie ein Leben lang zu Geld machen können, ohne daß sie ihm ausgegangen wäre.

»Mein lieber Freund«, begann der Nasir, sobald sich Jean-Baptiste niedergelassen hatte, »der Erste Minister hat mich soeben verlassen, und wir hatten eine recht seltsame Nachricht zu besprechen.«

Jean-Baptiste war nicht weiter erstaunt darüber, daß der Nasir ihn in einer politischen Frage konsultierte. Seit er ihn behandelte und sein Vertrauen gewonnen hatte, teilte ihm dieser oft seine persönlichen Sorgen mit und weihte ihn auch in Probleme ein, die den Staat betrafen.

»Nun, es geht einfach um Sie, mein lieber Mirza Poncet.«

»Um mich! Aber wie kann denn meine Person den Großwesir beschäftigen?«

Es war schon fast Mittag, und die Sonne stand gewiß schon hoch am Himmel. Dennoch war es im Schatten des Gartens angenehm kühl. Auf dem Mosaik aus blauen und roten Fayencen funkelte der Widerschein des Wasserbeckens. Der Nasir gab einem der Diener ein Zeichen, worauf dieser mit zwei Gläsern Shiraz-Wein auf einem fein ziselierten Tablett herantrat. Die Unterbrechung führte zu einem kurzen Moment des Schweigens, in dem der Perser nach einem angemessenen Beginn für seine Erklärungen zu suchen schien.

»Sie wissen zweifellos«, setzte er dann wieder an, »daß zahlreiche Fremde in unser Land kommen und daß wir sie auf das freundlichste empfangen. Der König selbst verbietet, ihnen auch nur ein Haar zu krümmen. Obwohl sie anderen Religionen anhängen und Sitten haben, die wir verurteilen, sind sie unsere heiligen Gäste.«

Jean-Baptiste erschrak über diese Eröffnung. Hatte er in irgendeiner Weise die Gesetze der persischen Gastfreundschaft verletzt, er, der auch nach fünfzehn Jahren noch immer ein Fremder geblieben war?

»Die meisten Reisenden sind in Geschäften hier. Andere, zuweilen sind es auch dieselben, geben vor, in offizieller Mission an unserem Hof zu sein, und wir versuchen, Wahrheit und Lüge in ihren Reden auseinanderzuhalten. Wieder andere schließlich sind Mönche, und dennoch, das betone ich, dürfen sie sich in diesem Land aufhalten, das einem anderen Glauben anhängt. Mit einem Wort, wir dulden alles, außer der Lüge und der schamlosen Ausschweifung.« Der Nasir nahm einen Schluck Wein. Dann schwenkte er das Glas leicht und sah mit sichtlichem Vergnügen zu, wie die goldene Flüssigkeit langsam an dem Kristall hinunterrann. »Und ebendies ist geschehen«, fuhr er fort. »Ein junger Händler unserer Nation, strenggläubig und wohlinformiert über die Sitten der Fremden, hatte gegenüber einem fränkischen Reisenden Verdacht geschöpft, den er über zwei Tagesstrecken bis zur Karawanserei von Kashan verfolgte.«

Trotz seiner Verwirrung nickte Jean-Baptiste höflich.

»Nachdem er sich entschlossen hatte, die Berechtigung seines Mißtrauens zu überprüfen, hat unser Reisender schließlich entdeckt, daß der sogenannte Ausländer in Wahrheit... eine Ausländerin war.«

»Eine Frau!«

»Es scheint so«, sagte der Nasir etwas verlegen, und dieses Gefühl zeigte sich auf seinem derben Gesicht durch ein plötzliches Erröten der Nase.

»Aber das ist doch leicht zu erkennen.«

»Zweifellos, aber vergessen Sie nicht, daß es sich um eine Fremde handelt. Selbst unter diesen Umständen und angesichts eines offensichtlichen Verrats haben sich unsere Leute durch ihre Zurückhaltung ausgezeichnet... Alles, was sie wissen, ist, daß sie einen großen Busen hat. Sie sind in ihren Untersuchungen nicht weitergegangen.«

»Also, ein Reisender mit großem Busen wurde in Kashan festgesetzt«, faßte Jean-Baptiste zusammen und versuchte dabei, ernst zu bleiben.

»Ja. Und diese Frau, sofern es sich nicht um irgendein Monster handelt, gleich manchen Eunuchen, bei denen sich die Natur anscheinend darin gefiel, gesunden Sinn und Schamgefühl zu verwirren, diese Frau, wie gesagt, ist in unseren Händen.«

»In Isfahan?«

»Nein, immer noch in Kashan, in der Kaserne der königlichen Garde. Sie hat dort eine Zelle für sich, oder besser eine Suite, denn nach dem, was man mir berichtet hat, steht ihr jeglicher Komfort zur Verfügung. Man hat ihr nicht einmal ihren schrecklichen mongolischen Diener weggenommen.«

»Ein mongolischer Diener! Teufel auch!« rief Jean-Baptiste. »Und was werden Sie mit diesem zugegeben sehr ungewöhnlichen Gespann machen?«

»Ehrlich gesagt sind wir in großer Verlegenheit. Der Händler, der die Festnahme veranlaßte, hat zwar große Wachsamkeit bewiesen, aber keineswegs die wünschenswerte Diskretion. Sogar hier, auf dem Basar, verbreitet sich schon das Gerücht, daß eine verkleidete Spionin versucht habe, unsere Nachsicht zu mißbrauchen. Sie kennen den gegenwärtigen Zustand des Königreiches.«

Der Nasir sah sich kurz um, als wollte er sich versichern, daß die Diener zu weit entfernt waren, um ihn zu hören. Er beugte sich zu dem Arzt hinüber und flüsterte: »Letztes Jahr sind die revoltierenden Kurden fast bis hierher gelangt. Diese Hunde von Afghanen haben Herat besetzt, und niemand kann sie von dort vertreiben. Ein anderer Stamm regt sich in Kandahar. Es heißt, er bereite sich darauf vor, über uns herzufallen. Inzwischen haben die Türken Jerewan in Armenien erobert und fragen sich ebenso wie die Russen, welchen Teil unseres Landes sie als nächstes verschlingen werden. Hier gibt es viele Menschen, vor allem unter den strenggläubigen Schiiten, die behaupten, daß wir alle Fremden, die auf unserem Boden leben und Verbündete unserer Nachbarn sind, aus dem Land jagen sollten.«

Dann fuhr er noch leiser fort: »Es ist leichter, den anderen die Schuld in die Schuhe zu schieben, als die eigenen Schwächen anzuerkennen ...«

Poncet führte sein Glas an die Lippen, um auch ja keinen Kommentar von sich geben zu müssen. Er wußte, welch große Gefahren am Hof von Persien lauerten – die größte unter ihnen lag zweifellos darin, daß irgendwer einem sein Herz ausschüttete.

»Der Erste Minister, von dem ich mich eben verabschiedet habe«, fuhr der Nasir fort, »ist im Grunde nicht unzufrieden über diesen Zwischenfall. Sie wissen ja, seit seiner Pilgerreise nach Mekka gibt es keinen glühenderen Anhänger des Glaubens als ihn. Er findet den König viel zu schwach und wäre sehr glücklich, wenn er die Gelegenheit beim Schopfe packen und ihn zum Handeln zwingen könnte. Seine Idee ist ganz einfach: Er will diese Frau als Spionin vor Gericht stellen und verurteilen. Ihre Enthauptung findet öffentlich statt. Der Erste Minister hofft, mit ein wenig Blutvergießen viele Fremde zu erschrecken und zur Flucht zu verleiten, und gleichzeitig die Moslems zu besänftigen, die gegen die Herrschaft des Königs murren und ihn der Schwäche bezichtigen.«

Der schwerfällige Nasir hatte sich mühsam aufgerichtet und seine beiden mächtigen Fäuste auf den Marmorboden gestützt, um sein Gesäß etwas zu entlasten. Bei manch einem Körperbau wäre es günstiger, in einer Zivilisation zur Welt zu kommen, die den Sessel erfunden hat, dachte Jean-Baptiste. »Und wie kann ich meinen Beitrag zu diesen Plänen leisten?« fragte er.

»Das ist ganz einfach. Sie verstehen, daß wir uns, ehe wir diese Frau als Spionin verurteilen können, in zwei Dingen sicher sein müssen: zunächst, daß sie wirklich eine Frau ist, denn ihr Verbrechen beruht eben auf dieser Lüge. Außerdem, daß sie keine wirkliche Spionin ist. Wir sind zwar bereit, ein Exempel zu statuieren, aber nicht um den Preis eines Zwistes mit einer der Mächte, die mit uns Handel treiben und die wir unbedingt schonen wollen.«

Poncet erkannte darin genau die Prinzipien wieder, die bei Hofe galten, wo die zum Extrem getriebene Spitzfindigkeit weit über den Kompromiß hinausging und in der Schwäche mündete. Die katastrophalen Ergebnisse waren nicht zu übersehen.

»Das ist es«, sagte der Nasir und zog mit fast ausgestrecktem Arm sein Schnurrbartende glatt. »Ich habe dem Ersten Minister Ihren Namen genannt, den er gern akzeptiert hat, weil Ihr Ruf bereits bis zu ihm gedrungen ist. Sie werden so schnell wie möglich nach Kashan reiten. Man braucht mindestens drei Tage, ehe man dort ist. Sie werden offiziell damit beauftragt, diesen Reisenden bis in seine intimsten Bereiche zu untersuchen, um sein Geschlecht eindeutig festzustellen. Sie entstammen derselben Nation, also wird es keine Kränkung sein.«

Jean-Baptiste verneigte sich und erklärte ernsthaft und mit untertänigem Ausdruck: »Ich würde mich einer Bitte Ihrer Exzellenz niemals entziehen.«

»Wunderbar«, sagte der Nasir und versuchte im gleichen Atemzug, sich aufzurichten, was ihm auch gelang, indem er sich an die Balustrade klammerte.

Sobald er stand, führte er Jean-Baptiste in den Garten, um ihn zum Tor zu begleiten. Nach ein paar Schritten blieb er im Schatten einer Sagopalme stehen, umfaßte Jean-Baptistes Arm, um ihn am Weitergehen zu hindern, und sagte mit leiser Stimme: »Der Erste Minister weiß nichts davon, aber meiner Meinung nach werden Sie uns noch viel mehr über diese Frau sagen können – denn ich zweifle nicht daran, daß es sich um eine solche handelt. Ich hoffe sehr, durch Sie Aufklärung über ihre Pläne zu erlangen und zu erfahren, ob sie in einer besonderen Mission unterwegs ist, in welcher und für wen. Aber all das werden Sie nur mir sagen, mir allein. Ich muß ja irgendwie von der Gunst profitieren, die ich Ihnen gewähre.«

Poncet begriff, daß dieser Dienst gewiß hervorragend entlohnt werden sollte und daß sich der Nasir im Vorbeigehen sicher auch bedienen würde.

»Ich danke Eurer Exzellenz, daß Sie den Ersten Minister auf mich verwiesen haben, um diese Mission auszuführen. Sagen Sie mir nur eins: Was verleitet Sie zu der Annahme, daß ich die Pläne dieser Frau, die mir doch völlig unbekannt ist, enthüllen könnte?«

»Hören Sie, Poncet, meine Gunst ist nicht das, was Sie glauben. Sie werden keinen Heller für diesen Dienst erhalten. Aber da Sie seit zehn Jahren mein Arzt sind und ich Sie als solchen sehr schätze, wollte ich Ihnen einfach einen großen Dienst erweisen. Dieser bestand nicht darin, Ihren Namen vor dem Großwesir zu erwähnen, sondern vielmehr, ihm etwas zu verheimlichen, das Sie betrifft und das mir durchaus kompromittierend erscheint.«

Hinter ihnen waren die Diener damit beschäftigt, den Pavillon aufzuräumen. Der Nasir warf einen Blick in ihre Richtung, dann trat er so nah an Jean-Baptiste heran, daß dieser die schwarzen Haare des dichten Schnurrbarts an seiner Nase spürte, und flüsterte ihm folgende Worte ins Ohr: »Diese Frau hat dem Sklaven, den ich entsandt habe, um sie zu befragen, Ihren Namen genannt. Sie behauptet, Sie zu kennen. Niemand außer mir weiß bisher davon. Es ist besser, wenn ich rasch erfahre, wer sie ist und ob ihre Ergreifung Ihnen schaden kann.«

## Drittes Kapitel

Jedesmal wenn Jean-Baptiste Isfahan verließ und durch die Gegend ritt, empfand er wieder geradezu körperlich seine Liebe zu diesem Land. Die Verwandtschaft zwischen den Landschaften Persiens und Abessiniens war so offensichtlich, sie übten auf ihn eine so ähnliche Anziehungskraft aus, daß sie wohl irgendwelche verborgenen Harmonien in seiner Seele anrühren mußten. Diese Gebiete des Iran bestanden wie die Äthiopiens, die er einst auf seiner langen, abenteuerlichen Reise kennengelernt hatte, aus Hochplateaus, die von verschneiten Berggipfeln umgeben waren, und das in Breiten, wo die Sonne herrscht, wo sie erhellt und wärmt, ohne jedoch die klare Luft des Hochlandes zu beeinträchtigen. Die geringe Entfernung zwischen Bergen und Meer bewahrt das Land vor heißen Winden wie dem Schirokko, die die Atmosphäre stickig werden lassen und das Wohlbefinden beeinträchtigen. In Isfahan ist das Klima so gesund, daß auch das strahlendste blankpolierte Metall endlos lange im Freien liegen kann, ohne jemals von Rost angegriffen zu werden.

In diesen Ländern auf so erhabener Höhe hatten stolze Bewohner jahrtausendealte Dynastien bewahrt. Sie wurden unaufhörlich bedroht, oft geschlagen, aber niemals vernichtet, denn sie sind das Herz und der Daseinsgrund dieser Völker. In Abessinien wie im Iran besteht ein Zwiespalt zwischen dem Wunsch, einer weltweiten Religion anzugehören und der Weigerung, auf die Besonderheiten der eigenen Götter zu verzichten. Zweifellos kommt es daher, daß diese Länder der Einsamkeit auch Zentren der Häresie sind. Die Perser sind

Moslems, aber Schiiten, wie die Abessinier Christen, aber Kopten sind: Das ist ihre Art und Weise, weder ganz und gar außerhalb der Welt zu stehen, noch vollkommen in ihr. Man muß die Vertrautheit dieser Hochplateaus mit dem Himmel gespürt haben, um das zu verstehen.

Jean-Baptiste galoppierte auf einem turkmenischen Pferd dahin, das ihm der Nasir für diesen Anlaß aus den königlichen Ställen hatte bringen lassen. Schon am Abend des zweiten Tages erreichte er Kashan.

Diese Stadt kannte er gut, weil man ihn oft wegen der Skorpione dorthin gerufen hatte. Im ganzen Land war Kashan dafür berüchtigt, daß es förmlich von diesen Tieren überflutet war. Die Bewohner behaupteten, ein Talisman, der einst von Astrologen gefertigt wurde, hätte diesen Fluch ein wenig abgeschwächt und die Zahl verringert. Zu diesen allgemeinen Beschwörungen kamen besondere Schutzmaßnahmen wie jene, welche man den Ausländern empfahl. An den Toren der Stadt sah man an jedem Morgen Reisende in einer Reihe stehen und mit lauter Stimme den unsichtbaren Gifttieren zurufen: »Skorpione, ich bin ein Fremder, und ihr werdet mich nicht anrühren!« Dieser Satz sollte sie vor Angriffen schützen.

Trotz all dieser Vorsichtsmaßnahmen wurde Jean-Baptiste zwei- oder dreimal im Jahr nach Kashan gerufen, weil ein Stich besonders schlimm oder ein Opfer besonders vornehm war.

Als er am Königspalast ankam, wo derjenige oder diejenige, die er sehen sollte, festgehalten wurde, empfing ihn ein würdiger Greis, den er gut kannte, weil er zwei seiner Töchter behandelt hatte, die einmal in derselben Nacht ein einziger Skorpion gestochen hatte, der in ihr Zimmer eingedrungen war. Der Mann war ein *akhound*, ein Weiser, der jeden Freitag die Lobpreisungen Mohammeds und seiner Gefährten singen durfte. Sein hohes Alter, seine Barmherzigkeit und die fast vollständige Blindheit hatten ihn dazu bestimmt, den lästigen Fremden zu bewachen, über dessen Geschlecht man sich am persischen Hof den Kopf zerbrach.

»Ah, Poncet!« rief der Alte, als ein junger Sklave, der ihm

als Bote diente, den Arzt angekündigt hatte. »Ich bin sehr erfreut, daß man gerade Sie für diese Aufgabe ausgewählt hat. So kann man wenigstens gewiß sein, daß sie ohne Skandal ausgeführt wird. Diese Person ist nämlich keinesfalls bequem. Ob nun Mann oder Frau, ich möchte sie nicht in meinem Haus haben. Er – oder sie – will nichts zu sich nehmen, gewiß aus Angst, vergiftet zu werden. Außer dem Gesandten des Nasirs ist es niemandem gelungen, ihm – oder ihr – ein Wort der Erklärung zu entlocken.«

»Weiß man wenigstens, welcher Nation er oder sie angehört?« erkundigte sich Jean-Baptiste, den diese Frage während der gesamten Reise beschäftigt hatte.

»Im Gepäck hat man ein Buch entdeckt, das allem Anschein nach eine Bibel ist, und Doktoren der Medresse haben festgestellt, daß es in französischer Sprache geschrieben ist.«

»Also ein Franzose«, sagte Poncet nachdenklich.

»Und er spricht zu uns in einem Arabisch, das haargenau wie das klingt, das man in Ägypten spricht.«

›Es wird also jemand sein, den ich in Kairo kennengelernt habe‹, dachte Jean-Baptiste, ohne daß ihn diese Einsicht auf eine Spur brachte. Während der fünf Jahre in dieser Stadt hatte er so viele Bekanntschaften gemacht, daß es keinen Sinn hatte, in seinem Gedächtnis nachzuforschen. »Am besten sehe ich mir den Gefangenen sofort einmal an.«

»Vorsicht«, warnte der Akhound, »vergessen Sie nicht, daß der Reisende noch kein Gefangener ist. Offiziell halten wir ihn hier fest, um ihn vor denen zu schützen, die sich möglicherweise gern an seiner Person rächen würden. Deshalb rate ich Ihnen vor allem, keine Gewalt anzuwenden.«

»Es gehört nicht zu meinen Gewohnheiten, jemanden, den man mir anvertraut, hart anzufassen.

»Gut, gut«, sagte der Alte besänftigend, »aber wenn er sich weigert, sich untersuchen zu lassen?«

»Wir werden sehen. Dann muß ich ihn davon überzeugen, daß dies in seinem Interesse liegt. Darf ich beginnen?«

»Ich sehe nichts, was dagegen spricht. Leider ist es schon spät, die Sonne ist untergegangen.«

»Nun, Sie haben doch sicher Licht?«

»Er duldet kein einziges in seinen Gemächern! Dieses Monstrum, nicht Mann, nicht Frau – Gottes Fluch über ihn –, begnügt sich mit dem Mondlicht, was meiner Meinung nach auf irgendeine Hexerei hindeutet. Ich möchte nicht, daß Ihnen ein Unglück geschieht.«

»Haben Sie keine Angst. Lassen Sie mich hinführen, ich übernehme die volle Verantwortung.«

Der Akhound klatschte widerwillig in die Hände, um seinen Sklaven zu rufen. Der Bursche erschien sofort. Er befahl ihm: »Dariush, nimm eine Kerze und führe diesen Aga zu dem Reisenden.«

Dann wandte er sich erneut an Poncet: »Brauchen Sie irgendwelche Instrumente?«

Bei der Anspielung auf die Untersuchung überflog ein rötlicher Schimmer die von einem grauen Bart bedeckten Wangen des strenggläubigen Moslems. Man vermutet bei den Persern freiere Sitten, als sie tatsächlich bestehen, nur weil sie mehrere Frauen heiraten dürfen und sogar Verträge für eine zeitlich begrenzte Ehe abschließen. Dennoch helfen weder die Anzahl noch die Häufigkeit dabei, das Mysterium, das alles Geschlechtliche umgibt, zu durchdringen. Der Mann schließt seine Frauen ein. Damit wird auch ihm selbst ihre Welt immer fremder, und er ist weniger als jeder andere in der Lage, jemals ihre Geheimnisse zu teilen.

Jean-Baptiste tippte auf den Koffer, den er neben sich abgestellt hatte, um zu bedeuten, daß all das seine Angelegenheit sei, und bestand nur darauf, sogleich an Ort und Stelle geführt zu werden.

Der Alte ließ ihn in Begleitung des Sklaven gehen. Sie durchquerten mehrere Höfe, stiegen zwei Treppen hinauf: zuerst eine prächtige, die zu den Gemächern des Königs führte, und dann eine zweite, verborgene, von viel bescheideneren Maßen, zum Obergeschoß über den Ställen. Ein enger Korridor zog sich an einer Reihe schwerer, verschlossener Türen entlang.

Dieser Flügel war leer. Endlich blieb der Sklave vor zwei einander gegenüberliegenden Türen stehen.

»Der Diener ist auf dieser Seite«, erklärte er.

»Führe mich sofort zu dem Reisenden.«

»Das ist hier.«

Der Sklave öffnete mit Mühe ein großes Schloß und schob einen langen Riegel zurück. Die gut gefettete Tür drehte sich geräuschlos in den Angeln, und vor ihm lag ein kühler, vollkommen dunkler großer Raum.

»Gib mir das Licht und warte draußen«, sagte Poncet und, den Arm mit der schweren Eisenlampe vor sich ausgestreckt, trat er ein paar Schritte weit in das Zimmer. Das lebhafte Licht der Flamme fand nichts, woran es sich in der Dunkelheit festhalten konnte. Anstatt etwas zu erhellen, blendete es Jean-Baptiste eher. Dennoch trug er die eiserne Lampe weiter vor sich her. Er hörte, wie sich die Tür schloß und der Sklave den Riegel vorschob.

»Wo sind Sie denn?« fragte er auf französisch und wandte sich nach allen Seiten.

Aus der dunkelsten Ecke des Raumes hörte er eine Stimme flüstern: »Löschen Sie das Licht, wenn Sie mich sehen wollen, und erlauben Sie Ihren Augen, sich an das Dunkel zu gewöhnen.«

Poncet blies die Flamme aus. Tatsächlich tauchte der Mond, den man deutlich durch ein rundes Fensterloch sah, nach wenigen Sekunden den Raum in ein bläuliches Licht, das die Möbel und die Gestalt des Reisenden erahnen ließ.

»Setzen Sie sich hierher.«

Jean-Baptiste sah, daß der Akhound genug Geschmack bewiesen hatte, die Zelle mit europäischen Möbeln auszustatten. Er griff nach einem Stuhl, und der Reisende nahm ihm gegenüber auf der anderen Seite des Tisches Platz.

»Sind Sie Franzose?« fragte der Unbekannte mit lauter Stimme, und Jean-Baptiste zuckte zusammen, als er sie hörte.

»Ja.«

»Ich auch.«

Bei Gott, war das möglich? Diesen Tonfall meinte Jean-Baptiste deutlich zu erkennen, wie er aus der Ferne längst vergangener Jahre auftauchte...

»Kennen Sie einen Doktor Poncet?« fragte der Unbekannte weiter.

Jean-Baptiste sprang auf. Er war totenblaß und spürte, wie die Erregung sein Blut stocken ließ. »Aber das bin ich«, sagte er in einem letzten Zögern.

Auch der Unbekannte hatte sich aufgerichtet und vermochte sich einen Moment nicht zu rühren, dann warf er sich in seine Arme und rief: »Oh, ich bin ja so glücklich!«

»Françoise! Françoise!« murmelte Jean-Baptiste und preßte sie an sich.

Françoise aus Kairo, Françoise, die treue Dienerin, die Alix während seiner langen Reise nach Abessinien getröstet hatte. Françoise, die den Liebenden bei der Flucht geholfen hatte, die mit ihnen die Qualen und die Gefahren dieser Rebellion geteilt hatte. Françoise, die schließlich nach Frankreich gegangen war, mit Maître Juremi, dem teuren Freund, nach dem sich Jean-Baptiste noch immer sehnte. Nun kehrte sie zurück, nach fünfzehn Jahren des Schweigens, fünfzehn langen Jahren vollkommener Trennung.

Inzwischen war der Sklave zu dem Akhound zurückgekehrt, wie jener ihm befohlen hatte. Nach einer halben Stunde schickte der Alte ihn erneut los, um zu sehen, wie weit der Arzt war. Der Junge schob den Riegel zurück und rief in die Dunkelheit: »Mirza!«

»Was ist denn los?« fragte Jean-Baptiste unwillig.

Er hatte sich wieder gesetzt und ein leidenschaftliches Gespräch mit Françoise begonnen, ohne ihre Hände aus den seinen zu lassen.

»Mein Herr schickt mich, Sie zu fragen, ob die Operation beendet ist«, flüsterte der kleine Sklave.

»Die Operation?«

»Das hat er gesagt...«

»Ach ja«, sagte Jean-Baptiste lachend. »Nun... ich komme voran. Sag ihm nur das: Ich komme voran.«

Der Sklave überbrachte diese rätselhafte Antwort sofort seinem neugierigen Herrn, der ruhelos in seinem Zimmer auf und ab lief.

»Es ist ein Wunder, daß ich Sie endlich gefunden habe«, sagte Françoise, sobald sie wieder allein waren.

»Gefunden! Also haben Sie mich gesucht ... Es ist nicht der Zufall, der Sie hierher geführt hat?«

»Ja und nein, denn es war wohl ein Zufall, der mir vor einigen Monaten offenbart hat, daß Sie in Isfahan leben, aber von da an hatte ich nur noch einen einzigen Wunsch: so schnell wie möglich zu Ihnen zu kommen. Was ist mit Alix?« fragte sie in plötzlicher Unruhe.

»Sie lebt an meiner Seite, ebenso schön, wie Sie sie damals kennengelernt haben. Passen Sie auf, daß Alix nicht vor Glück den Verstand verliert, wenn sie Sie sieht.«

»Oh, Jean-Baptiste, ich bin so glücklich und kann es nicht erwarten, sie zu sehen.«

»Und ... Juremi?«

»Das ist eine lange Geschichte ...«

»Aber sagen Sie mir jetzt gleich, ist er ... am Leben?«

»Am Leben, gewiß, zumindest das letzte Mal, daß ich ihn sehen konnte, das war Anfang dieses Jahres. Aber deshalb bin ich ja hierher zu Ihnen gekommen, Jean-Baptiste: Er ist in großer Gefahr, und Sie allein können ihn retten.«

»In Gefahr! Wie das, wo denn? Oh, Françoise, erzählen Sie mir alles von Anfang an.«

Françoise begann zu erklären, aber immer wieder unterbrach sie ihren Bericht mit tausend Fragen über Alix und Jean-Baptiste. Fünfzehn Jahre in diesen vier Leben, fünfzehn Jahre voller Abenteuer und Glück, voll Prüfungen und Zufriedenheit konnte man nicht ruhig austauschen. Ihre Reden mischten sich ineinander. Sie beantworteten eine Frage mit einer anderen und unterbrachen ihre Reden mit Tränen, bis man kein Wort mehr verstand.

Fast eine Stunde war vergangen. Der Akhound erhielt jedesmal, wenn er den Sklaven nachsehen schickte, die gleiche Antwort.

»Er kommt voran. Er kommt voran! Sehr schön!« grollte der Weise mit immer schlechterer Laune. »Und du sagst, sie sitzen im Dunkeln. Hm! Ich hatte keine Bedenken bei Pon-

33

cet, er sieht aus wie ein anständiger Mensch. Aber wer weiß? Welchen Zauber hat dieser Dschinn über ihn gelegt? Wir wollen wissen, ob er Mann oder Frau ist. Ich würde mich nicht wundern, wenn er in Wahrheit mehrere Geschlechter besitzt, um auch die reinsten Seelen vom Weg abzubringen ... Dariush! Hör gut zu. Du wirst zurückgehen, aber diesmal schiebst du den Riegel so leise wie möglich zurück und gehst in das Zimmer, verstehst du? Paß auf, daß du keiner Verführung erliegst: Es würde dich das Leben kosten. Gewöhn dich an die Dunkelheit und schau hin. Schau gut hin. Ich will wissen, was sie machen.«

Der Sklave folgte zitternd dem Befehl. Unter dem Einfluß seines Herrn spürte er die Furcht vor Zauberei, und diese Situation schien ihm wahrhaft voller Hexerei. Er betete zu Ali und dem Imam Reza, während er in die Zelle schlich. Als er zum Akhound zurückkam, zitterte er immer noch am ganzen Leib.

»Und?«

»Also ... O Herr! Glaubt mir, niemand kann Euch treuer als ich berichten, was ich sehen durfte.«

»Sprich endlich!

»Also ... Sie halten sich bei den Händen und ... sie weinen.«

»So«, sagte der Alte fassungslos, »das nennt er vorankommen. Sie weinen! Der arme Arzt steht unter seinem Bann, das ist klar. Seine Vernunft hat nicht mehr widerstanden. Dieses Monster ist gefährlich, Dariush, ich sage es dir, und der Erste Minister hat recht gehabt: Wir werden erst Ruhe haben, wenn es wirklich geköpft ist.«

Als Poncet über die Straße nach Isfahan galoppierte, war er nicht mehr derselbe. In der Blüte seiner Jahre fand er plötzlich die Erregung der Jugend wieder. Françoise war zurückgekehrt. Sie war gefangen, in Gefahr, vielleicht schon verurteilt. Und Juremi, am Leben, irgendwo verloren, brauchte seine Hilfe. Man mußte sie retten.

Jean-Baptiste war gewiß, daß Alix ebenso wie er mit großer Leidenschaft auf diese Neuigkeiten reagieren würde. Er fürchtete von ihr sogar irgendwelche unbedachten Kühnheiten, wenn sie erfahren würde, daß Françoise so nah bei ihnen in Gefangenschaft saß. Deshalb beschloß er, gleich nach seiner Ankunft, ohne eine Ruhepause einzulegen oder sich auch nur umzukleiden, direkt den Nasir aufzusuchen. Als Jean-Baptiste vor dem Tor anlangte, war sein Pferd schweißnaß und tänzelte hin und her, als könne es sich nach dem wilden Galopp kaum bremsen. Mit Dreck bespritzt, die Wangen von einem Dreitagebart bedeckt, wurde der Reisende zu einem Salon geführt, wo er sich auf einen Teppich mit rosafarbenen Kissen fallen ließ. Bald erschien der Nasir.

Er beugte ein Knie bis zum Boden, dann ganz langsam das andere und ließ sich schließlich mit einem Stöhnen im Schneidersitz nieder. »Also«, sagte er, »was haben Sie entdeckt? Ist es eine Frau?«

»Exzellenz, daran besteht nicht der geringste Zweifel.«

»Sieh einer an! Der Erste Minister wird glücklich sein, wenn er hört, daß man auch die Folter in Betracht ziehen kann. Er braucht das, der arme Mann, so, wie es um ihn steht.«

»Leider Gottes werden bestimmte Umstände diese Exekution unmöglich machen, fürchte ich.«

»Unmöglich? Wer ist denn diese Frau?«

»Zunächst einmal: Sind Sie sicher, daß uns niemand hören kann?«

Die beiden Männer saßen dicht bei einer der Säulen, auf denen die Arkaden des Patio ruhten. Diener kamen und gingen mit nackten Füßen über die Bodenplatten aus Ton. Der Nasir erinnerte sich noch gut an die Hinrichtung eines Günstlings des Königs, eines Verschwörers, den einer seiner Sklaven verraten hatte. Trotz der Anstrengung, die ihn diese Bewegung kostete, stand er wieder auf und zog Jean-Baptiste zu dem Springbrunnen in der Mitte des Gartens. Als sie auf dem Marmorrand saßen, konnten sie die Umgebung in alle Richtungen überblicken und ihre Stimmen wurden vom Rauschen der Wasserspiele überdeckt.

»Sie können reden. Und verschweigen Sie mir nichts! Das ist ein Befehl, Poncet!«

Jean-Baptiste hatte sich auf dem Rückweg auf dieses äußerst schwierige Geständnis vorbereitet. Er wußte, daß er unmöglich die wahre Identität von Françoise enthüllen konnte, ohne sie damit ins Unglück zu stürzen. Eine ehemalige Dienerin ohne einen Heller, obendrein noch die Frau eines Verbannten, war kaum ein Gegengewicht zur Staatsräson, die ihre Hinrichtung befahl. Allein die Empfehlung des Arztes würde keineswegs ausreichen, um sie zu retten, und die Unglückliche wäre ohne jede Verteidigung das ideale Opfer für die Folter. Er mußte etwas anderes finden. Aber was? Er konnte aus Françoise keine offizielle Persönlichkeit aus Frankreich oder einem anderen europäischen Land machen: Man würde sich bei den Botschaftern dieser Staaten erkundigen, und diese würden eilig dementieren. Was dann? Jean-Baptiste hatte während des ganzen Weges die Angelegenheit in allen Richtungen erwogen, ohne eine Lösung zu finden. Glücklicherweise war ihm im allerletzten Moment, als er durch das Stadttor von Isfahan ritt, eine Idee gekommen. Zunächst war sie ihm unmöglich erschienen. Dann aber wußte er, daß die Würfel gefallen waren. So stürzte er sich kühn in seine fabelhafte Geschichte.

»Sie kennen mich gut genug, Exzellenz, um zu wissen, daß ich Ihnen nichts verbergen will. Die Wahrheit aber ist furchtbar, fast unglaublich. Ich werde sie dennoch ohne Umschweife vor Ihnen ausbreiten. Folgendes habe ich erfahren: Diese Frau ist … die Konkubine von Kardinal Alberoni.«

Nachdem er diese Worte ausgesprochen hatte, auf daß sie nun ihr gutes oder schlechtes Werk tun mochten, fühlte Jean-Baptiste ein köstliches Gefühl in sich aufsteigen. Eine Lüge! Wie lange hatte er sich dieses Vergnügen nicht mehr gegönnt.

»Die Konkubine von Kardinal Alberoni!« wiederholte der Nasir und erstarrte wie vom Blitz getroffen.

Daß diese Frau die Geliebte eines Kardinals war, würde einen Perser gewiß nicht besonders erstaunen. Die Keuschheit wurde bei diesem Volk nicht als Tugend, sondern eher als Trugbild angesehen, als eines dieser märchenhaften Gebilde, von denen man spricht, während man genau weiß, daß sie nicht existieren. Daß es sich aber um Kardinal Alberoni handelte, das war bei Gott ungewöhnlich. Alberoni! Der Mann, der in den letzten fünf Jahren die Politik in ganz Europa bestimmt hatte. Der als Italiener geborene Prälat war durch sein Geschick Ratgeber, dann Erster Minister des spanischen Königs geworden, den er mit einer Tochter seines ersten Herrn, des Herzogs von Parma, verheiratet hatte. Als er sich seiner Machtstellung vollkommen sicher war, hatte Alberoni all seine Kräfte gegen Österreich gerichtet, um Italien vom kaiserlichen Joch zu befreien. Auf seinen Befehl hin waren die spanischen Truppen in Sizilien gelandet. Frankreich, England und die Niederlande hatten sich gegen diesen Überfall verbündet. Sogleich waren die Türken, die Stuart-Schotten und die Schweden, alle Feinde Österreichs, an die Seite des Kardinals getreten und ihm schließlich in die Niederlage gefolgt. Die Schotten wurden von England zurückgeworfen, die Schweden von den Russen bezwungen, die Türken 1718 durch Prinz Eugen besiegt, und zur gleichen Zeit wurden die Spanier in Italien in die Flucht geschlagen. Der Sturz von Kardinal Alberoni war nunmehr unvermeidbar, und der König von Spanien hatte ihn im folgenden Jahr des Landes verwiesen.

Diese Fortsetzungsgeschichte hatte die ganze Welt bis zu ihrem Ende in Atem gehalten. In der Leere, die durch den Tod Ludwigs XIV. entstanden war, hatte Alberoni kraft seines Wagemuts fünf Jahre lang die ruhmreiche Bühne der Geschichte besetzt. Nunmehr war der große Mann ein Verbannter. Er versteckte sich irgendwo, irrte umher, war wieder zu dem einfachen Gärtnersohn geworden, als der er einst die Eroberung der Welt begonnen hatte, oder er war dabei, irgendeinen aufsehenerregenden Coup zu seiner Rache vorzubereiten. Seine Günstlinge, seine Verbündeten, seine Diener waren nur noch ebenso erbärmliche Illegale oder Emigranten wie er selbst. Was seine Konkubinen anging, sofern er welche hatte – und wie sollte er bei all der Macht keine gehabt haben? –, so war es nicht erstaunlich, daß sie am anderen Ende der Welt Zuflucht suchten und unerkannt bleiben wollten.

»Hat sie Ihnen Beweise gegeben?« fragte der Nasir, weniger um seinen Zweifel zu unterstreichen, als um die Gewißheit zu verstärken, die er sofort empfunden hatte.

»Eure Exzellenz wissen zweifellos, daß ich einst durch Frankreich und Italien gereist bin.«

Seit die Abessinien-Affäre in Isfahan bekanntgeworden war, hatten die Perser vor allem in Erinnerung behalten, daß Jean-Baptiste nach Versailles gereist war und dort eine Audienz beim König von Frankreich gehabt hatte. Diese Geschichte verlieh ihm eine Autorität, die er niemals mißbraucht hatte. Jetzt aber erschien es ihm angemessen, darauf zu zählen.

»Haben Sie damals den Kardinal getroffen?«

»Ja, in Parma, als ich durch das Herzogtum reiste.«

»War seine Konkubine bei ihm?«

»Frei heraus, Exzellenz, wir berühren da ein Thema, das nahezu heilig ist, handelt es sich doch um Dinge, die einem Arzt anvertraut wurden. Dennoch sehe ich mich gezwungen, dieses Berufsgeheimnis zu lüften, um damit ein anderes zu schützen, welches wiederum ein Staatsgeheimnis ist, nämlich die Anwesenheit jener Person hier in diesem Königreich. Nun ja, ich muß Ihnen sagen, daß mich ihre Eminenz eben deshalb hat rufen lassen, um diese Konkubine zu behandeln, die zu jener Zeit keineswegs versuchte, ihr Geschlecht zu verleugnen, sondern allein ihren Zustand.«

»Sagen Sie mir nicht, daß Sie sich eines so schändlichen Attentats gegen Gott schuldig gemacht haben, wie es ein Abort darstellt, Poncet!«

»Dann sage ich es Ihnen nicht und lasse Ihnen die Freiheit, selbst Ihre Vorstellungskraft zu lenken.«

Jedes Volk richtet seine Zärtlichkeit und seine Verachtung auf die Punkte, die es sich aussucht. Die Perser, für die der Kindesmord, wenn er nur diskret durchgeführt wurde, keineswegs schockierend war, empörten sich zutiefst über alle Versuche, eine Schwangerschaft zu unterbrechen. Zweifellos sahen sie die Ordnung der Welt weniger bedroht durch die Beseitigung eines bereits geborenen Geschöpfes, wie sie im Grunde nicht unüblich war, als durch einen ruchlosen Eingriff in das weibliche Mysterium der Fortpflanzung.

»Und Sie haben sie ganz sicher wiedererkannt?«

»Besaßen nicht Sie selbst, Exzellenz, die Güte, mir anzuvertrauen, daß sich diese Person auf mich berufen hätte? Ja, sie hat mich wiedererkannt, und ich habe sie wiedererkannt.«

Um seine Fassungslosigkeit zu überspielen, hob der Nasir seinen dicken Arm und versuchte, sich im Nacken zu kratzen. Seine langgewachsenen Nägel riefen auf der Haut das schrille Geräusch einer Säge auf einem Holzkloben hervor. Diese Geste regte nicht nur seine Gedankengänge an, wenn schnelles Reagieren von ihm verlangt wurde, sie wies überdies klug auf jenen empfindlichen Punkt hin, auf den das Beil niedersausen würde, wenn er in einer delikaten, gefährlichen Angelegenheit durch eine falsche Entscheidung in Ungnade fallen sollte.

Jean-Baptiste, vor dessen Augen seine Lüge ein Eigenleben entwickelte, erschrak ein wenig, als er nun selbst zu einem Mitspieler in dieser Geschichte wurde. Aber er konnte nicht mehr zurück. Er versuchte nur, die Gedanken des Nasirs vorwegzunehmen, um ihn auf den gewünschten Weg zu führen.

»Natürlich würde niemand auf den Gedanken kommen, die Identität dieser Unglücklichen zu enthüllen.« sagte er unvermittelt.

»Allerdings wäre der französische Gesandte sehr an einer solchen Gefangenen interessiert, und Gott allein weiß, wieviel er dafür zu zahlen bereit wäre, daß man sie ihm überläßt«, gab der Nasir wie nebenbei zu bedenken.

»Verzeihen Sie mir, wenn ich eine andere Meinung äußere als Eure Exzellenz. Mir scheint, daß die Franzosen dieser Angelegenheit überhaupt keine Bedeutung mehr beimessen. Entscheidend wäre Alberoni: Er ist besiegt. Sie werden seine Konkubine keineswegs mit ihrer Rache verfolgen, wenn sie sich nicht lächerlich machen wollen. Im Gegenteil, sobald Sie offiziell verkündet haben, daß diese Frau hier ist, besteht eher die Gefahr, daß Ihre Nachbarn aus der Angelegenheit üblen Nutzen ziehen werden.«

»Wie denn das?«

»Nun … Mir scheint, daß in der schwierigen Position, in der sich das Königreich gegenwärtig befindet, Russen und Türken nur einen Vorwand suchen, um es anzugreifen. Die Russen werden verlangen, daß man ihnen diese Frau ausliefert. Wenn Sie sich weigern, werden sie vorgeben, darin eine Feindseligkeit zu sehen, und behaupten, daß Sie einem Komplott Vorschub leisten, weil ja Alberoni ein Verbündeter ihrer schwedischen Feinde war.«

»Und wenn wir sie ihnen ausliefern?«

»Dann werden diesmal die Türken behaupten, daß Sie gemeinsame Sache mit Österreich und Rußland machen. Sie haben gerade eine Niederlage erlitten. Ibrahim Pascha wäre froh, sein Wappen auf Ihre Kosten wieder zum Glänzen zu bringen. Kurz und gut, die ganze vorsichtige Neutralitätspolitik des Ersten Ministers wäre gescheitert. Anstatt wie jetzt nur die Afghanen bekämpfen zu müssen, würden Sie von zwei oder gar drei Seiten angegriffen werden.«

Die mächtige Hand verließ den Nacken des Nasirs und fiel auf Poncets Schulter nieder, der um ein Haar ins Wasserbecken gestürzt wäre.

»Ihre Überlegungen sind sehr berechtigt und decken sich in allen Punkten mit meinen eigenen Schlußfolgerungen«, verkündete der Perser.

In dem nun folgenden Schweigen spürte Jean-Baptiste jedoch noch zuviel Nachdenklichkeit bei seinem Gesprächspartner, um ganz beruhigt zu sein. Der Perser konnte sich nicht zu einem Vorgehen entschließen, bei dem seine Interessen keinerlei Berücksichtigung fanden. Um Françoise freizubekommen, mußte man ihm irgendeinen Profit in Aussicht stellen.

»Man sagt, Alberoni sei nicht mit leeren Händen aus Spanien aufgebrochen«, deutete Jean-Baptiste vorsichtig an.

»Ach ja?«

»Der König hat sich nur zur Ungnade entschlossen, um den Forderungen der Sieger nachzugeben, aber er liebt seinen Minister und hat ihn gewiß nicht all seines Besitzes beraubt.«

»Und wo soll er das ganze Gold gelassen haben, wenn er auf der Flucht ist?«

»Ein Italiener kennt sich bei Banken und Krediten bestens aus. Alberoni kann überallhin reisen, nur mit einem einfachen Gewand auf dem Leib. Die florentinischen Wechsler werden ihm soviel Geld auszahlen, wie er verlangt und wo immer er es wünscht.«

Der Nasir kannte dieses Gesindel genau. Überall entlang der Straße nach Indien, sogar in Isfahan selbst, hatten sich diese nicht greifbaren Gehilfen des Handels niedergelassen, Italiener oder Juden, auf die man zuweilen zurückgreifen mußte, um die Löcher im Staatshaushalt zu stopfen. »Gut, Alberoni ist also noch reich. Und weiter?«

»Weiter, Exzellenz«, erklärte Jean-Baptiste voller Leidenschaft, »zeigen Sie das wahre, bewunderungswürdige Gesicht Ihrer Nation und ihres Herrschers: Gewähren Sie dieser unglücklichen Frau die Freiheit, und respektieren Sie ihre Anonymität. Erlauben Sie ihr, in Persien zu bleiben, und verbieten Sie ihr nur, das Land ohne Ihre Zustimmung zu verlassen. Ich bin sicher, daß sie weiß, wo ihr Geliebter ist. Sie wird ihm von diesen Wohltaten berichten und ihn wissen lassen, wem sie diese verdankt. Er wird denjenigen großzügig belohnen. Wenn er zufällig in der Lage sein wird, sie zu sich zu holen, dorthin, wo er sich niedergelassen hat, werden Sie die Bedingungen der Abreise zu Ihrem Vorteil aushandeln können.«

Der Nasir blieb noch einen Augenblick zurückhaltend, dann packte er Jean-Baptiste mit einer für diesen großen Körper außergewöhnlichen Lebhaftigkeit und trabte mit ihm über den Kies der Allee.

»Sagen Sie, Poncet, sagen Sie ehrlich«, flüsterte er ihm ins Ohr, »ich verstehe, daß es ein schwieriges Urteil ist, denn Sie sind ein Bekannter und fast ein Freund dieser Frau ...«

Poncet protestierte lauthals. Der Nasir zog ihn zu sich heran und schnalzte ein paarmal mit der Zunge.

»Gut, kein Freund, wie Sie wollen, aber das ist auch unwichtig. Seien Sie ehrlich. Ist sie noch ... begehrenswert? Denken Sie, daß Alberoni sich bemühen, sich ernsthaft bemühen würde, verstehen Sie, sie zurückzubekommen?«

Jean-Baptiste war sehr zufrieden. Dieser Fisch hing fest an dem Angelhaken, den er ihm hingeworfen hatte. Jetzt mußte er nur aufpassen und die Leine nicht zu straff anziehen. Der Nasir würde Françoise gewiß zu sehen bekommen. Sie war bereits über sechzig, und obwohl Jean-Baptiste sie noch immer schön fand – von einer guten Schönheit, die von innen kam, von dem, was er über sie wußte, und die er hinter der Oberfläche ihrer alternden Züge wahrnahm –, war zu befürchten, daß der Perser ein sehr rohes Urteil fällen würde.

»Ich kann Ihnen nur sagen, daß Alberoni sehr an ihr hing, als ich die beiden gesehen habe, und sie hat in keiner Weise angedeutet, daß sie sich mit ihm überworfen hätte.«

»Ja, ja, das habe ich verstanden, aber sagen Sie mir: Ist sie noch eine begehrenswerte Frau?«

Jean-Baptiste zögerte nicht lange. Eine Idee schoß ihm durch den Kopf, er griff nach ihr: »Begehrenswert?« sagte er. »Wie soll ich es Ihnen erklären, Sie wissen doch ... für einen Kardinal ...«

»Ja«, sagte der Nasir und schüttelte seinen dicken Kopf, um seine Überzeugung zu zeigen. »Sie haben recht. Diese Leute haben tatsächlich keinen normalen Geschmack.«

Er richtete sich auf, ließ Jean-Baptiste los und setzte wieder die feierliche Miene auf, die man fast immer an ihm sah. »Gehen Sie nach Hause«, sagte er zu Poncet, dessen schmutziges und erschöpftes Äußeres er erst jetzt wahrzunehmen schien. »Ich werde versuchen, den Ersten Minister zu diesen Einsichten zu führen.«

Als sie die Ställe erreichten, wo Jean-Baptistes rabenschwarzes Pferd wartete, äußerte der Nasir eine letzte Besorgnis: »Ich habe einen wesentlichen Punkt vergessen: Die Mullahs! Sie wollen, daß wir ein Exempel statuieren. Was werden sie sagen, wenn wir die Frau einfach so freilassen? Wir können doch nicht den wahren Grund für unsere Gnade verkünden.«

Jean-Baptiste, dessen gespannte Aufmerksamkeit bereits nachgelassen hatte, suchte vergeblich nach einer Antwort.

Schließlich fand sie der Nasir selbst. »Bah!« warf er hin, während er sich umdrehte, »wir finden schon irgend jemand anderen zum Köpfen.«

## Fünftes Kapitel

Françoise traf am späten Nachmittag ein, begrüßt vom Gekreische Tausender Vögel, die unter dem Laubdach eines riesigen Ahornbaumes zwitscherten. Die ganze Familie war im Hof versammelt, Alix an der Spitze. Die beiden Frauen sahen sich einen Moment schweigend an, verließen ihre Traumwelt und faßten, die eine wie die andere, auf dem harten Boden der Gegenwart Fuß. Als sie einander erkannt hatten, über die Zeit, ihre Prüfungen und ihre Spuren auf der Haut hinweg, umarmten sie sich weinend. Minutenlang gab es nichts als Freudentränen, Lachen und Rührung. Alle drängten sich um die Ankommende.

Françoise war sehr erschöpft von der Reise und mußte sich erst einmal setzen. Man führte sie zu einem Korbsessel in die Kühle einer Terrasse, die sich zum Garten hin öffnete und von einem Glyzinienspalier überspannt war. Alix wollte ihr sogleich ihre Tochter vorstellen und sagte eifrig, während sie ihre Tochter an ihre Seite rief: »Sie heißt Saba, zur Erinnerung an Abessinien. Geben Sie es zu, Françoise, ist sie nicht ein Spiegelbild von mir als Sechzehnjährige?«

Es bedurfte der ganzen Blindheit einer Mutter, um dies zu

43

glauben, und Françoise lächelte nachsichtig. Möglicherweise gab es tatsächlich gewisse Ähnlichkeiten in den Zügen von Mutter und Tochter. Aber die Art, wie dieser Entwurf koloriert war, machte diese nahezu unkenntlich. Alix' Haar war blond mit leichten dunklen Schatten. Saba war rothaarig, und ihre Haare schämten sich dieser Farbe nicht. Sie zeigten sie strahlend, in allen Nuancen. Die roten Flammen, mühsam in einem Pferdeschwanz zusammengehalten, umgaben Sabas Gesicht wie Zornesglut. Sie war sehr zurückhaltend, ernst und ruhig, und mit den kohlrabenschwarzen Augen, die sie vom Vater hatte, und jener Feuersbrunst der Mähne, die ihren Widerschein in kleinen Punkten auf die Haut warf, war ihre Schönheit von jener Art, die den Betrachter verstummen läßt. Françoise umarmte sie und spürte einen starken Strom der Zuneigung zwischen sich und diesem scheuen Kind fließen.

Alix suchte George, den Adoptivsohn, der bis eben noch im Hof gewesen war. Als er vorgestellt werden sollte, hatte er sich jedoch tief in den Garten geflüchtet. Dort entdeckte ihn Jean-Baptiste und brachte den zitternden, bis unter die Stirn erröteten Jungen zurück. Der Arme grüßte linkisch, wußte nicht, ob er vielleicht gar auf die Knie fallen sollte. Françoise blickte voller Nachsicht auf den schönen, schüchternen Knaben, dessen Körper nur schwer mit dem Übergang zwischen zwei Altersstufen zurechtkam. Seine Größe und der breite Brustkorb waren bereits die eines Mannes. Aber über diesem langen Kiel thronte als Galionsfigur ein kleines, zartes Gesicht, umrahmt von hellblondem Haar, mit den feinen Zügen eines Kindes, die bei der kleinsten Unruhe erbebten.

Als die Vorstellung beendet war, rief Françoise den mongolischen Diener, der sie begleitet hatte, nahm ihn bei der Hand und ließ ihn in die Mitte des Kreises treten. »Und das ist Küyük, der zwar unsere Sprache nicht spricht, dafür aber viele andere. Er ist ein wunderbarer Mensch, dem ich mein Leben verdanke.«

Küyük verneigte sich, ohne irgendeine Regung zu zeigen. Sein erloschenes Gesicht war von feinen Fältchen durchzogen, tief und gerade wie Schnittwunden. Inzwischen wurden drei große runde Majolikaplatten mit Pilaw herbeigebracht, einem Gericht aus geschmortem Reis mit Lamm- und Hühnerfleisch. Ein Teller war mit Granatapfelsaft, der nächste mit Zitrone und der letzte mit Safran angerichtet. Jean-Baptiste servierte einen Sekt aus der Fars, der genau wie Champagner schmeckte.

Sehr viel später waren alle im großen Salon um ein Feuer versammelt, das die Nachtluft erwärmte, und Françoise hatte endlich die Muße, ungestört von ihren Abenteuern und von Juremis Schicksal zu berichten.

»Als wir uns nach Alix' Entführung in Saint-Jean-d'Acre getrennt und Ägypten verlassen hatten, brachen Juremi und ich nach Frankreich auf. Erinnern Sie sich daran?«

»Um an der Seite der hugenottischen Bauern, der Kamisarden, zu kämpfen«, sagte Jean-Baptiste.

»Das war Juremis Plan. Er ertrug es nicht, als Verbannter zu leben. Er kehrte zu seinen protestantischen Brüdern zurück, und ich folgte ihm. Vielleicht werde ich irgendwann die Zeit haben, von diesen schrecklichen Jahren zu erzählen ... Aber das alles ist lange her, und ich will gleich zu ihrem Ende kommen: Die Kamisarden wurden vernichtet. Wir wären beinahe umgekommen. Man hatte uns rechtzeitig gewarnt, und wir flohen nach Spanien, dann nach England. Juremi kannte das Land und die Sprache. Wir fanden mühelos Anstellung: er als Holzfäller und ich als Schneiderin, friedliche Arbeit.

»In London?« wagte George zu fragen, wobei er erneut tief errötete.

»Nein, mein Kind. Natürlich, das ist ja deine Heimat. Wir lebten in Surrey. Es war ein idyllischer, sehr ruhiger Ort, und wir könnten heute noch dort sein. Aber nach all diesen Jahren voller Abenteuer hielt Juremi diesen Frieden nicht länger als sechs Monate aus. Er wurde melancholisch. Sie kennen ihn ja: Er muß seine Kräfte einsetzen können. Diese sind unvermindert, stellen Sie sich das nur vor. Er hat noch immer den Gang eines Riesen, und er hat kein Haar verloren, weder auf dem Kopf noch im Bart. Nur daß sie jetzt ganz grau sind. Aber inmitten dieser Asche brennen seine Augen wie eh und je.«

Bei dieser Erinnerung rollten zwei Tränen aus Françoises Augen und blieben an ihren Nasenflügeln hängen, von wo sie sie mit der Spitze des Zeigefingers entfernte.

»Also, wie gesagt, in England machte er mir richtig angst«, fuhr sie dann fort. »Er aß nicht mehr, grübelte, sprach von seinem früheren Leben, er, der sonst niemals zurückblickte. Sie fehlten ihm sehr, Jean-Baptiste, und das konnte ich gut verstehen, denn ich hätte auch gern etwas von Ihnen gehört. Aber bei ihm wurde das Erinnern förmlich zu einem Brüten. Mit seiner ungehobelten, wilden Sanftheit schien er mir sogar in der Lage, im stillen irgendeine Verzweiflungstat auszuhecken.«

»Warum haben Sie uns nicht geschrieben?« unterbrach sie Jean-Baptiste.

»Wohin denn? Wir wußten doch nicht, wo Sie waren. Die Nachforschungen, die ich in Frankreich angestellt hatte, um irgendwas zu erfahren, waren ohne Erfolg geblieben. Es war nur sicher, daß Sie nicht mehr bei den Türken waren, aber wo dann? In Rußland, China, Indien? Wie sollten wir das herausbekommen? Nein, wir mußten uns allein durchschlagen. Dann hatte ich eine verhängnisvolle Idee. Eine meiner Kundinnen war die Gattin eines schwedischen Bankiers. Die gute Frau erzählte mir vom Unglück ihres armen Landes. Ihr wißt doch, daß Schweden zu Zeiten Karls XII. großen Wohlstand genossen und sogar Eroberungen gemacht hatte. So oft sie auch ihre kleinen Nachbarn in Polen, Dänemark oder Kurland angriffen, die Schweden trugen immer den Sieg davon. Aber eines Tages überfielen sie Rußland und erschöpften dabei all ihre Kräfte. Dann starb Karl XII., und alle stürzten sich auf die Besiegten. Ich erzähle Juremi davon, um ihn von seiner Verzweiflung abzulenken. Ich sage, daß es Schweden vielleicht schon bald nicht mehr geben wird. Und seine Leidenschaft entbrennt. Die Verzweiflung dieser Protestanten wühlt ihn auf. Nicht so sehr, weil sie Protestanten sind; das dient ihm nur als Garantie, daß sie ihn nicht wegjagen werden, wenn er ihnen zu Hilfe eilt. Nein, ihn berührt ihre Schwäche. Er liebt hoffnungslose Kämpfe. Das ist nun mal so. Und ich verstehe nicht, warum er solchen Gefallen daran findet zu kämpfen, aber es auch nicht aushält, zu den Siegern zu gehören ...«

»Also sind Sie nach Schweden gegangen«, sagte Alix. »Das ist Wahnsinn. Konnten Sie ihn nicht daran hindern?«

»Meine liebste Alix«, sagte Françoise traurig, »Sie wissen doch, daß wir Frauen uns davor hüten müssen, unsere schwarzen Vorahnungen auszusprechen. Sie haben die Tragödien nur selten verhindert, aber danach wirft man uns immer wieder vor, sie durch unsere Warnungen erst provoziert zu haben. Wie hätte ich auch den Mut finden sollen, Juremis Pläne zu durchkreuzen, wo ich ihn doch nun so fröhlich erlebte? Er war förmlich wiederauferstanden bei der Vorstellung, die Gesellschaft der Schafe aufzugeben, um zu Kameradschaft und Taten zurückzukehren. Sobald er in Stockholm angekommen war, vertrauten die Schweden, deren Armee am Boden lag, ihm ein Regiment an.«

»Aber er spricht nicht mal ihre Sprache«, wandte Jean-Baptiste ein.

»Kein Wort, und im übrigen ist das auch eine Sprache, die man gar nicht lernen kann, wenn man nicht von den Eltern bei der Geburt mit einer besonderen Kehle gesegnet wurde. Aber um Krieg zu führen, muß man anscheinend nicht viel erklären. Er schrie seine Befehle auf arabisch für den Angriff, türkisch für das Manöver und italienisch für die Ruhepause. Die Soldaten liebten ihn.«

Sie lachten leise, um Küyük nicht zu wecken, der neben dem Feuer eingeschlafen war.

»Ich blieb in Stockholm«, fuhr Françoise fort, »und ich sah nie zuvor so viel Schwarz. Der Himmel war zwanzig Stunden am Tag dunkel, ebenso wie das Wasser im Hafenbecken, auf das ich von meinem Fenster blickte. Und auch die Neuigkeiten, die mich erreichten, waren schwarz, denn der Krieg gegen unzählige Feinde ging an allen Enden weiter. Dieses Pechschwarz um mich herum überflutete schließlich auch meine Seele, und ich war fast erleichtert, als man mir die Nachricht brachte ...«

»Er war verletzt?« rief Jean-Baptiste in tiefster Sorge.

»Ich glaube nicht. Alles, was ich weiß, ist Folgendes: Juremi hatte den Auftrag, sein Regiment gegen die Russen zu führen. Sein schlechter Charakter, den die anderen als Kühnheit auslegen, hatte ihn für diese hoffnungslose Front ausgezeichnet, wo die Kämpfe zehn gegen einen stattfanden. Im Dezember trafen sie auf die Russen, und am fünften Januar ...«

»Dieses Jahres?«

»Ja, es ist jetzt acht Monate her, am fünften Januar also wurde er mit seiner Truppe in einen verschneiten Kessel getrieben. Im Zentrum dieses Tals befand sich ein zugefrorener See. Die Kälte war unerträglich. Hinter jedem Tannenbaum in den umliegenden Wäldern hatten die Russen einen Schützen plaziert. Auf dem See konnte man unmöglich ein Feuer anzünden, sonst wären die Männer im eisigen Wasser ertrunken. Es gab kein Entrinnen. Glücklicherweise, würde ich sagen, denn Juremi hätte sich auch in die kleinste Bresche geworfen, wenn es eine gegeben hätte, und dort den Tod gefunden. Am zweiten Abend ergab er sich einem russischen General, der französisch sprach. In diesem für ihn absurden Krieg, wo er sich besser mit seinen Feinden als mit seinen Soldaten verstand, konnte er endlich ein vernünftiges Gespräch führen. Ich weiß das alles von zwei schwedischen Boten. Die Russen hatten sie gehen lassen, um die schlechte Nachricht zu überbringen und dadurch den ohnehin allmählich nachlassenden Widerstand der letzten Kämpfer zusätzlich zu schwächen.«

»Er ist also den Russen in die Hände gefallen«, sagte Jean-Baptiste, der sogleich anfing, erste Schlußfolgerungen für die nächsten Schritte zu ziehen.

»Das ist die einzige Gewißheit.«

»Sie haben ihn nicht ...«

»Erschossen?« fragte Françoise ohne Scheu, das Wort auszusprechen, das Jean-Baptiste auf den Lippen hatte. »Nein. Das ist bei den Russen nicht üblich. Ich weiß es aus unzähligen Augenzeugenberichten.«

»Was haben sie dann mit ihm gemacht?«

»Er ist zweifellos gefangen, aber wo und unter welchen Bedingungen? Ich habe nicht die geringste Ahnung. Ich dachte mir, daß ich wohl nicht mehr herausbekomme, wenn ich in Stockholm bleibe, deshalb machte ich mich auf den Weg. Das Leben hatte uns kaum erlaubt, etwas zu sparen: Ich nahm alles, was wir hatten, und das war nicht viel. Davon kaufte ich mir eine kleine Reiseausstattung, deren wichtigster Teil das Maultier ist, das ihr gesehen habt und das mir letztlich gute Dienste geleistet hat.«

»Und Küyük?« fragte Saba, die Françoises Bericht voller Anteilnahme gefolgt war.

»Küyük?« wiederholte diese und lächelte das Mädchen an. »Der Zufall hat ihn mir geschickt. Dazu müßt Ihr Euch vorstellen, wie Stockholm im Zusammenbruch aussah. Überall sah man Flüchtlinge, Verletzte, verirrte Kinder. Dieser Mongole schlief in einem Verschlag neben dem Haus, in dem ich wohnte. Tagsüber machte er ein kleines Feuer auf dem Schnee und kochte darauf, was die Köche ihm hinwarfen. Ich nehme an, er war als Soldat in die Armee des Zaren eingezogen und bei einem vorhergehenden Feldzug von den Schweden gefangengenommen worden. Er spricht ein bißchen ihre Sprache, aber vor allem die russische und die der asiatischen Horden. Die Leute nannten ihn ›den Schamanen‹ und schienen ihm zu mißtrauen. Ich dachte mir, daß er mir helfen könnte und daß es obendrein ein gutes Werk wäre, ihn nach Hause zu bringen. Also folgte er mir, als ich mich Anfang Februar auf den Weg machte.«

»Als Mann verkleidet?« fragte Alix.

»Ja, das war ein komischer Einfall, was? Es hat mir später oft leid getan, vor allem, als ich in diese Gegend kam, wo Männer und Frauen besonders unterschiedlich aussehen. In Nordeuropa, wo der Krieg herrschte, war es eine unkomplizierte Vorsichtsmaßnahme: Dort rasieren sich die Männer und tragen das Haar lang.«

»Wir haben hier nur ganz entfernt etwas von diesem Krieg gehört«, sagte Jean-Baptiste, »aber anscheinend ist er noch immer nicht zu Ende. Die Russen haben noch keinen Friedensvertrag mit Schweden unterzeichnet. Wie konnten Sie das Land verlassen?«

»Über Polen. Ich gab mich als katholischer Pilger aus und wandte mich nach Tschenstochau, um die schwarze Jungfrau zu besuchen. Und stellen Sie sich vor«, sagte sie lachend, »obwohl ich wirklich nichts von Frömmigkeit halte, war ich ratlos genug, die Heilige Mutter anzurufen. Sie muß meine Verzweiflung gespürt haben, denn sie hat mich erhört.«

»Erhört! Wie das?« rief Saba.

»Nun, zunächst habe ich die Pilger aus dem Osten befragt und dabei erfahren, daß es für mich äußerst gefährlich sein würde, ohne klaren Grund und ohne entsprechende Papiere nach Rußland zu gehen. Unter anderen Umständen hätte mich das vielleicht nicht aufgehalten. Aber ... wie soll ich sagen? Ich hatte einfach nicht die Kraft, allein solchen Schwierigkeiten zu begegnen. Und dann kam das andere Wunder. Ein Mann hatte beide Beine gebrochen, durch ein Wagenrad, das sich von einer Kutsche gelöst hatte. Er kam nach Tschenstochau, um zu beten, daß er seine Beine wieder gebrauchen kann. Man trug ihn in einer Sänfte, und fünf Diener kümmerten sich um ihn. Einer von diesen sprach französisch, er erzählte mir, daß sein Herr sehr reich sei und sein Vermögen in Persien erworben habe, wo er seit zwanzig Jahren Handel mit Uhren und Schmuck treibe. Der arme Mann beklagte sich jeden Tag, nicht dorthin zurückkehren zu können, weil es dort den einzigen Arzt gebe, der ihn heilen könne. Ich fragte nach dessen Namen. Das waren Sie.«

Alle waren erschüttert von diesem Zufall. Alix ließ neuen Wein bringen. Dem Bericht schlossen sich Kommentare und Fragen an, jeder wollte seine Meinung kundtun. Nur Jean-Baptiste blieb schweigsam und überlegte sich, was er gleich am nächsten Tag unternehmen würde.

## Sechstes Kapitel

Bislang war Jean-Baptiste dem Botschafter des Moskauer Gouvernements, das sich nun Russisches Reich nannte, noch nie begegnet. Dieser Diplomat war dafür bekannt, nichts auf einfachem Weg regeln zu können. Ganz nach dem Vorbild der Regierung, die er in Persien vertrat, stellte er westliche Manieren zur Schau, ohne diese bereits selbst verinnerlicht zu haben – von seinen Dienern ganz zu schweigen. Deshalb war er ein schwieriger Gastgeber, bei dem empfangen zu werden nicht ganz ungefährlich war.

Auch Poncet machte diese Erfahrung. Er saß kaum auf einem Sofa, als ein russischer Diener, ein Riese aus den Wäldern, der absurderweise mit einer zu engen roten Livree bekleidet war und trotz der Hitze nicht auf seine mit Lammfell gefütterten Stiefel verzichtete, über einen Teppich stolperte und den Inhalt einer Teetasse und einer Schale mit Sorbet über den Knien des Gastes ausgoß.

»So ein Esel!« brüllte Israel Orii, der Botschafter, und schlug mit seinem Stock auf den unglücklichen Muschik ein.

Jean-Baptiste besprengte seinen blauen Anzug mit trübem Wasser, das ihm ein anderer Moskowiter in einer Silberschale reichte. Schließlich kehrte wieder Ruhe ein. Nach diesem völlig unangemessenen Wutausbruch setzte der Botschafter wieder die zufriedene, wohlwollende Miene auf, die er ständig zur Schau zu tragen pflegte, und legte den Kopf gegen die hohe Lehne seines geschnitzten Sessels, die von zwei Holzadlern eingerahmt wurde.

»Ich komme zu meinem Anliegen, Exzellenz«, erklärte Jean-Baptiste eilig, da er fürchtete, man würde ihm die Knie sonst mit anderen Gerichten bestreichen. »Es geht um einen sehr guten Freund, den liebsten, den meine Gattin und ich je hatten. Er war in Kairo mein Partner in der Kunst, mit Pflanzen zu heilen. Sein Geschick, Heilmittel herzustellen, ist unvergleichlich, und ohne ihn ist meine Behandlung kaum die Hälfte von dem wert, was sie sonst vollbringen könnte.«

Israel Orii blinzelte kurz, um seine Zustimmung kundzutun. Diese sparsame Mimik schien für ihn wohl zu der Vorstellung von Majestät zu gehören. Da er aber seine wahre Natur nicht ganz zu bändigen vermochte, stampfte er ungeduldig
mit dem Fuß im Takt.

»Diesen teuren Freund hat das Leben von unserer Seite gerissen, und ich habe soeben die Gewißheit erhalten, daß er
sich in diesem Moment bei Ihnen, im Land Ihres Zaren, aufhält.«

»Das ist eine wunderbare Nachricht«, sagte der Botschafter auf französisch mit seiner näselnden, singenden Stimme.
»Es erfreut mein Herz zu erfahren, daß es die besten Handwerker, Künstler und Wissenschaftler in unser großes Land
zieht.«

»Ganz gewiß«, fügte Jean-Baptiste mit leichtem Zögern
hinzu, »es zieht viele, gewiß, aber ... wie soll ich sagen? Mein
Freund wurde eher gezogen.«

Israel Orii schnitt eine Grimasse, die sein Erstaunen kundtat. Sein Gesicht war glattrasiert, wie es Peter der Große ein-
geführt hatte, der seinem Volk ein modernes Erscheinungs-
bild zu geben wünschte. Seine Mimik und die großen,
glänzenden Augen unterstrichen sein Mienenspiel wie bei einem Schauspieler.

»Ich will sagen, daß die Ehre, nach Rußland zu kommen,
die er gewiß zu schätzen weiß, nicht die Frucht seiner eigenen Entscheidung war«, erklärte Jean-Baptiste. »Er ist unter
unglücklichen Umständen in Gefangenschaft geraten. Das ist
sozusagen der Grund meines Besuches, dieser Mann ist Opfer eines schrecklichen Irrtums.«

Dann begann er dem Botschafter, der den Kopf wieder in
sein Adlernest gebettet und die Augen halb geschlossen hatte, Juremis Geschichte in einem günstigen Licht darzustellen.
Im Grunde hätte der Protestant keinen anderen Wunsch
verspürt, als friedlich zu seinen Freunden nach Persien zu
gelangen. Die Schweden hätten ihn gegen seinen Willen eingezogen. Er hätte sich freiwillig von den Russen gefangen-
nehmen lassen, da er wußte, daß er im Staate des Zaren Barm-

herzigkeit und die Möglichkeit finden würde, frei seinen Weg fortzusetzen.

»Was erwarten Sie von mir?« fragte Israel Orii schließlich mit einem feinen Lächeln.

Jean-Baptiste kannte die Gewandtheit dieses Mannes: Ganz Isfahan war bereits ihr Zeuge und oft auch ihr Opfer geworden. Er war der erste aus Rußland entsandte Botschafter, der diesen Namen wirklich verdiente. Vor ihm hatten sich nur mehr oder weniger pittoreske Händler mit dieser Funktion geschmückt, um Vorteile zu erlangen und zuweilen auch Nachrichten zu überbringen. Die Perser besaßen die Güte, sie wie Botschafter zu empfangen, aber sie hielten nicht viel von ihnen. Der Gipfel war ein Ereignis gewesen, das zwanzig Jahre zurücklag: Einer dieser Diplomaten gelangte bei einem Bankett des Königs zu zweifelhaftem Ruhm. Da er nicht weniger trinken wollte als die Perser, jedoch nicht an die süßen Liköre des Orients gewöhnt war, packte den Armen ein Brechreiz, und er erleichterte sich in seine Persianermütze. Der König sah das und wies mit dem Finger auf ihn. Völlig verzweifelt über den Fauxpas, sich barhäuptig präsentiert zu haben, setzte der sogenannte Botschafter seine Mütze eiligst wieder auf, wobei er vergaß, was sie enthielt...

Als Peter I. nun Israel Orii mit allem nötigen Pomp entsandte, wollte er mit dieser lächerlichen Vergangenheit brechen. Allerdings konnte auch niemand übersehen, daß sich ein solcher Mann an einem solchen Ort nicht damit zufriedengeben würde, seine Nation zu vertreten, daß er also auch den Auftrag haben mußte, für ihre Interessen zu arbeiten. Rußland begehrte Gebiete im Norden Persiens und vielleicht sogar ganz Persien, das ihm einen Zugang zu den Meeren des Persischen Golfs sichern würde. Die Franzosen, die mit Sorge sahen, wie Rußland seine Schachfiguren in der Region aufstellte, hatten bei der Ankunft von Israel Orii einen genialen Einfall. Nach einigen schlaflosen Nächten hatte der Botschafter Frankreichs herausgefunden, daß der Name dieses Russen georgischer Herkunft, Israel Orii, das Anagramm von »Il sera roi«, »Er wird König« war. Strahlend eilte der Franzose zum Königshof, um diesen überraschenden Zufall zu enthüllen und das Mißtrauen gegen den Gesandten des Zaren zu schüren. Unglücklicherweise lachte man nur über ihn, und das Ansehen Israel Oriis stieg noch weiter, da die Perser gern daran glaubten, daß er eines Tages König sein würde. »Schließlich gibt es genug andere Orte auf der Welt, wo er das werden kann«, sagten sie sich gelassen.

Ein Mann von diesem Kaliber vermochte alles, wenn es nur in seinem Interesse lag. Jean-Baptiste suchte lange nach einer Inspiration, dann wagte er, seine Bitte zu formulieren. »Ich dachte, Exzellenz könnten dem Hof des Zaren eine Bittschrift für meinen unglücklichen Freund übermitteln, die seine Unschuld unterstreicht, weshalb es nur gerecht wäre, ihm die Freiheit zu geben.«

»Mein lieber Herr«, antwortete der Botschafter bedächtig, nachdem er innerlich einen Entschluß gefaßt hatte, »ich habe nur ein einziges Verlangen, und das besteht darin, Sie zufriedenzustellen. Leider ist das, was Sie da von mir fordern, einfach unmöglich. Durch die gewaltigen Siege meines Herren, Peters des Großen, sind Tausende, was sage ich, Millionen Gefangene in die Hände seiner ruhmreichen Armeen gefallen. In seiner Güte wünscht der Herrscher nicht, sie ihrer Freiheit zu berauben. Deshalb läßt er sie in entlegene Gegenden unseres riesigen Landes bringen, wo sie ihr Leben verdienen können, indem sie den allgemeinen Wohlstand erhöhen. Glauben Sie mir, keine Verwaltung führt Buch über diese Fremden. Sie kommen und gehen, das ist alles. Niemand sitzt über sie zu Gericht, niemand verurteilt sie. Das Werk des Staates beschränkt sich darauf, ihnen einen Aufenthaltsort zuzuweisen und sie dorthin zu bringen. Die Folge der Freiheit, die wir ihnen gönnen, ist, daß wir nichts über ihr weiteres Schicksal wissen.«

Israel Orii sah, daß diese Antwort bei Jean-Baptiste sichtbare Enttäuschung hervorrief. Als gut informierter Mann, der viele Spione bei Hofe unterhielt, hatte der Russe sofort von der Konkubine Alberonis erfahren und wußte, daß Poncet sie bei sich aufgenommen hatte. Das war eine Spur, die man nicht verlieren durfte, denn sie würde möglicherweise zu irgendwelchen Intrigen führen, die Alberoni von dort, wo er sich befand, anzettelte. Der Mann, für den Jean-Baptiste um Gnade bat, war vielleicht in die Sache verwickelt. Der Botschafter mußte sich ein Hintertürchen offenlassen. »Ich sehe, wie verzweifelt Sie über meine Ohnmacht sind«, fuhr er deshalb fort, »und ich spüre wohl, wie schmerzhaft diese Angelegenheit für Sie ist. Glauben Sie mir, ich will Ihnen helfen. Lassen Sie mich nachdenken. Ja, ja, ich sehe doch einen Weg, Sie Ihrem Ziel näher zu bringen.«

Der Botschafter gab sich, als würde er seine Sätze seelenruhig abwägen, um damit eine Spannung zu erzeugen, die seiner Schlußfolgerung größeres Gewicht verleihen würde. Leider stieß in diesem delikaten Augenblick einer der riesigen russischen Dienstboten, die ständig grundlos im Zimmer umherliefen, eine Statue um, die so geschickt im Halbschatten postiert war, daß man sie für Marmor halten konnte. Als sie nun in tausend Stücke zersprang, enthüllte sie den Gips, aus dem sie bestand. Der Zwischenfall machte alle Bemühungen des Diplomaten um großartige Wirkung zunichte. Er kam jetzt schnell zum Ende, um seinem Personal ein für allemal die Leviten lesen zu können: »Nur eine Lösung, sagte ich: Sie müssen selbst nach Rußland reisen und Zeugnisse suchen, die Ihren Freund betreffen, ihn dort in der Weite des Landes wiederfinden und mit sich nehmen.«

»Glauben Sie denn, das würde man mir erlauben?«

»Ich kann ... Ihnen ein Empfehlungsschreiben für unseren Hof geben. Damit könnten Sie einen hohen Funktionär erreichen, ja sogar den Minister selbst, wenn er verfügbar ist. Das einzige, was ich Ihnen natürlich nicht garantieren kann, ist Ihre Sicherheit. Um bis in unsere Heimat zu gelangen, müssen Sie Landstriche durchqueren, die alles andere als friedlich sind.«

Jean-Baptiste hatte nicht mit diesem Vorschlag gerechnet. Dabei war er durchaus vorhersehbar und logisch. Er hatte sich überlegt, in Persien Himmel und Hölle in Bewegung zu setzen, Kuriere zu schicken, Diplomaten oder Minister zu überzeugen. Aber Juremi selbst zu suchen ... Während all der seßhaften Jahre hatte er schließlich jeden Gedanken an Reisen, Gefahren, Abenteuer nach und nach aufgegeben. Die Rede des Botschafters versetzte ihn in leichten Schwindel, der jedoch nicht unangenehm war.

»Nun«, sagte er zögernd, »warum eigentlich nicht, wenn das die einzige Lösung ist ...«

»Die einzige«, bestätigte Israel Orii. »Dennoch ist sie durchaus nicht ungefährlich.«

Jean-Baptiste spürte sein Herz heftig klopfen, und die Schläge dieses Phantoms in seinem Innern sprachen eine deutliche Sprache über seine geheimsten Wünsche. »Exzellenz, bereiten Sie mir diesen Brief vor, ich bitte Sie. Ich werde sehen, welche Arrangements ich treffen kann ...«

»Sofort«, sagte der Botschafter und ging zu seinem Sekretär.

»Nein!« rief Jean-Baptiste, den es vor Ungeduld keine zehn Minuten mehr auf seinem Stuhl gehalten hätte. »Ich kann unmöglich warten ... Patienten, leider ... dringende Behandlungen ...«

»Ich verstehe. Dann schicken Sie jemanden zu mir, der den Brief abholt, gleich nachher, morgen, wann Sie wollen.«

Jean-Baptiste bedankte sich herzlich, und diesmal war er es, der über den Teppichrand stolperte, als er mit großen Schritten davoneilte.

Zufrieden mit der eigenen Geschicklichkeit, kehrte Israel Orii in sein Arbeitszimmer zurück und pfiff ein Lied der Schwarzmeerfischer vor sich hin. Er griff nach einer Feder und verfaßte, noch immer voller Inspiration, zwei Briefe. Der erste war der Geleitbrief, um den Poncet gebeten hatte, der ihn als Arzt aus Isfahan auswies. Der andere, längere, schilderte seine Geschichte, seine Sitten und die Alberoni-Angelegenheit. Er versiegelte ihn, schrieb als Empfänger »Herr ..., Chef der Polizei des Zaren« darauf und warf ihn in die Kassette, in der die Geheimpost nach Moskau gesammelt wurde.

☙

Jean-Baptiste kehrte direkt nach Hause zurück. Er hielt den Kopf gesenkt und hatte die Fäuste in den Taschen seines Fracks vergraben, wo sie trockene Körner, Schlüssel und irgendwelche vergessenen Papierfetzen zerdrückten.

Er durchquerte den Garten, ohne Françoise zu beachten, die sich in Gesellschaft von Saba im Schatten niedergelegt hatte. Das junge Mädchen hatte auf ihre stille, zurückhaltende Art Françoises Nähe gesucht und in wenigen Tagen bei ihr den Platz der Vertrauten eingenommen, den ihre Mutter einst in Kairo innegehabt hatte. Als sie Jean-Baptistes besorgte Miene sahen, hielten sie es für besser, seine trüben Gedanken nicht zu unterbrechen, und sie ließen ihn vorbeigehen.

Er betrat zuerst sein Labor. Dort war George mit einer Destillation beschäftigt. Der Junge hatte von seinen Eltern erste Kenntnisse in Botanik mitbekommen, die er nun an Jean-Baptistes Material vertiefte. Dabei zeigte er eine echte Begabung. Aber er war so ernst, so erfüllt von einem naiven Vertrauen in die Wissenschaften und den Fortschritt der Vernunft, daß Jean-Baptiste vergebens versuchte, ihm eine poetische Vorstellung der Pflanzenwelt und ihrer geheimen Beziehungen zu den Menschen entgegenzuhalten. Heute war Jean-Baptiste jedenfalls nicht in der Stimmung, sich auf diese Gesellschaft einzulassen. Er schloß die Tür und lief in den Teil des Gartens, der sich hinter dem Haus befand. Die eine Seite war mit Heilkräutern bepflanzt, die andere dem Rosarium vorbehalten. Jean-Baptiste griff nach einer Gartenschere, die neben dem Tor hing und betrat den Bereich der medizinischen Pflanzen. Dieser war in schmale Streifen aufgeteilt, die mit duftenden Büscheln bedeckt waren, die einen waren noch zart, andere bereits verholzt. Er ließ diese kleine Armee an seinen Augen vorbeiziehen, ohne etwas Verdächtiges zum Abschneiden, Ausreißen oder Abhacken zu sehen. Außerdem hatte der arme Garten niemandem etwas Böses getan. Nach ein paar Minuten warf er die Schere neben ein Frühbeet und setzte sich auf einen Steinpfosten, der zum Abstellen der Wassereimer diente. Dort saß er noch mit gekreuzten Armen und wilder Miene, als Alix in den Garten trat.

»Ich habe dich gesucht«, sagte sie.

Sie trug ein blaues, von der Taille weit herabfallendes Baumwollkleid, das sie mit den Händen zusammenhielt, um durch den engen Weg zu kommen, ohne hängenzubleiben.

»Also«, fragte sie, als sie bei ihm war, »was hat dieser Botschafter gesagt?«

»Er kann nichts machen.«

»Du reist selbst hin.«

Alix' Ton war völlig neutral. Er drückte weder eine Frage noch einen Zweifel oder einen Vorwurf aus. Vielleicht nur eine Eingebung. Jean-Baptiste warf ihr einen kurzen Blick voller Überraschung und Neugier zu.

»Nichts zu machen«, brummte er, »Juremi hat inzwischen ein gutes Alter erreicht. Er würde es selbst nicht wollen, daß wir zuviel unternehmen. Ich habe es versucht. Es ist unmöglich. Wir müssen uns fügen.«

Alix sah ihn mit sanftem, leichtem Lächeln an, aber er wich ihren Augen aus. Sie nahm seine Hand, und nachdem sie einen leichten Widerstand überwunden hatte, zog sie ihn hinter sich her. Sie verließen den Heilkräutergarten und gingen bis zu einer Steinbank im Rosarium, wo sie nebeneinander sitzen konnten. Sie hielt Jean-Baptistes Hände zwischen ihren. Er legte seine Schmollmiene nicht ab.

»Hör mir einen Moment zu«, sagte sie sanft. »Du weißt es genau, Jean-Baptiste: Die Ereignisse verfügen fast immer über uns. Bei den seltenen Gelegenheiten, da wir frei entscheiden können, haben wir nicht das Recht, etwas anderes zu wollen als das Glück. Nun, das Glück werden wir nicht haben, wenn du hierbleibst. In jedem Augenblick deines Lebens wirst du dir vorwerfen, Juremi nicht geholfen zu haben, und du wirst uns dafür böse sein, weil du dich zurückgehalten hast. Der Gedanke, daß du weggehst, ist mir zuwider, Jean-Baptiste, aber du wirst gehen.«

In diesem Rosarium nach persischer Art gab es keine Wege. Dichter grüner Rasen, der von den Dienern mit Scheren geschnitten wurde, bedeckte den Boden bis dicht an den Fuß der Blumen. Vor diesem naturbelassenen Hintergrund schwebten Alix' reines Gesicht, ihre nackten Arme und der unter den Fältchen des Dekolletés auftauchende Hals zwischen Erde und Himmel, zwischen Mensch und Pflanze. Jean-Baptiste sah sie an und preßte sie in einer Aufwallung der Leidenschaft an sich. Gewöhnlich war er der erste, der die Melancholie zu verjagen suchte, wie jemand, der sich weigert, eine Farbe zu tragen, die ihm nicht steht. Diesmal hatte Alix größere Wachsamkeit bewiesen als er. Indem sie ihn an das Wesentliche ihrer Liebe erinnerte, hatte sie ihn zu Optimismus und Entschlossenheit zurückgeführt. Natürlich war es unangebracht, beim Gedanken an die Abreise zu große Freude zu zeigen. Es wäre allerdings ebenso lächerlich gewesen, zu leugnen, daß er den Beschluß bereits gefaßt hatte, was sie sehr gut verstanden hatte. Er würde also reisen, würde Juremi mit sich zurückbringen, und das Glück, ihn zu retten, würde noch verstärkt werden, wenn er nach Isfahan zurückkehrte.

Schon spürte er alle Wohltaten dieser Entscheidung. Zunächst einmal empfand er, als er Alix ansah, ihr Parfum roch, mit den Lippen zart über ihren Nacken strich, jene besondere geistige Verfassung desjenigen, der im Begriff ist aufzubrechen und dessen Erinnerung die bedeutungslosesten Dinge festhält, die am nächsten Tag schon zu den kostbarsten gehören werden.

Er brachte noch tausend Einwände vor, erwähnte all die Unannehmlichkeiten, die sich aus seiner Abwesenheit ergeben würden, allerdings in einer ganz anderen Stimmung als zuvor. Einige waren praktischer Art: Würde es ihr an Geld fehlen? Was würde sie tun, wenn sich die politische Situation verschärfte? Alix antwortete ernsthaft auf jede Frage. Sie würde den Kunden weiter ihre Medizin bringen, nach Anweisung von Jean-Baptiste. Sie würde die Ausgaben des Hauses kontrollieren, und ohne ihn würde es auch keine Feste und außerordentliche Ausgaben mehr geben. Und wenn plötzlich Unruhen in Persien ausbrechen sollten? Warum, fragte sie prahlerisch, setzte sie wohl ihr Reit- und Fechttraining fort?

Dann kam ein letzter Widerspruch, den er sehr zärtlich aussprach: Würde sie nicht zu sehr darunter leiden, von ihm getrennt zu sein? Sie sagte, sie würde mehr leiden, wenn sie ihn zurückhielte.

Als sie später daran zurückdachte, sagte Alix sich, daß sie vielleicht nicht die ganze Wahrheit gesagt hatte, weil sie diese selbst noch nicht klar erkannte. Natürlich hatte sie bei ihrer Entscheidung zuerst an Jean-Baptiste gedacht, an seine Sehnsucht nach Abessinien und dem Reisen, an seine Freundschaft zu Juremi, an seine Freiheit. Aber später war ihr allmählich bewußt geworden, daß diese Rückkehr der bewegten, abenteuerlichen, ruhelosen Zeiten auch in ihr ein geheimes Verlangen befriedigte, das sie sich nicht eingestanden hatte. Nun, wenn Françoise bei Saba und Jean-Baptiste unterwegs war, fühlte sie sich plötzlich als Mutter wie als Ehefrau befreit. Welche Frau, die so jung von einer glücklichen Liebe ergriffen wurde, die ohne Unterbrechung fortdauerte, träumt nicht davon, und sei es nur für kürzeste Zeit, die Gefühle des jungen, noch unreifen Mädchens wiederzufinden, für das die Freiheit nicht nur darin bestand, einen anderen Menschen glücklich zu machen?

## Siebtes Kapitel

Die dreiunddreißig Brückenbögen über dem Zayandehrod am äußersten Rand der großen, dunklen Gartenflächen des Chahar Bagh wurden durch den Widerschein des Mondlichts auf dem Fluß erhellt. Die meisten kleinen Häuser auf der Brücke, die tagsüber als Geschäfte dienten, waren geschlossen. Nur an vereinzelten Ständen schimmerte die glatte Haut schöner Früchte unter dem Licht der darüber hängenden Öllampen. Es war nach zehn Uhr, als ein Schatten die Brücke auf ihrer dunkelsten Seite überquerte. Nach der großen Gestalt zu urteilen, mußte es sich wohl um einen Mann handeln, die weichen Stiefel an seinen Füßen wiesen auf einen Fremden hin. Ansonsten war nichts von dem Vorübergehenden zu erkennen, dessen weiter Filzumhang sogar den Kopf bedeckte. Die persischen Händler schenkten ihm nicht die geringste Aufmerksamkeit. Hinter der Brücke wandte sich die Gestalt nach rechts und tauchte in das Gewirr enger Gassen ein, welche die armenische Vorstadt Djolfa bildeten.

Der Mann fand trotz der Dunkelheit mühelos seinen Weg. Er lief fast zehn Minuten, ohne jemandem zu begegnen. Schließlich blieb er vor einer sehr hohen Mauer stehen, über die noch die Äste eines großen Maulbeerbaums ragten. In dieser Mauer befand sich eine kleine, verschlossene Pforte. Der Ankömmling schlug dreimal mit dem Knauf seines Degens dagegen. Durch das Gitter eines Gartens fragte eine zitternde Stimme flüsternd: »Sind Sie sicher, daß Ihnen niemand hierher gefolgt ist?«

»Ganz sicher, Hochwürden.«

»Psst! Nicht dieses Wort, ich flehe Sie an.«

Die Pforte öffnete sich einen Spalt, und der Unbekannte betrat ein vollkommen dunkles Zimmer, in dessen Tiefe sich ein fahles Rechteck abzeichnete. Der Gastgeber und sein Besucher traten durch diese Öffnung in einen weiten Innenhof, der mit vier Zitronenbäumen bepflanzt war. Ringsum lagen Räume, in denen sich Gestalten bewegten und Kindern jammerten. Ein einziges Zimmer war erleuchtet: Mit Mühe setzte sich das schwache Licht einer Öllampe gegen die Finsternis zur Wehr. Ein roter Teppich und ein Kupfertablett lagen auf dem Boden. Der Besucher wurde aufgefordert, sich zu setzen.

Sein Gastgeber, der ihm gegenüber im Schneidersitz Platz nahm, war bejahrt, fast schon ein Greis. Er trug eine abgenutzte Soutane aus blauem Drillich. Sein Haar lag in einer geflochtenen Krone um den Kopf, und sein Gesicht war mit einem kurzgeschnittenen Bart bedeckt. Dazu kamen spitze, vogelartige Züge, eine lange, schmale Nase und ungewöhnlich kleine, sehr bewegliche, gierige und zugleich furchtsame Augen.

»Glauben Sie mir, Poncet, wenn es nicht für Sie wäre, der Sie mir schon zweimal mit Ihrer Heilkunst das Leben gerettet haben, wäre ich dieses Risiko nicht eingegangen.«

Jean-Baptiste, der schon am Eingang sein Gesicht enthüllt hatte, indem er den Filzumhang zurückschlug, neigte respektvoll den Kopf.

»Danke, Hochwürden.«

»Psst! Gewöhnen Sie sich ab, mich so zu nennen.«

»Sind Sie nicht mehr Nerses, der Patriarch der Armenier?«

»Still, sage ich! Natürlich bin ich es, und eben deshalb muß ich mich wie ein elender Gauner verstecken.«

»Lange habe ich Sie nicht gesehen, Hoch…, Herr, und ich hatte nicht damit gerechnet, Sie in einem solchen Zustand anzutreffen. Was ist geschehen?«

»Was geschehen ist, mein Freund, ah, Sie sind gewiß der letzte, der es nicht weiß«, sagte der Alte und kniff sich nervös in die Nase. »Geschehen ist, daß unsere unglückliche Kirche den Preis dafür zahlt, isoliert zu sein inmitten von Menschen, die miteinander konspirieren, um sie zu ruinieren. Die Türken in Istanbul verlangen Geld von uns, und da wir nicht zahlen können, haben sich die Perser verpflichtet, unseren Gläubigen eine Steuer aufzuerlegen, damit wir diese Schuld zurückzahlen. Aber diese Ungeheuer kassieren neun Zehntel von dem, was wir haben. So sind letztendlich alle unzufrieden: die Türken, weil wir ihnen Geld schulden, die Perser, weil wir bei den Türken Schulden gemacht haben, und unsere Brüder, weil sie es sind, die schließlich ausgeraubt werden. Sie können sich nicht vorstellen, wie ich bedroht werde, weshalb ich mich hier verstecken muß.«

Poncet setzte eine teilnahmsvolle Miene auf und bemühte sich, ein Lächeln zu unterdrücken. Er wußte wohl über die Ursachen dieses Unglücks Bescheid. Die armenische Kirche in Persien war in einer äußerst ungewöhnlichen Situation. Der Patriarch erhielt sein Amt vom mohammedanischen König, dem er für seine Ernennung viel Geld zahlte. Zur Entschädigung verkaufte er selbst dann die niederen Ämter zu seinen eigenen Gunsten. Ganz am Ende dieser Kette mußten letztlich die Gläubigen dafür aufkommen: Sie kauften die Gnade und die Messen dieses teuren Klerus. Keine andere Kirche betrieb eine derart schamlose Ämterschacherei. Alles war käuflich: Reliquen, Segenssprüche, Sakramente und sogar eine Hochzeit, wenn es sich nicht um Ehebrecher handelte. Unter all diesen Handelsartikeln des Glaubens war das lukrativste Produkt das heilige Öl, das im Volk äußerst beliebt war, weshalb die Priester es zum Schutz oder als Medikament verkauften.

»Verzeihen Sie«, sagte Jean-Baptiste, »aber mir ist, als hätte ich sagen hören, daß Sie selbst womöglich ihren Ruin beschleunigt hätten, als Sie zu den Türken gingen, um...«

»Na und«, unterbrach ihn der Patriarch, »was soll daran schlimm sein? Ja, ich bin zum Großtürken gegangen, um Gerechtigkeit zu erflehen. Mein Bruder – ich muß diesen Hund, der imstande wäre, seine eigenen Mutter zu verschlingen, dennoch meinen Bruder nennen –, mein Bruder also, der armenische Patriarch von Jerusalem, hat uns schamlos Konkurrenz gemacht, indem er das heilige Öl zum halben Preis segnete. Ich habe von den Türken verlangt, daß sie unsere Rechte anerkennen, für uns, die Armenier, die in Persien leben und die traditionell über die großen Heiligtümer in Armenien wachen. Es wäre nur legitim, wenn wir in dieser Stellung als einzige berechtigt wären, an die Gläubigen unseres Volkes, wo immer sie auch leben mögen, Öl zu verkaufen, das von untadeliger Qualität und daher auch ein wenig teurer ist.«

Jean-Baptiste hatte bereits bei den Kopten in Kairo Erfahrungen mit dem Handel mit heiligem Öl gemacht. Deshalb war er nicht sehr erstaunt. Das einzige, was ihn hätte verwundern können, war, wie naiv dieser Prälat seine grenzenlose Gewinnsucht eingestand. »Um dieses Zugeständnis vom Sultan zu erhalten, haben Sie sich derartig ruiniert?«

»Verstehen Sie doch, Poncet, das war eine Investition. Wenn ich das Ölmonopol erhalten würde, hätte ich in sechs Monaten alle Kosten wieder hereingeholt und sogar noch mehr.«

Der Patriarch schwieg einen Moment, als sehe er im Halbschatten all die Reichtümer an sich vorüberziehen, die er sich vorgestellt hatte. Dann schien er wieder zu sich zu kommen, und auf seinem Gesicht war äußerster Ärger zu lesen.

»Konnte ich denn ahnen, daß die Türken mein Gold nehmen würden und allem zustimmen, was ich verlangte, und daß sie am Tag nach meiner Abreise meinem falschen Bruder in Jerusalem das Ohr leihen und den Ferman zurücknehmen würden, den sie mir aufgezwungen hatten?«

Diesem Wutanfall folgte eine tiefe Niedergeschlagenheit, die den alten Mann auf sein Kissen zurückwarf. »Was soll ich machen, Poncet, was soll ich nur machen?« stöhnte er immer wieder unter Seufzern.

»Ich weiß es nicht ... beten Sie.«

»Oh, bitte, wir reden im Ernst ...«

Die Lampe knisterte, und dieses leise Geräusch erinnerte Jean-Baptiste daran, daß er Durst hatte. Er bedauerte, daß der Ruin des alten Mannes, der seine Knauserigkeit noch verstärkte, ihn daran hinderte, seinen Gästen etwas zu trinken anzubieten.

»Was für eine Hitze!« sagte Jean-Baptiste, legte die Jacke ab und öffnete den Kragen seines Hemdes. »Was für eine Trockenheit!«

Aber dieser alte Teufel, selbst trocken wie Reisig, schien nicht verstehen zu wollen.

»Ihre katholischen Priester sind ehrlich gesagt die einzigen, die mich ein wenig unterstützt haben«, sagte er finster.

In Isfahan hatte sich Jean-Baptiste, den seine früheren Erfahrungen mit den Jesuiten und Kapuzinern vorsichtig gemacht hatten, wohl gehütet, Kontakt zu den verschiedenen Bruderschaften zu unterhalten. In Persien waren es, soweit er wußte, italienische Kapuziner und portugiesische Augustiner.

»Sind sie tatsächlich völlig uneigennützig?« wagte Jean-Baptiste zu fragen.

»Sie meinen, die Mönche wollen uns bekehren? Pah! Das ist wohl ein Scherz! Nein, mein Lieber, das haben sie aufgegeben. Wir haben ihnen den Mut geraubt. Sie haben es hundertmal geschafft, und hundertmal sind unsere Anhänger zu ihrem eigenen Glauben zurückgekehrt. So ist es: Man bringt uns nach Rom, wir werfen uns dem Papst zu Füßen, wir gießen

Wasser in unseren Meßwein und sprechen das Credo. Sie glauben, sie haben uns. Aber das ist nur, weil die Armenier höfliche Leute sind: Sie widersprechen ihren Gastgebern nicht. Aber sobald wir wieder hier sind, schicken wir den Papst zum Teufel, vergessen das Credo und trinken unseren heiligen Wein unverdünnt, schön rot, wie einst das Blut unseres Herrn. Nein, glauben Sie mir, die Römer schenken der Bekehrung eines Armeniers nicht mehr den geringsten Glauben. Sie nehmen uns lieber so, wie wir sind.«

»Warum unterstützen sie Sie dann?«

»Zweifellos, weil sie sich mit den anderen Christen in diesem moslemischen Land zusammentun wollen. Vielleicht wollen sie unser Unglück auch für ihre Pläne ausnutzen, keine Ahnung. Wissen Sie, was ein paar von ihnen mir neulich geraten haben? Mich an den König von Frankreich zu wenden, damit er Persien und dem Großtürken mit seinem Eingreifen droht, falls sie uns weiter so die Kehle zuschnüren.«

»Unglücklicher! Tun Sie das bloß nicht!« rief Jean-Baptiste.

»Richtig, Sie wurden ja einst mit einer derartigen Mission für die Abessinier beauftragt«, sagte der Greis, der sich plötzlich an diese Geschichte erinnerte.

»Glauben Sie mir«, sagte Jean-Baptiste kopfschüttelnd, »ich habe genug erlebt, um Ihnen zu versichern, daß der König von Frankreich nichts unternehmen wird. Falls er sich zu irgendwelchen Schritten bei den Persern entschließen sollte, würde das nicht ausreichen, um Sie zu schützen, sondern wäre im Gegenteil sehr zu Ihrem Schaden.«

»Ja, das sagen auch die Augustiner. Ich dachte, es sei aus Eifersucht auf die Kapuziner, von denen die Idee stammte. Oh, mein Gott, mein Gott!« jammerte der Patriarch, der weniger den Himmel anrief, als seine besorgte Seele erleichterte. »Sie sind meine letzte Hoffnung, Poncet. Auf welche Hilfe kann ich meine Landsleute hoffen lassen? Sie wollen nicht mehr zahlen und sind bereit, sich schon morgen an meiner Person für das Elend zu rächen, in das sie die Perser gestürzt haben.«

Jean-Baptiste war bisher noch nicht zum Zweck seines Besuches gelangt. Er hatte dem Alten erst einmal zugehört, weil er wußte, worum er ihn bitten wollte, nicht aber, wie er ihn für seinen Dienst belohnen könne. Als er ihn so jammern hörte, kam ihm eine Idee.

»Hochwürden ...«, begann er.

»Psst!« entgegnete der Patriarch schwach, ohne auch nur die geringste Energie auf diesen Rest von Vorsicht zu verwenden.

»... der König von Frankreich wird nichts für Sie tun, nicht mehr als der russische Zar oder der Kaiser von Österreich. Dennoch gibt es einen Mann in Europa, der daran interessiert sein könnte, Ihnen zu helfen, ein mächtiger Mann, auch wenn seine Stellung gegenwärtig etwas schwierig ist ...«

»Wer, Poncet? Wer denn?« keuchte der Alte, den dieser Hoffnungsschimmer einen Augenblick belebte.

»Dieser Mann war Erster Minister von Spanien, das er im Moment verlassen hat, aber nur, um noch mächtiger zurückzukehren.«

»Der Erste Minister von Spanien, Sie meinen doch nicht ... Alberoni?«

»Genau diesen.«

»Wurde die Koalition, die er gegen Österreich geführt hat, nicht besiegt?«

»Eben, Hochwürden, er braucht jetzt Verbündete, vor allem im Orient, von wo er, wie ich weiß, seinen Vergeltungsschlag führen will.«

Der Patriarch hatte sich aufgerichtet. Plötzlich schien sich seine Stimmung aufzuhellen und ihn ergriff das Bedürfnis, mehr zu sehen. »He!« schrie er und klatschte in die Hände, um eine unsichtbare Dienerschaft zu rufen. »Füllt neues Öl in die Lampe. Schnell! Und bringt Tee, um uns etwas aufzumuntern.«

Gestalten eilten über den dunklen Hof.

»Sagen Sie, Poncet«, fuhr er dann fort und neigte sich zu dem Arzt, »dieser Kardinal, dieser Alberoni, ist er reich?«

»Ob er reich ist? Reicher, als Sie sich vorstellen können.

Sein ganzes Guthaben liegt bei den Medici, und er ist immer noch, wenn auch nur insgeheim, der Herrscher von Spanien.«

Eine häßliche Dienerin in zerlumpten Kleidern stellte mit schmutzigen Wurstfingern zwei kleine Tassen vor sie hin, die sie mit Teesud füllte. Jean-Baptiste hatte inzwischen so großen Durst, daß er zu schnell trinken wollte und sich verbrannte. Der Alte sog schlürfend den Tee in den Mund und verschluckte ihn zu Poncets größter Verwunderung ohne sichtbare Probleme. Zweifellos war das Fleisch in seinem Innern bereits ebenso wettergegerbt wie außen.

Die Bitterkeit des Gebräus ließ den Patriarchen eine Grimasse ziehen, und er fiel in die anfängliche Niedergeschlagenheit zurück.

»Ja«, sagte er sehnsüchtig, »man muß nur noch an diesen Herrn herankommen.«

Diesmal war es Jean-Baptiste, der mit besorgter Miene um sich sah, eher er mit leiser Stimme erklärte: »Niemand, verstehen Sie mich, Hochwürden, niemand darf es wissen, aber Ihnen kann ich es sagen: Die Konkubine des Kardinals ist bei mir in meinem Haus!«

»Seine Konkubine!« rief der Patriarch voller Empörung. Natürlich war er nicht wirklich erstaunt, daß dieser katholische Prälat eine Frau hatte, aber er mußte ihm doch den Vorwurf machen, daß er diese nicht rechtmäßig vor Gott dazu gemacht hatte, ebenso wie er. Der Armenier verjagte diese moralischen Einwände jedoch schnell aus seinen Gedanken, denn sie hatten keinen Platz in diesem Gespräch. Er kehrte zum Thema zurück.

»Sie meinen also, daß Sie durch Vermittlung dieser Frau ...?«

»Ganz richtig, Hochwürden, das ist der Grund, aus dem ich Sie so dringend sprechen wollte.«

Der Patriarch, der nur an seine eigenen Angelegenheiten dachte, hatte ganz vergessen, daß Jean-Baptiste um diese Begegnung gebeten hatte.

»Ich muß bald nach Europa reisen«, fuhr Poncet fort, »um dem Kardinal eine Botschaft zu überbringen.«

»Sie?«

»Ja, ich, denn seine Konkubine, die ich früher einmal behandelt habe, könnte niemand anderem vertrauen, um einem so bedeutenden Mann eine Nachricht zukommen zu lassen.«

»Also wissen Sie, wo er sich aufhält?«

»Ich weiß, wie ich bis zu ihm gelange. Dazu brauche ich allerdings Hilfe.«

Und nach einer kurzen Pause fügte Jean-Batiste hinzu: »Ihre Hilfe, Hochwürden.«

»Meine!« Der Patriarch fuhr zurück.

»Ihre. Beruhigen Sie sich, es ist ganz einfach. Folgendes: Ich möchte nach Ihren Riten getauft werden.«

»Sind Sie verrückt geworden? Wollen Sie in Ihrem Alter, daß ich Sie beschneide?«

»Nein, nein, es geht nicht darum, daß ich wirklich ein Anhänger Ihrer Kirche werde. Eine schriftliche Bestätigung, von Ihrer Hand geschrieben und mit Ihrem Siegel bestätigt, reicht mir aus.«

»Und wofür, bitte sehr?« fragte der Patriarch in plötzlichem Mißtrauen. »Sie sind ein freier Mann, Sie können reisen, wohin Sie wollen, ohne eine andere Identität annehmen zu müssen.«

»In Persien natürlich. Aber denken Sie daran, daß ich viel weiter und zunächst durch das Türkenreich reisen muß, wo mein Name trotz der verstrichenen Zeit noch immer mit unangenehmen Zwischenfällen verbunden ist.«

»Ich verstehe«, sagte der Patriarch, der in diesem Moment tatsächlich den Inhalt der Abmachung erfaßte, die der Arzt ihm vorschlug. »Also angenommen, ich überlasse Ihnen dieses Dokument, würden Sie sich verpflichten, ein Ersuchen von mir an den Kardinal zu übermitteln. Ist es so?«

Jean-Baptiste ließ sich nicht dazu herab, dieser Äußerung des Patriarchen ausdrücklich zuzustimmen. Er begnügte sich mit einem Senken der Lider zum Zeichen des Einvernehmens, was der Alte für Zustimmung nahm. Kurzes Schweigen besiegelte diesen Vertrag ohne Worte.

»Schreiben Sie Ihren Brief, Hochwürden, und bereiten Sie

meine Urkunde vor«, schloß Jean-Baptiste. »Ich komme sie morgen früh abholen.«

»Auf keinen Fall! Am hellichten Tage noch einmal hierherkommen? Damit man mich entdeckt? Nein, ich lasse Ihnen die Briefe selbst durch einen Boten meines Vertrauens zukommen.«

Dann trennten sie sich voller Zufriedenheit. Jean-Baptiste hatte nicht daran gezweifelt, vom Patriarchen zu erhalten, was er sich wünschte. Allerdings hatte er damit gerechnet, einen weitaus höheren Preis zahlen und endlos warten zu müssen, was die Angelegenheit zusätzlich verteuert hätte. Dieses Problem war bestens geregelt. Jetzt war alles bereit. Er hatte den Passierschein, der ihn vor den Türken schützen würde; der Mongole, der ihn begleiten würde, kümmerte sich um die Reittiere. Er gab sich noch eine Woche, um Ordnung zu schaffen und dann aufzubrechen. So hätte er Zeit genug, um vor dem Winter in Rußland zu sein. Er war erleichtert und pfiff fröhlich bei seinem Gang durch die verlassenen Gassen.

Inzwischen hatte sich der Patriarch, der alle Lampen hatte löschen lassen, sobald der Gast verschwunden war, auf dem Dachgarten seines Hauses ausgestreckt. Er starrte in die Sternennacht von Isfahan und träumte von einem großen, in ein lila Gewand gekleideten Mann, der ihm zulächelte.

## Achtes Kapitel

Die Audienz für Françoise beim König von Persien war für den folgenden Tag festgesetzt. Sie sollte sich in Begleitung des Nasirs dorthin begeben. Durch die Teilnahme an dieser Vorstellung erhielt er die Bestätigung, daß seine Verdienste anerkannt wurden. Außer ihm würde nur der Erste Minister bei diesem Treffen anwesend sein, da die Identität der berühmten Konkubine geheim bleiben mußte. Als aber die beiden vom Nasir entsandten Beamten Poncets Haus betraten, verkündeten sie, daß sie nicht nur Françoise in den Palast führen sollten, sondern auch ihren Gastgeber, den fränkischen Arzt, den der König kennenzulernen wünschte. Diese Änderung in letzter Minute führte im Haus zu einigem Durcheinander. Man mußte Jean-Baptiste wecken, der recht spät von seinem Besuch beim Patriarchen zurückgekehrt war und hinter den schweren Vorhängen aus Rohseide in seinem Zimmer tief und fest schlief. Als sie endlich beim Nasir ankamen, war dieser sehr verärgert über die Verspätung. Dabei sind Perser eigentlich keine Pünktlichkeitsfanatiker. Zeit ist bei ihnen keine Ware, weshalb auch niemand daran denkt, sparsam damit umzugehen. Unter den gegebenen Umständen konnte eine allzu große Verspätung aber böse Folgen haben. Dies legte ihnen der Nasir verstimmt dar, während sie zum Palast eilten.

»Die entscheidende Frage ist«, sagte er mit gedämpfter Stimme, »ob der Herrscher schon etwas getrunken hat. Bei diesem schönen, trockenen Wetter – und da es wegen Ihnen fast schon elf Uhr ist – fürchte ich, daß dies der Fall ist.«

»Glauben Sie, daß ihn das schläfrig macht?« fragte Jean-Baptiste vorsichtig.

»Schläfrig! Wenn es nur das wäre! Ganz im Gegenteil«, erklärte der Nasir und richtete seinen dicken Finger drohend auf Jean-Baptistes Brust. »Er ist nie so wütend wie in diesem Zustand, und das steigert sich proportional zu dem, was er getrunken hat. In diesem Fall liegt die Gefahr darin, daß er seinen Zorn am Ersten Minister ausläßt. Der arme Hootfi Ali Khan ist, wie Sie wissen, ein strenggläubiger Mensch, und er hat sich geschworen, niemals einen Schluck Alkohol zu trinken. Der König schätzt ihn, und wenn er nüchtern ist, erkennt er seine ungeheuren Qualitäten an. Aber schon nach dem ersten Glas kann der Regent es nicht mehr ertragen, daß sein Erster Minister weiterhin seinem Grundsatz treu bleibt.«

Auf diese Weise über die Geheimnisse der Macht aufgeklärt, wurden die Besucher im Palast angekündigt. Jean-Baptiste war bereits mehrfach zuvor dort gewesen, denn der König von Persien hielt sich nicht verborgen, und es gab häufig

Anlässe, ihn zu sehen. Diese Besuche fanden jedoch immer in der Anonymität großer Empfänge statt.

Jean-Baptiste hatte aus seinen Erfahrungen gelernt und in Isfahan, von wenigen Ausnahmen abgesehen, eine ratsame Distanz zu den großen Persönlichkeiten gehalten. Vor allem hatte er darauf gehofft, daß die Vorsehung ihn davor bewahren möge, jemals den König selbst behandeln zu müssen. Wegen seiner Exzesse waren die Gunst wie die Strafe dieses Königs unvorhersehbar. Poncet kannte zwei Musiker, denen man die Hände abgeschlagen hatte, weil sie unglücklicherweise Melodien gespielt hatten, die dem Herrscher nicht gefielen.

Der Königspalast war ein Bauwerk, das auf den ersten Blick nichts Beeindruckendes an sich hatte. Die Perser messen Majestät nicht an der Höhe der Baulichkeiten. Ihre Gebäude erheben sich selten gen Himmel, sie sind von bescheidener Höhe. Für sie ist hingegen die horizontale Ausdehnung ein Zeichen von Macht: Bei ihnen müssen die Paläste groß sein, und je mehr Fläche sie bedecken, desto deutlicher unterstreicht der Bewohner seine Bedeutung. Die hochherrschaftlichen Anwesen bestehen aus Einfriedungen und Gärten. Jede Mauer umschließt eine weitere kleinere und so weiter, bis zu den Gemächern des Herrschers. Die Architekten scheinen ihren Plan der Natur abgeguckt zu haben, eine Imitation der Zwiebel, oder – poetischer – der Rose, deren kostbares Herz durch konzentrische Schichten von Blütenblättern geschützt ist. Das innerste Herz des Palastes jedoch, das unzugänglichste und am besten geschützte, gehört den Frauen, denn das Zentrum des Königspalastes schließt noch einmal einen Kreis um den Harem.

Jean-Baptiste und Françoise hatten nicht den Wunsch, so weit vorzudringen. Im Gegenteil, bei jeder neuen Mauer spürten sie einen kleinen ängstlichen Stich in der Brust.

Die Erlesenheit der Säle und der Gärten wuchs, je weiter sie vordrangen. Der letzte, der an die Gemächer des Königs grenzte, war fast vollständig mit Rosen bedeckt. Das Klima von Isfahan war so günstig, das Geschick und die Zahl der Gärtner so beachtlich, daß ihre Größe, Vielfalt und ihre strahlende Schönheit unvergleichlich erschienen. Man sah alle Sorten, und sie wuchsen an Wänden, über Bogen, in Büschen, auf dem Boden. Manche waren dicht und seidig wie Pompons, andere breit und fleischig und enthüllten halb geöffnet ihr Inneres aus Satin. Ihr Duft war in diesem fast geschlossenen Raum so stark, daß er schon einen enthaltsameren König trunken gemacht hätte.

Seit die safawidische Dynastie hundert Jahre zuvor die Türken verjagt hatte, waren die ersten rauhen Krieger allmählich durch einen vornehmen Hofstaat ersetzt worden. Dieser sorgte sich nur noch um die Eroberung immer neuer Vergnügungen und unvorstellbarer Genüsse. Die Könige hatten in ihren Palästen das Schönste angehäuft, was die Nachbarländer und sogar der Iran an Goldschmiedearbeiten, Seidenwaren, Teppichen oder Musikinstrumenten herstellten. Allein der Anblick dieser Tempel des guten Geschmacks beruhigte die Herrscher. Es schien ihnen vollkommen unwahrscheinlich, daß Barbaren eines Tages diese Mauern überwinden könnten, ohne vor Bewunderung auf die Knie zu fallen, ehe sie noch die letzte erreicht hätten. Und dennoch begannen die afghanischen Stämme, von ihren Bergen herabzusteigen...

»Oh, oh!« jammerte der Nasir ins Ohr von Jean-Baptiste. »Man führt uns in den Weinpavillon.«

Zu den meisten Palästen, und vor allem denen des Königs, gehörte ein Pavillon, der speziell für den Konsum von Alkohol bestimmt war, was allerdings niemanden daran hinderte, diesen auch in den anderen Zimmern zu sich zu nehmen. Persien stellte sehr viel Wein von höchster Güte her. Trotz des Verbotes durch die Religion wurde im Übermaß getrunken. Die Perser rechtfertigten diese Leidenschaft mit ihrer Liebe zur Poesie. Sie behaupteten, aus dem Rausch eine besondere Inspiration zu schöpfen, die geeignet war, die mystischen Weine der Dichter Hafiz und Saadi besser zu würdigen.

Am Eingang des Pavillons wurden die Besucher durch den Anführer der Leibgarde des Königs angemeldet, einen jungen Offizier mit edlem, ernstem Gesicht in einer untadeligen weißen, mit Gold besetzten Uniform. Der König erwartete sie in dem großen Saal allein mit dem Ersten Minister. Dieser würdige Greis, der einen dichten, sehr breiten Bart und einen kurzen Schnurrbart nach Art der strenggläubigen Mullahs trug, saß auf einem Teppich unterhalb des königlichen Podestes. Er wirkte verzweifelt, sein Blick war ins Leere gerichtet. Um ihn herum bedeckten zwischen den unordentlich hingeworfenen Kissen Zeugnisse einer Zecherei den Boden: halbvolle Gläser, farbige Flaschen, Fruchtschalen. Die Kurtisanen und Tänzer hatten wohl gerade erst den Raum verlassen, damit die Diskretion des Treffens gewahrt blieb. Es gab jedoch keinen Zweifel: Die Befürchtungen des Nasirs waren berechtigt, der König war nicht mehr nüchtern, was man auf den ersten Blick erkennen konnte.

Hossein, Herrscher des tausendjährigen Persiens, entsprach in keiner Weise dem Bild, das man sich von einem Nachfahren Kyros' des Großen machen konnte. Er stand auf seinem Podest und sah die Besucher unzufrieden an. Schon seine kleine Gestalt vermochte allerdings kaum zu beeindrucken, noch weniger das längliche Gesicht mit zwei großen grünen Augen, das durch den spärlichen, flaumigen Bart kaum an Bedeutsamkeit gewann. Diese Gegebenheiten der Natur dienten als Kleiderständer für eine Brokattunika von außerordentlicher Pracht, die vorn von einer fünffachen Reihe perlenbesetzter Seidenschnüre bedeckt war. Ein geschickt gebundener Turban, beige mit schwarzen Flecken, verdoppelte das Volumen des königlichen Kopfes. Ihn zierte ein blau schimmernder Federbusch, der sich wie der Arm eines Ertrinkenden verzweifelt gen Himmel reckte. Diese Eleganz half jedoch nichts. Im Gegenteil, der Kontrast zwischen den reichen Stoffen und der armseligen Physiognomie, die sie umhüllten, bot einen geradezu unerträglichen Anblick. Dem Herrscher schien dies wohl bewußt zu sein, denn er trug diesen Reichtum mit größter Nachlässigkeit. Man war fast gerührt von den verzweifelten Bemühungen dieses Mannes, seine Freiheit auf die einzige Weise zu bekunden, die ihm erlaubt war: indem er seine Tunika bekleckerte und die fettigen Hände an den Enden des Turbans abwischte.

73

Bei diesem Anblick brauchten die Besucher schon das Vorbild des Nasirs, um daran erinnert zu werden, daß hier keineswegs Mitleid, sondern durchaus ein tiefer Kniefall angebracht war.

»Majestät«, säuselte der Nasir mit der Kunst des vollendeten Höflings, »erlaubt dem unwürdigsten Eurer Sklaven, sich vor Euch auf den Boden zu werfen. Da Eure Majestät geruhten, sich ihres Dieners zu erinnern und ihn mit dem Vertrauen eines seiner kostbaren Wünsche zu ehren, seht Ihr hier ausgestreckt, wie es sich geziemt, zwei Fremdlinge, die den grenzenlosen Ruhm Eurer Majestät preisen, der sich mit jedem Tag in der ganzen Welt verbreitet und wachsen wird bis an das Ende der Zeiten.«

Jean-Baptiste warf dem Nasir einen bewundernden Blick zu. Das war nüchtern und gut gesprochen. Das Erstaunlichste war jedoch, daß diese eleganten, in salbungsvollem Ton ausgesprochenen Wendungen ganz natürlich aus dem Mund eines Mannes kamen, den man sich besser tief in den Bergen beim Holzfällen vorstellen konnte.

Der König nickte, und auf dieses Zeichen hin erlaubte sich der Nasir fortzufahren: »Um Eurer Majestät die Ehre zu erweisen, seht Ihr hier die Begum Françoise, die anbetungswürdige Hauptfavoritin seiner Heiligkeit, des Kardinals Alberoni, Erstem Minister von Spanien, gegenwärtig außer Landes, der überall, wo er sich aufhält, seine Ergebenheit und Treue für Eure Majestät kundtut.«

Am Ende dieser Tirade schnappte der Nasir laut nach Luft. Françoise, die kein Persisch verstand, hatte Mühe, ernst zu bleiben. Sie grüßte, so anmutig sie konnte. Jean-Baptiste bemerkte bewegt, daß sie trotz ihres Alters rührende Anstrengungen unternahm, um zu gefallen. Er glaubte in ihrem Gesicht sogar eine gewisse Lust daran zu entdecken, das schöne, von Alix ausgeliehene Taftkleid zu tragen, welches sie selbst in den vergangenen Tagen geändert hatte.

»Und hier, o anbetungswürdiger Soldat des wahren Propheten im Paradies, wagt Euer Untertan Poncet vor Eurer Majestät zu erscheinen, ein europäischer Arzt – rundheraus die

Blüte unter den Ärzten und den Europäern, der sich in der Hoffnung vor Eure edlen Füße wirft, sich deren Herrlichkeit zu nähern.«

Dann wandte er sich zu Poncet um und zischte: »Los doch, worauf warten Sie?«

Jean-Baptiste betrachtete die edlen Füße, die in Pantoffeln gezwängt und mit Konfitüre und Flüssigkeitsresten befleckt waren. Er fragte sich einen Augenblick, ob er so weit gehen müßte, ihnen seine Lippen darzubieten. Seine lange Erfahrung im Orient hatte ihn gelehrt, daß diese höfischen, in Europa erniedrigenden Gesten tatsächlich sehr gut möglich waren, ohne der eigenen Würde Gewalt anzutun. So seltsam und unbequem sie auch erscheinen mochten, sie waren nichts als willkürliche Übereinkünfte, ebenso wie das Tragen eines Hutes oder Schnurrbarts. Solange der König König war, hatte kein Perser ein Problem damit, ihm die Füße zu lecken, wenn dies die Vorschrift war. Die gleichen Menschen konnten ihm jedoch am nächsten Tag ebenso respektvoll die Kehle durchschneiden.

Glücklicherweise machte der Herrscher, der Jean-Baptistes Überlegungen erriet, einen kleinen Schritt nach hinten, als wollte er sich vor einem Biß schützen. Alles mündete in einen schüchternen, aber aufrichtigen Kniefall.

»Nehmt Platz«, sagte der König halbwegs liebenswürdig. Seine schlechte Laune richtete sich eindeutig gegen seinen Ersten Minister und nicht gegen die Gäste. Er klatschte in die Hände und ließ den Besuchern servieren.

Zwei schwarze Sklaven von beachtlicher Größe und mit nacktem Oberkörper brachten ein Tablett mit Gläsern aus feinstem venezianischen Kristall und kunstvoll verzierten Karaffen aus Baccaratkristall, die mit bernsteinfarbenen, hellgelben und strahlendroten Flüssigkeiten gefüllt waren.

Françoise, der Nasir und schließlich Poncet wurden bedient und nahmen mit Vergnügen das Angebot an, von diesen edlen Weinen aus der Fars und Georgien zu kosten. Der König verfolgte das Einschenken der Getränke mit geradezu rührender Anteilnahme. Als die Sklaven vor dem Ersten Minister standen, versuchte dieser, ihr Angebot diskret zurückzuweisen, aber der König sah es und empörte sich: »Wie denn?« schrie er. »Es mag noch angehen, daß du nicht trinkst, wenn du mit mir allein bist. Ich dulde es sogar, daß du dich darin nicht meinen Freunden anschließt. Du würdest ihnen nur die Laune verderben. Aber bei Fremden!«

»Majestät«, jammerte der Alte mit einer tiefen Verbeugung, »seit meiner Pilgerfahrt…«

»Und weiter? Was soll das mit deiner Pilgerfahrt? Wirst du wohl aufhören, uns damit die Ohren vollzuheulen! Was hat er dort gelernt?« fragte der König und rief die Anwesenden zu Zeugen auf, »daß man in Mekka keinen Wein trinkt? Ein Volltreffer. Dort gibt es keinen. Die Unglücklichen haben nichts als widerwärtigen Dattelsaft. Man versteht, daß der Prophet die Weisheit besaß, ihnen dieses Getränk zu verbieten.«

Er gab den Sklaven ein Zeichen, mit der Bewirtung fortzufahren.

»Also, weißen oder roten?«

»Majestät!«

Der Alte hob flehend die Hände. Die anderen Gäste waren aufs äußerste peinlich berührt. Dennoch bewahrte der Erste Minister selbst bei dieser Erniedrigung den Rest einer unendlich bösartigen Miene und ließ so viel Haß gegen die Welt im allgemeinen und gegen die Fremden im besonderen erkennen, daß man nicht ohne Vergnügen mit ansehen konnte, wie er gequält wurde.

»Ein Mann, der nicht trinkt, ist traurig«, sagte der König belehrend. »Glaubt ihr, daß Gott die Menschen traurig geschaffen hat? Glaubt ihr, es macht ihm Spaß, so wie ich es jeden Tag ertragen muß, diese Leichenbittermiene zu sehen? Nein, das sage ich euch. Dieses Getränk wurde nicht auf Erden gebracht, damit wir es mißachten.« Bei diesen Worten hob er sein schönes Glas und bewunderte den reinen Glanz. Dann trank er einen Schluck, um den Genuß des Auges mit dem der Kehle zu vereinen.

Der König schien rasch die Gewalt über sich zu verlieren,

und die fassungslosen Anwesenden wagten keine Bewegung mehr. Nach einigen letzten Beschimpfungen an die Adresse des Ersten Ministers wurde Hossein glücklicherweise von einer sanften Schläfrigkeit erfaßt. Er machte es sich auf seinem Kissen bequem und erklärte: »Noch einmal trägt meine Güte den Sieg davon, du nüchterner Hund, den ich zum Minister gemacht habe, damit er mich verdammt. Ich werde dir noch ein allerletztes Mal geduldig zuhören, während du mit deinem endlosen nüchternen Gewäsch meine Überlegungen als inspirierter Mann störst. Na los doch, worauf wartest du?«

Der Erste Minister hielt das Unwetter für beendet und begann langsam zu sprechen. Er beschrieb die Entdeckung von Françoises Identität in einer für ihn selbst sehr vorteilhaften Weise und verwies auf die bereits getroffene Entscheidung, ihr unter der Bedingung Gastfreundschaft in Persien zu gewähren, daß sie nicht versuchte, das Land zu verlassen.

Der Herrscher wiegte während des Berichtes den Kopf und deutete zwei-, dreimal einen höflichen Gruß für Françoise an. Mit zwei spitzfindigen Sätzen versuchte der Nasir – ohne jede Verlegenheit –, seine eigenen Verdienste in dieser Angelegenheit herauszustellen.

»Es reicht!« sagte der König schließlich und zeigte seinen Überdruß. »Ich habe verstanden. Ihr habt mir beide gut gedient und werdet dafür belohnt.«

Jean-Baptiste, der ihn aufmerksam beobachtete, konnte nicht umhin, starkes Mitgefühl mit diesem kleinen König zu empfinden. Niemand auf der Welt war weniger in der Lage, dieses Amt auszufüllen. Er zeigte nicht das für seinesgleichen typische Verlangen nach Besitz, Haß oder Lust, während diese Regungen doch den notwendigen Strom bilden, um das Rad der Macht in Bewegung zu halten. Er war schwach und gleichgültig. Man verlangte von ihm, daß er stark war, bestrebt, etwas zu wollen und zu entscheiden. Der Wein, der ihn in sein nebliges, weiches Wattetuch hüllte, war das einzige, wodurch er diese Spannung lösen konnte. Dank dieses Gegenmittels nahm sein friedlich gewordenes Gesicht, über dem der Turban auf das rechte Ohr gerutscht war, einen melancholischen, der Liebe ermangelnden Ausdruck an, der aus seiner frühen Kindheit stammen mochte.

So weit war Jean-Baptiste mit seiner Anteilnahme gekommen, als sich das Gespräch seiner eigenen Person zuwandte.

Auf eine Frage des Königs antwortete der Nasir, Poncet sei Arzt. In früheren Jahren sei er durch Afrika gereist, um den Negus von Abessinien zu behandeln, dann durch Europa, wo Kardinal Alberoni zu seinen Patienten gehört hatte.

»Und warum hat er mich nie behandelt?« fragte der König und richtete sich auf.

»Aber Majestät«, stammelte der Nasir, »Eure Ärzte ... «

»Sind Esel! Und stehen außerdem alle im Spitzeldienst von dem da«, fügte er hinzu und warf dem Ersten Minister ein Kissen ins Gesicht.

Dann stand er auf und sagte zu Poncet: »Kommt mit, diese Leute hier brauchen nichts von meinen Schwächen zu erfahren. Ich will lieber, daß sie sie von selbst entdecken. Das gibt mir eine kleine Atempause, ehe sie es ausnutzen, um mich ganz umzubringen.«

Er zog Jean-Baptiste am Arm bis zu einer der hölzernen, durchbrochenen Wände des Pavillons, an dessen Latten weißer Jasmin emporkletterte und einen süßlichen Duft verbreitete. Das Getuschel dauerte fünf lange Minuten. Der König gestand dem Arzt die Symptome seiner Alkoholkrankheit und die Schmerzen, die ihm vor den Mahlzeiten die Eingeweide zusammenzogen.

»Könnt Ihr mir Erleichterung bereiten?«

»Majestät, ich glaube es wohl.«

»Mit Pflanzen?«

»So ist es.«

Der König wandte sich einen Moment zu den anderen und rief hochempört aus: »Und diese Schweine haben mich leiden lassen!«

Dann sagte er zu Poncet: »Wie lange braucht Ihr, um die Medizin zuzubereiten, die mich heilen wird?«

»Nun ... vielleicht zwei Tage.«

»Und wie lange muß ich sie einnehmen?«

»Gewöhnlich empfehle ich einen Zeitraum von drei Monaten.«

»Nun gut«, brummte der König, »wenn sie nur nicht zu bitter ist! Noch etwas: Was meint Ihr, ist der Wein...«

»Gefährlich für Euch?«

»Ja«, bestätigte der König eilig.

Sein Gesicht war so flehend, daß Jean-Baptiste erneut Mitleid empfand. »Mäßigt Euch, wenn Ihr könnt, Majestät, aber es wäre noch gefährlicher, auf einen Schlag damit aufzuhören.«

Ein Ausdruck unendlicher Dankbarkeit zeichnete sich auf dem Gesicht des unglücklichen Monarchen ab. Er strahlte vor Freude, als er zu den anderen zurückkehrte, gefolgt von Jean-Baptiste.

»Dieser Arzt ist ein Genie«, sagte er. »Du bekommst fünfhundert Tuman zur Belohnung, weil du ihn mir gebracht hast, Nasir. Und zwanzig Peitschenhiebe, weil du so lange damit gewartet hast. Und Euch, mein lieber Doktor, Euch erwarte ich wie vereinbart in zwei Tagen mit meiner Medizin. In den drei folgenden Monaten werdet Ihr im Palast wohnen. Bringt Eure Sachen mit und sagt alle anderen Patienten ab. Ihr werdet den Palast nicht verlassen. Ich will euch Tag und Nacht in meiner Nähe haben. Wenn mir Eure Behandlung guttut, behaltet Ihr dieses Amt Euer Leben lang, und ich bedecke Euch mit Gold. Wenn nicht...«

## Neuntes Kapitel

Auf dem Dach von Jean-Baptistes Haus war nach der Mode von Isfahan ein dreieckiger Bau errichtet, den die Perser *bagdir* nennen, das heißt Windfänger. Dank dieser Art Kamin in umgekehrter Richtung gelangt der kleinste Windhauch, von wo er auch kommen mag, in den Sommertagen ins Haus und bringt ein wenig Frische. Die schweigende Runde, die an diesem Abend in Jean-Baptistes großem Arbeitszimmer verstreut saß und nachdachte, hörte im Windfänger eine Nordostbrise seufzen, erschöpft von der Reise durch die Wüste von Khorasan.

Auf dem Arbeitstisch des Arztes lagen zwei versiegelte Briefe. Der eine stammte vom russischen Botschafter, ein Bote hatte ihn wie versprochen am Nachmittag gebracht. Der andere war eine auf den Namen Jean-Baptiste vom armenischen Patriarchen ausgestellte und ebenfalls im Laufe des Tages eingetroffene Geburtsurkunde.

Jean-Baptiste schaukelte auf zwei Füßen seines kleinen Sessels hin und her und starrte auf die Dokumente.

»Nichts fehlt«, sagte er grimmig, stand auf und lief im Zimmer auf und ab. »Und trotzdem werde ich hier festgehalten.«

Françoise und Alix saßen auf einem schmalen Sofa. Beide hatten einen Arm auf der Lehne und das Kinn in die Hand gestützt.

»Vielleicht sollte ich so reden wie die Perser: Das ist womöglich ein Zeichen«, sagte Jean-Baptiste. »Irgend etwas im Himmel weist uns den Weg und will nicht, daß Juremi gerettet wird.«

»Sind Sie jetzt auch abergläubisch geworden?« fragte Françoise weniger vorwurfsvoll als erstaunt.

Ihr langes Zusammenleben mit einem Protestanten hatte sie gegen solche Vorstellungen immun gemacht. Dennoch suchte sie selbst, ohne es ihrem strengen Gefährten je zu gestehen, in Momenten der Gefahr oder der Verzweiflung Trost in der Deutung von Vorzeichen.

»Oh!« rief Jean-Baptiste, der diesen Satz als Vorwurf verstand. »Sie haben recht, Françoise, ich höre bis hierher Juremis schallendes Lachen, wenn man ihm erklärt, daß er sterben muß, weil uns die Sterne nicht günstig gesonnen sind ...« Er setzte sich wieder an den Tisch.

»Dennoch sehe ich keinen Weg, wie ich mich dem Willen dieses Königs entziehen könnte. Natürlich ist er schwach und hat nicht einmal die Mittel, sein Land gegen andere zu verteidigen. Aber was ihm an Macht noch bleibt, reicht durchaus, um mich zu zerquetschen, mich, der ich auf keine Unterstützung rechnen kann, und mich zu jagen, wo immer ich auch bin.«

Wieder erfüllte das dumpfe Grollen des Windes den Raum.

»Also ... fliehen?« sagte Jean-Baptiste wie zu sich selbst. »Reisende mit Gepäck brauchen zwei oder drei Wochen, ehe sie an die Grenzen des Reiches gelangen. Das ist mehr als ausreichend, um eingeholt zu werden.«

Saba saß in einem Sessel neben der Eingangstür und starrte stumm auf den Boden. Jean-Baptiste lächelte ihr zärtlich zu, als sein Blick sie streifte. Dann versank er wieder in seinen Überlegungen.

In der Stille hörte man plötzlich eine ernste, leicht zitternde Stimme, die langsam folgende Worte sprach: »Man müßte sterben ...«

Alle hoben erstaunt den Kopf und überlegten, wer wohl gesprochen hätte. George stand neben der Tür. Trotz des Halbdunkels, in dem er sich verbarg, sah man, wie er errötete, als sich die Blicke auf ihn richteten.

»Was meinst du damit, George?« fragte Alix wütend.

Der junge Engländer, den die Schüchternheit zu jedem auch nur im geringsten unbefangenen Austausch unfähig machte, ließ Alix nicht die Möglichkeit, auf natürliche Weise freundlich zu ihm zu sein. Sie hatte große Schwierigkeiten, sich mit diesem scheuen Knaben zu verständigen.

»Nichts«, sagte der Junge verwirrt, denn er hatte etwas geäußert, ohne darüber nachzudenken, daß man ihm Fragen stellen würde.

»Doch, doch, entwickle deinen Gedanken«, rief Jean-Baptiste, der aufgesprungen war und freudig erregt auf seinen Pflegesohn zuging.

Er suchte bei den anderen nach Bestätigung und fügte laut hinzu: »An dieser Idee ist etwas dran. Sterben! Er hat recht. Er hat recht.«

»Erklär doch endlich, was du meinst«, verlangte Alix, die blaß geworden war.

»Das heißt natürlich, man muß so tun, als ob«, stammelte George.

»So habe ich es auch verstanden«, sagte Jean-Baptiste und klopfte ihm im Vorbeigehen freundschaftlich auf die Schulter.

George lächelte und versteifte sich, so empfindlich reagierte er auf jede körperliche Berührung. Jean-Baptiste kehrte in die Mitte des Zimmers zurück und stellte sich neben den Leuchter, der auf dem ledernen Bezug des Schreibtischs stand.

»Diese Idee ist hervorragend. Ehrlich gesagt kann ich mir keine bessere vorstellen: die Erregung, weil ich den König gesehen habe, ihr versteht. Und außerdem bin ich nicht mehr ganz jung. Das Herz… Ich bin fest entschlossen: Ich sterbe heute abend!«

Die Frauen stießen einen Schrei aus.

»Wie schrecklich!« rief Saba.

»Nicht doch, nehmt das Ganze nicht so tragisch. Sobald ich tot bin, werde ich wieder auferstehen. Dann bin ich … ein armer armenischer Pilger, der sich auf den Weg macht, um seine Familie bei den Türken zu besuchen.«

Jean-Baptiste lachte. Er fühlte sich plötzlich wie befreit.

»Dennoch«, wandte Alix nach einem langen Schweigen ernst ein. »Glaubst du nicht, das sind ein paar Lügen zuviel? Françoise und Alberoni, der armenische Patriarch und deine falsche Identität. Jetzt auch noch dein Tod… Man muß auch daran denken, daß du zurückkehrst. Wie sollen wir das alles wieder entwirren?«

»Alberoni wird Françoise nicht hier abholen. Dem armenischen Patriarchen kommt es auf eine Lüge mehr oder weniger nicht an, weil er damit handelt. Und was meinen Tod angeht, nun gut, da ist immer noch Zeit, eine Lösung zu finden, wenn ich zurückkomme. Mein Gefühl sagt mir, daß mich der König, wenn er so weitermacht, nicht lange überleben wird. Sein Nachfolger wird keinen Grund haben, darüber nachzudenken, ob ich lebe oder tot bin.«

»Und wenn er überlebt?« fragte Alix.

»Oh! So viele Fragen! Immer eins nach dem anderen. Laßt

mich heute in Ruhe sterben. Später sehen wir, wie ich wieder auferstehen kann.«

So sehr sie dieser Plan auch ängstigte, sah Alix doch ein, daß sie ihren Mann nicht davon abbringen würde. Jean-Baptiste bestand auf seiner Idee. Er war jedoch bereit, noch vierundzwanzig Stunden am Leben zu bleiben, da er sich erst am übernächsten Tag beim König einfinden sollte. Seine Abreise sollte am nächsten Abend erfolgen.

Den ganzen Tag lang wurden unauffällig Vorbereitungen getroffen. Die Familie lief hin und her, Taschentücher in der Hand, sterbenstraurig. Der, um den sie weinten, mußte sich zurückhalten, um nicht vor Freude zu jubilieren.

In dieser ersten Nacht blieb Jean-Baptiste noch sehr spät in seinem Arbeitszimmer und ordnete seine Papiere. Das Fenster war weit geöffnet, die Dunkelheit ließ bis auf den Widerschein der Sterne auf den Blättern nichts von den Pflanzen im Garten erkennen.

Jean-Baptistes Erregung hatte sich gelegt. Eine friedliche, heitere Stimmung erfaßte ihn, und er genoß träumend diesen Zustand, ehe er zu Bett ging.

Plötzlich fuhr er zusammen. George stand vor ihm, steif und verkrampft ob der eigenen Kühnheit.

»Du hast mich erschreckt, George, ich habe dich nicht hereinkommen gehört.«

»Bitte sehr, ich möchte gern mit Ihnen sprechen.«

Der junge Mann sprach seinen Adoptivvater niemals mit einem Namen an. Ihn »Vater« zu nennen, wäre ein Verrat an seinen echten Eltern gewesen, an die er noch immer voller Zärtlichkeit dachte, ohne sich ganz davon überzeugen zu können, daß sie tot waren. »Jean-Baptiste« wiederum war eine zu ungezwungene Anrede, die nicht zu dem förmlichen Respekt paßte, mit dem George der Autorität begegnete. Im Grunde hatte keiner von beiden jemals den richtigen Ton gefunden. Der junge Mann antwortete auf Jean-Baptistes Vertrautheit mit der Steifheit eines Soldaten beim Appell. Wenn er sich an ihn wandte, begann er den Satz immer mit einem »Bitte sehr«.

»Na, dann setz dich und sprich«, sagte Jean-Baptiste so herzlich er konnte.

George blieb stehen. »Reisen Sie morgen allein?«

»Nein, ich nehme Küyük mit, Françoises Diener, der die Sprachen des Landes spricht und mir mit seiner großen Reiseerfahrung nützlich sein kann.«

George hatte den Einsatz seines bißchen Mutes genau berechnet. Er warf ihn ganz und gar in einen einzigen Satz, den er mit tonloser Stimme herausstieß: »Ich werde morgen mit Ihnen fahren.«

Jean-Baptiste blickte erstaunt auf den jungen Mann, der die Augen weit aufgerissen hatte, als starre er in die Dunkelheit jenseits der Mauern, auf einen imaginären Horizont. Was für ein seltsamer Charakter! Jean-Baptiste stand auf, überließ George seinem schweigenden Starren und lief, die Hände hinter dem Rücken, im Zimmer auf und ab.

Der Ton gefiel Jean-Baptiste: »Ich werde fahren«, und nicht »Bitte sehr, darf ich mitfahren...«. Wenn man sich vorstellte, wie lange er selbst gebraucht hatte, den Wert dieser Worte zu ermessen. Er hatte den Umweg über Abessinien machen müssen, um zu begreifen, daß man die Freiheit nicht erbittet, sondern ergreift. Dieser verflixte Bursche hatte instinktiv den richtigen Weg gefunden. Man spürte, daß er von einer heftigen Leidenschaft erfüllt war, die nur von seiner Schüchternheit im Zaum gehalten wurde. Er war offensichtlich zur Abreise entschlossen, was auch immer geschehen mochte. Wenn Jean-Baptiste nicht zustimmte, würde er ein anderes Mittel finden, vielleicht fliehen, aber niemals verzichten... Das allein weckte in ihm die Lust, dem Wunsch des Knaben zuzustimmen.

Dennoch, sagte sich Jean-Baptiste, mit einem Menschen reisen, mit dem man so schwer reden kann! Gerade jetzt, wo ich eigentlich Anlauf nehmen muß, hänge ich mir damit eine ziemlich schwere Kugel ans Bein.

Er lief durchs Zimmer und sah George jetzt von hinten, immer noch unbeweglich. Der Arme! Seine Eltern waren besessene, fanatische Wissenschaftler gewesen und hatten ihn in ihrer Forschungssucht mitgerissen. Er war gewiß von dem rührenden Verlangen erfüllt, ihrem Beispiel zu folgen und schließlich ihr Schicksal zu teilen. Da war es schon besser, wenn er die Welt an der Seite eines Mannes entdeckte, der ihn den Umgang mit ihr lehren konnte und nicht daran dachte, sie zu verlassen.

Es ist wahr, dachte Jean-Baptiste, und diese Vorstellung hob seine Laune, es gibt keinen lebendigeren Toten als mich! Na los, wir werden dieses neue Leder schon weichklopfen. Die Reise wird es abnutzen, und wenn wir Juremi finden, wird der alte Brummbär den Rest übernehmen.

Er drehte sich um und stellte sich vor seinen Pflegesohn. »Du stehst nicht mit auf dem Passierschein des Patriarchen«, sagte er streng.

Wenn es nicht um Gefühle ging, fühlte sich der junge Mann offensichtlich viel sicherer. Er hatte seine Antworten bereits vorbereitet.

»Ich muß mir nur die Haare kreuzförmig scheren lassen. Wir sagen, daß ich ein Novize bin, der darauf wartet, das Gelübde abzulegen. Ich werde so echt wie ein Priester aussehen, daß man mich gar nichts fragen wird. Die Passierscheine dieses Volkes sind nur für normale Leute bestimmt.«

»Du sprichst kein Armenisch«, bemerkte Jean-Baptiste als nächstes.

»Meine Eltern haben mir ein paar Grundbegriffe beigebracht, um unsere Reise vorzubereiten, ebenso Türkisch und Persisch. Ich kann es schreiben. Was das Sprechen angeht, sagen wir ... daß ich stumm bin.«

Dann senkte er den Blick, weil ihm der nächste Satz wie ein Angriff vorkam, und fügte hinzu: »Außerdem sprechen Sie es doch auch nicht ...«

Jean-Baptistes Zufriedenheit begann zu schwinden. Für einen Moment bedauerte er seine Bereitschaft, einen Burschen mitzunehmen, über dessen scharfen Geist er sich oft ärgerte.

Die hartnäckigen Fragen dieses Jungen zeigten immer eine Logik und Klarheit, die ihn selbst oft ins Unrecht setzte.

»Nein, ich spreche kein Armenisch«, sagte Jean-Baptiste ungeduldig. »Aber im Unterschied zu dir spreche ich so gut Persisch wie ein Einheimischer. Unter den Christen im Osten des Landes gibt es Armenier, die ihre Sprache längst vergessen haben. Ich werde behaupten, daß ich von dort komme.«

Georges Bemerkung hatte ihm die Laune verdorben, und gleichzeitig, eben weil sie so scharfsinnig war, machte sie ihm deutlich, wie nützlich ein solcher Begleiter sein konnte.

»Na los«, sagte er lebhaft, »worauf wartest du, um nach Djolfa zu rennen und Leinen zu kaufen, wie es die armenischen Pilger tragen? Dich kennt man dort nicht. Du mußt den Schneidern nur sagen, daß es für ein Kostümfest ist.«

George rührte sich nicht von der Stelle. Er glaubte wohl, daß er Jean-Baptiste nicht recht verstanden hatte.

»Laß zwei Gewänder nähen. Deins ganz schlicht, wie es sich für einen Novizen gehört«, sagte Jean-Baptiste, während er sich schon zum Fenster wandte, um das Gespräch zu beenden und nicht irgendwelche ungeschickten Ausbrüche von Dankbarkeit ertragen zu müssen, die den Jungen womöglich noch vor seine Füße geworfen hätten.

Jean-Baptiste starb am nächsten Abend. Die Dienerschaft war am späten Nachmittag durch das Stöhnen und die Schreie des Arztes alarmiert worden, der auf einem Teppich in der Kühle einer Terrasse lag. Um im Geist der Zuschauer finstere Assoziationen zu wecken, hatte er sich unter eine blühende Fuchsie gelegt, die ihre violetten Blüten wie giftiges Blut auf ihn herabregnen ließ. Der Sterbende hielt sich die Brust und spuckte in ein undurchsichtiges Gefäß mit langem Hals.

Zwischen zwei Schreien wies er auf die Baumpilzmixtur auf einem Regal. Alix griff mit ernster Miene nach dem Heilmittel und gab es ihm zu trinken. Wie hätten die armen Diener auch wissen sollen, daß diese Krüge nur Kräutertee enthielten und daß die gespielten Schreie des Sterbenden mit Mixturen von Eisenkraut und Kamille beruhigt wurden? Als alle Hausbewohner Zeugen dieser Szenen geworden waren, wollte Alix allein mit ihrer Tochter und Françoise bei dem Kranken bleiben. Küchenmädchen, Hausdiener und Stallburschen erhielten verschiedene Aufträge für Erledigungen in der Stadt, und man rechnete fest mit ihrer Indiskretion, um die traurige Nachricht zu verbreiten.

Am Abend verkündete ihnen ihre bleiche Herrin, die all ihre Tränen schon geweint hatte, daß Jean-Baptiste im Sterben liege. Inzwischen schnitt Saba in einem abseits gelegenen, durch einen Laubengang verborgenen Pavillon ihrem Bruder zitternd die Locken zu einer Kreuzform. Dann warf George das Gewand über, das man ihm am Nachmittag genäht hatte, ein enges Kleid aus rauhem braunem Wollstoff. Er verschwand durch eine Gartenpforte und ließ sich im Schutz seiner weiten Kapuze am Haupteingang als Beichtvater melden. Alix empfing ihn mit tragischer Miene und führte ihn zu dem Kranken. Inzwischen flocht Saba Jean-Baptistes schwarze Locken nach armenischer Weise in einem Kranz um seinen Kopf. Diese Frisur machte ihn vollkommen unkenntlich. Dann ging alles sehr schnell. Als nur noch ein alter Türsteher wach geblieben war, führte die Gruppe eine kleine Zeremonie im hintersten Teil des Gartens im Rosarium durch. Die gesamte Liturgie bestand darin, ein Viereck frischer Erde inmitten des Rasens umzugraben und ein Holzkreuz aufzustellen.

Kein Perser würde sich am nächsten Tag darüber wundern, daß Alix, die schon so lange in Isfahan lebte, für die Beisetzung ihres Gatten der moslemischen Sitte gefolgt war, die vorschrieb, sehr schnell und noch in der gleichen Nacht zu handeln, wie es die Gefährten Mohammeds mit seinem Körper getan hatten. Ebensowenig würde jemand erfahren, daß der Beichtvater, der allein gekommen war, vor dem Morgengrauen mit einem anderen Armenier, der sein Gesicht verbarg, aufgebrochen war.

Am folgenden Tag ging alles seinen ordentlichen Gang, im

Haus wurde offiziell der Beginn der Trauerzeit verkündet. Die scheinbare Beisetzung wirkte um so überzeugender, als der Kummer der Überlebenden echt war. Wenige Tote, die sich zu dem Opfer bereit gefunden hatten, diese Erde zu verlassen, wurden so aufrichtig beweint wie Jean-Baptiste, der sich diese Mühe gar nicht erst gemacht hatte.

# 2
## Aufbruch zum Kaspischen Meer

*Erstes Kapitel*

Am Stadttor von Isfahan hatte Küyük, Françoises mongolischer Diener, zwei Maultiere mit dem armseligen Gepäck der Reisenden beladen. Alle drei verbargen unter ihren Mänteln genügend Goldstücke, um die Reisekosten aufzubringen und, wenn nötig, ihre Ausstattung zu vervollständigen. Den Medikamentenkoffer hatte Jean-Baptiste während der letzten Nachtstunden sorgfältig bestückt. Er schnallte ihn an einen der Juteballen am Sattel seines Reittieres.

Am frühen Morgen dann setzte sich das elende Trüppchen in Bewegung. Ihre erste Station würde Kashan sein, wo Jean-Baptiste Françoise wiedergefunden hatte. Er erinnerte sich daran, wie schnell ihn das Pferd – feurig wie der berühmte Bucephal, das Roß Alexanders des Großen, mit dem die persischen Traber nach Auskunft des Nasirs auch verwandt waren – dorthin gebracht hatte. Der Schritt der Maultiere kam ihm deshalb zum Verzweifeln langsam vor. Die Freiheit, deren unbeschwerte und fröhliche Melodie ihm in den letzten Tagen in den Ohren geklungen hatte, zeigte nun wieder ihr wahres Gesicht, das ihm entfallen war: das einer langen, trostlosen Mühsal inmitten der Unendlichkeit.

Tausende von Quellen entsprangen in den Bergen und befeuchteten die fruchtbare Ebene, die mit Weinfeldern und Wohnhäusern bedeckt war. Schah Abbas der Große hatte einst eine riesige Mauer zwischen zwei Steilhängen bauen lassen, um das Wasser aufzufangen. Langsam stiegen sie zu den friedlichen Ufern dieses Stausees hinauf. Von unten war es ihnen vorgekommen, als würden die von tiefen Falten durchzogenen Berge mit ihren Tränen die traurigen Seelen der Reisenden begleiten. Aber sobald sie die grüne Wasserfläche erreicht hatten, in der sich außer dem wolkenlosen Himmel nur das Violett des Heidekrauts und der Disteln widerspiegelte, den einzigen Pflanzen auf dieser Hochfläche, bemächtigte sich ihrer reine Freude. Jean-Baptiste, der sich inzwischen an die Langsamkeit gewöhnt hatte, war gerührt und freudig erstaunt über diese Wiederbegegnung mit der Natur, ihren unerwarteten Wundern und der allmählichen Offenbarung der Überraschungen, die sie für jene bereithält, die sie lieben.

George hatte England verlassen, als er mit seinen Eltern zu jener Forschungsreise nach Persien aufbrach. War es die Verwirrung, zum ersten Mal im Leben eine Verkleidung zu tragen, der Rausch, die Wohnstätten der Menschen zu verlassen, die man noch in den Tälern sah, um dem Wind und dem Himmelsblau Gesellschaft zu leisten, oder einfach der Stolz, allein mit Jean-Baptiste zu sein, ihm ebenbürtig? Auf jeden Fall verspürte der junge Mann etwas, das ein anderer, weniger zurückhaltender Glück genannt hätte.

Am zehnten Tag ergänzten sie in Qom ihre Ausstattung. Diese Stadt war ein Ort mit zahllosen Heiligtümern, in denen alle, von den erbärmlichsten Bettlern bis zu den Weisen der Schiiten, von den Königen Persiens bis hin zum einfachen Pilger, den Propheten und seinen Schwiegersohn Ali feierten. Offenbar waren die Gnadengebete jedoch nicht ausreichend gewesen, denn die Stadt wurde wieder und wieder durch Eroberungen, Überschwemmungen und Erdbeben zerstört.

Als sie eintrafen, war die Stadt gerade in voller Pracht wiederaufgebaut worden. Qom war berühmt für seine Erzeugnisse, vor allem für die herrlichen Seifen und die weißen Töpferwaren. Sie erwarben einige dieser Produkte, um ihre Identität als armenische Reisende zu unterstreichen, die um keinen Preis auf den Handel verzichten würden. Unter den Schwertern, deren Klingen als die härtesten in ganz Persien galten, wählten sie drei gute, leichte und schmale aus, die sie für den eigenen Gebrauch in ihren Paketen versteckten, falls es zu unangenehmen Begegnungen kommen sollte.

Eigentlich war diese Vorsicht noch nicht ganz angebracht, denn sie trafen auf den Wegen und in den Städten nur anständige Menschen. Die wahre Gefahr bestand vielmehr darin, entdeckt und erkannt zu werden, solange sie sich noch in der Nähe der Hauptstadt befanden. Mehrere Male hatten sie das Gefühl, sehr eindringlich gemustert zu werden.

»Der mongolische Diener war schon einmal hier, als er mit Françoise auf dem Weg zu uns war«, sagte George eines Tages. »Er ist es, der uns verdächtig macht.«

Die Erklärung war einleuchtend. Küyük hatte ein Gesicht, das man nicht vergaß. Solange in Isfahan nichts bekannt wurde, waren sie sicher. Aber wenn ihnen jemand auf der Spur war, machte dieser Weggefährte, durch den sie unverkennbar waren, jede Verkleidung unnütz. Sie beschlossen aus Vorsicht, nachts weiterzuziehen. In Qazwin, der ersten Stadt, die sie erreichten, schliefen sie in riesigen Grotten, aus denen die Bewohner das Wasser schöpften, das durch lange unterirdische Kanäle aus den umliegenden Bergen bis hierher floß.

Ohne Zwischenfälle gelangten sie in das Land der Meder mit seinen grünen Weiden und den zahlreichen Flüssen. Der letzte Ort, an dem die Macht des Königs von Persien noch groß genug war, um sie zu bedrohen, war Täbris.

Um dorthin zu gelangen, mußten sie zunächst einen breiten Fluß überqueren und dann ein Gebirge besteigen, das der Schlamm im Winter nahezu unpassierbar machte. Deshalb hatte man breite Steinwege, die einzigen im ganzen Land, angelegt, um den Reisenden die Unannehmlichkeit der Steilhänge zu ersparen. Sie sahen in diesen Bergen und in den Wäldern im Tal viele Hirsche und Auerhähne, die von den Persern im Unterschied zu den Adlern nicht gejagt werden. Jene – sie sahen mehrere Pärchen – wurden von den Bauern der Region mit Hilfe gezähmter Falken gefangen.

Sie hatten nicht die Muße zu plaudern, denn der Weg war steil und raubte ihnen den Atem. Jean-Baptiste hatte dies zunächst bedauert. In den seltenen Momenten jedoch, in denen er ein Gefühl mit George teilen wollte, mußte er voller Verdruß erkennen, wieviel ihn von seinem ernsten Sohn trennte.

Als sie den Gipfel des letzten Berges erreichten, tauchten die flachen Dächer und die Minarette von Täbris vor ihnen auf und in der Ferne, in grünem Nebel, die reine Linie des Urmia-Sees. Jean-Baptiste stieß einen Schrei der Bewunderung aus und vernahm ernüchtert den einzigen Kommentar von George, der dabei tief errötete: »Wenn ich nur einen Windmesser hätte, könnte ich die Geschwindigkeit dieses Sturms berechnen.«

Nachdem sie so viele Tage in der Natur oder wie Nachtvögel versteckt in den dunklen Winkeln der Stadt verbracht hatten, empfanden sie ein Verlangen nach einer menschlicheren Unterkunft. In Täbris beschlossen sie, die Gastfreundschaft der portugiesischen Mönche zu erbitten. Dieser Aufenthaltsort erschien ihnen weniger gefährlicher als eine Karawanserei von Armeniern. Es war nicht unüblich, daß Pilger dieses Volkes, bei dem es häufig Auseinandersetzungen, Streitereien und Eifersüchteleien unter Händlern gab, die Nachbarschaft einer anderen Gemeinschaft bevorzugten. Die Portugiesen empfingen sie zurückhaltend, aber warmherzig. Abends servierten sie ihnen ein reiches Mahl mit Eiern, Milchprodukten, hervorragendem Fisch aus dem See und Lamm, das in seinem zarten Fleisch den Duft der Blumen und Kräuter trug, die diese Tiere in ihrem kurzen, sanften Leben gefressen hatten. Alles wurde mit dem schweren, köstlichen Wein begossen, der vielleicht der stärkste der Welt war, hergestellt aus einer kleinen, goldenen Traube, die man Chahoni nennt, die Königliche.

Nachdem sie gespeist hatten, setzten sich drei kräftig gebaute Augustiner mit ernsten Gesichtern zu ihnen und boten ihnen Pistazien an.

»Hat Ihnen das Mahl geschmeckt?« fragte der älteste der Mönche höflich.

»Das möchte ich meinen, bei Nerses, unserem Patriarchen!«

begann Jean-Baptiste, leicht erhitzt durch die Getränke und überglücklich, George zu zeigen, daß er seine Rolle keineswegs unvorbereitet spielte. »Hätte es Gott nur gefallen, dem heiligen Gregorius in seiner Höhle die gleichen Speisen zu gewähren – er wäre noch immer unter uns.«

»Gewiß«, sagten die Mönche und wiegten die Köpfe. »Wenn allerdings dieser große Heilige noch immer dem Glauben anhängen würde, den man ihm zuschreibt, hätte er heute abend gewiß nicht mit Ihnen gespeist.«

»Und warum nicht?« frage Jean-Baptiste und sah um sich, als wolle er seine beiden Gefährten als Zeugen nehmen, von denen der eine als stumm galt und der andere offensichtlich ein Mongole war, also ebenfalls nicht in der Lage zu widersprechen.

»Die Entschlafung der Heiligen Jungfrau«, sagte der älteste der Portugiesen unerwartet und wies mit dem Finger auf ein Madonnenbild an der Wand über ihnen.

»Die Entschlafung der Heiligen Jungfrau?« fragte Jean-Baptiste, den die Angst packte.

Dann erinnerte er sich an Murad, den armenischen Koch, den er aus Äthiopien mitgebracht hatte und nach dessen Vorbild er sich insgeheim richtete, um seine Rolle zu spielen. Murad beging die Fastenzeiten seiner Religion, indem er jammerte, er würde der ewigen Verdammnis anheimfallen. An den Tagen, da er auf Fleisch und Wein hätte verzichten sollen, was ihm bei seinem Appetit vollkommen unmöglich war, hörte man ihn deshalb tiefe Seufzer ausstoßen. Jetzt fiel Jean-Baptiste ein, daß er jede Woche am Mittwoch und Freitag klagte, ebenso wie an den zehn anderen liturgischen Festtagen: Weihnachten, Dreifaltigkeit, Verklärung und so weiter. Zu Murads zehn Klagewochen gehörte auch die Entschlafung der Heiligen Jungfrau.

»Mein Gott!« rief Jean-Baptiste und spielte größtes Erschrecken. »Ist etwa heute die Entschlafung der Heiligen Jungfrau? Oh! Was für ein Unglück! Da seht ihr, Freunde, wie sehr man bei einer Reise sich selbst fremd wird und durch schuldhafte Unwissenheit sündigt.«

»Sie waren keineswegs unwissend«, sagte der Anführer der Augustiner ruhig. »Als Sie unser Haus betraten, habe ich selbst es Ihnen gesagt: ›Willkommen und möge das Fest der Entschlafung der Heiligen Jungfrau Sie verklären!‹«

»Das haben Sie gesagt!« seufzte Jean-Baptiste und sah mit großen Augen um sich.

George sah auf seine Knie, und der Mongole zerrte mit abwesender Miene an einer der Strähnen, aus denen sein Bart bestand, wobei er einen kleinen, bräunlichen, sehr eigenartigen Hautzipfel hochzog.

»Hören Sie«, sagte der Mönch und schob seinen Hocker näher heran, und es schien Jean-Baptiste, als würden auch die anderen beiden den Kreis enger machen, »ich möchte Sie nicht zur Sünde der Lüge verführen, die für uns ebenso schrecklich ist wie für Sie. Gestehen Sie einfach das Offensichtliche ein.«

›So kurz nach der Abreise erwischt zu werden, kaum aus Persien entronnen!‹ dachte Jean-Baptiste und sah bereits die katastrophalen Folgen seiner Rückkehr nach Isfahan voraus: die Bestrafung durch den König, den Ruin seiner Familie.

»Nur zu, wir sagen Ihnen einfach nur: Geben Sie es zu.«

Was konnten sie nur wollen, diese drei strengen Greise mit ihren lockigen Bärten, so ungekämmt, daß man sie für Filzkappen halten konnte, die sie sich aufs Kinn gesetzt hatten? Jean-Baptiste war im Begriff, sich ihnen zu Füßen zu werfen, ihnen alles zu erzählen und um Erbarmen zu bitten, als der Mönch, der die größte Autorität zu besitzen schien, fortfuhr:

»Da Sie nichts sagen wollen, werde ich sprechen. Sie respektieren die Fastenzeiten nicht mehr. Ich kann Ihnen bestätigen, daß Sie recht daran tun.«

›Wenn es weiter nichts wäre‹, dachte Jean-Baptiste und sah den Mönch an, ohne zu glauben, was er hörte.

»Ja, Sie haben recht«, wiederholte der Augustiner, »denn diese zahlreichen Bußübungen sind nichts als eine Anmaßung jener, die Sie von der wahren Botschaft unseres Herrn Jesus Christus abbringen wollen.«

Eine Bekehrung! Das war alles! Jean-Baptiste spürte sogleich eine warme Welle der Erleichterung, die infolge des

Weins direkt auf seinem Gesicht abzulesen war. Diese römischen Katholiken hatten vielleicht darauf verzichtet, die Armenier zu bekehren, wie es der Patriarch behauptete, aber wenn die Vorsehung ihnen drei davon schickte, arm und schwankend im Glauben, aus fernen Provinzen und schwach genug, ihrer eigenen Tradition nicht zu folgen, war die Versuchung für diese Anhänger der Missionierung einfach zu groß.

Zwei Stunden lang wechselten sich die Portugiesen darin ab, voller Begeisterung die Vorteile des Papismus zu preisen.

Jean-Baptiste, der glücklich seine Pistazien knabberte und den süßen Wein trank, den die Mönche reichlich einschenkten, um ihm Mut zu machen, stimmte allem zu. Um Mitternacht führte er seine Gefährten mit glühenden Wangen und unsicherem Schritt in strengster Orthodoxie zur Nachtruhe und segnete gleichzeitig Innozenz XIII., die Heilige Jungfrau und Vasco da Gama.

Am nächsten Morgen erkundigten sich die beiden falschen Pilger und ihr mongolischer Stallbursche sehr ernsthaft nach dem Namen und dem Sitz des Beglerbeg und teilten den Mönchen ihre Absicht mit, den mohammedanischen Behörden auf der Stelle den Wechsel ihrer Konfession mitzuteilen, wie es ihnen per Gesetz vorgeschrieben war.

Das Unglück wollte es, daß sie sich unterwegs verliefen. Obwohl die armen Portugiesen bis zum Abend hundertmal zwischen ihrem Kloster und dem Gouverneurspalast hin und her eilten, konnten sie schließlich nur noch den vorzeitigen Verlust ihrer drei neugewonnenen Anhänger beklagen.

Während nun die Kapelle der Augustiner von untröstlichen Abendgebeten widerhallte, eilten die drei unglücklichen Verdammten, so schnell es ihre Maultiere erlaubten, durch die Berge nach Norden. Sie wollten dieses Aserbaidshan so schnell wie möglich verlassen, das die Perser für das Land des Feuers halten und wo flammenanbetende Volksstämme den Reisenden einen Ort zeigen können, aus dem das mineralische, unterirdische Feuer hervordringt, das ihnen heilig ist. Für Jean-Baptiste hatte nicht viel daran gefehlt, daß diese Flammen für ihn zu einem Höllenfeuer geworden wären, und er war sehr zufrieden, dies alles hinter sich zu lassen, als er das frische Wasser des Flusses Aras erreichte. In dieser Jahreszeit war er weniger reißend. Sie überquerten ihn auf einer Fähre und betraten ein Ufer, an dem die Autorität des Königs von Persien nicht mehr anerkannt wurde.

Schah Abbas – schon wieder er – wußte in seiner großen Weisheit als Eroberer, daß es schwierig werden würde, Armenien zu halten. Deshalb hatte er alle Dörfer nahe der Grenze zwischen dieser Provinz und dem Rest von Persien zerstören lassen. Auf diese Weise konnten die Türken zwar immer wieder einmal Jerewan und dessen Provinz erobern, wie es gerade wieder geschehen war, aber ihr Vorgehen bedrohte Persien nicht direkt, war es doch von diesem breiten Band toter Erde geschützt.

Jean-Baptiste und seine Begleiter kämpften sich durch diese Weiten voll schwarzem, schwebendem Staub, den Überresten toter Vulkane. Auch die zerstörten Dörfer waren vom Feuer gezeichnet, allerdings war dieses von Menschenhand entzündet worden. Um das Schauspiel noch grausiger erscheinen zu lassen, verdunkelten schwere, nasse Wolken, die vom Schwarzen Meer kamen, den Himmel und ließen sogar einige dicke Tropfen fallen, die in der Asche verschwanden wie in totem Fleisch.

Jean-Baptiste wurde so tief von der Traurigkeit dieser Gegend ergriffen, daß er beinahe beschlossen hätte, umzukehren. Schließlich war es dazu noch nicht zu spät. Er dachte mit unendlicher Zärtlichkeit und schmerzhafter Sehnsucht an Alix und Saba.

Während sie eines dieser Ruinenfelder durchquerten, das ehedem ein Dorf gewesen war, näherten sich ihnen einige struppige Einwohner. Seit Armenien wieder an die Türken gefallen war und die Kriegsgefahr wuchs, gab es nur wenige Reisende, die sich allein über diese Straßen wagten – noch seltener waren es armenische Diakone. Die armen Bauern baten Jean-Baptiste darum, das Öl zu segnen, das sie so oft benötigten, vor allem, um Glück und Wohlstand zu erflehen,

Wünsche, deren Erfüllung doch in dieser Umgebung ganz außer Reichweite zu liegen schien. Voller Überraschung sah George, wie sein würdiger Vater dieser Bitte nachgab. Jean-Baptiste, der unter dem Wunderglauben gelitten hatte und es sich zugute hielt, einst in Abessinien dazu beigetragen zu haben, dessen Wirkung einzuschränken, begann mit einer Natürlichkeit, die ihn selbst erstaunte, ausgedachte liturgische Formeln zu murmeln. Die Bauern empfingen das heilige Öl mit einer Dankbarkeit, die sie völlig verklärte. Sie wollten diesen Dienst unbedingt bezahlen. Als sich Jean-Baptiste weigerte, machten sie ihm klar, daß die Wirksamkeit dieses Segens in direktem Verhältnis zu dem Opfer stand, das sie hatten bringen müssen, um ihn zu erhalten. Schließlich nahmen die falschen Pilger ihren Lohn an und konnten ihren Weg fortsetzen.

Jean-Baptiste, der sich schämte, weil er gegen seinen Willen auf diesen Handel eingegangen war, wurde nur noch wütender, als er Georges vorwurfsvolles Schweigen im Nacken zu spüren meinte.

Da er keine Worte fand, um sich zu rechtfertigen, steigerte er sich in einen stummen Zorn hinein, der einen Vorteil hatte: Er vertrieb seine Melancholie. Als der Berg Ararat am Horizont auftauchte, war Jean-Baptiste wieder vollständig von dem Wunsch erfüllt, so schnell wie möglich Jerewan zu erreichen – und Juremi.

## Zweites Kapitel

In Isfahan, weit entfernt von den Stürmen, die der Einfluß der Landschaften in den Köpfen der Reisenden entfachte, war alles vollkommen ruhig. Der Nasir, der Erste Minister und der König selbst waren gleich am folgenden Tag vom Tod des Jean-Baptiste Poncet in Kenntnis gesetzt worden. Sie hatten jedoch weder die kühne Phantasie noch auch nur eine schwache Ahnung, um etwas anderes in dieser Tragödie zu sehen als die eindeutige Handschrift des Schicksals.

Einem morgendlichen Entschluß folgend, den er zunächst als endgültig verkündet hatte, verzichtete der König fast eine Woche lang auf das Trinken. Er weinte viel in den folgenden Tagen und war sehr niedergeschlagen. Bewegende Szenen spielten sich ab, welche die *coulom-cha*, die königlichen Sklaven, die etwa mit den höfischen Edelleuten zu vergleichen sind, nach Kräften zu verbergen suchten. Dennoch drangen Berichte nach draußen. Hossein bat seinen Ersten Minister um Verzeihung, küßte ihm die Füße und ging die feierliche Verpflichtung ein, tausend Fässern Wein in der Stadt den Boden auszuschlagen. Am zweiten Tag jedoch erlahmte sein Eifer wieder. Der König ließ den Anführer der Leibgarde unauffällig wissen, daß es für den Anfang ausreiche, die Weinfässer oben zu öffnen und nicht unten. Er beschränkte sich also darauf, den Geruch des Weines in der Luft zu verteilen, nicht jedoch den Wein selbst.

Je länger die Fastenzeit andauerte, desto mehr steigerte sie den Zorn des Monarchen, der mit Todesurteilen um sich warf, ohne die geringste Erleichterung zu verspüren. Zehnmal am Tag rief er seine Hellseher und Astrologen zu sich. Der Favorit unter ihnen, ein Zauberer namens Yahia Beg, nutzte diese Gelegenheit zu einer finsteren Rache gegen den obersten General der Armee, der sein Schwager war und den er verabscheute. Er überzeugte den König davon, daß dieser Offizier, der doch ein treuer Diener war, ein Komplott anzettele, was deutlich in den Sternen geschrieben stände. Der König entsandte sogleich Boten, um den Verräter in die Hauptstadt zu bringen und hinrichten zu lassen.

In den folgenden Tagen schwankte der König zwischen wildem Zorn und tiefster Niedergeschlagenheit. Der Erste Minister sah die Chance, ihm ein Dekret zu unterbreiten, das die christlichen Mönche des Landes verwies und die Freiheit aller Fremden beschränkte, wovon er schon lange träumte. Als er mit diesem Text in der Hand den Palast betrat, erlebte er jedoch die unangenehme Überraschung, die Tamburins und die Schreie der Tänzerinnen zu hören, und er begriff, daß er zu spät kam. Der Wein floß in Strömen, und der König – rosig, mit lebhaften Augen und Bewegungen – warf seinen Pantoffel nach dem Minister, was seine Höflinge mit lautem Lachen begrüßten.

Der Abend war so ergötzlich, daß niemand wagte, dem König die beiden Neuigkeiten mitzuteilen, die in dieser Nacht die Hauptstadt erreichten: In Ausführung des königlichen Befehls hatte sein bester – und man konnte sagen einziger – General den Kopf verloren. Und außerdem hatte Mahmud, der Anführer der aufständischen Afghanen, im Osten mit vierzigtausend Mann die Grenze überschritten.

Alix spielte inzwischen brav ihre Rolle als junge Witwe. In den ersten Tagen hatte sie keine Mühe, wie die Verkörperung des Schmerzes zu erscheinen. Jean-Baptistes plötzliche Abreise hatte sie völlig durcheinandergebracht. Die Abwesenheit ihres Gatten war weniger schmerzlich als das Gefühl, keinen ausreichenden Vorrat an Erinnerungen angelegt zu haben, der sich aus letzten Geständnissen und einem langen Abschiednehmen nährt.

Deshalb weinte sie ganz aufrichtig im Beisein der zahllosen Trauergäste. In ihrem Vorzimmer trafen sich Frauen von Welt, verschleiert oder nicht, Diplomaten, ein ganzer Schwarm von Persern aus den unterschiedlichsten Schichten und sogar Mönche. Sie alle mischten ihre falschen Tränen mit den echten der falschen Witwe, die abwechselnd von Françoise und Saba unterstützt wurde.

Nach der ersten Woche legte sich eine für Isfahan nicht ungewöhnliche Hitzewelle über die Stadt. Der Wüstenwind trocknete alles aus, sogar Alix' Tränen. Nachts mußte man die Leinenbetten im Garten aufstellen, um atmen zu können. Die schlaflosen Nächte unter dem Sternenhimmel der Hochebene waren in dieser Frauenrunde so lustig, daß bald helles Lachen den letzten Schluchzer vertrieb.

Die Vormittage wurden dagegen unerträglich. Alix kehrte zu ihrer Trauer zurück wie ein Galeerensträfling an seine Bank. Sie ließ kundtun, daß sie noch zwei Tage lang Gäste empfangen würde, um dann allein zu innerer Einkehr zu finden. Am Abend des zweiten Tages hatte sie, erschöpft von den zahllosen Kondolenzen, bereits ihr Trauergewand abgelegt, als man ihr eine letzte, überraschende Besucherin ankündigte.

Alix stimmte unwillig zu und sah eine kleine Frau hereinkommen, deren Gestalt von zwei Schleiern bedeckt war, die sie bis zu den Knöcheln verbargen. Sie nahm die Außenwelt nur durch einen Einsatz aus Spitze wahr, die jedoch fast ebenso dicht war wie richtiger Stoff. Auch verschleiert ließen die Perserinnen meist soviel sie konnten von ihren Händen, ihren Knöcheln und ihren schönen Augen sehen. Diese hier mußte von außergewöhnlicher Schüchternheit sein.

»Sind wir allein?« fragte die Besucherin mit einer Stimme, die durch den Stoff gedämpft wurde.

Alix litt förmlich für sie unter der Hitze.

»So, niemand wird uns stören«, sagte sie, nachdem sie allen Dienerinnen Zeichen gegeben hatte, das Zimmer zu verlassen.

Nun erlebte sie, wie sich der kleine Geist in den Hüften wiegte und nacheinander beide Hüllen über den Kopf abstreifte. Alix bot sich nun ein schöner, ganz unerwarteter Anblick. Aus der strengen Gestalt hatte sich eine sehr junge Frau gelöst, zart und anmutig wie eine Miniatur. Ihre riesigen, tiefschwarzen Augen lächelten von selbst, und die merkwürdige Weise, in der sie ihr Gegenüber anschaute, etwas schräg und von unten herauf, verlieh ihr einen schelmischen, verschwörerischen Ausdruck. Sie trug ihr langes, schwarzes Haar in aufwendigen Zöpfen, die von einem Perlendiadem gehalten wurden. Ihr Kleid von einfachem Schnitt mit einem weiten Dekolleté war aus roter Seide, verziert mit goldenen Vögeln, deren Augen und Schnäbel aus Balasrubinen und Bergsmaragden bestanden. Vor Erstaunen stieß Alix einen kleinen Schrei aus.

»Haben Sie keine Angst«, sagte die junge Frau, eilte zu ihrer Gastgeberin und nahm ihre Hand.

Diese so kostbar gekleidete Frau hatte lange, zarte Finger. An ihrer linken Hand trug sie einen Ring, dessen Gewicht ihn nach innen drehte, so daß man nur den Reif aus Weißgold, nicht aber die eigentliche Form sah.

»Schon seit mehreren Wochen wollte ich zu Ihnen kommen«, fuhr sie fort, »aber unglücklicherweise, diese ... Trauer ...« Während sie das sagte, kniff sie das eine ihrer großen Augen zu, was ihr den Anschein gab, herzlich zu lachen.

»Ich bitte Sie«, sagte Alix, die ihre Fassung zurückgewann, »setzen Sie sich.«

Sie selbst nahm auf einem Sofa in der Mitte des Zimmers Platz. Es war ein schmales Möbelstück mit zwei Plätzen, nach der neuen Regentenmode von Jean-Baptiste entworfen. Anstatt sich gegenüber niederzulassen, wie es vor ihr alle Besucher getan hatten, setzte sich das junge Mädchen neben Alix, wobei sie mit einer anmutigen Bewegung ihr Seidenkleid und den steifen Futterstoff zusammenraffte, der laut raschelte.

»Also«, sagte sie und wandte sich ihrer Gastgeberin zu, die ob der großen Nähe errötete, »ich heiße Nour al-Houda.«

»Wie! Sie sind ...«, rief Alix und sprang auf.

Die junge Frau hielt sie mit festem Griff zurück. »Ja, die Frau des Ersten Ministers. Die vierte und letzte. Zweifellos haben Sie von unserer Hochzeit gehört, sie wurde vor drei Monaten gefeiert«, fuhr sie nicht ohne Stolz fort. »Ja, ich bin seine Frau, ich habe einen ordentlichen Ehevertrag, einen *mutaa*, der neunundneunzig Jahre gilt. Wenn er abgelaufen ist, werden wir ihn erneuern.«

Als Alix sich den Greis mit seinem langen Bart, seiner Grausamkeit und Falschheit vorstellte, empfand sie beim Anblick dieses zarten Kindes an ihrer Seite grenzenlose Abscheu vor ihm.

Nour al-Houda brach in Lachen aus, als sie Alix' Fassungslosigkeit bemerkte, und enthüllte dabei ihre regelmäßigen, strahlendweißen Zähne. »Ja, ja, ich weiß, was Sie denken«, sagte sie dann und beugte sich noch dichter an Alix heran. »Der Großwesir, dieser seltsame, boshafte Alte ... und ich.«

»Nein, nein …«, stammelte Alix.

»Was heißt nein? Soll ich glauben, daß Sie mir Böses wünschen? Wenn Sie sich nur einen Moment seine vertrockneten Finger mit den schmutzigen Nägeln vorstellen, wie sie dies berühren.«

Sie deutete eine Liebkosung ihres glatten Halses an, dessen Zartheit durch das Kleid noch unterstrichen wurde. Sie lachte ein helles Kinderlachen.

»Machen Sie sich keine Sorgen«, sagte sie einfach, als wolle sie rasch das Thema wechseln. »Es hat lange gedauert, bis ich seinem Werben nachgegeben habe, wie es sich für eine begehrenswerte Person gehört. Schließlich habe ich ihm lediglich erlaubt, mich bei absoluter Dunkelheit zu nehmen. Der Arme empfindet so großes Vergnügen dabei, daß es ihm wohl sehr weh tun würde zu entdecken, daß es eine nubische Sklavin ist, allerdings sehr erfahren in dieser Kunst, die er in den Armen hält, während ich ruhig im oberen Stockwerk schlafe.«

»Aber haben Sie denn keine Angst, entdeckt zu werden?« fragte Alix, so gefesselt, daß sie nicht einmal daran dachte, sich über derartige Vertraulichkeiten von seiten einer Unbekannten zu wundern.

»Nein, nein«, sagte das Mädchen unbekümmert. »Wenn er tatsächlich eines Tages sehen sollte, wen er da umarmt, so würde es ihm ganz sicher nicht in den Sinn kommen, sie an meiner Stelle zu heiraten, das schwöre ich Ihnen. Und wenn er wüßte, daß ich ihn derart betrogen habe, würde er mich deshalb nur noch mehr begehren. Was wollen Sie, der arme Mann liebt mich.«

Und wahrhaftig, wer das charmante Gesicht und die schelmische Anmut dieses Lächelns sah, konnte nicht anders, als sich auf der Stelle in sie zu verlieben.

Nach dieser seltsamen Einleitung sprang Nour al-Houda auf und machte einen Rundgang durch das Zimmer, wobei sie die hochroten Vorhänge und einen großen Strauß Taglilien berührte. Dann stellte sie sich ganz dicht vor Alix hin.

»Sie lieben Rot, nicht wahr?« fragte sie.

»Ja, Rot ... Rosa«, sagte Alix verwirrt.

»Das sind nicht gerade die Farben der Trauer«, sagte Nour al-Houda, mit einem schrägen, aber festen Blick, der Alix bedrohlich vorkam.

Sie suchte noch nach einem Einwand, als das Mädchen seine strenge Miene ablegte und wieder schelmisch lächelte.

»Machen Sie sich keine Sorgen, ich weiß alles, und es ist mir vollkommen egal.«

»Alles? Was meinen Sie?«

»Na ja, alles«, sagte das Mädchen zerstreut und wandte ihre Aufmerksamkeit scheinbar einer Hummel zu, die von den großen Blumenkelchen angezogen wurde.

»Aber ...«

Nour al-Houda setzte sich wieder auf das Sofa, mit dem schmollenden Ausdruck eines Kindes, das den Wutausbruch eines Erwachsenen nachahmt.

»Aber, aber«, seufzte sie, »zwingen Sie mich nicht auszusprechen, was wir beide wissen. Daß Ihr Jean-Baptiste nicht tot ist und deshalb niemand in seinem Grab liegt, daß er zu dieser Stunde als Armenier verkleidet gen Rußland eilt ... Was wollen Sie noch hören?«

Alix war sprachlos vor Erstaunen.

»Hören Sie, wir wollen reinen Tisch machen, alle beide. Jean-Baptiste Poncet hat mich behandelt, als ich ganz klein war und wollte nie etwas von meiner Familie annehmen, die sehr arm war. Wir sind Tscherkessen, und meine Großeltern haben ihre Wohnwagen vor einem halben Jahrhundert nach Persien gezogen. Nomaden, Musikanten, Tänzer, ja, das sind meine Eltern, und das war ich auch, bis ich mich mit meinem teuren Gemahl verband. Sie kennen die Regel bei den Persern: Wenn sie heiraten, löschen sie ihre Herkunft aus. Die Sklavin wird Herrin und die Tänzerin eine große Dame. Aber Sie sehen, daß mich das Unglück verfolgt. Das Schicksal gibt mir jetzt die Mittel, meine Dankbarkeit gegenüber dem Arzt zu zeigen, der mich gerettet hat, und er wählt ebenjenen Moment, um zu verschwinden.«

»Aber woher wußten Sie...« fragte Alix, die sich allmählich wieder entspannte.

»Machen Sie sich deshalb keine Sorgen. Wir Straßenleute sind alle ein bißchen Zauberer, ein bißchen Wahrsager. Unsere Brüder schlafen auf der Straße, wo sie vieles sehen und hören. Aber was ich weiß, weiß nur ich allein, und niemand anderes wird es erfahren. Ich gebe Ihnen mein Wort.«

Während sie das sagte, nahm sie Alix' Hände in die ihren, und es war wirklich unmöglich, sie für unaufrichtig zu halten.

»Liebe Alix«, fuhr sie dann lebhaft fort, »ich kannte Sie nicht, aber Sie sind, wie ich Sie mir vorgestellt hatte, und, ehrlich gesagt, liebe ich Sie schon jetzt. Ich glaube, wir beide können einander große Dienste erweisen.«

Nour al-Houda, immer lebhaft wie eine Gazelle, ließ den Worten sogleich zwei Küsse auf die Wangen ihrer neuen Freundin folgen.

»Ja, große Dienste«, wiederholte sie. »Ich kann Ihnen beispielsweise sagen, daß der berühmte Kardinal Alberoni, dessen Namen Ihre Freundin als Empfehlung nutzt, sein Geheimnis verloren hat. Der Nuntius des neuen Papstes, der in der letzten Woche hier eingetroffen ist, hat bestätigt, daß sich der Kardinal nach Rom geflüchtet hat, was man anscheinend schon befürchtete. Der Nasir wird gewiß versuchen, einen Nutzen aus dieser Auferstehung zu ziehen.«

»Mein Gott«, sagte Alix verzweifelt, »wann werden sie Françoise mit dieser Geschichte endlich in Frieden lassen?«

»Beruhigen Sie sich: Wir werden sehen, was sie aushecken, und Sie versuchen, diesen Komplikationen zuvorzukommen. Es gibt zweifellos tausend andere Gefahren, von denen ich früher höre als alle anderen und vor denen ich Sie warnen werde, wenn sie sich deutlicher abzeichnen.«

Immer noch voller Verwunderung kämpfte Alix einen letzten Rest von Mißtrauen nieder und dankte ihr.

»Aber wir sind nicht quitt«, sagte Nour al-Houda. »Ich brauche Sie ebenfalls. Das Leben ist nicht einfach, seit ich eine reiche Frau bin. Ich werde überwacht und verfolgt. Haben

Sie den Eunuchen gesehen, der in Ihrer Vorhalle wartet? Er begleitet mich überallhin. Das ist manchmal sehr lästig. Denn eine Ehe hindert nicht daran, zu lieben, nicht wahr?«

## Drittes Kapitel

Mit seiner weißen Bommel und den grauen Falten sieht der Berg Ararat aus wie eine Nachtmütze. Er ist ein derart trister Ort, daß – falls die Arche Noah nach der Sintflut tatsächlich hier gelandet ist – wohl kaum ein Passagier Lust hatte, an einem solch trostlosen Landeplatz auszusteigen. Aber die Armenier beteuern es. Sie behaupten darüber hinaus, daß sich die Arche noch immer unbeschädigt auf dem Gipfel dieses Berges befände. Gott selbst hindere jeden daran, ihn zu besteigen: Je näher man dem Gipfel kommt, desto leichter versinkt man im Boden, als wäre er flüssig.

Von Erschöpfung gezeichnet, dachten Jean-Baptiste und seine kleine Truppe gar nicht daran, diese religiösen Überzeugungen zu überprüfen. Um so mehr, als zwar die Anwesenheit der Arche rein hypothetisch, die der Tiger und Wölfe in dieser Gegend jedoch erwiesen war. Deshalb ließen sie den Ararat in der Ferne liegen, umrundeten ihn und durchquerten Nachičevan, das ebenfalls in Trümmern lag und einen erschreckenden Anblick bot. Später trafen sie auf einige Dörfer römischer Christen, die mehrere Jahrhunderte zuvor von einem italienischen Dominikaner bekehrt worden waren, der ihnen damit ein recht gefährliches Geschenk gemacht hatte: Seitdem wurden die Unglücklichen von allen Seiten verfolgt, von armenischen Christen ebenso wie von Moslems.

Endlich tauchte in der Ferne Jerewan vor ihnen auf. Hier endeten die Ruinen. Sie konnten wieder unter dem steinernen Dach einer Karawanserei schlafen, mit riesigen Mauern, aber ohne jeden Komfort. Dennoch mußten sie die Gebühr entrichten, die man als »Vorhängeschloß« bezeichnete und die durch die aktuellen Ereignisse nahezu unbezahlbar geworden war. Abgesehen von diesen Einzelheiten war vom Krieg nicht viel zu merken. Konnte man überhaupt von Krieg sprechen? Zwei erschöpfte Reiche hatten sich wieder einmal bei der Herrschaft über jene Provinz abgelöst, die so unerreichbar war, daß es einer Sintflut bedurfte, um ohne Mühe dorthin zu gelangen. Weder Perser noch Türken schienen diese karge Landschaft besonders zu schätzen, da die einen wie die anderen in der Heimat einladende Küsten und fruchtbare Ebenen besaßen. Als die Reisenden die Stadt Jerewan betraten, sahen sie keine neueren Zerstörungen, und nichts wies mehr auf die jüngsten Kämpfe hin. Die türkische Armee wirkte eher, als hätte sie einen Weideauftrieb hinter sich und nicht einen Feldzug. Überall standen Karren mit Stroh und Futter, die von Ochsen mit gebogenen Hörnern gezogen wurden, welche wahrlich nichts Kriegerisches an sich hatten. Angesichts der finsteren Mienen der neuen Herren konnte man sich fragen, wer hier eigentlich der Sieger war. Als die Perser die Stadt verlassen hatten, waren sie bestimmt nicht unglücklich darüber gewesen, sich in die milden Regionen ihrer Heimat zurückziehen zu können. Nur allzugern hatten sie ihren Nachfolgern den eisigen Nebel eines endlosen Winters und die unerträglichen Christen, die sich hier zu Hause fühlten, als Geschenke zurückgelassen. Nahe dem Zentrum der Stadt, am Rand der Festung und der Zitadelle, die sie schützte, wurden die militärischen Aktivitäten etwas sichtbarer. Diese Festung war von drei von Zinnen gekrönten Mauern aus Lehmziegeln umgeben, die einen typisch orientalischen engen, unregelmäßigen Schutzwall bildeten. Nachdem sie von den Persern geräumt worden war, die sich vorher die achthundert Häuser angeeignet hatten, befand sie sich nun in den Händen der Türken. Das riesige Straßennetz des Basars und der armenischen Armenviertel spann seine Fäden bis zu einem Hügel, auf dem sich der Bischofssitz und die große, Katogike genannte Kathedrale erhoben. Von diesem Hügel aus erschien die gegenüberliegende Festung nur wie das enge Ghetto, in das die Armenier diejenigen – ob Perser oder Türken spielte keine

Rolle – einsperrten, die naiv genug waren, sich einzubilden, sie hätten die Christen besiegt.

Die Verkleidung der Reisenden sicherte ihnen in der Stadt vollkommene Anonymität. Niemand fragte sie nach ihrem Tun, und die Armenier, ganz der Leidenschaft des Handels ergeben, zeigten keine Neugier für jemanden, der nicht aussah, als hätte er überhaupt Geld oder wäre gar reich. Die Ankunft der Türken war zweifellos ein hervorragendes Geschäft. Eine Armee, die sich gerade niederläßt, braucht einfach alles, und die Armenier waren seit langem daran gewöhnt, aus Niederlagen ebenso wie aus Siegen ihren Profit zu schlagen.

Der Mongole wurde in der Karawanserei zurückgelassen, um das Gepäck zu bewachen, während Jean-Baptiste und George in die Stadt gingen, um hilfreiche Informationen zusammenzutragen. In welche Richtung sollten sie ihren Weg fortsetzen? Mit welcher Identität und unter welchem Vorwand? Mußten sie sich vor dem Krieg weiter im Norden fürchten, auf dem Weg nach Kaukasien, das sie noch vom Russischen Reich trennte? Da sie wegen ihrer mangelnden Sprachkenntnisse keinen Armenier befragen konnten, streiften sie auf der türkischen Seite in der Nähe der Festung und der Teehäuser umher, die von den Soldaten besucht wurden. George wies darauf hin, daß er genügend Türkisch verstünde, um ebenfalls nützliche Informationen aufzuschnappen. Er schlug vor, sich von Jean-Baptiste zu trennen, damit sie unauffälliger wären und ihre Chancen erhöhten, etwas Interessantes zu erfahren. Sie verabredeten sich für den Abend auf den Stufen der Katogike.

Mit seinem schwarzen, als Krone um den Kopf gelegten Haar, dem während der Reise gewachsenen Bart, der seine Wangen bedeckte, und der Bräune seiner Haut, die vom Marsch durch die Berge stammte, konnte Jean-Baptiste ganz und gar als echter Armenier durchgehen. Er spürte keinerlei Neugier um sich herum. Er hatte auf dem Markt zwei Hühner gekauft, die er mit schlagenden Flügeln und nach unten hängenden Köpfen an den Füßen hielt. So lief er durch die Gassen des Basars und bot diese gackernde Ware an, allerdings ohne die Absicht, sie zu verkaufen. Er gelangte bis zur Festung, sah, daß man die Händler tagsüber hineinließ, und folgte ihnen.

In den Gassen traf Jean-Baptiste viele türkische Soldaten, die blaue Steppjacken anhatten und auf dem Kopf trotz der Hitze und der friedlichen Lage ihren schweren Helm in Form einer Birne trugen, der sich im Nacken in einem Eisennetz fortsetzte. Wie in allen Armeen des Ottomanischen Reiches mischten sich auch in dieser die verschiedensten Völker, die während der Eroberungen zwangsrekrutiert worden waren, von Tataren bis zu Slawen, von Asiaten bis zu Phöniziern, alle in demselben selbstzufriedenen schwankenden Gang von Menschen vereint, die beim Laufen schwere Waffen tragen.

Jean-Baptiste gelangte zu einem großen Platz, setzte sich dort auf eine Steinbank und ließ seine Hühner wieder festen Boden unter den Füßen spüren und friedlich in den Ritzen zwischen den Pflastersteinen picken. Er sah eine schwere Kanone, die auf einem Karren vorbeigezogen wurde und für die Befestigungsmauer bestimmt war. Im Laufe des Nachmittags paradierten mehrere Trupps von Janitscharen, meist zu Pferd, mit weißen Hüten und grausamen Gesichtern über den Platz. Obwohl sie sichtlich von dem Wunsch erfüllt waren, wichtig und eilig zu erscheinen, waren sie doch offenbar genauso untätig wie ihre Soldaten.

Aus den Gesprächen, die Jean-Baptiste von seinen Nachbarn aufschnappen konnte – Türken, die wie er einfach den Müßiggang und die warme Luft genossen –, erfuhr er zwei Dinge: zunächst, daß die militärischen Vorbereitungen, welche die ottomanische Armee mit viel Ruhe unternahm, nicht gegen die Perser gerichtet waren, die alle für vollkommen schwach hielten. Die Türken hegten eher wegen der Situation im Norden und wegen der Russen schlimmste Befürchtungen, und das war für ihn nicht gerade ermutigend. Die andere Neuigkeit bestand darin, daß am Vortag ein neuer Anführer eingetroffen war, den der Sultan entsandt hatte, um die militärischen Operationen zu koordinieren. Dieser Daoud Pascha war ein fränkischer Überläufer, der Türke geworden war und für die Hohe Pforte einen Triumph nach dem anderen errang.

Um fünf Uhr verließ Jean-Baptiste, zufrieden mit seinem Erkundungsgang, die Zitadelle, schenkte die Hühner einem nacktfüßigen, rotznäsigen Jungen, der blitzschnell davonrannte, und wandte sich zur Kathedrale.

Er hatte noch keine fünfzig Schritte getan, als er George erblickte. Der Junge lief mit bloßem Kopf, die Kapuze lag auf den Schultern, die Augen waren auf den Boden gerichtet. Jean-Baptiste brauchte einen Moment, ehe er erkannte, daß man George die Hände hinter dem Rücken zusammengebunden hatte und daß die beiden Türken, die ihn begleiteten, seine Wächter waren, kurzum, daß er gefangen war. Jean-Baptiste folgt der Gruppe in einigem Abstand bis zum Fort Queutchy-cala, einem Vorposten der Zitadelle, wo die Janitscharen und ihre Anführer Quartier genommen hatten. Nachdem er sich versichert hatte, daß die Wärter George ins Innere führten, rannte er zur Karawanserei, nahm den Brief des armenischen Patriarchen und kehrte eiligst zum Fort zurück. Dort meldete er sich am Eingang.

»Was willst du?« fragte der türkische Schildwächter unfreundlich, der mit seinen riesigen Händen eine Lanze umklammerte.

»Meinen Freund sehen, der irrtümlich festgenommen wurde.«

»Den russischen Spion?«

»Nein, nein, das ist kein Russe, und noch weniger ist er ein Spion. Wir sind einfache armenische Pilger auf dem Weg nach Van, hier habe ich die Papiere...«

Der große Türke zuckte mit den Schultern und trat widerwillig einen Schritt zur Seite, um die Tür freizugeben. »Erklär das den Janitscharen.«

Jean-Baptiste trat ein. Der Hof war ungepflegt und voller Pferde. Unter ihrem bunten Damastgeschirr waren die Tiere völlig verdreckt, und sie stampften auf einer dünnen Strohschütte herum, die fast nur noch aus Mist bestand. Die Offiziere, denen er begegnete, sahen ihn mißtrauisch an. Glücklicherweise mußte er nicht lange suchen, ehe er George erblickte, der an eine kleine Steinsäule gekettet war. Drei Männer standen vor ihm und schienen ihn zu befragen.

»Er wird nicht antworten!« rief Jean-Baptiste lebhaft, während er näher trat.

Die drei Männer drehten sich um, und der Anführer rief: »Was will denn der da?«

Jean-Baptiste zuckte zusammen, als er diesen Mann sah. Er war nicht sehr groß, im Gegenteil, eher klein. Aber sein dünner, roter Bart umrahmte ein giftiges Gesicht, unter dem wie eine Zyklopenbrust ein riesiger Kropf hing. Das war offensichtlich einer jener Bergbewohner, die von der türkischen Armee als Kinder am Rande der Alpen eingefangen und streng erzogen wurden. Im Alltag ernährten sie sich von Rüben und im Krieg von der Beute. Sie waren voller Angst vor ihren Herren, Groll auf ihre Eltern und Haß auf Frieden und Glück. Sie waren die eigentliche Kraft dieses Reiches, bis es ihnen selbst zum Opfer fiel.

»Hier sind seine Papiere, mein Herr«, sagte Jean-Baptiste mit einer Verbeugung und reichte der Bestie den versiegelten Brief des Patriarchen. »Dieser Mann ist mein Gefährte. Er ist unschuldig, aber er kann es nicht kundtun, weil er die Fähigkeit zu sprechen verloren hat. Eben deshalb sind wir auch auf Pilgerreise.«

Der Janitschar blickte angewidert auf die Rolle, die ihm Jean-Baptiste hinstreckte. Da er darin ein Pergament zu erkennen meinte, bedeutete er ihm, es wieder einzustecken. Seine Religion ließ ihn jeden Kontakt mit unreinen Tieren, lebendig oder tot, als schlimme Beschmutzung ansehen. »Erlauben euch diese Dokumente auch, unsere Armee auszuspionieren?«

»Auf keinen Fall, edler Aga.«

»Und warum hat sich dann dieser Hund, der, das schwöre ich dir, keine Pilgerreise nötig hat, um die Sprache wiederzufinden, ja, der sogar eine sehr kräftige Stimme hat, warum hat er sich erlaubt, unseren Soldaten zu folgen, das Ohr nach ihnen auszustrecken und sich so neugierig zu zeigen? Und sieh ihn dir doch an. Hast du schon einmal einen Armenier mit solchen Haaren und solchen Augen gesehen?« Während er das sagte, riß er mit einem Ruck eine Strähne aus Georges blonder Mähne, woraufhin dieser vor Schmerz zusammenzuckte und das Gesicht verzog.

Jean-Baptiste setzte an, diesen Redeschwall mühsam zu widerlegen, aber der Janitschar hörte ihm überhaupt nicht zu. Er lauschte auf ein Geräusch, das am Eingang des Forts entstanden war und bald im Hof eine große Aufregung hervorrief. Ein Trupp von Reitern mit großen gelben Turbanen und Kettenhemden kam hereingeprescht, und der Lärm der unbeschlagenen Hufe hallte an den Mauern wider. Die Reiter umgaben eine Person, die mit größter Achtung behandelt wurde. Der Würdenträger zog die Füße aus den großen Steigbügeln, sprang vom Pferd und verschwand in dem Gebäude, ohne daß Jean-Baptiste etwas anderes von ihm gesehen hätte als einen langen grauen Bart und eine gelbe Nankingjacke.

Diese Erscheinung versetzte die drei Janitscharen in helle Aufregung, und sie schienen es äußerst eilig zu haben, den Neuankömmling aufzusuchen. Auf Befehl ihres Anführers ergriffen zwei Wachen Jean-Baptiste, banden George von seiner Säule los und führten beide in einen Kerker im Keller.

Dort verbrachten die Gefangenen eine furchtbare Nacht in vollständiger Dunkelheit, allein, hungrig und durstig. Sie hockten auf dem unebenen, feuchten Basaltboden, auf dem die Grundmauern der Festung einst errichtet worden waren. George beherrschte sich die halbe Nacht lang. Dann ließ er endlich seinem Schluchzen freien Lauf.

»Das ist alles nur meine Schuld«, wiederholte er immer wieder unter Tränen. »Das ist meine Schuld!«

Jean-Baptiste war voller Mitleid. Er sagte sich insgeheim, daß er seit der Abreise ziemlich hart mit dem Jungen umgegangen war, daß er ihm weder Anerkennung noch Unterstützung gegeben hatte. Und dennoch war er mutig, großzügig und ertrug jede Anstrengung. War es denn letztendlich seine Schuld, daß seine Eltern ihm den Kopf verdreht hatten mit diesen Ideen von Wissenschaft, diesem naiven Glauben an den

Fortschritt, der in Verbindung mit seinem schüchternen und respektvollen Charakter manchmal so ärgerlich war? Und außerdem war er schließlich immer noch ein Kind.

Er nahm ihn in die Arme, und George ertrug diesen Körperkontakt, ohne sich zu versteifen. Er gab sich sogar einem noch verzweifelteren Schluchzen hin – vielleicht half ihm das Dunkel, das seine Schüchternheit milderte. Da sie sterben würden, wollte er Jean-Baptiste sagen, wie dankbar er ihm dafür war, daß er ihn bei sich aufgenommen hatte. Er sprach lange von den glücklichen Stunden, die er im Garten von Isfahan verbracht hatte, den Stunden im Labor, seinen Spielen mit Saba. »Und außerdem, da dies das Ende ist, muß ich Ihnen ein Geheimnis anvertrauen, Jean-Baptiste.«

Es war das erste Mal, daß er wagte, ihn beim Namen zu nennen. Angesichts des Todes machte er offensichtlich Fortschritte. »Ein schreckliches Geheimnis. Hören Sie.«

Zehnmal versuchte er zu sprechen. Zehnmal scheiterte er an einem unsichtbaren Hindernis. Jean-Baptiste beschwichtigte ihn und riet ihm, sich das Geständnis für den Morgen aufzuheben, wenn er geschlafen hätte. ›Was kann er mir wohl zu gestehen haben?‹ fragte er sich.

Die Nacht schritt voran. Nach einigen Schauern des Entsetzens und einem letzten Schluchzen war George schließlich an Jean-Baptistes Schulter eingeschlafen.

›Pah!‹ dachte dieser. ›In seinem Alter meint man, man sei an allem schuld. Vielleicht hat er einen Destillierkolben zerbrochen oder irgend so etwas.‹ Und als hätte ihn der Kummer des anderen von seinem eigenen abgelenkt, schlief er friedlich ein.

## Viertes Kapitel

Die Piazza Navona in Rom, die auf den Ruinen des Domitian-Stadions errichtet ist, versank zu jener Zeit unter dem Dreck und Gestank eines riesigen Lebensmittelmarktes. Die von Bernini geschaffenen Figurengruppen hatten es aufgegeben, diesen Ort mit ihrem Brunnenwasser zu reinigen. Mit ihren verschlungenen Armen und den entsetzten Augen schienen diese Riesen aus hellem Stein, große, sich erhebende Torsi, eher einem Untergang zu wiederstehen und durch ein entsetzliches Gemenge vor dem steigenden Meer aus Zitrusfrüchten und enthäutetem Fleisch zu fliehen.

Über die Jahrhunderte hinweg schien die Menschheit an diesem Ort dazu verurteilt, eine verwirrende Orgie von Genie und Innereien zu feiern. Die strengen Fassaden Berninis dienten nun als Schmuckkästchen für die rohesten Lebensmittel des menschlichen Tieres, so wie einst die Herrscher auf den prächtigen Marmorstufen die blutigen Kämpfe von Gladiatoren und Raubtieren betrachteten.

Nicht weit von diesem Platz begann – wie eine Verlängerung seiner Erbärmlichkeit – die Via dell' Orso. Sie wurde von Häusern gesäumt, in denen dem Reisenden jedes erdenkliche Vergnügen geboten wurde, möglicherweise mit Ausnahme von Erholung. Fünf schiefe Etagen war eines dieser Etablissements hoch, das den geheimnisvollen und lächerlichen Namen »Herberge zum lachenden Stier« trug.

Da allein die Mittelmäßigkeit hassenswert ist, durfte sich diese Herberge auf ihre Art mehrerer Superlative rühmen: Es war das am schlechtesten geführte, das unsauberste und das von den finstersten Gestalten besuchte Gasthaus von ganz Rom, wenngleich es dort nicht an Kandidaten für diese Auszeichnungen fehlte. Außerdem hatte es den Vorteil, fast direkt gegenüber der Engelsburg zu liegen, jenem eleganten Zeigefinger, den der Vatikan mit vertraulicher Mißbilligung zur Stadt und ihrer Korruption ausstreckte.

Der Wirt dieses Lokals, ein gewisser Paolo, hatte offenbar

sein Gehirn zu Hause gelassen, als er sein heimisches Apulien verließ: Die schwarzen, lockigen Haare lagen direkt auf den Augenbrauen, kein Fingerbreit war dazwischen Platz. Sein ebenso lockiger Bart versuchte die übrige Behaarung zu erreichen, indem er bis zu den unteren Wimpern hinaufwuchs. Ansonsten war der arme Mann sehr sanft und schien unter seinem erbarmungslosen Äußeren zu leiden. Jede Begegnung mit sich selbst, allmorgendlich im Spiegel, verlief – gewiß aus Angst – mit derselben Wildheit wie ein Straßenkampf. Paolo ging mit tausend Schnitten daraus hervor, und das Blut war noch nicht getrocknet, da war der Bart schon nachgewachsen.

Ein solches Maß an Struppigkeit wirkte einfach nicht mehr furchterregend. Die Kunden zahlten nicht, und Paolos bellend vorgebrachte Beschwerden ließen sie nur lächeln. Manche verspürten sogar Lust, ihm über den Kopf zu streicheln, um ihn zu beruhigen. Tonina, das Hausmädchen, das jung und beweglich genug war, um rechtzeitig wegzuspringen, wenn es galt, den Tatzenhieben auszuweichen, war die einzige, die diesem Bedürfnis zuweilen nachgab. Die Nachsicht, die sie genoß, hatte einen Grund. Einige Kunden wurden nicht von der Bescheidenheit des Gasthauses angezogen, sondern vielmehr von der Anmut des jungen Mädchens. Tonina glich aufs Haar der »Pilgermadonna« und war nur zu glücklich darüber, schon auf Erden ein wenig von jenen Segnungen verschenken zu können, deren Begehren Caravaggio mit seinem Fresko weckte. Sie stand sich sehr gut mit dem Sakristan von San Agostino, der den Besuchern, die ihre Begeisterung nicht mehr bremsen konnten, den Weg zu dieser unmittelbaren, wenngleich kostspieligen Inkarnation wies.

Paolo verbrachte seine Tage in einer Nische am Fuß der Treppe. An der Wand hinter ihm hingen zwei Reihen Nägel mit Nummern, aber kein Mieter wäre unvorsichtig genug gewesen, seinen Schlüssel dort zu lassen.

Die Hitze war schon stark an diesem Septembermorgen, und Paolo stand auf seinen Tresen aus Kiefernholz gelehnt, als ein Mann eilig ins Haus trat.

»Heh! Paolo, schon im Bett?« rief er.

»Schwachkopf, findest du dich vielleicht lustig?«

Der Mann trat an den Tresen und stützte die Ellbogen darauf. An seinem Akzent erkannte man, daß er aus dem Süden kam. Nach vielen Generationen und am Ende zahlloser Blutmischungen war jedoch nur noch ein kleiner, magerer Bleichling mit bernsteinfarbener Haut und einem honigsüßen Lächeln mit bitterem Nachgeschmack und voller Verschlagenheit herausgekommen. »Ist er oben?«

»Bestimmt.«

»Antworte!« befahl der Besucher und schlug mit der Handfläche hart auf den Tresen.

»Hör mal, Mazucchetti, ich bin nicht dein Spitzel, verstanden? Ja, er ist oben. Und jetzt laß mich in Ruhe.«

Der Blonde trat an die unterste Stufe der Wendeltreppe, warf einen vorsichtigen Blick hinauf und kam schnell zu Paolo zurück.

»Sag mal«, sagte er, so leise er konnte. »Meinst du, er hat noch was?«

»Oohh! Jetzt reicht's. Am Ende werde ich ...«

Der sogenannte Mazucchetti hatte den Wirt im Nu am Kragen gepackt. Da dieser keinen Platz hatte, die Augenbrauen hochzuziehen, zeigte er sein Erstaunen, indem er den Mund aufsperrte.

»Ich ... ich weiß nichts. Ich glaube, ja ... Vielleicht nicht viel ... Aber letzte Woche hat er einen Kurier aus Frankreich empfangen. Er ist zum Wechsler gegangen, und danach hat er bezahlt, was er mir noch schuldete.«

»Da siehst du, was du alles weißt«, sagte Mazucchetti und ließ seine Beute fahren. »Na gut. Mit ein bißchen Pech werden wir uns noch öfter sehen.«

»Es ist mir ein Vergnügen«, sagte Paolo finster und rückte seinen Kragen zurecht.

Aber der Besucher war schon auf der Treppe und rannte, vier Stufen auf einmal nehmend, zum obersten Stockwerk hinauf. Er lief durch einen dunklen Flur, stieß gegen einen stinkenden Eimer und klopfte leise gegen eine winzige Tür, deren Spalten das Tageslicht hindurchließen.

»Herein! Ach, Sie sind es, Mazucchetti. Es wurde auch Zeit. Auf meiner Uhr ist es zehn Uhr fünf.«

»Wir hatten doch zehn Uhr gesagt.«

»Eben, und nicht zehn Uhr fünf. Aber setzen Sie sich.«

Mazucchetti nahm auf einem kleinen Korbstuhl Platz. Sein Gastgeber blieb lieber stehen und stützte die Ellbogen auf den Rahmen des offenen Fensters, durch das Toninas Schreie zu hören waren, die einen Liebhaber der Helldunkelmalerei beschimpfte.

»Mazucchetti, kommen wir zum Thema. Ein Mann meines Ranges kann sich der Wahrheit nicht verschließen, auch wenn sie noch so schmerzlich wäre. Also: Wir gelangen ans Ende unserer Bemühungen.«

Der Mann war alt, aber voller Energie, wenn nicht gar Wildheit. Er hatte alles Überflüssige an Fett, Muskeln und Haaren abgelegt und war zum Wesentlichen zurückgekehrt, das aus Knochen und ein wenig Haut bestand. Die Eitelkeit war nicht mehr vorhanden, jedoch am Schnitt seiner langen Jacke und seiner Hosen konnte man sie noch schwach erahnen. All das war jedoch von häufigem Waschen abgenutzt, geflickt und dünn geworden und wies kaum auf den Edelmann hin, der sich allerdings in jeder seiner Bewegungen zu erkennen gab.

»Ja, am Ende, wahrhaftig«, wiederholte der Alte. »Wenn ich jetzt nicht Gerechtigkeit vom Papst erhalte, reise ich ab. Ich habe meine letzten Mittel aufgebraucht. Sie wissen es. Vielleicht sind Sie nachsichtig genug, mir nicht zu glauben. Sie haben unrecht. Ich habe nichts mehr.«

Eine häßliche Krähe setzte sich auf den Fensterrand, sah die beiden Männer entsetzt an und floh.

»Also, ich warte. Ihre letzten Neuigkeiten?«

»Leider nur wenig, Herr Konsul«, sagte der Italiener mit einem kleinen Lächeln auf seinen schmalen Lippen. »Nichts, als daß ich in dieser Woche drei Sekretäre, einen Protonotar und zwei Bischöfe aufgesucht habe. Das ist viel. Jedesmal habe ich vorsichtig Ihr Werk erwähnt, das sie auch kannten. Alle verurteilen diesen ›Telliamed‹…«

»Als hätten sie es gelesen!« schrie Monsieur de Maillet und trat mit dem Fuß gegen die losen Terrakottafliesen.

»Auf jeden Fall ist der Grund, den sie anführen, immer derselbe. Sie bestreiten das Alter der Erde, das durch die Bibel festgelegt ist, und Sie leugnen, daß alle Geschöpfe zur gleichen Zeit geschaffen wurden.«

»Hören Sie, Mazucchetti«, brüllte der Alte empört, aber mit einer recht erbärmlichen, gebrochenen Stimme, »Ich habe es Ihnen hundertmal bis ins Kleinste erklärt: Mein Buch ist nichts als die Überlegung eines ehrlichen Mannes. Ich habe, als ich durch Ägypten wanderte, einen Felsen gesehen, fern von jedem Ufer, und ich habe festgestellt, daß im Stein Muschelschalen eingeschlossen waren.«

»Weshalb Sie glauben, daß sich das Meer im Laufe der Zeit zurückgezogen hat, ich weiß, ich weiß«, sagte Mazucchetti und tippte vor Ungeduld mit dem Fuß auf den Boden.

»Und daher rührt mein gesamtes System! Aus einer unbestreitbaren Tatsache. Bitten Sie diese Kardinäle, ihre Paläste zu verlassen und mich an einen Strand zu begleiten. Ich werde es ihnen beweisen: Das Meer geht zurück.«

»Seit mehr als zehn Jahren übe ich diesen Beruf aus«, erklärte Mazucchetti in säuerlichem Ton, aus dem viel Verachtung sprach. »Sie finden niemanden, der sich besser als ich in den Angelegenheiten des Vatikans auskennt: Ich habe die Scheidung von Fürsten und die Absolution für Häretiker erwirkt. Aber wenn es darum geht, Kardinäle in die Seebäder zu führen, müssen Sie sich jemand anderen suchen.«

Monsieur de Maillet war von der Drohung, die diese Worte enthielten, tief getroffen. Er wich zurück, setzte sich auf einen Stuhl und wühlte nervös in seiner Tasche, um ein altes Spitzentaschentuch herauszuziehen, das völlig zerschlissen war.

»Verlassen Sie mich nicht, Mazucchetti, ich weiß Ihre Verdienste zu schätzen. Aber dennoch, so lange schon versprechen Sie mir eine Audienz beim Heiligen Vater ...«

»Ist es vielleicht meine Schuld«, sagte der Italiener hochmütig und fest entschlossen, seinen Triumph zu genießen,

»wenn der Papst dieses Jahr gewechselt hat? Wenn man wieder ganz von vorn anfangen mußte, weil Innozenz XIII. einen anderen Hofstaat und andere Günstlinge hat?«

»Nein, natürlich nicht. Aber verstehen Sie, es ist für mich von größter Wichtigkeit, diese päpstliche Verurteilung vor meinem Tod von mir genommen zu wissen. Ich warte nur darauf, daß Sie mir sagen, ob es noch eine Chance – und sei es auch nur die geringste – gibt, daß ich bis zum Papst vordringe.«

Die Vermittler, die im Umfeld des Vatikans wirken, sind gewiß die illusions- und mitleidlosesten Abenteurer der Welt. Auf der einen Seite kommen Sünder zu ihnen, die tief in ihre Schwächen und ihren Verrat verstrickt und von der Korruption dieses Jahrhunderts durchdrungen sind und sich dennoch diesen Rest Ideal und Reinheit bewahrt haben, der sie an ein mögliches Erbarmen des Himmels glauben läßt. Auf der anderen Seite dienen sie den Ministern Gottes, die zwar für die Ewigkeit zu göttlichen Diensten ausersehen sind, aber nicht auf die Wollust verzichtet haben, von der die Eingeweide der Welt förmlich bersten, und sie bemühen sich, diesen mit größter Diskretion dabei behilflich zu sein. Es ging allein darum, den einen wie den anderen auch noch die letzte Unze Gold aus der Tasche zu ziehen.

»Ja«, sagte Mazucchetti bedeutungsvoll. »Es gibt noch eine Chance.«

»Teufel auch!« Der Alte schnappte nach Luft und sprang auf. »Sagen Sie die Wahrheit? Oh, wahrhaftig, Mazucchetti, erlauben Sie mir, wieder Hoffnung zu schöpfen?«

»Große Hoffnung«, sagte der Abenteurer mit gespielter Unbekümmertheit.

»Sprechen Sie. So sprechen Sie doch!«

»Die Einzelheiten kann ich nicht preisgeben. Die Angelegenheit muß geheim bleiben. Sie dürfen nur wissen, daß der neue Papst alles umgekrempelt hat und daß in seiner Umgebung eine neue Gestalt aufgetaucht ist, auf die ich setze, weil ich sie ein wenig kenne. Allerdings …«

»Allerdings?«

»Muß man einen Preis dafür zahlen.«

»Wieviel?« fragte der Konsul zitternd.

»Sagen wir tausend Taler.«

»Wie schrecklich!« rief Monsieur de Maillet. »Wo soll ich die nur hernehmen? Ich habe nichts, Mazucchetti, gar nichts mehr.«

Der Vermittler ließ das Geschrei über sich ergehen und schaute inzwischen friedlich aus dem Fenster, wie man darauf wartet, daß ein Säugling einschläft, nachdem man die Tür geschlossen hat. Monsieur de Maillet hatte tatsächlich keinen Sou mehr. Das Geld, das er kürzlich erhalten hatte, war sogleich von den Schulden aufgefressen worden. Er hoffte allerdings noch darauf, daß bei einem römischen Wechsler der Kaufpreis für einen kleinen Wald einträfe, den seine Frau, die nach der Rückkehr aus Kairo verstorben war, nahe Metz besessen hatte. Diese Summe betrug etwa tausend Taler – der Vermittler hatte instinktiv genau richtig getroffen. Dann würde der Alte wirklich gar nichts mehr haben.

›Wenn ich Frankreich jemals wiedersehen will, muß ich dieses Geld unbedingt aufheben‹, überlegte er. ›Aber was nützt es, Frankreich wiederzusehen‹, redete eine andere Stimme in seinem Inneren auf ihn ein, ›wenn man es dann verläßt, um in der Hölle zu landen.‹ Nachdem er lange gejammert hatte, im Zimmer hin und her gelaufen war und dieses Dilemma in seinem Innern diskutiert hatte, blieb Monsieur de Maillet direkt vor dem Italiener stehen.

»Sind Sie sicher, ich meine wirklich sicher, und ich bitte Sie, mir Ihr Ehrenwort zu geben – Ihr Ehrenwort! –, daß dieser Mann beim Heiligen Vater so große Macht besitzt?«

»Exzellenz, er wird Ihre letzte, aber zuverlässige Stütze sein.«

»Tausend Taler«, sagte Monsieur de Maillet. »Keinen mehr.«

Am Ton des alten Mannes erkannte der Experte, daß das Limit erreicht war. Er stimmte zu.

Als zwei Wachen die Gefangenen aus ihrem Kerker holten, hatte eine schöne Sommersonne vom Himmel Besitz ergriffen. Die Steine des Forts erschienen weniger schwarz, und das hellbraune Fell eines Pferdes, das inmitten des Hofes stand, erfreute das Auge wie eine Liebkosung der Natur. Wenn man schon sterben mußte, war es besser, dies bei schönem Wetter zu tun, wenn das letzte Bild das Himmelsblau war. Diese Gedanken gingen Jean-Baptiste durch den Kopf, als er wie betäubt vom Licht und sehr hungrig aus dem Kerker trat. George an seiner Seite war noch ganz verschlafen. Die Sommersprossen auf seiner Nase, das zu Berge stehende Haarkreuz auf seinem rasierten Schädel und die großen, aufgerissenen blauen Augen verliehen ihm das Aussehen einer Porzellanpuppe.

Die Wächter hatten ihnen weder Hände noch Füße gefesselt, und als Jean-Baptiste an dem Gang vorbeikam, der ins Freie führte, schoß ihm die Idee durch den Kopf, einfach wegzurennen. Aber das Tor war noch weit, der Hof voller Soldaten, und sie selbst waren sehr geschwächt. Besser, sich in das Schicksal zu fügen. Man führte sie in einen anderen Flügel, den am Vortag die Würdenträger betreten hatten und der wohl das Offizierskorps beherbergte. Die Wachen irrten sich zuerst in der Tür, ließen sie kehrtmachen und eine Treppe hinaufgehen. Alles war gleichzeitig überstürzt und chaotisch. Soldaten und Offiziere sahen sehr geschäftig aus, schrien Befehle, stießen in den Fluren aneinander. Nur die Gefangenen schienen von dieser Aufregung ausgenommen.

Nachdem die Wachen irrtümlich mehrere Türen geöffnet hatten, führten sie sie schließlich in einen großen Saal, in den durch die grünen Fenster nur wenig Licht drang, das zusätzlich noch von der rauchgeschwärzten Holzdecke verdunkelt wurde.

In der Mitte des Zimmers saß der Würdenträger, den sie am Vortag flüchtig gesehen hatten, und ließ über die Köpfe hinweg nur seinen großen weißen Turban erkennen. Viele Grüppchen, meist Janitscharen, standen wartend herum. Sie diskutierten angeregt und lautstark darüber, daß sie ihre Angelegenheit dem Urteil des großen Mannes unterwerfen würden.

Mehr als eine Stunde verging, ehe die beiden falschen Armenier an der Reihe waren.

Jean-Baptiste drückte George die Hand, um ihn zu trösten, und war erstaunt, daß der arme Junge lächelte. Er hatte sich offenbar darein ergeben, ein so kurzes und tragisches Schicksal zu erleiden. Schließlich schob man sie durch das Gedränge bis zu einer engen Lichtung zwischen den verschiedenen Gruppen. Sie fielen auf einem Teppich dem Mann zu Füßen, der über ihre Köpfe verfügte. Er trug einen weiten Kaftan aus Seide, der mit roten, blumengeschmückten Mandorlen auf grünem Grund verziert war. In dem Spalt zwischen dem grauen Bart und dem weißen Turban erkannte man ein breites Gesicht, in dem eine Nase mit lila Streifen, starr und lang wie ein Grenadier, zwischen zwei beweglichen, fröhlich funkelnden Augen saß.

»Was haben die beiden getan?« fragte er in sehr schlechtem Türkisch im Tonfall der Franken.

Jean-Baptiste wagte angesichts der Dringlichkeit ihrer verzweifelten Situation den Kopf zu heben und peitschte seine Erinnerungen wie ein Pferdegespann.

»Das sind russische Spione«, erklärte ein Janitschar, der sehr aufrecht neben dem Alten stand.

»Hinrichten! Hinrichten!« riefen verschiedene Stimmen.

»Wirklich Russen? Haben sie Papiere?«

»Ja, Effendi«, erklärte Jean-Baptiste, der die vom Patriarchen unterzeichnete Rolle bei sich hatte behalten können. Und er reichte sie dem Alten.

Während dieser die Zeilen überflog, starrte Jean-Baptiste ihn eindringlich an. Der Text war in persisch geschrieben. Der Würdenträger schüttelte den Kopf, um zu bedeuten, daß er nichts davon verstand.

»Sie haben Soldaten verfolgt und sie heimlich belauscht«, faßte der Janitschar zusammen. »Sie sind Spione.«

»Was habt Ihr zu entgegnen?« fragte der Alte mit einem

müden Ausdruck im Gesicht. Es war offensichtlich, daß sein Urteil bereits gefallen war.

Jean-Baptiste hatte plötzlich eine Eingebung. Er richtete sich auf und sagte auf französisch, während er dem Würdenträger geradewegs in die Augen sah: »Wie geht es Ihrer Gicht, Effendi?«

Die Janitscharen, die kein Wort verstanden, verstummten, und der Alte schien mit einem Mal von lebhafter Neugier erfüllt.

»Meiner Gicht?« antwortete er in derselben Sprache, »Meiner Gicht geht es sehr schlecht. Wollen Sie etwa mein Leiden lindern?«

»Beim letzten Mal ist es nicht so schlecht gelungen«, sagte Jean-Baptiste lächelnd.

Dann fügte er hinzu: »In Venedig.«

»In Venedig ... Das ist doch ...«

»Ja, das ist an die fünfundzwanzig Jahre her. Die Zeit vergeht. Wir waren jung.«

Der alte Mann richtete sich plötzlich mit seiner ganzen Körpermasse auf, nahm Jean-Baptiste bei der Hand, zog ihn hoch, fiel ihm zum Erstaunen der Türken um den Hals und rief: »Poncet!«


## Fünftes Kapitel


Manche Menschen, die mit ungeheuren Vorzügen gesegnet sind, werden schicksalhaft von jenem boshaften Feind besiegt, der für sie selbst ebenso tödlich ist wie für die anderen und den sie im Mund tragen: ihrer eigenen Zunge.

Der Marquis d'Ombreval hatte diesen Fluch, der auf den Liebhabern scharfzüngiger Sätze lastet, teuer bezahlt. Sein Leben lang hatten ihn seine Standesgenossen immer gleich auf den ersten Blick gemocht, bis er sie – was ihm größtes Vergnügen bereitete – zur Zielscheibe seiner Epigramme machte.

Nachdem die Menschen sich ihm vollkommen offenbart hatten, fügte er ihnen Verletzungen zu, die nicht wiedergutzumachen waren.

Als jüngster Sohn einer sehr vornehmen Lothringer Familie war er in die Armee von Ludwig XIV. eingetreten, wo er sich durch seinen Mut und seine Intelligenz auszeichnete. Leider hatte er die Zurechtweisung eines Ministers mit einer Unverschämtheit beantwortet, die ihm acht Tage Arrest einbrachte. Er verließ das Gefängnis und Frankreich am selben Tag. Nach einem Aufenthalt in Venedig, wo er Poncet kennenlernte, bot er seine Künste Prinz Eugen an, der diese bereits von der anderen Seite der Front aus hatte bewundern dürfen. Aber auch diese glänzende Karriere endete mit einem bösartigen Wortspiel, das den zuständigen Stellen gemeldet wurde und dazu führte, daß man den Marquis davonjagte. Er kehrte nach Frankreich zurück, das er vier Jahre lang bekämpft hatte, und erhielt dennoch Vergebung, ehe er erneut nach bewährter Art sündigte. Verfolgt vom tödlichen Haß einstiger Freunde, die alle seine Feinde geworden waren, bot sich ihm bald keine andere Möglichkeit mehr, als sein Talent in den Dienst der Türken zu stellen, die ihm die Organisation ihrer Armeen anvertrauten. So wurde er Daoud Pascha. Da er die ottomanische Sprache nur sehr gebrochen sprach, konnte er sie zunächst allein im Guten nutzen. Sobald er sie jedoch zu meistern verstand, verfiel er wieder seinem Laster und beschimpfte den Großwesir. Der Sultan hatte Gnade walten lassen und ihn nur ins Exil in den Osten geschickt, wo er ihm die Verwaltung des kürzlich eroberten Armenien anvertraute.

Das Auftauchen von Jean-Baptiste, den er in Venedig als seinen Freund angesehen hatte, bereitete d'Ombreval ein doppeltes Vergnügen: Zunächst verschaffte es ihm Gesellschaft in dieser abgelegenen Provinz. Außerdem und vor allem war diese Freundschaft über zwanzig Jahre alt. Sie schien das Unvermögen des Marquis, Bindungen zu schaffen, die länger hielten als vierzehn Tage, Lügen zu strafen und in gewisser Weise zu rächen.

Sie saßen auf Teppichen um ein Kupfertablett in der ersten

Etage des Forts, wo Daoud Pascha residierte, wenn er sich auf dem Land aufhielt, und feierten ihr Wiedersehen, indem sie Porzellantassen mit dem Inhalt einer undurchsichtigen Flasche füllten, auf der »Mineralwasser aus Carbonnieux« geschrieben stand. Es war ein weißer, sehr trockener Bordeaux, dem die Reise nicht geschadet hatte.

»Man muß sich hier in acht nehmen«, sagte d'Ombreval und wies auf die Flasche. »Die Türken sind nicht wie die Perser, und dafür haben sie kein Verständnis. Eigentlich wollen sie aber nur, daß der Schein gewahrt wird.«

»Sie sind jetzt also Mohammedaner?« fragte Jean-Baptiste, der sich nicht erinnern konnte, daß der Marquis übertrieben streng den Gesetzen der Religion gefolgt wäre.

»Ich war kaum Christ und bin genausowenig Moslem. Man sollte das alles nicht so streng sehen ... Mein Beruf ist es zu dienen, und ich ziehe die Uniform meiner Herren an. Ah, Poncet! Wie schade, daß wir uns nicht in Istanbul treffen können. Sie würden meinen Palast sehen – einer der schönsten der Stadt. Ganz früh am Morgen, wenn die Sonne auf das Wasser am Goldenen Horn fällt und auf all die Minarette, die gegenüber aus den Pappelhainen auftauchen, dazu der graue Widerschein der Bleikuppeln, das ist einfach verdammt schön.«

Er nahm sein Glas und trank es in einem Zug aus. Dann ließ er sich von Jean-Baptiste in allen Einzelheiten über die Wechselfälle seines Lebens und den Grund seiner Reise berichten. D'Ombreval erinnerte sich dunkel daran, Juremi in Venedig getroffen zu haben, als dieser sich gerade als Apotheker mit Poncet zusammengetan hatte. Sie erwähnten diese Erinnerungen voller Wehmut, und Daoud Pascha wandte sich oft an George mit den Worten: »Ah! Mein Kleiner, was für eine Zeit! Europa ist wahrhaft etwas Großartiges!« und wischte sich eine Träne aus dem Augenwinkel. Zwei Diener brachten ein Tablett mit kleinen, dampfenden Schaschlikspießen, und sie bedienten sich mit den Händen.

»Ehrlich heraus«, sagte d'Ombreval, in dem das Essen und der Wein eine süße Wonne weckten, »ist das Leben nicht wirklich lustig? Da sitzen wir hier: Sie mit Ihrem Zopf um den Kopf, mit dem Sie wie eine Näherin aussehen, er, dem die Hälfte seiner Haare fehlt, und ich mit meinem großen Turban und meinem Kaftan befehle im Namen des Großtürken! Es gibt Tage, da frage ich mich, ob ich träume. In Istanbul kann ich mich noch gewissen Illusionen hingeben: Ich habe mein Haus genauso eingerichtet wie mein Schloß in Lothringen, und ich empfange eine ganze Gesellschaft von Leuten, bei der man annehmen könnte, Konstantinopel sei gefallen. Aber hier ...«

»Glauben Sie, daß der Krieg bald beginnt?« unterbrach ihn Jean-Baptiste, der über den Ergüssen des alten Mannes nicht die Notwendigkeiten der Reise vergaß. »Wir haben unsere ganze Familie in Isfahan gelassen.«

»Der Krieg? Mit den Persern? Nein, auf jeden Fall nicht von dieser Seite. Wir sind in Jerewan, weil ja irgend jemand diese verfluchte Heimstatt Noahs halten muß. Die Perser sind zu schwach. Wenn wir nicht da wären, wären es die Russen oder was weiß ich wer. Aber Sie kennen die Janitscharen, die sogenannte Elite dieser Armee: Sie sind Schiiten. Ja, das ist seltsam, aber die Sekte der Bektaschi, zu der sie gehören, folgt den Lehren Alis. Der Großtürke, dessen Bollwerk sie sind – wenn sie ihm nicht den Hals umdrehen wie letztes Jahr –, ist ein Sunnit reinsten Wassers. Das soll einer verstehen! Auf jeden Fall sind sie deshalb nicht sehr scharf darauf, gegen den König von Persien zu kämpfen, der ihren Glauben teilt. Nein, ich versichere es Ihnen: Wir gehen nicht weiter.«

Daoud Pascha streckte seine Beine aus und verzog vor Schmerz das Gesicht. »Ehrlich gesagt konnten Sie zu keinem günstigeren Zeitpunkt auftauchen, Poncet. Diese Gicht geht gar nicht mehr weg, und bei diesem Bergklima wird sie erst recht zur Qual.«

»Unsere Medikamente sind in einer Karawanserei am Stadttor. Der Diener, der uns begleitet, paßt darauf auf.«

»Ich werde den Befehl geben, daß man sie herholt, und Sie werden hier wohnen. Dieses Fort ist aus großen, kalten und feuchten Steinen gebaut, aber es gibt immer noch bessere Räume als dort, wo man Sie zuerst untergebracht hat. Ein Monat hier wird Sie wieder richtig auf die Beine bringen, und bis dahin haben Sie mich auch geheilt.«

»Es ist eine große Freude, Sie wiedergetroffen zu haben, lieber Marquis, und wir haben noch eine Menge gemeinsamer Erinnerungen aufzufrischen. Aber da wir dank Ihnen frei sind, werden wir wohl so schnell wie möglich wieder aufbrechen. Ich habe Ihnen ja erzählt, daß wir Juremi vor Wintereinbruch finden müssen.«

»Wie Sie wollen«, sagte d'Ombreval leicht enttäuscht, aber er hütete sich, sie zu bedrängen.

Diese Begegnung nach so vielen Jahren war etwas Seltenes und Kostbares. Der Marquis freute sich schon im voraus darauf, in Istanbul zu verkünden: »Stellen Sie sich vor, ich habe im Osten einen Freund getroffen, den ich seit fünfundzwanzig Jahren kenne.« Besser, man setzte diese Gelegenheit keiner Gefahr aus, indem man sie in die Länge zog.

»Mir scheint, daß Sie auf jeden Fall diese Maskerade aufgeben sollten«, sagte er. »Dadurch wirken Sie sogar hier verdächtig, und ich kann Leute, die wie Sie verkleidet sind, nicht lange bei mir aufnehmen, ohne daß es Gerede gibt.«

»Aber ich hatte gewisse Probleme in der Vergangenheit, auf türkischem Boden ... in Ägypten«, sagte Jean-Baptiste mit leichtem Zögern. »Also, ich habe einen Janitscharen getötet.«

»Das kann doch nicht wahr sein!« rief Daoud Pascha.

»Das war eine sehr unglückliche Angelegenheit, und ehrlich gesagt hatte ich keine Wahl. Ich war dabei, meine Frau zu entführen ...«

»Ihre Frau zu entführen! Oho! Kein Wort mehr. Das ist ein Bericht, der uns nachher das Abendessen verkürzen wird. Ihre Frau zu entführen! ... Sie sind inzwischen ganz und gar ... Nun, auf jeden Fall ein Grund mehr, diese Aufmachung abzulegen, die kaum zu der Würde eines so ritterlichen Mannes paßt ...«

»Ich hatte mich als Armenier verkleidet, um Probleme mit den Türken zu vermeiden, falls diese Geschichte ...«, erklärte Jean-Baptiste.

»Armenier sind Sie nicht mehr: Alle haben mitbekommen, daß Sie Franzose sind. Aber machen Sie sich keine Sorgen! Die Türken hier: Das bin ich.«

»Und wenn wir unseren Weg fortsetzen?«

»Gibt es keine schlechtere Identität. Diese Armenier sind komische Käuze und ihren Nachbarn zuwider. Und dann erst ihre Religion. Diese ganzen Heiligen, die niemand kennt. Haben Sie jemals von der heiligen Kajana oder der heiligen Repsima gehört, ehe Sie in dieses Land kamen? Nun, dann gehen Sie ins Kloster Dreikirchen, zwei Stunden von hier, dort wird man Ihnen die Reliquien dieser Unglücklichen zeigen: einen Arm von der einen und einen Schenkel von der anderen, weiter nichts. Wenn Sie wollen, gibt es da auch eine Hüfte des heiligen Jakob, einen Finger des heiligen Petrus und zwei des heiligen Jean-Baptiste... Nein, frei heraus, man kann diesen Leuten, die einem die Heiligkeit in Raten berechnen, keinen Glauben schenken.«

»Aber was empfehlen Sie uns dann?«

»Seien Sie einfach Franken. Haben Sie Papiere?«

»Einen Brief des russischen Botschafters an seine Regierung.«

»Hüten Sie sich, ihn zu zeigen, ehe Sie dort angekommen sind! In diesen Gegenden hier können Sie entweder Gesandter sein, und wenn Sie ordnungsgemäß akkreditiert sind, respektiert man Sie. Oder Sie sind Händler, dann läßt man Sie in Ruhe. Aber sie verabscheuen nichts so sehr wie Leute, die irgendeine Zwischenstellung haben. Haben Sie etwas Geld?«

»Ausreichend.«

»In welcher Währung?«

»In persischen Tuman.«

»Gehen Sie auf den Markt, wechseln Sie alles in venezianische Zechinen, die überall angenommen werden. Dann kaufen Sie ein paar Stoffe, schönen Damast, solche Sachen, wie die Franken gern mit nach Hause nehmen. Sie erzählen, daß Sie aus Persien gekommen sind, wo Sie Schmuck verkauft haben. Auf demselben Basar finden Sie einen Schneider, der Ihnen zum Abend ein Wams nach dem Muster von meinem näht. Die Armenier sind sehr geschickt in solchen Dingen. Sobald Sie in Georgien sind, werden Sie sehen: Diese Schelme dort respektieren alles, was einen schönen Hut und ein Gewand nach europäischem Geschmack trägt. Es gibt kein primitiveres Volk als die Georgier. Das höchste Zeichen von Adel ist es für sie, wenn der Titel des Scharfrichters vom Vater auf den Sohn vererbt wird.«

»Entzückend!«

»Nein, nein, Sie werden sehen, man wird Sie herrlich empfangen. Geld sieht man dort übrigens voller Verachtung an. Um von Ihnen eine der Ketten zu bekommen, die ihre Frauen in fünf, sechs Reihen um den Hals hängen, geben sie Ihnen, was Sie wollen.«

»Sie sollen sehr schön sein«, warf Jean-Baptiste ein, der die Hoffnung noch nicht aufgegeben hatte, ein Thema zu finden, zu dem d'Ombreval keine abfällige Meinung äußerte.

»In Isfahan ganz sicher«, sagte der unverbesserliche Lothringer. »Die Georgierinnen, die Sie dort gesehen haben, werden extra im Alter von fünf, sechs Jahren entführt. Man sucht die am besten geeigneten aus, und die Eltern lassen sich leicht überzeugen. Diejenigen, die übrigbleiben, kann man nicht ansehen, ohne halb zu erblinden, und jede Annäherung geschieht auf eigene Gefahr.«

»Sind die Männer eifersüchtig?«

»Im Gegenteil. Aber diese Fräuleins schmieren sich eine furchtbare Schminke auf die Wangen, die ihnen den Geruch eines Kuhfladens verleiht.«

»Und ... wo finden wir Pferde?« fragte George in seiner praktischen Art, der außerdem ein Thema beenden wollte, das sein Schamgefühl zu verletzen drohte.

»Um Pferde kümmere ich mich«, antwortete Daoud Pascha. »Sie werden sich bestimmt nicht zu beklagen haben. Ich weiß, daß die Ausländer die hiesigen Kleinpferde sehr bewundern. So sehr, daß die Türken denken, wir hätten bei uns keine mehr, weil alle sie kaufen und mitnehmen. Ich finde allerdings, sie haben einen recht trockenen Trab, von dem man Rückenschmerzen bekommt. Ich habe Bretonen aus Frankreich hierherbringen lassen, die ich mit ihren kleinen Berbern gekreuzt habe. Sie werden das Ergebnis sehen: Man sitzt im Sattel wie in einer Kutsche. Ich werde meinem Stallburschen sagen, daß er zwei für Sie aussuchen soll und ein kleines Türkenpferd für den Diener.«

Jean-Baptiste dankte ihm herzlich. Er beglich diese Schuld, indem er Daoud Pascha ein Extrakt aus den Blüten der Herbstzeitlosen für seine Gicht verabreichte und dem türkischen Arzt genaue Anweisungen gab, wie die Behandlung bei Bedarf zu wiederholen sei. Sie blieben noch zwei Tage in Jerewan und genossen es, in den Kleidern umherzulaufen, die ihnen vertraut waren; so kam ihnen die Sonne wärmer und die Stadt weniger unfreundlich vor...

Der Marquis d'Ombreval verbrachte in ihrer Gesellschaft zwei äußerst angenehme Abende. Er servierte ihnen Karpfen und Forellen aus dem Fluß, für die Armenien überall im Orient gerühmt wird. Ohne einmal Luft zu holen, erzählte er ihnen alle boshaften Geschichten, die er über die großen Persönlichkeiten in Europa kannte. Die Bloßstellung ihrer Lächerlichkeit war ihn so teuer zu stehen gekommen, und er erzählte mit soviel Geist, daß ihn diese Leidenschaft für indiskrete Anekdoten, die er mit seinem ganzen Leben bezahlt hatte, zu einem Märtyrer der Karikatur, zu einem dieser Propheten machte, die geopfert wurden, weil sie den Mut besessen hatten, den Menschen all ihre elenden Wahrheiten zu offenbaren.

Schließlich waren sie bereit. Jean-Baptiste trug seine langen Locken wieder offen, George hatte seine geschoren und auf diese blonde Bürste einen eleganten Dreispitz aus Filz gesetzt, den er von ihrem Gastgeber geschenkt bekommen hatte. Über den Umweg jenes dunklen Kerkers war George zu neuem Leben erwacht. Er schien das Lächeln gelernt zu haben und hatte – ohne vertraulich zu werden – seine starre Haltung gegenüber Jean-Baptiste weitgehend aufgegeben. Nach diesem kurzen Tod hatte eine neue Geburt aus ihnen zwar nicht Vater und Sohn gemacht, was ihnen beiden niemals möglich sein würde, aber zwei Brüder, getrennt durch das Alter und vereint durch gemeinsame Erfahrung. Dennoch ging der junge Mann nicht so weit, das Geheimnis zu offenbaren, das er angedeutet hatte, und Jean-Baptiste sprach nicht mehr davon, um ihn nicht in Verlegenheit zu bringen.

Sie begleiteten ihren Aufbruch mit belanglosen Reden und Gesang. Die Pferde, die d'Ombreval für sie bereitgestellt hatte, waren tatsächlich außergewöhnliche Tiere, schnell wie Araber und dabei kräftig und groß wie Arbeitspferde.

Daoud Pascha begleitete sie bis zum Stadttor. Die Janitscharen umringten sie mit ihren drohenden Mienen, und eine reglose Menge säumte die Straßen, um sie vorbeiziehen zu sehen. Auffällig war, daß ihr Zug von beeindruckendem Schweigen begleitet wurde. Man hörte nur das dumpfe Geräusch der unbeschlagenen Hufe auf dem Steinweg.

»Das ist etwas, das mir gefällt«, sagte Daoud Pascha. »Wenn man bei uns jemanden ehren will, dann brüllt und applaudiert man. Das ist sehr lästig. Hier ist das größte Zeichen von Respekt das Schweigen.«

Als sie den Stadtrand erreichten, hielt der Trupp an, und d'Ombreval umarmte seinen nicht abzunutzenden Freund herzlich. Der Alte konnte seine heftige Rührung nicht verbergen, als er die drei Männer davonziehen sah. Bei dem Gedanken, daß er ihnen eine Freiheit zurückgegeben hatte, die er selbst nicht mehr besaß, traten ihm die Tränen in die Augen.

Solange sie in Blickweite der Stadt waren, hielt Jean-Baptiste sich zurück und ließ sein Pferd langsam traben. Als sie jedoch die finsteren Falten an den Hängen des Ararat weit hinter sich zurückgelassen hatten, tauchten sie in die feuchten Täler Georgiens ein. In wenigen Stunden erreichten sie ganz neue Landschaften. Zikaden zirpten im hohen Gras am Wegrand, der dunkelblaue Strich des Horizonts folgte einer weichen, runden Hügelkette, die von blaßgrünen Kastanienwäldern und schwarzen Zypressen bedeckt war. Die einzigen Regimenter, denen sie begegneten, waren die zahllosen hochstämmigen Weinpflanzen, die in geraden Reihen unbeweglich in Schlachtordnung standen, dekoriert mit glänzenden Blät-

tern und mit dicken violetten Trauben als Gepäck. Die ersten
Erntetrupps machten sich an ihre Erstürmung.

∽

In all dem Überfluß von Reichtum und Ehre und dem Bedürfnis, immer noch mehr zu erreichen, kam es zuweilen vor,
daß sich der Nasir, wenn er durch die sternenklare warme
Nacht von Isfahan lief, nach dem einfachen Leben in den Bergen seiner Kindheit sehnte. In der Erwartung, sich erneut dieser süßen Wehmut hinzugeben, verließ er seinen Palast in jener Nacht in einem einfachen schwarzen Mantel durch eine
Gartenpforte, für die nur er den Schlüssel besaß. Der Chahar
Bagh war dunkel und verlassen, aber als der Nasir schließlich die Gassen des orientalischen Stadtviertels erreichte, stellte er mißvergnügt fest, daß sich dort trotz der späten Stunde
die Spaziergänger drängten. Er wählte die dunkelsten Wege,
und diese Mühe raubte ihm die Leichtigkeit des Träumers und
führte ihn zu seinen Grübeleien zurück.

Dieser Teufel von Poncet hatte sich einen schlechten Zeitpunkt ausgesucht, um zu sterben! Er hatte ihm einen Schatz
in die Hände gelegt und war mit dem Schlüssel im Paradies
oder in der Hölle – gewiß in der Hölle – entschwunden. Alberoni war in Rom wieder aufgetaucht, der Nuntius des neu-
en Papstes hatte es selbst bekanntgegeben. Das war der richtige Augenblick für das Auftreten der Konkubine, und nun
wollte dieses Gesindel nicht mehr mitspielen. Der Nasir hatte sie sehr höflich besucht, und sie hatte ihm außerordentlich
liebenswürdig geantwortet, daß Isfahan der beste Aufenthaltsort sei, den sie sich vorstellen könne. Ihr Kardinal fehle
ihr nicht, und sie habe nicht vor, ihm zu schreiben. Der Nasir konnte noch so sehr drängen, ja sogar ein wenig drohen:
Nichts half.

Er schritt mit gesenktem Kopf einher und hielt die Enden
seines Schnurrbarts in den geballten Fäusten, um das Nachdenken zu fördern. Auf diese Weise langgezogen, reichten ihm
die beiden Strähnen bis zum Unterleib.

Gedankenversunken irrte er sich im Weg, lief schwer atmend eine Treppe hinauf und passierte die stinkenden Gewölbe, welche die Gassen überdachten.

Niemand hatte ihn jemals vor der Aussicht eines großen Gewinns zurückweichen sehen. Und diese Geschichte, das hatte er von Anfang an gespürt, war vielversprechend. Sie ließ Geld erhoffen, sicher, aber auch – und vielleicht vor allem – nützliche Protektion im Ausland. Wer konnte sagen, was morgen noch von Persien übrig sein würde, bei all den Gefahren von außen und diesem unberechenbaren Monarchen? Ein vernünftiger Mann mußte mit dem Schlimmsten rechnen, also sich auch auf die Flucht vorbereiten. Es bedurfte schon einer so starken Motivation, damit sich der Nasir herabließ, noch einmal diesen schrecklichen Leonardo zu treffen, dazu auch noch in dessen Wohnung.

War es diese Pforte oder die andere gegenüber? Beide waren gleichermaßen armselig. Ein Rinnsal von schmutzigem Wasser lief unter ihnen hervor und mündete im zentralen, widerlichen Ausscheidungsorgan, das in der Mitte der Gasse strömte.

Er versuchte, eine der Türen aufzudrücken. Sie widerstand. Also war es die andere. Leonardo schloß sich nie ein, einfach deshalb, weil er niemanden hatte, der öffnete, und weil er selbst sich nicht bewegen konnte. Der Nasir stieg über eine Art Treppenleiter, deren Bretter gefährlich gebogen waren, ins obere Stockwerk hinauf.

Leonardo saß vor einem Tisch, der mit einem geknüpften Teppich bedeckt war. Der Schein einer Öllampe tauchte ein paar Bücher in gelbes Licht. Der Nasir erkannte Leonardo an seinem Spitzenhäubchen und der verbeulten, glänzenden Nase, die wie ein riesiger, mehrfach geschnittener Diamant aus Fleisch mit scharfen Kanten aussah. In demselben Pechschwarz entdeckte der Nasir leider auch mehrere Augenpaare von Katzen, und dies war nicht eben die geringste Eigentümlichkeit Leonardos, der aus diesen verfluchten Tieren zunächst Pensionäre und inzwischen die Herren seiner Kloake gemacht hatte.

Das einzige sichere Ereignis in Leonardos Leben – und das lag jetzt schon weit zurück – war seine Geburt. Er war auf der Insel Chios zur Welt gekommen. Dann wurde alles unscharf. Er gab vor, Seemann gewesen zu sein. Hatte er eine friedliche Karriere auf den Handelsschiffen hinter sich? Vielleicht, aber er bezeichnete sich auch als Kriegsmatrose und sogar Korsar. Keineswegs konnte man ausschließen, daß er vielmehr Galeerensträfling gewesen war. Im übrigen konnte er auch alles zusammen gewesen sein, außerdem Freibeuter, entflohener Sträfling und Schiffbrüchiger. Er erzählte Geschichten von allen Kontinenten, aber ein Schankwirt aus Chios hätte ebensoviel erzählen können, wenn er seinen Gästen nur richtig zugehört hatte. Diese ferne Vergangenheit wahrte also ihr Geheimnis.

Leonardo war in schon vorgerücktem Alter nach Persien gekommen. Die Portugiesen beschäftigten ihn bereits seit mehreren Jahren in ihren Kontoren am Golf. Eines Tages kam er aus unerfindlichen Gründen nach Bandar-e Abbas und bat darum, in den Dienst der Perser treten zu dürfen. Seine Glieder waren schon vom hohen Alter gekrümmt, er war jedoch noch nicht ganz gelähmt. Er verband seine Bitte mit einer einzigen Forderung: Man möge ihm erlauben, seine beiden Katzen mitzubringen. Die Portugiesen hatten ihn stets als Dolmetscher eingesetzt. Die Perser gaben ihm die gleiche Anstellung, da er behauptete, alle Sprachen der Welt zu beherrschen.

Je schlimmer sein Rheumatismus wurde, desto höher stieg Leonardo auf den Hochebenen ins Landesinnere. Schließlich strandete er in Isfahan. Als er sich fast gar nicht mehr bewegen konnte, bewahrte er noch zwei sehr rührige Gliedmaßen: seine unverschämte Zunge und die rechte Hand, wenngleich sie schon sehr mißgestaltet war. Er klemmte mühsam ein gespitztes Schilfrohr zwischen die Finger und ließ es dann stundenlang über die Blätter gleiten, die es mit einer noch immer sehr schönen Schrift bedeckte.

Seine einträglichsten Arbeiten – neben den Übersetzungen – waren falsche Dokumente, falsche Belege, falsche Wechselbriefe, mit denen er Handel trieb. Nachdem man ihn denunziert und vor den Nasir gezerrt hatte, erlangte Leonardo dessen Gnade, indem er ihm nicht etwa seine Unschuld, sondern durch seine Kunstfertigkeit und Erfahrung, für die er auf Wunsch seines Richters gern Beispiele lieferte, seine vollkommene, geschickte, seltene Schuld bewies. Es wäre dumm gewesen, auf solche Gaben zu verzichten. Der Nasir begnadigte den Fälscher und nahm ihn insgeheim in seine Dienste.

»Mein Herr«, sagte Leonardo mit seiner näselnden Stimme zur Begrüßung seines Wohltäters, »Ihr Bote hat mich heute nachmittag von Ihrem bevorstehenden Besuch in Kenntnis gesetzt, und wie Sie sehen, habe ich mein möglichstes getan, um mein Heim würdig auf Ihren Empfang vorzubereiten.«

Das bedeutete, daß er den Tisch hatte freiräumen lassen. Der Nasir stolperte über Stoffhaufen, die auf dem Boden abgelegt und im Dunkeln nicht zu erkennen waren. Er griff nach einem Stuhl und ließ sich ohne Kommentar darauf fallen. Jedesmal, wenn er dieses Haus betrat, hinderte ihn der Geruch nach Katzenurin eine Zeitlang am Sprechen. Leonardo füllte die Stille bereitwillig aus:

»Womit kann ich dem Herrn dienen, zu dem sich jeden Morgen meine Gedanken voller Dankbarkeit erheben, wenn meine geblendeten Augen sein Bild in der aufgehenden Sonne zu erblicken meinen, die mit ihren Strahlen von seinem Ruhm kündet?«

Der Nasir verdankte Leonardo viel auf dem Gebiet der Beredsamkeit, und seine Geschicklichkeit als Höfling hatte sich im Umgang mit diesem Jongleur der Komplimente sehr entwickelt.

Er filterte die Luft mit seinem Schnurrbart, nahm seine Gedanken zusammen und sagte: »Ich brauche dich für einen Brief von herausragender Bedeutung.«

»In welcher Sprache soll diese Botschaft geschrieben sein, Herr?«

»In Französisch.«

»Ach! Ach!« krächzte Leonardo.

Diese beiden kurzen, spitzen Ausrufe sollten ein Lachen darstellen und besagten, daß es nichts Leichteres gebe.

»Lach nicht. Du wirst dir Mühe geben müssen. Die Angelegenheit ist etwas Besonderes.«

Leonardo tat durch seine Miene größte respektvolle Aufmerksamkeit kund.

»Es geht um eine Frau, die ihrem Geliebten schreibt«, erklärte der Nasir.

Der Fälscher lachte erneut, diesmal viel lauter. Soweit dem Nasir bekannt war, hatte sich Leonardo nie für Frauen interessiert, unter der Hand sprach man gar von entgegengesetzten Begierden. Aber Schlafzimmergeschichten, vor allem, wenn sie den Hof betrafen, waren seine Leidenschaft. Eine der Katzen, geweckt vom schallenden Gelächter ihres Herrn, streckte sich und begann über den Tisch langsam auf den Nasir zuzulaufen. Leonardo ertrug alles, solange es ihm selbst geschah, man hätte ihn steinigen können, ohne eine Klage zu hören. Er war jedoch zu wildem Zorn und endlosem Theater fähig, wenn man seine Katzen anrührte. Deshalb ließ der Nasir das Tier langsam an seinem Gesicht vorbeiziehen und überwachte es aus dem Augenwinkel.

»Ja, aber es sind nicht irgendeine Frau und irgendein Liebhaber«, fuhr er streng fort. »Er ist Kardinal, und sie ist seine Konkubine.«

Leonardo lachte aus vollem Hals. »Ein Kardinal! Oh! Was für ein Glück! Oh, oh! Meine armen Nieren. Au! Die Konkubine eines Kardinals!«

»Paß auf, Leonardo«, sagte der Nasir geduldig, »das wird nicht einfach. Man muß Höflichkeit und Gefühl hineinlegen ...«

»Höflichkeit! Ha! Ha!«, wiederholte der Fälscher und heulte vor Lachen. »Ja, ja, und Gefühl ... Ein Kardinal ... Oh! Oh!«

Die Katze sah ihren Herrn an und wandte dem Besucher mit erhobenem Schwanz den Rücken zu. Der Nasir schloß geduldig die Augen, um sich dieser Höllenvision zu entziehen.

Dann hielt er es nicht mehr aus und schlug mit der flachen Hand auf den Tisch.

Die Katze sprang davon; Leonardo verbarg seine Zahnstummel in ihrer Höhle. In der verängstigten Stille ertönte die Grabesstimme des Nasirs: »Nimm Papier und Feder, du Schwachkopf. Wir werden uns gemeinsam dranmachen. Und ich gehe hier erst weg, wenn ich etwas Anständiges mitnehmen kann!«

## Sechstes Kapitel

Küyük, der Mongole, war immer zu Fuß den Maultieren hinterhergetrabt, bis Daoud Pascha seinen Herren drei schöne Pferde schenkte. Jean-Baptiste hatte sich sogar gefragt, ob der kleine Tatar nicht sofort herunterfallen würde. Sobald er ihn aber im Sattel sah, wußte er, daß das Pferd für Küyük nicht nur ein vertrautes Reittier, sondern die Ergänzung, das Double darstellte, ohne das er nur eine kriechende Raupe war. Küyük ritt hervorragend, wenn auch ein wenig akademisch: Er hielt die Beine steif in den Steigbügeln und nach außen gedreht wie aufgestellte Gewehre beim Biwak, die Hände sehr hoch vor sich. Das Tier gehorchte so vollkommen, daß unmöglich zu erkennen war, durch welche Bewegungen er sich ihm verständlich machte.

Küyüks Gesicht hatte nie die geringste Regung gezeigt, wenn seine Herren vor seinen Augen in wechselnden Aufzügen sehr unterschiedlichen Gefahren begegnet waren, aber, seit er auf dem Rücken eines Pferdes saß, strahlte er. Seine gewöhnlich halb geschlossenen Augen waren weit aufgerissen, und auch sein Mund stand offen, wenn er galoppierte. Man fühlte sich an dürres Land erinnert, das von einer Überschwemmung durchtränkt wird.

Sie blieben nur eine Nacht in Tiflis. Ungeachtet all der Annehmlichkeiten dieser Stadt wollten sie Georgien so schnell wie möglich verlassen. Ein Zwischenfall hätte sie beinahe dort festgehalten. Am Abend ihrer Ankunft war George in einem der Häuser, in denen Kaffee und Tabak angeboten wurden, neugierig darauf gewesen, dieses starke Getränk zu probieren, das man mit dem Saft des Mohns zubereitete. Nach dem Genuß dieses Gebräus war er die ganze Nacht durch fremde Welten gewandelt, und nachdem er viel gelacht, vor Entsetzen geschrien und vor Wohlbehagen gestöhnt hatte, erwachte er am nächsten Morgen schwer krank. Jean-Baptiste gab ihm ein Gegenmittel, und mittags konnten sie sich auf den Weg machen.

Als sie gen Norden durch die georgische Ebene ritten, erhob sich das Gelände zunächst sanft, in kleinen Hügeln gewellt, dann führte der Weg steil bergauf. Die Stechmücken, die ihnen jede Nacht seit Jerewan die Haut zerstochen hatten, verschwanden, da sie in dieser Höhe nicht überleben konnten. Schließlich sahen sie aus dem Hitzenebel, der den Horizont füllte, das hohe, klare Bergmassiv des Kaukasus auftauchen. Es war eine durchgehende Mauer ohne sichtbare Schwächen. Eine Linie von ewigem Schnee lag auf den Gipfeln. Es gab nur eine wenig genutzte Straße durch dieses Bollwerk in Richtung Moskau. Sie war schlecht unterhalten und verlief in großer Höhe. In den ersten drei Tagen trafen sie kaum zehn Karawanen. Als sie so hoch waren, daß sie bereits die beängstigende Eiskruste erkennen konnten, die der Frost über die Gipfel gelegt hatte, sahen sie hinter sich im Tal noch das wellige Grün der Pinien, die hohen Spitzen der Zypressen und die Streifen der Weinberge im rasierten Nacken der georgischen Hügel.

Alles änderte sich am ersten Paß. Innerhalb von wenigen Metern verließ sie die milde, duftende Luft dieser Provinz, und die drei Männer drangen in einen kalten Nordwind ein, einer dieser in Steppen und Wüsten abgemagerten Landwinde, die alles fressen, was ihnen in den Weg kommt, und auch die Wolken bis zum letzten Fetzen verschlingen.

Küyük, der aufrecht im Sattel saß, streckte seine platte Nase dem Wind entgegen und atmete ihn tief ein, zweifellos, um darin ferne und herrlich vertraute Partikel zu finden. Sein Pferd, also er selbst, trabte vergnügt auf der Stelle, machte Volten, lief seitwärts, schüttelte seinen Hals.

George war nach all diesen Prüfungen natürlicher und freundschaftlicher im Umgang mit Jean-Baptiste und hatte sogar angefangen, ihn zu duzen. Dennoch hatte er seine Überzeugungen nicht aufgegeben. Ebenso wie er seine Gefühle besser ausdrücken konnte, wagte er auch Widerspruch zu äußern und diesen zu vertreten.

Poncet betrachtete die Wandlung des Mongolen mit respektvoller Neugier. »Unser Schamane findet die Geister der Steppe wieder«, sagte er.

George zuckte die Schultern und begann einen gelehrten Vortrag über das Klima, seinen Einfluß auf die Stimmung und die tierischen Säfte, welche die Nervenstränge befeuchten. Jean-Baptiste ließ ihn reden. Er zählte auf die Natur selbst, damit der Bursche eines Tages in ihr nicht nur Gesetze und Systeme, sondern auch Schönheiten und Geheimnisse entdecken würde.

Im September rochen die Hochalmen nach verwesendem Gras und den Hinterlassenschaften der Herden. Die Nacht brach früh und sehr schnell herein. Ein eisiger Wind, der die Gletscher herabsauste, war ihr Vorbote. Die Reisenden schliefen in Holzhütten, die sie für Unsummen von den Schäfern mieteten. Die Trockenfrüchte, die sie aus Georgien mitgenommen hatten, dienten als Grundlage für ihre Mahlzeiten und mischten ihre süßen, bunten Düfte mit der grauen Bitterkeit des Käses, den sie an Ort und Stelle kauften. Je weiter sie in den Hochtälern vorankamen, desto öfter begegneten sie neuen Sprachen und immer anderen menschlichen Rassen. Jeder Lagerplatz, denn man konnte nicht einmal von Dörfern sprechen, war eine Nation für sich, mit einer eigenen Religion und besonderen Sprache. Unsichtbare Haßgefühle belasteten die Luft und ließen jeden in Angst vor dem anderen leben. Es war, als seien die Menschen zunächst in diesen eisigen Höhen geschaffen worden, von wo sie allmählich hinabgezogen waren in die süße, warme Verderbtheit der

Täler. Wer hier so dicht am Himmel geblieben war, schien seinen Ursprüngen noch ganz nah, duzte die Götter und nutzte sein kurzes Leben, um die ewigen Zwistigkeiten beizulegen, die er diesen Göttern zuschrieb.

Die Bergkette des Kaukasus war sehr breit, und in ihrem Zentrum erhob sich das riesige Massiv des Kazbeg wie ein Bergfried, für den die anderen Berge nur Festungsmauern waren. Sein in riesige Mauern und Klingen gesprungenes Eis funkelte im Sonnenlicht. Nachts hob es sich vor dem schwarzen Himmel ab. Die glasartige Masse hatte tagsüber den mächtigen, warmen Körper der Sonne aufgenommen und warf nun das erkaltete, bläuliche Skelett zurück in die Dunkelheit.

Je näher sie den Hängen des Kazbeg kamen, desto weniger Lagerplätze und Weiden gab es. Der Riese hatte allen Raum um sich herum entleert, um seinem Zauber Platz zu schaffen, nicht den einfachen Menschen. Wer von ihnen sich dennoch dorthin wagte, war offensichtlich tapfer genug, die Geister herauszufordern, sofern er nicht selbst ganz und gar von ihnen besessen war.

Küyük ließ während dieser letzten Etappen zunehmend Anzeichen von Nervosität erkennen. Den ganzen Tag über sammelte er in den nackten Tälern alles, was ein Feuer unterhalten konnte. Abends entzündete er es an einem offenen Platz, der etwas über dem Weg lag. Während seine Herren in Felle gehüllt schliefen, wachte der Mongole mit gekreuzten Beinen dicht neben der Glut, dem Berg den Rücken zugewandt, und starrte mit zusammengekniffenen Augen über die Hochebene.

Diese Wachsamkeit war jedoch nicht ausreichend, um den Angriff zu verhindern. Er fand bei der dritten Etappe im Bannkreis des Kazbeg im Morgengrauen statt. Küyük war eingeschlummert. Als er die Pferde wiehern hörte, war es zu spät. Die zwölf Männer, die aus der Nacht aufgetaucht waren, hatten die Reisenden im Nu überwältigt, fesselten sie und nahmen ihr Gepäck und ihre Reittiere an sich.

Der kleine Clan von Straßenräubern, der sich ihrer bemächtigt hatte, sprach eine tatarische Sprache, die Jean-Baptiste nicht verstand, und er konnte den Mongolen auch nicht befragen, denn zwischen ihnen liefen zwei Männer. Die Diebe waren ohnehin nicht gesprächig, und ihr Anführer, der den Abschluß der Kolonne bildete, wandte sich an sie, indem er eine lange Peitsche knallen ließ und ausdrucksvoll grunzte. Sie mußten nicht weit gehen, denn die Gruppe hatte ihre Zuflucht in sehr geringer Entfernung zur Straße. Trotz dieser Nähe war der Ort so einsam, daß man keine Hilfe erwarten konnte.

Als sie das Lager erreichten, brach der Tag an. Vier der Banditen kümmerten sich um die Pferde von Jean-Baptiste und George. Zweifellos hatten sie noch nie so große Exemplare gesehen, und sie näherten sich ihnen voller Furcht. Ein paar in Tierfelle gehüllte Frauen, die leicht mit ihren Männern zu verwechseln waren, tauchten mit Kindern an der Hand oder im Arm aus der Höhle auf. Wäre da nicht die Art, in der man sie hergebracht hatte, sie hätten annehmen können, wie jeden Abend in einem Schäferlager anzukommen. Die Banditen baten sie mit sehr friedlichen Zeichen, in die Grotte einzutreten, nahmen ihnen jedoch nicht die Handfesseln ab. Küyüks mißtrauische Miene deutete darauf hin, daß diese Höflichkeit keineswegs unvereinbar mit der Absicht war, ihnen die Kehle durchzuschneiden. Jean-Baptiste begann mit wachsendem Unbehagen nach den großen Säbeln zu sehen, welche die Bergbewohner an den Gürteln trugen.

Nachdem jeder von ihnen einen letzten Blick zurück zu den grünenden Hängen des Kazbeg geworfen hatte, auf denen die zahlreichen riesigen weißen Felsen von hier aus so lächerlich wirkten wie Kieselsteine, lösten sie sich endlich von der Schwelle und traten in die Dunkelheit der Höhle. Sie hatten gesehen, daß sich der Himmel während der letzten Nachtstunden zugezogen hatte. In diesen Bergen änderte sich das Wetter schnell. Die unüberwindliche Barriere des Kaukasus bot Schutz vor den Gewittern, die vom Schwarzen Meer aufstiegen. Sobald sich die Wolken einige Meter über die Gipfel erhoben, brach in kaum einer Stunde ein Sturm los, der über den Bergrand schwappte wie überkochende Milch.

Die Höhle war nicht sehr tief und sehr viel breiter als ihre

Eingangsöffnung. Sie bildete einen Saal, in dem die Tataren ihre armseligen Reichtümer ausgebreitet hatten. Ein Feuer aus Reisig und trockenen Gräsern sollte dieses Heim wärmen, trocken halten und beleuchten. Tatsächlich bewirkte es jedoch nur, daß die Luft durch grauen Rauch, der die Kinder zum Husten brachte, undurchdringlich wurde.

Als sie um das Feuer saßen, die Pferde angebunden und ihre Gepäckstücke am Eingang der Höhle abgestellt waren, wurden alle Anwesenden von einer leichten Verlegenheit erfaßt. Diese Räuber kamen Jean-Baptiste allerdings nicht gerade zögerlich vor.

Wahrscheinlich brachte sie das Aussehen der Reisenden, die sie gefangen hatten, sehr durcheinander. Gewöhnlich wagten sich nur Einheimische mit einer so mageren Ausrüstung auf diese Wege. Die Russen, die in letzter Zeit kaum noch vorbeikamen, waren bewaffnet, reisten in großen Gruppen und hatten Aufklärer und Begleitschutz. Diese beiden schönen Edelleute mit ihren roten und blauen Gewändern, den feinen Stiefeln und dem Gepäck voller Gold verbargen sicher etwas anderes. Vielleicht gingen sie einer größeren Truppe voran, vielleicht würden sie geheime Waffen benutzen oder gar Hexerei? Am vertrautesten unter ihren Geiseln erschien ihnen Küyük. Der Anführer wandte sich mit einem Wortschwall voller gutturaler Töne an ihn.

Küyük schien leider nichts zu verstehen und schüttelte den Kopf, ohne den Blick vom Feuer abzuwenden. Lange Stille folgte dem Scheitern dieses Dialogs. Durch die Öffnung der Grotte sah man, daß der Himmel jetzt tiefschwarz war und dichter Regen auf das fette Gras fiel. Für einen Moment durchbrach das Licht eines Blitzes den Regenvorhang. Küyük hob den Kopf und lauschte gespannt, als wolle er die Entfernung des Donnerschlages messen, der darauf folgte.

Das Gewitter, ein phantastisches Schauspiel mit seinen Farben, Geräuschen und Gerüchen, die die feuchte Luft erfüllten, war willkommen; es dämpfte die Spannung, die durch die peinliche, unstandesgemäße Begegnung zwischen diesen zu bescheidenen Entführern und ihren vornehmen Geiseln entstanden war. Küyük wählte den Moment, als alle ihre dumpfe Aufmerksamkeit auf das Unwetter richteten. Mit einer Plötzlichkeit, die die Anwesenden erstarren ließ, stieß er einen lauten, schrillen Schrei aus, der aus der Tiefe seiner Eingeweide aufstieg und an den geschwärzten Wänden der Grotte widerhallte.

Dieser Schrei hob den Vorhang für eine noch viel außergewöhnlichere Szene. Küyük modulierte zunächst seinen Ton in langen Wellen, dann fiel er in sich zusammen, geschüttelt von stummen Zuckungen. Als er endlich den Kopf hob, bot er den entsetzen Zuschauern ein ekstatisches Gesicht, das nichts Menschliches mehr hatte. Die Augen waren verdreht, und durch die weit offenen Spalte seiner schlitzförmigen Lider sah man zwei bläuliche Augäpfel mit jenem fahlen Perlmutton, den die Eingeweide frisch geschlachteter Schafe annehmen. Er sprang mit einem Satz auf, die Glieder gespannt, als seien die gesteppten Kleidungsstücke, die seinen Körper bedeckten, plötzlich im Eis erstarrt, und begann am ganzen Leib zu zittern. Man hörte seine Zähne klappern.

Das Gewitter war näher gekommen. Immer häufiger drangen Blitze durch die dunkle Öffnung der Grotte, prallten von ihren Wänden ab und ließen sie leuchten wie eine riesige Opalkugel. Mächtige Donnerschläge folgten ihnen sehr dicht und dröhnten gegen die Felsen. Bei jeder Explosion sprang Küyük förmlich in die Luft, leicht wie ein Ball. Die Elemente schienen ihn zu ihrem Spielzeug gemacht zu haben. Sein Aussehen hatte tatsächlich nichts mehr mit dem eines menschlichen Wesens gemein. Er war das Geschöpf des himmlischen Zorns, der vor seinen versteinerten Zuschauern Fleisch gewordene Geist des Blitzes und des Windes.

Die Tataren hatten sich eilig entfernt und drängten sich auf der anderen Seite des Feuers in einer dichten Gruppe aneinander, in deren erste Reihe sie die Kinder schoben. Diese Völker glauben fest daran, daß sich die Natur beruhigen kann, wenn sie unschuldige Wesen als Opfergabe erhält. Sie frißt sich gern damit voll, um ihre im Altern der Welt erschöpften Kräfte zu erneuern.

Küyük aber hatte keinen Blick für diese Beute. Als die Donnerschläge mit größerem Abstand ertönten, schien der Mongole einen Willen zurückzugewinnen, der noch immer nichts
Menschliches hatte, ihn jedoch echte Bewegungen vollführen
ließ. Er trat ans Feuer, streckte die Hände aus und verbrannte über den kleinen Flammen die Hanffesseln, die seine Handgelenke zusammenhielten.

Jean-Baptiste warf einen Blick zu den Räubern, um zu
sehen, ob diese feierliche Befreiung eine Reaktion auslöste.
Die Unglücklichen waren viel zu entsetzt. Ohne ihnen Zeit
zum Nachdenken zu lassen, war Küyük schon zu etwas anderem übergegangen. Er hatte hastig die Schaffelle abgestreift,
die ihm als Stiefel dienten, und war mit nackten Füßen auf
die rote Glut gesprungen. Jetzt nahmen seine Schreie die
rhythmische Modulation einer Beschwörung an, die er mit
seinem Tanz auf der glühenden Asche begleitete. Während
sein Gesicht am Anfang der Szene von Schmerz verzerrt gewesen war, hatte der Gang auf den Grill seine Züge entspannt.
Er hielt den Kopf leicht nach hinten geneigt, die Augenbrauen
hochgezogen, und machte Kaubewegungen, bei denen er seine Lippen mit dem gleichen Ausdruck vorstülpte, mit dem
Daoud Pascha seinen Burgunder kostete. Dieser Feuertanz
dauerte lange. Der seltsame Singsang, der Anblick der
menschlichen Füße, die die Glut liebkosten, waren so bezau-
bernd wie ein erotisches Spiel, wo das Fleisch Fleisch bleibt
und der Geist Feuer wird. Alle Anwesenden schienen mit weit
aufgerissenen Augen andere Bilder der Wollust vor sich zu
sehen. Die ganze Höhle tauchte ein in das Übernatürliche.
Sogar George stand der Mund offen. Jean-Baptiste lächelte
vor Wohlbehagen.

Küyük, verklärt, königlich, heilig, war der absolute Herr
dieser Welt. Lange Minuten, vielleicht Stunden ließ er die Beschwörungen ertönen, kommunizierte er mit geheimnisvollen
Geistern, die alle ebensogut zu sehen schienen wie er. Auf dem
Gipfel dieser Verzauberung bemächtigte er sich mit einer
Handbewegung eines Dolchs vom Gürtel des Banditenchefs
und durchbohrte sich erst den rechten Unterarm, dann die

Brust, ohne mehr erkennen zu lassen als eine leichte Grimasse der Zufriedenheit.

Als all das zu Ende ging, war der Morgen schon weit fortgeschritten. Die Sonne war auf die Wiese zurückgekehrt, klopfte an den Eingang der Grotte und gab ihr einen goldenen Boden.

Küyük kehrte gerade weit genug in diese Welt zurück, um die Anwesenheit der Tataren wahrzunehmen und ihnen Befehle zu geben, die jene in vollkommener Unterwerfung befolgten. Tatsächlich sprach er eine Sprache, die ihrer sehr ähnlich war, und Jean-Baptiste begriff, daß er nur aus List anfangs nicht geantwortet hatte.

Der Schamane ließ sie die Pferde satteln und beladen, eine Lammkeule, die in einer Ecke der Höhle hing, zubereiten und die einzelnen Stücke in Fellsäcken verpacken. Zwei Schläuche mit Schafsmilch wurden auf seine Anweisung neben seinem Sattel befestigt. Von ihren Fesseln befreit, stiegen Jean-Baptiste und George auf ein Zeichen ihres Zauberdieners auf die Pferde. Er tat es ihnen gleich und setzte sich an die Spitze des kleinen Zuges, ohne den knienden Räubern einen letzten Blick zu schenken.

Sie kamen auf den Hauptweg und trabten noch eine Meile weiter. Nach einer großen Rechtskurve erreichten sie eine Baumgruppe von wildem Rhododendron, übersät von den letzten malvenfarbenen Blüten. Inmitten dieser Schutzhecke entdeckten sie eine grasbedeckte Lichtung, wo sie von den Pferden stiegen. Küyük, der schon unterwegs seine verknitterte, düstere Haltung wieder angenommen hatte, streckte sich auf der Stelle auf dem Boden aus. Sie ließen ihn bis zum nächsten Morgen schlafen.

## Siebtes Kapitel

Gegenüber der Moschee des Imam mit ihrer riesigen Kuppel aus grünblauer Fayence, die blaß wie klares, kaum von Algen verfärbtes Wasser schimmerte, erstreckte sich eine riesige freie Fläche: der Königsplatz. Zweimal in der Woche diente er als Markt, an den übrigen Tagen blieb er leer. Wer immer ihn überquerte, fühlte die gierigen Blicke all der untätigen Männer auf sich ruhen, die in den warmen Stunden im Schatten der Mauern an seinem Rand saßen.

Alix fürchtete diesen Weg, auf dem eine Fremde ein seltener Anblick war und zur willkommenen Beute wurde. Sie ging immer schneller, sobald sie den Platz betreten hatte. Als sie an diesem Nachmittag den Basar verließ, wo sie ihre neue Kleidung gleich angezogen hatte, war sie noch unruhiger als sonst, als sie sich dem Königsplatz näherte. Sie hörte ihre Schritte auf dem Flußsand knirschen, der den Boden bedeckte. Sie lief so hastig, daß sie beinahe gestolpert wäre. War es die Erregung, weil sie einen Moment geglaubt hatte, ihr Gleichgewicht und ihre Würde zu verlieren? War es nur die Auswirkung dieser außergewöhnlichen und durch ihren Atem feuchten Hitze, die der geschlossene Schleier über ihrem Kopf erzeugte? Auf jeden Fall überkam sie plötzlich ein herrlich wollüstiges Gefühl bei dem Gedanken, daß sie zum ersten Mal ganz und gar vor den Blicken verborgen war.

Vor sich sah sie durch den Tüll, der auf ihrem Gesicht klebte wie eine zarte Kompresse, undeutlich andere dunkel verschleierte Gestalten, von denen man ebenfalls nichts sah außer geheimnisvoll wallendem Stoff.

Alix ging nun langsamer und schlenderte fast bis zum anderen Ende des Platzes, so sehr genoß sie das Gefühl, unsichtbar zu sein. Sie, die sich immer voller Leidenschaft um ein ansprechendes Aussehen bemüht hatte, entdeckte plötzlich mit freudigem Erstaunen den Genuß, gar kein Aussehen mehr zu besitzen.

In dieser angenehmen Stimmung näherte sie sich dem

Wohnsitz des Ersten Ministers. Der Großwesir wohnte selbstverständlich im Grün des Chahar Bagh. Neben dem prunkvollen Eingang, der durch ein reich verziertes Gitter verschlossen war, öffnete sich ein anderer, bescheidenerer, durch den Alix eintrat. Sie durchquerte zwei Höfe, über die ganze Heerscharen von Dienern und Hausmädchen eilten, dann wandte sie sich nach rechts zum Harem. Eine einfache Schildwache stand vor dem ersten Eingang, der noch vielen Männern zugänglich war: Dienern, Offizieren und Bewohnern des Palastes, sofern sie einen Grund hatten, hineinzugehen. Bei der zweiten Pforte saß ein häßlicher Greis, der das Amt des Türmeisters ausübte. Er nahm es nur sehr widerwillig wahr und wurde von zwei breitschultrigen Dienern unterstützt, die aussahen, als würden sie nur zu gern ihre Muskeln arbeiten lassen. Alix erklärte in Farsi, wer sie sei, ohne den Schleier zu heben, und der Alte ließ sie hinein. Nun gelangte sie in eine Flucht offener, lichtdurchfluteter Innenhöfe. Dort sah man nur ausgefranste Palmen in großen Tonkrügen.

Die dritte Tür, die in die Wohnräume der Frauen führte, war durch eine Mauerecke verborgen. Alix meldete sich dort und wurde von einem beleibten Eunuchen mit milchweißer, faltiger Haut angehalten, der nach der Mode eine hohe, spitze Kappe trug, die etwas nach vorn geschoben war und von einem Kinnband gehalten wurde. Alix mußte vor ihm ihr Gesicht enthüllen, und diese Rückkehr zum Sichtbaren wäre ihr sehr unangenehm gewesen, hätte nicht im gleichen Moment Nour al-Houda, die sie von weitem gesehen hatte, fröhlich ihren Namen gerufen. Die Favoritin des Großwesirs umarmte sie ohne Umschweife, nahm sie bei der Hand und führte sie in ihre Gemächer.

Die strenge Bewachung durch Schildwachen, Türsteher und Eunuchen machte das Herz des Harems zu einem geheimnisvollen Ort, was allerdings eine Frau, die ihn ohne Hindernisse betrat, kaum merkte. Der Frauenhof war etwas kleiner als der für die Männer, aber nach dem gleichen Plan gestaltet: ein großes Regenbecken in der Mitte, umgeben von hohen Räumen, darüber ein Wandelgang. Die Emaillemosaiken an den

Wänden, die murmelnden Wasserspiele und die Topfpflanzen waren hier von gleicher Art wie anderswo. Das Fehlen von Waffen, Schnurrbärten und tiefen Stimmen wurde vorteilhaft durch feine Stoffe und helles Lachen ersetzt. Es war also keineswegs überirdisch, und wenn man es nicht durch den undeutlichen Filter des Begehrens und des Verbotenen sah, war alles schlicht und friedlich.

Der Salon, in den Nour al-Houda Alix führte, war ein hoher Raum ohne Fenster, der durch Oberlichter erhellt wurde. Bunte Freskenmalereien an allen Wänden boten den Anblick blühender Gärten, in denen alle erdenklichen Musikanten ihre Instrumente spielten. Ebenso, wie sich die Perser im Namen der poetischen Inspiration den Genuß des Weines erlaubten, konnten sie sich nicht entschließen, den Künstlern die Darstellung der Welt und sogar des Menschen ganz und gar zu verbieten. Zu groß war das Vergnügen, das sie darin fanden. Sie rechtfertigten ihr Tun mit der Erklärung, Gott könne nicht solche Freuden auf Erden geschaffen haben, ohne die Absicht, seine Diener damit zu belohnen. In dem Kampf, den Vergnügen und Sünde in allen Religionen miteinander führen, hatten die Perser den Mut aufgebracht, einen Sieger festzulegen und sich diesem mit einer genüßlichen Resignation hinzugeben.

Nour al-Houda setzte Alix neben sich auf eine Bank vor ein kleines Tischchen, auf dem Rosengebäck und Datteln standen.

»Ich bin sehr glücklich, daß Sie gekommen sind«, sagte sie und umarmte die Freundin vor Begeisterung. »Uns bleibt kaum eine Stunde, um uns vorzubereiten. Haben Sie die Medizin dabei?«

Alix zog ein verschnürtes Päckchen unter ihrem Schleier hervor und zeigte es ihr.

»Wunderbar.«

Nour al-Houda ließ Tee servieren, entließ ihre kleine Sklavin und flüsterte Alix zu: »Entledigen wir uns zuerst der unangenehmen Neuigkeiten. Die Situation sieht schlecht aus. Mein teurer Gemahl hat wieder mehrere Pantoffeln auf die

Nase bekommen. Der König ist wütend über das, was man ihm mitteilt. Stellen Sie sich vor: Nichts vermag die Afghanen aufzuhalten. Schon stürmen sie durch die Wüste von Sistan mit ich weiß nicht wie vielen Söldnern aus diesem Land, die sie Belutschen nennen. Wie können Menschen nur einen solchen Namen tragen!«

Sie lachte, und Alix wurde unwillkürlich von ihrer Fröhlichkeit angesteckt.

»Dazu kommt das Erdbeben in Täbris...«

»Ein Erdbeben?«

»Wie denn, Sie wissen es nicht? Dort steht kein Stein mehr auf dem anderen. Die große Blaue Moschee ist vollkommen zerstört. Haben Sie denn die Erschütterungen nicht gespürt? Ich habe selbst gesehen, wie dieser Leuchter geschwankt hat.«

»Wann war das?«

»Letzte Woche. Oh! Machen Sie sich keine Sorgen um Ihren Jean-Baptiste«, sagte Nour al-Houda und legte ihre Hand auf Alix'. »Er ist schon lange weitergezogen. Ich denke, inzwischen ist er bestimmt in der Nähe von Moskau.«

»Hoffen wir es«, sagte Alix, die nicht ganz beruhigt war.

»Dieser Himmelsschlag hat die Hellseher im Palast aufgeweckt. Ihre Bemühungen, den Fremden die Schuld für all diese Übel zuzuschieben, in denen sie von meinem teuren Gemahl eifrig unterstützt werden, könnten wohl Erfolg haben. Glauben Sie mir, es wäre angebracht, heimlich alles zusammenzupacken, was Sie mit sich nehmen wollen. Halten Sie sich bereit, weiter nichts. Wenn die Gefahr größer wird, sage ich Ihnen Bescheid.«

Alix war bestürzt über diese Nachrichten.

»Gut«, fuhr Nour al-Houda dann fröhlich fort. »Wir werden uns unsere Gedanken nicht von diesen Dingen verfinstern lassen. Die Welt kümmert sich schon allein darum, uns das Unglück zu schicken, bemühen wir uns also, fröhlich zu sein.«

Als Alix an das Motto erinnert wurde, das ihr eigenes Leben bestimmt hatte, sah sie das junge Mädchen mit wehmütiger Aufmerksamkeit an. Es kam ihr vor, als sei diese Fremde tatsächlich mehr ihr Kind als ihre eigene Tochter, denn Saba, so ernst und zurückhaltend, wie sie war, hätte niemals etwas Derartiges geäußert.

Noch einmal besprachen sie in allen Einzelheiten den Plan, den sie ausführen wollten, und als die Stunde vorbei war, klatschte Nour al-Houda in die Hände, um ihren Eunuchen Ahmad zu rufen.

Man hörte den Schritt seiner Lederpantoffeln auf den Fliesen des Patio, dann trat er ein. Er war ein stämmiger Bursche mit schmalem Gesicht, vorstehenden Backenknochen und einem spitzen Kinn. Zur Begrüßung legte er seine langen, feinen Hände übereinander und verneigte sich so tief, daß sie auf seinen Knien lagen.

»Es ist gut, Ahmad«, sagte Nour al-Houda lächelnd zu ihm. »Siehst du diese Dame?«

Alix stand sehr aufrecht. Sie hatte wieder ihren nachtblauen Schleier angelegt, unter dem sie ihre Gestalt auf dem Hinweg verborgen hatte, hielt aber das Vorderteil mit den Händen hoch, so daß man ihr Gesicht sehen konnte.

»Du mußt dein Gedächtnis nicht unnötig belasten, lieber Ahmad«, sagte Nour al-Houda. »Ich weiß schon. Deshalb werde ich, wenn ich von ihr spreche, nur ›die blaue Dame‹ sagen.«

Der Eunuch schob die Hände erneut bis zu seinen Knien hinab.

»Wir werden diese blaue Dame bis zum Königspalast begleiten, denn sie muß dort eine Medizin abgeben. So kommen wir ein wenig an die Luft. Während sie ihre Angelegenheiten erledigt, laufen wir durch den Chahar Bagh, danach holen wir sie wieder ab. Jetzt laß uns allein. Du wartest an der Tür, bis wir dort erscheinen, und, ich bitte dich, geh in den Straßen nicht so dicht neben mir. Ich will mich nicht bedrängt fühlen.«

Nour al-Houda hielt den roten Schleier, den sie anscheinend gleich anlegen wollte, gut sichtbar auf dem Schoß. Sobald der Eunuch jedoch verschwunden war – sie ging zur Tür, um sich davon zu überzeugen, daß er auch den Innenhof verlassen hatte –, griff sie nach dem blauen Schleier, den Alix abgelegt hatte, und reichte ihr den roten. Nachdem sich also jede unter der Farbe der anderen verborgen hatte, bedeckten sie ihre Gesichter, drückten sich ein letztes Mal fest die Hand und wandten sich zu den drei Türen, die sie eine nach der anderen würdig durchschritten, dicht gefolgt von dem Eunuchen. Als sie auf der Straße waren, ließ er zehn Schritte zwischen den Frauen und sich, um ihr Gespräch nicht zu belauschen.

»Mein Gemahl läßt mich nie ohne diesen Kauz ausgehen«, sagte Nour al-Houda.

»Ist es immer derselbe?«

»Glücklicherweise. Ich habe ihn selbst ausgesucht. Dieser hier ist kein schlechter Kerl. Er tut diese Arbeit nur, um seine drei Kinder zu ernähren.«

»Seine drei Kinder!«

»Ja. Dennoch behauptet er, von Kindheit an Eunuch zu sein. Ich weiß nicht richtig, wie diese Operationen funktionieren, die sie dazu machen, aber manchmal bleiben sie unvollständig. Und ich kann Ihnen versichern, daß dieser hier nicht so unbewehrt ist, wie er vorgibt.«

Alix warf über die Schulter einen neugierigen Blick auf den Mann, der unter seinem harmlosen Äußeren derartige Geheimnisse verbarg.

»Das ist auf jeden Fall ein Detail, das nur ich kenne und das uns zu Komplizen macht«, fuhr Nour al-Houda fort. »Solange ich mich diskret verhalte, tut er nichts lieber als schweigen.«

Es sah aus, als ob sie einen ziellosen Spaziergang machten. Doch Nour al-Houda hatte sie auf diese Weise bis zu einem viereckigen Platz geführt, der in einem Viertel mit den ehrwürdigsten Bauten der Stadt lag. Türkische und mongolische Minarette überragten die Dächer. Man sah den Spitzbogen des Giebels und die ultramarinblaue Kuppel der Freitagsmoschee. Die Tradition verlangte, daß auf diesem Waffenplatz jeden Tag ein Offizier der königlichen Palastgarde die Abteilung übernahm, die zur Ablösung bereitstand, und diese bis zum Palast führte.

Sie betraten den Platz, als die Zeremonie gerade zu Ende

ging, und Alix hatte nicht das Gefühl, als sei dieser Zeitpunkt ein Zufall. Die Einheit saß zu Pferd und kam in ihre Richtung. Sie preßten sich gegen die Wand, um sie vorbeizulassen. Nichts schien das ohrenbetäubende Donnern der Hufe, dessen Echo von den Mauern am Platz zurückgeworfen wurde, übertönen zu können; dennoch hörte man deutlich das Klirren der Kinnketten und der Säbelaufhängungen.

An der Spitze ritt auf einem rotbraunen Pferd, das nervös den Kopf zurückwarf, der Offizier, der die Garde kommandierte. Er trug eine weiße Uniform, und seine schmale Taille war von sechs Schichten eines breiten grünen Stoffes umgürtet. Die Tradition verlangte, daß sein blaßblauer Turban mit einem Federbusch ebensooft um den Kopf geschlungen war.

Er ritt ohne einen Blick an den beiden Frauen vorbei, die durch ihre Schleier unsichtbar waren. Alix sah von unten das Gesicht des Offiziers, und ihr fielen nur zwei Dinge auf: der eckige, rasierte Unterkiefer, denn der Mann trug keinen Bart, und seine Jugend. Auf seinem Gesicht mischten sich die vergänglichen Züge der Kindheit und das ewige Profil der alten Parther, deren Bild die Stelen von Persepolis bewahrt hatten. Diese Elemente verliehen ihm eine jahrtausendealte pulsierende Schönheit, streng und gefällig zugleich.

Diese Vision dauerte nur einen Augenblick. Die beiden Frauen waren noch immer sehr aufgeregt, als der Platz bereits wieder leer war und nur noch der Geruch nach Pferdefell in der Luft schwebte.

»Haben Sie ihn gesehen?« fragte Nour al-Houda.

Alix verstand. Sie freute sich über das Glück der Freundin, spürte aber gleichzeitig ein leichtes Mißfallen, nach dessen Ursachen zu fragen sie sich verbot.

Nun verlief alles wie vorgesehen. Sie gingen langsam bis zum Königspalast und folgten dabei demselben Weg wie die Reiter. Die Dame in Rot führte die Dame in Blau bis zum Tor, vor dem ein Wachposten patrouillierte, und nachdem letztere einen Zettel abgegeben hatte, erlaubte ein Soldat ihr, mit dem Päckchen in der Hand einzutreten.

Die Dame in Rot setzte in Begleitung ihres Eunuchen den Spaziergang fort, bis der Muezzin zum Gebet rief. Dann kehrte sie zum Palast zurück.

∽

Die Nordseite des Kaukasus fällt nach Rußland hin schier endlos ab, gekreuzt von Tälern, die voll von Fichten und Lärchen stehen. Selbst die wildesten Ströme bummeln an diesen seichten Hängen herum und ändern ständig ihre Richtung. Die Wege, die an ihnen entlangführen, krümmen sich auf dem Grat zu engen Kurven, um diese Launen nachzuvollziehen. Beim Abstieg, wenn man sich bereits ganz unten wähnt, entdeckt man oft hinter einer Wegbiegung das grandiose Panorama der Bergkette mit den Eisgipfeln, dem Grau der Moränen und den hartnäckigen, schwarzen, dichten, undurchdringlichen Ansturm der Kiefernwälder.

Die Reisenden legten lange Etappen zurück, ohne einer Menschenseele zu begegnen. Oft mußten sie ihre Pferde am Zügel führen, denn die niedrigen Äste der Nadelbäume bildeten ein mannshohes Dach über dem Weg. Der Boden, der stellenweise von der blassen Sonne erhellt wurde, die nur mit Mühe so tief herabdrang, war mit trockenen Nadeln und von Eichhörnchen abgenagten Pinienzapfen bedeckt. Dort, wo sich das Gehölz etwas lichtete, entdeckten sie Sträucher mit Johannisbeeren, Blaubeeren und wilden Himbeeren. Offensichtlich fehlten Jean-Baptiste und George die Süßwaren des Orients, denn sie genossen die Früchte unter dem vorwurfsvollem Blick von Küyük, der als strenger Fleischesser nichts davon anrührte.

Seit der Séance, auf welcher der Schamane seine Künste enthüllt hatte, war in der Gruppe eine gewisse Verlegenheit zu spüren. Dies rührte nicht von dem Mongolen her, der sich weiterhin so verhielt wie früher, also ebenso finster und wortkarg. Jean-Baptiste hätte Küyük gern seine Dankbarkeit gezeigt und vielleicht ein richtiges Gespräch über die Geister der Steppe, seinen Glauben und seine Geschichte mit ihm angefangen. Aber es gelang ihm nie, einen passenden Anlaß dafür zu finden. Und in welcher Sprache? Küyük sprach ein wenig schwedisch und russisch, mongolisch ... vielleicht türkisch?

George seinerseits erkannte zwar an, daß der Schamane ihnen das Leben gerettet hatte, betrachtete ihn jedoch als einen geschickten Zauberkünstler und bat Jean-Baptiste, ihn nach seinen Tricks zu fragen.

»Ich habe genau gesehen«, sagte George lachend – denn inzwischen lachte er auch –, »daß er sich nicht wirklich mit der Klinge gestochen hat. Er hat sie so in der Hand gehalten, immer ein bißchen von hinten, siehst du. Als er so tat, als würde er sie sich in den Körper stechen, hat er nur die Faust von oben nach unten geführt, bis zum Heft.«

Küyük sah seine Bewegungen aus dem Augenwinkel und verstand, daß sie von ihm redeten. Jean-Baptiste nahm das zum Vorwand, um den Jungen zum Schweigen zu bringen. Es ersparte ihm eine lächerliche, fruchtlose Diskussion. Obwohl Jean-Baptiste den Schamanen eigentlich auch nur für einen schlauen Fuchs hielt und nicht an die Existenz von Geistern glauben mochte, belegte das, was er in der Grotte erlebt hatte, seiner Meinung nach die Fähigkeit des menschlichen Geistes, das Übernatürliche zu schaffen. Er glaubte nicht daran, daß sich all das allein mit Taschenspielertricks erklären ließe.

Um diese Wolken aufzulösen war es am besten, daß ihre Einsamkeit endlich ein Ende nahm. Aber diese verfluchten Täler waren unendlich. Die Tage folgten aufeinander. Sie hatten ein wenig Regen, dann erneut einen schönen Herbsthimmel mit lauen Westwinden. Anfang Oktober wurden die Lärchen endlich seltener. Sie erreichten dichte Birkenwälder, die auf einem sandigen, fast völlig flachen Boden wuchsen, der mit Farnen und Ginster bedeckt war. Wenn sie an kleinen Teichen vorbeikamen, von denen es nur so wimmelte, schreckten sie die Enten auf.

Eines Tages entdeckten sie am späten Nachmittag in einem Unterholz von Haselnußsträuchern einen breiten, frisch gebahnten Weg, auf dem schwere Karren tiefe Rinnen im

Schlamm hinterlassen hatten. Sie folgten ihm und gelangten eine Stunde später in Sichtweite eines kleinen Lagers aus Baumstämmen. Dort, im Rauch der Brandrodungen, hackten russische Bauern mit schmutzigen Bärten und runden Mützen den Boden, die Jacken bis zum Hals zugeknöpft, die Gewehre über die Schulter gehängt.

## Achtes Kapitel

Das Huhn mit den roten Flügelspitzen und der weißen, zitternden Brust pickte die Haferkörner vom Boden, ohne sich vor der Nähe der Menschen zu fürchten. Jean-Baptiste und George saßen nebeneinander auf einer Bank aus Baumstämmen, ließen sich von der blassen Sonne wärmen, die nach einem Regenschauer zum Vorschein kam, und streckten dem Huhn die Hände entgegen. Es pickte mit kleinen gefräßigen, enttäuschten Schnabelhieben hinein.

Die Reisenden waren bereits auf ihrem vierten Bauernhof angelangt. Seitdem sie sich mit den ersten Bauern mühsam verständigt hatten, brachte man sie unaufhörlich unter Bewachung von einer Isba in die nächste, die immer weit voneinander entfernt waren, ohne ihnen auch nur die geringste Erklärung zu geben. Mit einer erstaunlichen Mischung aus Herzlichkeit und Mißtrauen, Strenge und Improvisation gaben die Russen diese Fremden von einem zum nächsten weiter. Zunächst fand man diese Unbekannten, die aus einem als feindlich angesehenem Gebiet kamen, eher verdächtig. Inzwischen hielt man sie offenbar nur deshalb zurück, weil andere sie zuvor zurückgehalten hatten, ohne die geringste Erinnerung daran, was man ihnen vorgeworfen haben konnte. Die Reisenden hatten sogar den sehr deutlichen Eindruck, daß man sie vergessen hatte, und sie begannen Fluchtpläne zu schmieden. Nichts schien einfacher: Sie mußten nur die langen Stunden nutzen, in denen sie allein waren, und direkt geradeaus marschieren. Aber wohin? Rußland hat diese seltsame Form der Gefangenschaft erfunden, bei der die Häftlinge nicht durch die Mauern einer Zelle festgehalten werden, sondern im Gegenteil durch die Unendlichkeit des nackten Raums, der sie umgibt. Ihre Pferde waren bei der zweiten Etappe zurückgeblieben, offenbar von einem dieser Notabeln konfisziert, die von Zeit zu Zeit vorbeikamen, um sie anzusehen und den verschreckten Bauern Befehle zu geben. Ihr Gepäck war bisher noch nicht verschwunden: Sie konnten es nicht anrühren, sahen es jedoch, anscheinend unversehrt, auf einem Erntetisch in einem Schuppen stehen. Es ergreifen, fliehen, sich nach Osten wenden, indem sie sich am Wuchs der Flechten an den Birkenstämmen orientierten, das Kaspische Meer erreichen ... So weit waren sie in ihrem Brüten gelangt. Sie wollten gerade Küyük mit Handbewegungen verständigen, um seine Meinung einzuholen, als sie aus großer Entfernung Pferde herangaloppieren hörten. Ein Trupp Kosaken kam in den Hof der Isba. Sie trugen lange Wollmäntel und ein Schwert an der Seite. Zwei von ihnen hielten eine lange, schmale Lanze in den Händen und drehten mit ihren Pferden vor den Bauernkarren bedrohliche Kreise. Der Mann, der ihr Anführer zu sein schien, löste sich aus der Gruppe und sprang trotz seiner beeindruckenden Größe geschmeidig vom Pferd. Er ging auf die Fremden zu und musterte sie aus zwei Metern Entfernung mit einem empörten Gesichtsausdruck. Wie bei seinen Gefährten zeigte sich auch in den Zügen des Kosakenführers der Einfluß zweier Rassen – tatarisch und slawisch –, deren mächtige Ströme, wenn man sie mischt, ein Brodeln von Blut und Temperament ergeben. Nachdem er seine Prüfung beendet hatte, schwang sich der Ataman wortlos wieder in den Sattel, ohne sein Pferd auch nur zum Stehen zu bringen, und die ganze Truppe entfernte sich in dem gleichen Galopp, mit dem sie angekommen war.

All das widersprach dem gesunden Menschenverstand so ganz und gar, daß Jean-Baptiste und seine Kameraden diese Aufregung nur mit einem gleichgültigem Schmollmund betrachtet hatten, der sie mehr und mehr den russischen Bauern ähneln ließ.

Etwa eine Stunde später kam dieselbe Abteilung zurück. Diesmal umringten sie einen jungen Offizier, der ein schönes Wams aus rotem Samt trug. Als dieser vom Pferd stieg und zu ihnen kam, stellten sie mit Zufriedenheit fest, daß er den Empfehlungsbrief in der Hand hatte, den der russische Botschafter in Persien Jean-Baptiste ausgestellt hatte. Die Bauern hatten sich schon am ersten Tag dieses Dokuments bemächtigt, und daher galt es als verloren. Nun bot ihnen das Russische Reich über den Umweg größter Verwirrung ein Beispiel für seine unverständliche, aber reale Effizienz.

»Wer von Ihnen ist Monsieur Jean-Baptiste Poncet?« fragte der Offizier, sobald er bei ihnen war. Sein Französisch war hervorragend und voller Anmut, mit den gedehnten Vokalen, wie sie der russische Akzent in jedem Wort kunstvoll unterbringt.

Poncet stand auf und wies auf sich.

»Sehr geehrt«, sagte der Offizier und neigte den Kopf zur Begrüßung. »Ich bin Oberst Saint-Août.« Und um Poncet den französischen Klang seines Namens zu erklären, fügte er noch ein paar Worte hinzu: »Meine Familie hat Frankreich im letzten Jahrhundert verlassen.«

Jean-Baptiste grüßte ihn, dann stellte er ihm George (»mein Sohn«) und Küyük (»unser Diener«) vor. Er war fast versucht, auch das Huhn vorzustellen, das inzwischen schon fast zu ihnen gehörte und sich ohne Scham mitten in den Kreis gedrängt hatte.

»Sie kommen aus Persien …?« begann der junge Oberst.

»Ja«, bestätigte Poncet, »über den Kazbeg.«

»Das ist mutig.«

»Danke.«

»Wußten Sie nicht, daß das ganze Gebiet militärische Zone ist? Es wurde kürzlich von unseren Truppen erobert, und die Auseinandersetzung ist noch nicht beendet.«

Das offene Gesicht des Offiziers mit den kurzen Locken, die in die Stirn und über die Schläfen fielen, schuf ein natürliches Gefühl des Vertrauens. Jean-Baptiste antwortete ihm ohne Furcht oder Zurückhaltung. »Wir wußten es wohl, aber was hätten wir sonst tun sollen, um die Moskauer Regierung zu erreichen?«

»Wohin wollen Sie?«

»Zunächst auf jeden Fall nach Moskau. Wir versuchen, Gerechtigkeit für unseren Freund zu ...«

»Ich weiß«, sagte der Oberst und entfaltete den Brief von Israel Orii. »Hier steht alles.«

Er tat, als würde er einen Abschnitt der Botschaft noch einmal lesen, dann fuhr er fort: »Moskau ist fern. Der Zar, der Hof, die Verwaltung des Reiches, alle sind hierher unterwegs, je nachdem, wie sich der Krieg entwickelt. Sind Sie sicher, daß Sie in Moskau finden werden, was Sie suchen?« Er lächelte rätselhaft.

Jean-Baptiste antwortete mit einem Achselzucken.

Der Offizier ließ diese Frage offen und wechselte das Thema: »Persien interessiert uns. Sie wissen sicher sehr viel über dieses Land. Sie haben die Nordprovinzen durchquert. Ich habe immer davon geträumt, einmal dorthin zu reisen, und ich würde gern Ihren Berichten lauschen.«

Jean-Baptiste kam sich vor wie bei einem Fechtkampf. Jeder versuchte bei diesem Wortwechsel geschickt, die Schwächen des anderen herauszufinden und den Attacken mit kleinen Kontras zu begegnen.

»Mit dem Alter senkt sich der Blick, Herr Oberst«, meinte er lächelnd. »Meinem Sohn dagegen fehlt es an Erfahrung. Wir sind fast wie Blinde durch all diese Landstriche gezogen und können Ihnen nichts erzählen.«

Saint-Août würdigte den Punkterfolg mit einem Nicken und lächelte.

»Darf ich Ihnen ebenfalls eine Frage stellen?« sagte Jean-Baptiste. »Sind wir frei?«

»Wie die Wolken«, meinte der Offizier mit einer weiten Handbewegung.

»Ohne Gepäck? Ohne Pferde?«

»Das werden wir Ihnen alles auf der Stelle bringen, und Sie können gehen, wohin Sie wollen. Wenn Sie mir jedoch nur ein wenig Vertrauen schenken, hören Sie mir zu: Ich werde zu jemandem reiten, der sich sehr geehrt fühlen würde, Sie kennenzulernen und der Sie gewiß in Ihrer Suche unterstützen würde. Da Sie frei sind zu gehen, wohin Sie wollen, hindert nichts Sie daran, demselben Weg zu folgen wie ich, ja sogar mich zu begleiten.«

Sieh an, sagte sich Jean-Baptiste, ein Gefängniswärter mit den besten Manieren. Er gefällt mir.

Eine Stunde später folgten sie auf drei für sie gesattelten Pferden, die mit ihren Gepäcktaschen beladen waren, einem Sandweg, der gerade und flach bis zum Horizont führte. Saint-Août ritt an der Spitze, Jean-Baptiste und George rechts und links neben ihm. Alle drei plauderten angeregt.

Die kaiserliche Armee Rußlands tauchte mit ihrer riesigen Masse und den Tausenden Biwaks mit einem Mal vor ihnen auf, als sie einen Gipfel überwunden hatten. George stieß einen Schrei des Erstaunens aus, und selbst Jean-Baptiste war ungewollt beeindruckt. In diesen unendlichen, von einem bewegten Himmel bedeckten Räumen hatten sie bisher kaum eine Menschenseele getroffen: wenige Häuser, manchmal ein Pferd, die Familie eines Kleinbauern, eine kleine Gruppe von Tataren. Und plötzlich war die ganze Menschheit versammelt, vielfältig, unterteilt in menschliche Partikel, aus dieser Entfernung winzige Pferde, Karren, Waffen, Haufen von Kanonenkugeln, alles zu einem Stück verschmolzen, vereint im Körper der großen Armee, deren Rumpf man ebenso erkannte wie die Gliedmaßen, den Kopf und die Flügel, die wie bei einem Raubvogel über die rauhe Fläche der Heide und der Wälder gelegt waren.

Sie kamen mit dem Wind, als sie diesen ersten Eindruck gewannen: Kein Geräusch drang aus dieser Vielheit zu ihnen. Die Stille machte die Menge noch beeindruckender. Sie sprachen auch kein Wort, während sie langsam zu den Vorposten hinabritten.

Dieses Gefühl von Respekt oder gar Furcht verschwand

schnell, sobald sie sich unter die ersten Einheiten mischten. An die Stelle der Ordnung, die man aus der Ferne angenommen hatte, trat ein unvorstellbares Durcheinander. Diese riesige Armee, die aus Vertretern aller Nationen des Reiches bestand, war nur stark in einem Punkt: dem darin versammelten Elend. Ein jeder fand hier seinen Platz durch unsichtbare, aber ständige Wunder, die es den Menschen möglich machten, sich zu verständigen, ohne dieselbe Sprache zu sprechen, Befehle zu übermitteln, ohne daß jemand die Verantwortung dafür übernahm, Hunger und Krankheiten zu vermeiden, ohne daß irgendeine Organisation zu erklären vermochte, wie. Man verstand besser, daß die mit dem Adler bedruckten Standarten, die Banner, die ein orthodoxes Kreuz darstellten, und sogar düstere Stoffbahnen, die das Martyrium Christi zeigten, unaufhörlich durch die Luft geschwenkt, während der Pausen in den Boden gerammt und beim Marsch mit weit ausgestreckten Armen vorangetragen wurden: Der göttliche Schutz, der im Namen der Tradition und des Glaubens gewährt wurde, durfte keinen Augenblick fehlen, denn auf ihm und auf ihm allein ruhte die ganze Sorge, dieses große Herz schlagen zu lassen und diesen Körper ohne Substanz zu bekämpfen.

Es war früher Nachmittag; und das war nicht die Stunde, da dieses Schauspiel am erbärmlichsten erschien. Dazu hätte man im Morgengrauen kommen müssen. Dann stiegen überall in der Ebene, in der sich die Armee ausbreitete, herzzerreißende Klagen auf. Zu dieser gefürchteten Stunde befolgten die Soldaten in Zweiergruppen, der eine im Sitzen, der andere über sein Opfer gebeugt, den einzigen Befehl Peters I., den sie einhellig verabscheuten: Mit der Säbelklinge, einer Glasscherbe, einem Malachit- oder Obsidiansplitter und leider nur sehr selten mit einem richtigen Messer entfernten sie von ihrer geröteten und durch diese tägliche Pflege gesprungenen Haut jede Spur der Bärte, die der Herrscher verboten hatte. So gesellte sich bei dieser Märtyrerarmee zu ihrem Mut und ihrer Anarchie auch noch die Lächerlichkeit, die einzige auf der Welt zu sein, welche den Angriff bereits

mit zahlreichen Schnittwunden begann, die sie sich selbst beigebracht hatte.

Die Gesellschaft von Oberst Saint-Août wirkte wie ein Zauber in diesem Chaos. Er war bekannt, man grüßte ihn und,
was noch ungewöhnlicher war, er schien sich orientieren zu
können. Nachdem sie ein ganzes Kavallerielager und zwei bu-
riatische Regimenter passiert hatten, gelangten sie zu einem
Weiler, der vor jener Invasion gewiß die einzige Ansiedlung
in dieser Ebene dargestellt hatte. Die Dächer dieser Hütten
hatten keine Regenrinnen, und unten an den Mauern sah man
die schwarze Spur des Frühlingsregens. Durch ein offenes Fenster sahen sie ein ordentliches Zimmer mit zwei Betten, auf
denen Kupferhelme mit Helmbusch lagen. Offensichtlich war
hier das Feldquartier der Offiziere. Saint-Août lud die drei
Fremden ein, sich auf den Sims dieses Fensters zu setzen, befahl, das Gepäck abzuladen und an der Mauer abzustellen
und entfernte sich für einen Moment. Er verhandelte mit zwei
betreßten Männern, deren Blicke sich auf die Reisenden richteten. Die Diskussion war lebhaft, die Stimmen wurden lauter. Saint-Aoûts Gesprächspartner zeigten mit großen Gesten,
als würden sie Apfelreste über eine Mauer werfen, in eine
Richtung. Endlich verabschiedete man sich liebenswürdig,
und Saint-Août kam zurück.

»Lassen Sie Ihr Gepäck hier, es wird nichts passieren. Ich
mache einen kleinen Spaziergang, und wenn Sie mir folgen,
werden Sie sehen, daß er interessant für Sie sein wird.«

Jean-Baptiste und George waren einverstanden, ließen aber
Küyük zur Sicherheit beim Gepäck zurück.

Am Dorfrand waren Holzzäune errichtet, die einen Garten
mit verschimmeltem Kohl und geschossenem Salat begrenz-
ten. Dahinter begann der Wald, den sie sogleich betraten. Es
war ein dichter Kastanienhochwald. Hin und wieder gab es
auch Buchen mit nackten Stämmen, durch die man in die Ferne sehen konnte. Sie passierten zwei im Unterholz verborgene Quartiere, dann trafen sie niemanden mehr. Allmählich
mischten sich in den Ruf des Kuckucks und den Gesang der
Lerchen dumpfe Schläge, deren Echo die mächtigen Stämme

erzittern ließ. Saint-Août fuhr fort, lächelnd zu plaudern. Sonnenstrahlen schoben hungrig ihre weißen Klingen in den Wald. Alles war rein und heiter. Dennoch weckte das regelmäßige, langsame, immer näher kommende Geräusch ein seltsames Gefühl in ihren Herzen.

Bald waren sie ganz nah und betraten die Lichtung, von der es kam. In einem großen Kreis waren die dort wachsenden Bäume gefällt. Der Boden war mit riesigen Baumstümpfen bedeckt, zwischen denen lange entrindete Hölzer herumlagen. Am anderen Ende der Lichtung stand ein schweigender Kreis von Offizieren mit gekreuzten Armen. Sie beobachteten unbeweglich die Anstrengungen eines Riesen, der sich mit all seiner Kraft an einer Eiche zu schaffen machte. Die Kerbe, die er vorn mit der Axt geschlagen hatte, war tief und bildete einen Keil, um den Fall des riesigen Stammes zu lenken. Der Holzfäller bearbeitete jetzt die andere Seite. Die Axt zischte durch die Luft, traf genau und erzeugte dabei das trockene Geräusch, das die Spaziergänger schon von weitem gehört hatten.

Der Mann war schweißbedeckt. Seine Gestalt wirkte neben dem Baum zerbrechlich, wie der Mensch es immer ist, wenn man ihn mit großen Naturkräften vergleicht. Im Verhältnis zu den anderen Personen war er jedoch sehr stattlich. Die weiße Haut war mit Rindenstückchen und Sommersprossen bedeckt. An den Schultern hatte er vorspringende Muskeln, die sich in der Anstrengung spannten. Eine Fettschicht lag um seinen Bauch und ließ seine Hüften verschwinden. Ohne dieses Hindernis glitt der Gürtel hinab und entblößte den Rand seines Hinterns. Nach jedem Schlag spuckte er in die Hände, zog die Hosen hoch und griff erneut nach dem Beil.

Er machte den Ankömmlingen von weitem Zeichen, sich mit den anderen in Sicherheit zu bringen. Fünf Schläge genügten, damit die Eiche, ein gerader Stamm, der unten so breit war wie drei Ochsen, langsam die Vertikale aufgab und in einem zerreißenden Abschied brechender Äste und rauschender Blätter mit dem Grollen eines Kanonenschlags auf den Boden der Lichtung fiel.

Lebhafter, für diese wilde Aktion jedoch vergleichsweise magerer Beifall stieg aus dem Kreis der Zuschauer auf. Der Riese umarmte den Stiel der Axt und schlug sie mit einer Hand fest in den Baumstumpf. Er griff nach dem Handtuch, das man ihm reichte, und wischte sich den Oberkörper ab.

Mehrere Offiziere kamen heran, um ihn zu beglückwünschen und ihre Kommentare abzugeben. Ein Mann in Zivil, der mit seinem schwarzen, von oben bis unten geknöpften Mantel entfernt an einen englischen Presbyterianer erinnerte, trat zu ihm und sagte ihm etwas ins Ohr.

Der Riese schüttelte den Kopf, dann sah er zu Saint-Août und winkte ihm, näher zu treten.

»Kommen Sie«, sagte der Oberst zu seinen beiden Begleitern. »Ich werde Sie dem Zaren vorstellen.«

## Neuntes Kapitel

Abgebrochene Äste voller Laub bedeckten den Boden und machten einen protokollgemäßen Gang recht schwierig. Mit großen, vorsichtigen und dennoch eiligen Sätzen erreichten Jean-Baptiste und George schließlich den kaiserlichen Recken, der sich angekleidet hatte und von seinem kleinen Hofstaat letzte Komplimente empfing. Saint-Août stellte sie auf russisch vor, und der Zar streckte ihnen mit einem stummen Lächeln die Hand an seinem schier unendlich lang erscheinenden Arm entgegen. Jean-Baptiste empfand es als lächerlich, sie zu küssen. Er drückte sie respektvoll, und sie erschien ihm ziemlich fein und zart, wenn man bedachte, daß sie gerade einen so großen Baum gefällt hatte. George hätte sich um ein Haar ins Heidekraut geworfen, aber er bewältigte diese Form der Begrüßung, auf die ihn weder sein Leben in Persien noch sein britischer Ursprung vorbereitet hatten, dennoch ehrenvoll.

Es folgte ein langes Schweigen, das nur vom Knacken der

Äste unter den Schritten der Offiziere unterbrochen wurde. Peter I. betrachtete die Fremden aufgrund seiner außerordentlichen Körpergröße von oben herab und überlegte, was er sagen könnte. Saint-Août wartete. Schließlich explodierte – wie eine sorgfältig geladene Kanone – folgender königlicher Ausruf: »Bonjour, Messieurs!«

Mit der flachen Hand, die einen unsichtbaren Baum durchtrennte, gab der Herrscher zu verstehen, daß sich seine Bemühungen hierauf beschränkten, und er brach in ein hohles Lachen aus, das von rauhen Hustenanfällen unterbrochen wurde. In diesem Moment ließen zwei Holzfällerschlitten ihre Glöckchen läuten. Sie kamen, um die kleine Truppe abzuholen und sie zum Armeelager zurückzubringen. In fröhlichem Gedränge bestiegen alle die alten Holzkutschen und drängten sich auf den Bänken aneinander. Der Zar befand sich irgendwo in der Mitte, zwischen den anderen. Jean-Baptiste sah ihn nicht, denn er saß mit dem Gesicht entgegen der Fahrtrichtung und nahm nur die flüchtende Linie der Eichen wahr, die der Monarch vorerst verschont hatte. Ein Porzellankrug ging von Hand zu Hand, und bald brummten dreißig männliche Stimmen die schrecklich tiefe Melodie eines Trinkliedes hinaus in den unschuldigen Wald.

Jean-Baptiste fragte sich unruhig, warum der Zar beschlossen hatte, sie persönlich zu empfangen. Er fürchtete, das Verhör über Persien könnte erneut beginnen und diesmal mit der Autorität eines Herrschers, der keinen Ungehorsam duldete.

Die Fahrt dauerte nicht lange. Bald war man wieder in dem Dörfchen, wo sie ihr Gepäck gelassen hatten. Alle Fahrgäste sprangen in bester Stimmung von den Schlitten und liefen um die Gebäude herum, weil sich die Eingänge auf der anderen Seite befanden. Die Türen entsprachen der Größe der Häuser: niedrig, eng, mit Steinschwelle und von Würmern zerfressenem Türsturz.

Jean-Baptiste und George folgten Saint-Août und mischten sich unter die kleine Menschenmenge, die langsam hineinquoll. In dem schwarzen Flur, den man zunächst betrat, fiel der Gips in großen Stücken herab. Der Gang führte zu zwei Räumen, deren Decke, gestützt von gefährlich schwankenden Balken, kaum höher war als der Kopf des Zaren. In jedem Saal stand ein langer Tisch mit Bänken an den Seiten. Unter heiterem Geplauder nahmen die Gäste Platz. Eine Frau gab kreischend Befehle und reizte die Männer zu lautem Lachen. Jean-Baptiste wies George zu einer Tischecke im rechten Saal, weit weg vom Zentrum der Bewegung. Als aber alle irgendwie Platz genommen hatten, hörte man im Nachbarzimmer die Stimme des Zaren donnern, und sie begriffen entsetzt, daß er nach den »Franzuski« verlangte. Ihre niederträchtigen Nachbarn denunzierten sie lauthals, und sie mußten am Tisch des Zaren diesem gegenüber Platz nehmen. Saint-Août, der sie im Gedränge verlassen hatte, war wieder an ihrer Seite aufgetaucht.

Als erstes brachte man Getränke. Große Korbflaschen wanderten um den Tisch. Der Zar bediente sich mit einer Hand, ohne etwas zu verschütten. Beim ersten Trinkspruch warf Jean-Baptiste einen letzten Blick zurück in die Vergangenheit und sagte sich, daß er zweifellos nicht alle Prüfungen bedacht hatte, die diese Reise für ihn bereithielt. Die Gläser knallten auf den Tisch, und eine kurze Stille des Wohlbehagens folgte.

Sehr dürftig bekleidete Dienerinnen machten sich am Tisch und vor dem großen Kamin, aus dem Fleischdüfte herüberzogen, zu schaffen. Jean-Baptiste bemerkte, daß eine dieser Frauen, etwas älter als die anderen, aber nicht besser gekleidet, den Zaren persönlich und nur ihn allein bediente. Sie brachte ihm in einer länglichen gußeisernen Pfanne ein zartes Omelett, das mit Pilzen gefüllt war. Als sie sich auch noch neben ihn an den Tisch setzte und ihn auf den Hals küßte, begriff Jean-Baptiste, schon leicht benommen, daß dies die Zarin Katharina war.

Peter I. verschlang das Omelett und ertränkte es in einem zweiten Glas Wodka. Dann bemerkte Jean-Baptiste, daß sich seine Aufmerksamkeit auf ihn richtete. Seinen Grundsätzen getreu war der Zar rasiert, allerdings kaum besser als seine

Soldaten, aber er trug einen feinen Schnurrbart auf der Oberlippe, dessen Spitzen hochgezwirbelt waren. Alles, was aus dem königlichen Mund kam, war somit zwischen diese haarigen Anführungsstriche gesetzt. Jetzt beginnt das Verhör, dachte Jean-Baptiste.

Der Zar formulierte eine Frage, die Saint-Août übersetzte.

»Seine Majestät wünscht, daß Sie von Ihrer Begegnung mit Ludwig XIV. erzählen.«

Poncet war völlig verblüfft. Woher zum Teufel konnte der Zar davon wissen? In dem Brief von Israel Orii stand nichts davon. Wer hatte ihm erzählen können, daß er, Jean-Baptiste, früher ...?

Er sprach einige dieser Fragen laut aus, und Saint-Août faßte den Sinn in russisch zusammen. Der Zar lachte herzlich und antwortete.

»Der Herrscher fragt Sie, wozu seine Polizei gut ist – darauf müssen Sie natürlich nicht antworten!«

Jean-Baptiste verneigte sich. Seine Polizei! Seit er Europa verlassen hatte, also schon sehr lange, hatte er die Existenz dieses Machtinstruments vergessen. Der Orient kannte Armeen, Denunziation, Willkür – alles, was man sich vorstellen konnte, um Schlechtes über seinen Nachbarn zu reden oder ihm zu schaden. Aber es gab keine Institution, die extra für solche Angelegenheiten da war. Eine Institution, die bezahlt wurde, um zu überwachen, zu verhaften, zu urteilen und vor allem Bescheid zu wissen, immer, alles und über alle: die Polizei.

Zurückhaltend begann Jean-Baptiste von seiner Abessinienreise und den Umständen zu erzählen, die ihn dazu gebracht hatten, in Versailles Bericht zu erstatten.

Der Herrscher lauschte schweigend, schien aber etwas ungeduldig zu werden.

»Seine Majestät«, übersetzte Saint-Août und fügte seinen eigenen Kommentar hinzu, »wünscht, daß Sie mehr über Ludwig XIV. erzählen. Anscheinend haben Sie ihn sehr gut gekannt.«

Jean-Baptiste widersprach höflich und lächelte dabei, aber

genau das war es, was er befürchtet hatte. Seine Begegnung mit dem französischen König Ludwig XIV. nach der Rückkehr aus Abessinien war tatsächlich nur sehr kurz gewesen. Ein lächerlicher Zwischenfall hatte sie unterbrochen, und er hatte den Monarchen nicht länger als drei Minuten sprechen können. Als diese Audienz in Persien durch den Brief des Regenten publik wurde, hatten die Gerüchte die ganze Angelegenheit ausgeschmückt. Poncet genoß den Ruhm, Ludwig XIV. lange, ja vielleicht sogar oft getroffen zu haben. Er hatte es nicht für nötig befunden, dem zu widersprechen, denn er konnte nicht den wahren Hintergrund der Geschichte erzählen, ohne sich lächerlich zu machen.

Offenbar hatten diese Gerüchte auch die Polizei des Zaren erreicht. Jean-Baptiste gelangte plötzlich, wenn auch leider etwas spät, zu der Einsicht, daß dieser verdammte Israel Orii den Reisenden gewiß einen indiskreten Bericht über ihre Identität und ihre Ziele vorausgesandt hatte. Aber es war zu spät, um sich darüber aufzuregen. Da er jetzt bis zum Hals in seinem Märchen steckte, hatte Jean-Baptiste keine andere Wahl, als es fortzusetzen. Er wollte den Herrscher nicht verärgern, sondern vielmehr seine Unterstützung gewinnen.

George, der die ganze Geschichte, die wahre, kannte, war entsetzt. Sein Schrecken wuchs, als er hörte, wie Jean-Baptiste ungerührt fortfuhr:»Soll ich diese fröhliche Runde mit dem viel zu langen Bericht über die persönlichen Audienzen langweilen, Sire, die mir König Ludwig XIV. – wie kann ich es verbergen, da Eure Majestät alles weiß – drei Monate lang täglich gewährte?«

»Drei Monate!« rief der Zar, als er die Übersetzung gehört hatte.

»Das ist viel, ich weiß, aber er wollte unbedingt den Bericht von meiner Gesandtschaft in Afrika in allen Einzelheiten hören. Ihr bittet mich, von ihm zu erzählen, Majestät. Laßt mich zunächst ein wenig vom französischen Hof und den dortigen Sitten berichten.«

Jean-Baptiste begann eine endlose Beschreibung der mageren Einzelheiten, die er in Versailles gesehen hatte, und diese

Nichtigkeiten gerieten in seinem Mund zu einem wahren
Epos. Er wollte Zeit gewinnen. Nach dem Bratengeruch zu
urteilen, schätzte er, daß bald das Essen auf den Tisch gebracht werden würde. Die Trinksprüche folgten rasch aufeinander und erhitzten die Anwesenden, die man bereits in
der Stille grunzen hörte. Er mußte bis zum Ausbruch durchhalten, ohne das Gesicht zu verlieren.

»Seine Majestät sagt – mit leichter Ungeduld, ich weise Sie
darauf hin –, daß er all diese Äußerlichkeiten kennt«, übersetzte Saint-Août. »Der Zar war in Versailles. Leider konnte
er Ludwig XIV. nicht mehr treffen, denn dieser war bereits
tot. Von ihm, von seiner Person sollen Sie erzählen.«

Welch seltsame Marotten Monarchen zuweilen hatten! Dieser hier war von Ludwig XIV. besessen, dessen Ruhm er über-
treffen wollte und der ihn auf ewig gedemütigt hatte, indem
er ihn nicht empfing, als er in seiner Jugend durch Europa
reiste. Als er auf dem Gipfel seines Ruhmes zurückkehrte, war
sein Idol gestorben. Er, Peter I., wurde nicht müde, Berichte
von denen zu sammeln, die das Glück gehabt hatten, den Son-
nenkönig zu treffen, aber diese Nachforschungen konnten ihn
offensichtlich nicht darüber hinwegtrösten, daß er selbst nicht
in diesen Genuß gekommen war.

Jean-Baptiste betrachtete den Fall einen Moment aus dem
Blickwinkel des Mediziners. War es nicht an der Zeit, auf die-
se alte Wunde den beruhigenden Balsam der Trauer zu legen?
Nach den Lobreden wagte er sich in eine andere Richtung.

»Die Person von Ludwig XIV.?« wiederholte er nachdenklich in eine aufmerksame Stille hinein. »Nun, wenn ich ein
Geständnis ablegen darf, Majestät, dieser große König war
meiner Meinung nach ... finster.«

Die Zuhörer murmelten, als sie die Übersetzung hörten. Die
flinksten stießen empörte Rufe aus: »Finster!«

Peter I. nahm sein Glas und beugte sich nach hinten, um
es in einem Zug zu leeren. Dann stellte er es so hart auf den
Tisch, daß beinahe der Boden herausgebrochen wäre, und alles schwieg. »Er hat recht!« sagte er mit tiefer, donnernder
Stimme.

Die Zarin stützte wie eine Marketenderin die Hand in die Hüfte und wich zurück, um ihren Mann zu bewundern.

»Ich will euch etwas sagen, euch allen«, fuhr Peter I. fort. »Er war ein großer König, ein sehr großer. Der größte? Vielleicht. Es gab gewiß auch noch andere. Aber zu unserer Zeit? Daran zweifle ich. Seine Paläste: Glanz. Seine Künstler: Genies. Die Etikette an seinem Hof: ein Vorbild für alle. Und dennoch hat dieser Mann recht: Er war traurig.«

Die Braten wurden in großen Zinnschalen auf den Tisch gestellt. Uff! dachte Jean-Baptiste.

»Ein Beispiel?« fuhr der Herrscher fort. »Sein Protokoll: wahrhaftig finster! Aufstehen, zu Bett gehen, sein Hausgewand tragen, von Kerzen umgeben, könnt ihr euch das hier bei uns vorstellen?«

Empörte Schreie ertönten bei den Gästen.

»Ich möchte lieber, daß ihr mich eine anständige Eiche fällen laßt«, sagte der Zar. »Das ist auch ein Protokoll, wenn man so will, und mein Hof hat vielleicht keine Manieren, aber wenigstens amüsiert man sich hier, was meint ihr?«

Ein neuer Trinkspruch nach diesen Worten wurde von einer Explosion von Lachen und Fröhlichkeit begleitet. Das gut gebratene Fleisch duftete auf den Tellern und roch nach Knoblauch. Erleichtert bediente Jean-Baptiste George und nahm auch sich selbst ein großes Stück. Er starb fast vor Hunger! Später am Abend gab es noch eine kurze Aufregung, denn der Zar kam auf Versailles zurück, um von Madame de Maintenon zu berichten, die er auf seiner zweiten Reise nach Paris besucht hatte, als Ludwig XIV. bereits tot war. Er sprang sogar auf, um die Szene vorzuspielen.

»Ich will sie unbedingt sehen«, schrie der Zar bereits sehr erhitzt. »Sie weigert sich. Offenbar will sie ihr Alter verstecken! Ich bestehe um so mehr darauf. Ich erkläre, daß mir ihr Alter gleichgültig ist, daß der Ruhm diesen Kränkungen nicht unterworfen ist. Endlich stimmt sie zu, mich zu empfangen. Man führt mich zu ihrer Klosterzelle. Ich gehe rein. Sie ist im Bett, die Gardinen sind ganz geschlossen, die Vorhänge des Baldachins zur Hälfte. Sie will mich im Halbdunkel abfertigen. Was versteckt sie? Ach! Was ist los? Ich kann mich nicht verständlich machen: Zwar stehen genug Höflinge um mich herum, aber keiner von diesen Dummköpfen spricht russisch. Sie natürlich auch nicht, und mein Französisch ist nichts wert, wie ihr wißt. Ich sage: ›Bonjour, Madame.‹ Was konnte ich sonst machen? Sie jammert aus der Tiefe ihres dunklen Würfels, wo es nach Spitzentüchern mit Lavendel riecht. Deswegen habe ich doch nicht den weiten Weg gemacht. Ich will die Frau von Ludwig XIV. sehen, verdammt! Ich will sehen, wen er geliebt hat, versteht ihr das? Aber sie hat Angst. Wovor? Etwas Zeit vergeht. Ich sehe immer noch nicht mehr. Aber egal, ich gehe zum Fenster und ziehe die Vorhänge ganz zurück. Dann gehe ich zum Bett und mache das gleiche beim Baldachin. Sie stößt einen kleinen Schrei aus. Einen kleinen, wohlgemerkt. Kein Heulen, wie es ihr gutes Recht wäre, nein, ein Jammern, ein Maunzen. Also stelle ich mich vor sie hin und sehe sie an. Das hat zwei Minuten gedauert, vielleicht drei. Ich habe kein Wort gesagt, sie auch nicht und niemand im Zimmer. Glaubt mir, niemand hat sie jemals so angesehen. Niemand hat sie gesehen, wie ich sie gesehen habe.«

»Und?« fragte die Zarin, die sich mit beiden Händen an Peters Arm klammerte. »Was hast du gesehen?«

Er überlegte einen Moment und starrte in sein Glas, wo ein letzter Schluck Wodka schwamm, dann sagte er: »Daß sie ihn so traurig gemacht hat.«

Er leerte das Glas mit einem Schluck, brach in Lachen aus, und an diesem Abend sprach man nicht mehr davon.

Das Admiralsschiff im Herzen der großen Armee, die es kommandieren sollte, versank allmählich in der Trunkenheit. Es wurde zunächst von einer Brandung aus Schreien und frivolen Liedern bewegt, dann von Musikanten und ihren seltsam geformten Instrumenten gewiegt. In der klaren, mondlosen Herbstnacht ertönte bei der Gesellschaft des Zaren ebenso wie bei den einfachen Soldaten noch lange das Echo wehmütiger Stimmen, die dunkle Melodien von Angst und Zärtlichkeit sangen.

Ehe das Schiff vollends unterging, hatte Jean-Baptiste einige Worte über Juremi an den Herrscher richten können. Peter I. antwortete, er sei auf dem laufenden und habe für den Protestanten einen Passierschein ausgestellt, den sie am nächsten Tag erhalten würden. Er könnte ihnen helfen, wenn sie zufällig ihren Freund wiederfinden sollten. Dann wies er auf einen Mann am anderen Ende des Tisches, ebenjenen, der einem Geistlichen ähnlich sah und der den Zar im Wald von ihrer Ankunft in Kenntnis gesetzt hatte: »Zur Sicherheit werdet Ihr nicht weiter allein sein. Bibitschew wird Euch begleiten.«

Jean-Baptistes Blick traf sich mit dem des Mannes, und obwohl dieser tat, als sei er willenlos und fast hinüber, las er in seinen Augen, daß er nichts getrunken hatte.

Sie erwachten erst am späten Vormittag. Ihre Köpfe schmerzten zum Zerspringen, ihre Kleidung war voller Flecken, und sie hatten nicht die geringste Erinnerung an den Ausgang des Festes. Irgendwer hatte sie unter einem kleinen Vordach mit Stützstangen und Teppichen auf Feldbetten gelegt. Ihr Gepäck war bereit, und Küyük, der ruhig neben ihnen hockte, sah sie an und kaute an einem Grashalm. Sie wuschen sich in einer großen Tonne, die zur Versorgung der Feldküche eines Kosakenregiments diente, das neben ihnen untergebracht war.

Saint-Août kam gegen Mittag. Er teilte ihnen mit, daß der Herrscher sehr erfreut gewesen sei, ihre Bekanntschaft zu machen, und daß er den Passierschein für Juremi bei sich habe. Leider könne sie der Zar nicht noch einmal treffen, weil er im Morgengrauen aufgebrochen sei, um die Verteidigungsarbeiten an der Straße nach Dagestan zu besichtigen. Saint-Août berichtete – als sei es eine Selbstverständlichkeit –, daß der Zar um fünf Uhr aufgestanden sei, ohne seine Gewohnheiten aufzugeben, und daß er zuerst eine Messe gehört habe.

Der Oberst führte sie in eine Offiziersmesse, wo sie zum Frühstück einen Fleischspieß bekamen. Er hatte sich am Morgen informiert. Um die schwedischen Gefangenen – und alle, die wie Juremi an der Seite der Schweden gekämpft hatten – zu finden, die man in den letzten Monaten deportiert hatte, war es am besten, zuerst an den Ufern des Kaspischen Meeres und des Aralsees zu suchen. Die ersten Gefangenen während dieses langen Krieges waren zunächst weiter weg nach Tobolsk und in den Fernen Osten gebracht worden. Die letzten folgten den Fortschritten der russischen Eroberungen: Das Reich dehnte sich zum Kaukasus aus, und man schickte die neuen Siedler in diese Richtung. Das war ein eher ermutigender, wenngleich ungewisser Hinweis. Er ließ hoffen, daß Juremi sich nicht zu weit in den Tiefen Sibiriens verirrt hatte und daß sie ihn finden würden, ohne einen allzulangen Weg zurücklegen zu müssen.

»Nach diesen Informationen könnten Sie Ihren Freund im Norden des großen Meeres finden, das sich ganz in der Nähe erstreckt und das wir das Kaspische Meer nennen«, erklärte ihnen Saint-Août. »Um auf die andere Seite zu kommen, nehmen Sie am besten ein Schiff. Damit vermeiden Sie schlechte Straßen und die Sumpfgebiete um Astrachan, wo man leicht an Fieber erkrankt.«

Er schlug vor, sie zur nächsten Küste zu führen, nicht weit südlich der Stadt Derbent, die nur dreißig Werst entfernt war.

»Ich werde Sie nur die Hälfte des Weges begleiten, denn man braucht mich hier. Aber dann wird Bibitschew bei Ihnen sein.«

Bibitschew? Den hatten sie ganz vergessen. In ihren armen brummenden Schädeln hatten Jean-Baptiste und George alles durcheinandergebracht. Als sie aber aufbrachen, sahen sie ihn herankommen: eine schwarze Gestalt auf einem sibirischen Pferd mit langem Fell, auf deren plattem, kahlem Schädel nur noch eine kleine Insel von Haaren über der Stirn mühsam überlebte. Sie erkannten ihn mit dem gleichen Unbehagen wieder, das man verspürt, wenn man eine Spur von Fäulnis im Fleisch einer schönen Frucht findet.

Seit ihrer Ankunft in Isfahan war Françoise ständig müde. Es war keine Krankheit, die sich benennen und medizinisch behandeln ließ. Sie war vielmehr von großer Mattigkeit erfüllt, die nach den unendlichen Mühen der Flucht und den Entbehrungen des Exils in ihr aufstieg. Die sanfte Süße Isfahans, der friedliche Komfort ihres Aufenthalts bei Alix und Jean-Baptiste hatten ihre Willenskraft deutlicher an die Grenzen geführt als alle vorangegangenen Prüfungen.

Sie verbrachte die Tage im Garten unter einem Feigenbaum, dessen dichten Schatten sie liebte. Sie nahm ein Buch, das sie auf ihren Knien liegenließ, ohne es aufzuschlagen, und träumte. Sie hielt den Kopf gesenkt. Saba leistete ihr noch immer Gesellschaft und bekam nicht genug davon, Françoise von den alten Geschichten erzählen zu hören. Auch das rothaarige Mädchen hatte nach einer langen Zeit der Zähmung ihr Herz geöffnet.

Françoise war entsetzt, wie hart Saba über ihre Mutter urteilte. Alix hatte immer noch die Illusion, ihre Tochter sei ihr ähnlich: Diesen Irrtum machte bereits die äußere Erscheinung offenkundig. Bald stellte Françoise jedoch fest, daß der Abgrund, der sich zwischen ihnen in der Geisteshaltung auftat, noch viel größer war.

Kaum war Saba in den Augen ihrer Mutter zum jungen Mädchen herangereift, gab diese ihr ganz ungezwungen die Erziehung, die sie selbst nur nach großem Kampf erhalten hatte. Sie nahm sie mit zu den Schneiderinnen auf den Basaren und ließ ihr ein ganzes Arsenal von Kleidungsstücken anfertigen, deren Gebrauch sie sie gelehrt hatte. Saba begleitete sie überallhin, zu den Persern wie zu den Fremden, zu Reichen wie zu Armen. Und um diese Ausbildung zu ergänzen, hatte Alix sie auch richtig reiten lernen lassen, damit sie fliehen, reisen oder kämpfen könnte, wenn es nötig wäre, und ihr beigebracht, mit Degen und sogar Säbel umzugehen. Saba hatte sich bereitwillig all diesen Übungen gebeugt. Aus der Geschicklichkeit, die sie darin an den Tag legte, schloß die Mutter, nun sei die Ähnlichkeit vollkommen.

Das junge Mädchen, das nun über die Waffen beider Geschlechter verfügte, hatte jedoch keineswegs die Absicht, den gleichen Gebrauch davon zu machen wie Alix. Françoise verstand als einzige, daß die ernste Maske dieses Kindes weder Traurigkeit noch Schüchternheit verbarg, sondern eine moralische Strenge, aufgrund derer sie die Leichtlebigkeit ihrer Eltern und deren Freiheit im Umgang mit der Wahrheit verurteilte. Am allermeisten verabscheute sie deren Neigung, über alles und über sich selbst zu lachen. Das Glück zu suchen schien ihr kein würdiges Lebensziel zu sein, verglichen mit jenen wahren Grundsätzen wie Pflichtbewußtsein, Mühe und Selbstbeherrschung. Woher kamen diese Gedanken? Niemand wußte es. Aber es ist nicht selten, daß Kinder, wenn ihre Eltern vor ihnen ein Bollwerk reinen Glücks errichten, dieses Vorbild aus Furcht, es nicht reproduzieren zu können, lieber zurückweisen.

Fast jeden Nachmittag ging Alix jetzt im Schutz ihres Schleiers aus. Diese Spaziergänge hatten die Feste und Vergnügungen ersetzt, die Jean-Baptistes Abwesenheit und ihre vorgebliche Witwenschaft ihr verboten.

»Sehen Sie nur!« sagte Saba, die Françoise bei ihrer Mittagsruhe Gesellschaft leistete, düster.

Alix schritt über den Rasen, und die helle Sonne versteckte die beiden Gestalten im Schatten der Sykomore vor ihr. Sie hatte den dichten blauen Schleier vor dem Gesicht angehoben und würde ihn erst fallenlassen, sobald sie die Straße betrat.

»Deine Mutter wird immer jünger«, sagte Françoise lächelnd, als Alix verschwunden war.

»Das ist dieses Miststück, das sie beeinflußt.«

»Wer?«

»Die letzte Frau des Großwesirs. Wissen Sie, was ich letzte Woche erfahren habe? Meine Mutter behauptet, daß sie Medikamente in der Stadt abgeben muß, aber vorher geht sie immer bei diesem Weibsstück vorbei.«

»Sprich mit etwas mehr Respekt von den Freundinnen deiner Mutter«, sagte Françoise und strich dem Mädchen sanft über das Haar.

»Respekt! Für diese Nour al-Houda! Haben Sie sie gesehen? Wenn sie auf der Straße herumläuft, ist sie natürlich eingepackt wie eine Mumie. Man würde ihr den Türkensegen geben, ohne daß sie beichten muß. Aber ich habe sie hier mit entblößtem Gesicht erlebt. Sie hat das falscheste Gesicht, das man sich vorstellen kann.«

Saba zeichnete Françoise ein vollendetes Porträt, in dem sich die Erinnerung an das, was sie während dieser flüchtigen Begegnung gesehen hatte, mit all der boshaften Vorstellungskraft mischte, die eine Jungfrau gegenüber einer Kurtisane aufzubringen vermag.

Der Verstand weist die Vorstellung eines geschlossenen Meeres zurück. Die beiden Worte passen nicht zusammen. Wie kann ein Meer, jener unendliche Raum voll grenzenloser Strömungen, ein Meer, das alles verschlingt, in dem sich Berge und alles Land eines Tages auflösen werden, wie kann das geschlossen sein? Ein geschlossenes Meer, das ist ein gefesseltes Streitroß, eine enttäuschte Hoffnung, eine Freiheit mit Bedingungen. Wahrlich, es ist ein empörender Gedanke.

Glücklicherweise ist es nur ein Gedanke. Man muß eine Karte ansehen, um zu wissen, daß ein Meer von Land umschlossen ist, aber sobald man diese zur Seite legt und an den Ufern entlangläuft, vergißt man es. Der Wind bläst, die Strömung kräuselt die Oberfläche, und man kann sich nicht mehr vorstellen, etwas anderes vor sich zu haben als das weite, offene Meer.

Als die Reisenden das Kaspische Meer erblickten, sagte Bibitschew, der Italienisch mit sehr wenig Akzent sprach, sie sollten am Ufer entlang bis zu einer kleinen Bucht reiten, die in der Ferne deutlich sichtbar war, und dort warten, bis er mit einem gemieteten Schiff zurückkäme. Jean-Baptiste und

George waren sehr froh, ihn los zu sein, und konnten die herrliche Küstenlandschaft genießen, ohne von der schwarzen Gestalt gestört zu werden. Sie ließen die Pferde ihren Weg wählen, um über Maultier- und Herdenpfade, die sich ständig verzweigten, aber immer wieder zusammenkamen, die Hügel hinab bis zum Strand zu gelangen. Dichte Büsche und Mastixsträucher bedeckten den kargen Boden an den Hängen, wo unter dem Staub des Weges Glimmer und Schiefer in der Sonne funkelten. Große, fast graue Agaven wuchsen weiter unten im Sand. Ab und zu reckte während des Abstiegs eine sehr gerade Pinie ihren Kopf über all dieses Gewächs und schob ihren wattigen Federbusch zwischen die Wolken, als wolle sie gleich einem gespannten Seil die flüchtige Erde mit dem unbeweglichen Himmel verbinden. Die Bucht war an einer Seite von Dünen gesäumt, an der anderen lag sie im Schatten von Wurzelbäumen.

Sie banden die Pferde in deren Schutz an und ließen sie bei Küyük zurück, den das Meer nicht zu interessieren schien. Dann streiften sie die Stiefel ab und liefen mit nackten Füßen durch den Sand der Dünen. Nach der harten Reise durch Flachland und Gebirge verschaffte ihnen das Wasser, die lebendige Unendlichkeit des mit kleinen Schaumkronen bedeckten Meeres, plötzlich ein Gefühl der Erlösung. Selbst George dachte nicht mehr daran, die Dichte der Luft oder den Salzgehalt des Wassers zu messen. Er stand auf dem leicht rötlichen Sand, der seine Füße liebkoste, und streckte die Nase dem offenen Meer entgegen, seine Haare wurden vom sanften Wind zerzaust, und er atmete tief die scheinbare Unendlichkeit und Süße ein. Einen Augenblick erweckte dieses Vergnügen in ihm den Wunsch, das Fenster seiner Seele ganz weit zu öffnen und Jean-Baptiste das Geheimnis zu offenbaren, das ihn belastete. Aber wenngleich ihn dieses Verlangen erfüllte, fand er doch nicht die Kraft dazu und schwieg.

Der Ostwind, der ihnen ins Gesicht blies, kam aus dem Himalaja und war über den großen Wüsten ausgedörrt. Im allerletzten Moment hatte das Kaspische Meer ihm eine salzige Feuchtigkeit gegeben, die vom Geruch seiner Küsten durchdrungen war. Es war das reinste Glück, von diesem Wind gestreichelt zu werden. Am höchsten Punkt der Dünen im hintersten Teil der Bucht setzten sie sich und warteten auf das Schiff, während sie ihre Gedanken wandern ließen.

Nach einer ganzen Weile gestand Jean-Baptiste sich ein, daß er bisher weder an Alix noch an seine Tochter, noch an irgend etwas anderes, das sein Leben in Isfahan betraf, gedacht hatte. Zwar schmerzte ihn der Gedanke, sie verlassen zu haben, aber ihr Platz war in seiner Erinnerung, nicht jedoch in seinen Träumen. Die Reise hatte ihn in jene Traumwelten zurückgebracht, die stromaufwärts jeder Liebe zu einem Menschen liegen und die nach dem Bild dieses Himmels und dieses Windes das Urmaterial des Begehrens und des Lebens bilden. Er fühlte sich in jenes ferne Alter zurückversetzt, wo alles noch möglich und nichts geschehen ist, ein Alter, das nicht existiert und das man über den Umweg der Zeit erreicht, indem man sich von sich selbst löst.

So weit waren sie mit ihren Träumen gelangt, als ein Segel an dem Kap auftauchte, das die Bucht nach Süden abschloß, und allmählich näher kam. Es war rot, dreieckig, schlecht gesäumt und schob langsam einen kleinen Kutter mit einem winzigen Beiboot. Das Schiff erreichte die Mitte der Bucht. Zwei Männer sprangen in das Beiboot und ruderten zur Küste. Einer von ihnen, ganz in Schwarz gekleidet, war Bibitschew. Jean-Baptiste und George gingen ihm bis ans Ufer entgegen. Der Seemann sprang aus dem Boot, das noch von den letzten Wellen getragen wurde, und zog es auf den Sand, so daß Bibitschew würdigen Schrittes und mit trockenen Füßen aussteigen konnte.

»Sagen Sie Ihrem Diener, er soll das Gepäck bringen«, schrie er, um das Rauschen des Windes zu übertönen. »Alles ist bereit. Wir reisen ab.«

»Und die Pferde?« fragte Jean-Baptiste.

»Lassen Sie sie da, wo sie sind, mit Sattel und Zaumzeug. Ich habe alles verkauft. Im Laufe des Tages wird sie jemand abholen.«

Es waren schöne tatarische Pferde, die ihnen der Zar als

Ersatz für die Tiere von d'Ombreval gegeben hatte, und Jean-Baptiste bedauerte einen Moment, sie zurückzulassen. Er hatte aber keine Wahl und beschloß zu tun, was Bibitschew verlangt hatte. Eine halbe Stunde später waren sie auf dem Kutter und stachen in See.

Das Schiff diente gewöhnlich dem Warentransport entlang der Küste. Nichts war für Fahrgäste eingerichtet. Sie mußten sich auf die Taue am Rand eines offenen Laderaums setzen, wo im stampfenden Rhythmus des Schiffes ein paar Leinensäcke mit Datteln klapperten. Die Mannschaft bestand aus vier Russen, die sich nicht um den Ukas ihres Herrschers kümmerten, sondern langes Haar und dichte Bärte trugen, die vor Schweiß und Salz zusammenklebten. Ein guter Dwarswind trieb sie zunächst gleichmäßig voran. Küyük, der seine Furcht vor der Seefahrt nicht verhehlt hatte, saß ganz vorn und hielt das Ende eines Taus in der Hand. Wenn sich das Schiff auf den Wellen hob und wieder in die Täler hinabglitt, hatte der Mongole, der die Augen geschlossen hielt, das beruhigende Gefühl, auf dem Meer zu reiten. George, der in den ersten Stunden sehr bleich war, gewöhnte sich rasch an das Leben auf See und wagte sogar, an die Wanten geklammert, aufrecht auf der obersten Schiffsplanke zu stehen.

Die Reise dauerte fünf Tage. Entgegen ihrer Annahme waren die Datteln keine Fracht, sondern für die tägliche Ernährung bestimmt, ebenso wie dicke Oliven, die in einer schmierigen Tonne schwammen. Niemand beklagte sich über diese Diät, und sie ertrugen sie, ohne etwas zu sagen.

Am Abend des dritten Tages auf See näherten sie sich einer Küste und sahen die Gipfel des Kap Urdiuk, die Befestigungsmauern und sogar die Fahne der Alexanderfestung, dann wandten sie sich wieder nach dem offenen Meer.

Am fünften Tag kamen sie endlich in Sichtweite eines Ufers, das von nackten Inseln und grünlichen Streifen an der Wasseroberfläche förmlich zerfetzt wurde. Sie befragten Bibitschew, der ihnen zur Auskunft gab, daß dies das Ende der riesigen Bucht sei, welche das Kaspische Meer im Norden beschließt. Sie landeten dort, trotz des ungünstigen Umstandes, daß es keine Stadt in der Nähe gab. Nun würden sie ohne Hindernisse bis zur Provinz Turgai nördlich des Aralsees reisen können, wohin Bibitschew sie bringen sollte.

Die Russen manövrierten vorsichtig zwischen den Riffen. Ein Seemann stand am Bug, warf in beeindruckender Stille das Lot und zählte laut die Fadentiefe. Endlich erreichten sie eine Mündung, wo Süßwasser ins Meer strömte. Dort ging der Kutter vor Anker. Sie verbrachten noch eine Nacht auf dem Schiff und wurden am frühen Morgen vom Beiboot flußaufwärts an einem schilfbedeckten Ufer abgesetzt.

Bibitschew diskutierte heftig mit der Besatzung. Jean-Baptiste glaubte zu verstehen, daß es um ein Fischerdorf ging, von dem keine Spur zu sehen war. Die Seeleute wiesen eine Richtung, der sie zu Fuß folgen sollten, und Bibitschew beugte sich unwillig ihrer Ansicht. Sie teilten das Gepäck auf und machten sich auf schwammigem Boden, in dem die Stiefel versanken, auf den Weg.

Sie liefen eine Stunde, ohne irgend etwas anderes zu sehen als die schwankende Schilffläche und Stechginsterbüsche, die mannshoch wuchsen. Weiße Seeschwalben zogen über ihnen schweigend große Kreise. Der Boden wurde hart, dann wieder sehr weich wegen des Torfmoosteppichs, der auf die Nähe von Sümpfen hinwies. Der erste Morgen der Welt mochte in einer solchen Landschaft angebrochen sein, wo der Geist die Elemente noch nicht getrennt hatte. Es gab weder Nord noch Süd, nicht Himmel noch Erde, nicht Weite noch Dauer, sondern nur das einsame Magma der Luft und des Wassers, gemischt in dieser Unordnung gebeugter Halme.

Schließlich kam es ihnen vor, als würde sich der Pflanzenvorhang lichten, und sie erreichten den Rand eines schwarzen Weihers, der mit stehendem Wasser gefüllt war. Küyük streckte als erster den Finger aus. Ja, am Rand, noch zu klein, um Einzelheiten zu erkennen, befand sich eine menschliche Gestalt.

Sie gingen schweigend darauf zu. Es gab keinen Zweifel: Das war ein sitzender Mensch. Er mußte sie gesehen haben, bewegte sich aber nicht. Als sie noch näher kamen, sahen sie, daß er in der Hand eine lange Angelrute hielt, deren Spitze in den Weiher getaucht war. Endlich standen sie vor ihm, und der Mann sah sie friedlich lächelnd an. Er war klein und alterslos, sein hellblondes, fast weißes Haar stand als zerzauster Schopf von seinem Kopf ab. Seine blauen Augen wirkten vollkommen leer, denn ihre Blässe saugte jeden Widerschein auf und verlieh ihnen die Färbung von Porzellan. Das Erstaunlichste aber war sein Anzug, goldgelb, außerordentlich elegant, wenngleich etwas unmodern geschnitten, mit Silbertressen und Spitzenärmeln besetzt, wie sie in dieser Gegend äußerst selten waren.

Bibitschew sprach ihn auf Russisch an, und der Unbekannte schüttelte bedauernd den Kopf. George versuchte es auf Englisch, dann Jean-Baptiste in Italienisch und Französisch, ohne mehr Erfolg zu haben. Daraufhin tippte Bibitschew den Unbekannten mit dem Finger an und fragte: »Svenski?«

Der Schwede lächelte und nickte ausgiebig. Die kleine Truppe freute sich über diese Entdeckung, wußte jedoch nicht, wie man weiter vorgehen sollte. Schließlich wurde Jean-Baptiste von einer Eingebung erfaßt und fragte den Unbekannten: »Juremi?«

Der andere senkte seine Angelrute und sah ihn besorgt an.

»Juremi«, wiederholte Jean-Baptiste mehrfach und betonte den Namen in jeder nur möglichen Art und Weise.

Plötzlich strahlte der Schwede: »Aaah!« sagte er, »Chürmi! Tak! Tak!« Und mit einer unmöglichen Aussprache fügte er lachend Worte hinzu, die Jean-Baptiste sehr vertraut vorkamen: »Vorfärtz, Töffel nokmal, Zaopande!«

# 3
## Das Alberoni-Komplott

## *Erstes Kapitel*

Das Orange inmitten von drei spitzen, glänzenden Blättchen hob sich vom Pastell des spätherbstlichen Himmels ab. Der Mann betrachtete es durch das offene hohe Fenster. Rasch drehte er sich um und musterte auf der gegenüberliegenden Wand eine beeindruckende »Anbetung der Hirten«. Es waren wahrhaftig die gleichen Töne: Die Farben von Raffaels Fresken waren die von Raffaels Land gestern und heute, über die Jahrhunderte hinweg. Er sah wieder aus dem Fenster. Küchenfarben, das waren die Farben Italiens, das machte ihren Charme aus: ein Duft, der dem Auge die Empfindung der Berührung, des Geruchs und des Mundes zu gleicher Zeit schenkte. Das Orange der Apfelsinen beispielsweise oder das Rosa, eine Spur ins Lila gehend, an der Grenze, wo der Himmel die Spitzen der Eiben berührte. Es hatte die Farbe des Schinkens aus Parma, nach dem ihn sein Vater einst zu Fuß – und man mußte eine Stunde laufen – zu einem Bergbauernhof geschickt hatte. Und dann dieses dunkle Grün, wie jene unvergeßliche Petersilie, die er im Garten seiner ersten Pfarrstelle gezüchtet hatte.

Das alles erfüllte ihn mit Wohlbehagen, denn dieses Bild mischte die beiden Leidenschaften seines Lebens miteinander: Italien befreien und gute Suppen kochen.

Kardinal Alberoni seufzte, schloß das Fenster und durchquerte das Zimmer mit kleinen Schritten. Er setzte sich hinter seinen stets aufgeräumten Schreibtisch, dessen Oberfläche mit rotem Saffianleder bezogen war und dessen Mitte eine goldene, von Lorbeer umkränzte Tiara zierte.

Die Befreiung Italiens! Dieses Werk war für den Augenblick ausgesetzt. Eines Tages würde es vollendet sein; der Wagen der Unabhängigkeit war auf seinem Weg. Er selbst hatte getan, was er konnte. War es eine Niederlage? Vielleicht. Und sein Leben? O nein, sein Leben war etwas Schönes, es war ein geduldiges, ein arbeitsreiches, aber ein unvergleichliches Leben.

Er schloß einen Moment die Augen. Die tiefe Stille des Vatikans umgab ihn. War es echte Stille? Er lauschte. In der Ferne erhob sich der Tumult der Stadt, Geschrei, der Lärm von Pferden und Kutschen. Ein zusätzliches Vergnügen! Was wäre die Stille des Vatikans, wenn sie nicht über die Aufregung der Welt herrschen würde? Deshalb mußte das leise, kaum wahrnehmbare Murmeln immer an das Brüllen der gezähmten Bestie erinnern.

Er blickte auf das Gemälde von Raffael, die nackten Körper, das Fleisch. Das Fleisch? So viele Menschen suchten allein deshalb nach Macht. Er hatte einen bescheideneren Geschmack, nicht das Fleisch in irgendeiner Form lockte ihn, sondern das, was zu Fleisch wird, was es nährt, wärmt, bewegt und empört. Ein schöner Braten, seine Zartheit, das fleischige Rund von Gemüse und Früchten. Der Wein … Und vorher noch, weit darüber, die Erde, die Erde Italiens, von den Menschen bearbeitet, die ihre Ernte einbringen. Und dann der Himmel, der sie in den Wechsel der Jahreszeiten taucht, sie mit seiner Sonne erwärmt, mit seinen Gewittern begießt … Ah! Der Himmel! … Der Himmel? Hmm!

Der Kardinal legte seine beiden Unterarme in eine Höhlung, eine Rinne, die sich über seinem Bauch bildete, wenn er saß. Was für eine behagliche Geste! Als hätte er seinen runden Bauch vorsätzlich wachsen lassen, um es bequem zu haben. Niemals hatte er sich der Gefräßigkeit hingegeben – das war eine Sünde –, aber er hatte als echter Kenner die Feinschmeckerei gepflegt, die eine hohe Kunst ist. Er hatte sich immer vorgenommen, diesen Punkt in den Schriften zu korrigieren, falls er eines Tages Papst wäre. Und wer wollte wissen, ob er es nicht eines Tages sein würde? Innozenz XIII. war es doch auch, ausgerechnet er! Innozenz, der Unschuldige! Wahrlich eine gute Wahl für diesen Pontifex. Er war es nur geworden, weil es keinen besseren gab. Als sie klein waren, rief er ihn *coglione, testadura* oder *cretino*, das hätte auch gut gepaßt. Coglione XIII.! Trottel XIII.! Ha! Ha! Alberoni hüstelte in seine Faust.

Das war bereits ein Zeichen des Schicksals: Er war mit dem Papst zur Schule gegangen. Und auch, daß dieser gerade in dem Moment Papst wurde, als sein einstiger Mitschüler Spanien verlassen und in den Vatikan flüchten mußte, wo man ihn zuerst wie einen Verbannten in einem Keller untergebracht hatte. Innozenz XIII. hatte ihn unverhofft herausgeholt. O ja, was für ein Schicksal! Was für ein Leben!

Kardinal Alberoni richtete sich auf. Dieser Gedanke an den Papst machte der süßen Glückseligkeit ein Ende, die er sich zum Zwecke der Geisteshygiene eine Viertelstunde lang zu Beginn jedes Nachmittags gönnte.

Schon schossen ihm wieder tausend Pläne durch den Kopf, Briefe, die zu schreiben waren, all die gefürchteten und geschätzten Plagen seines unermüdlichen Lebens. Er läutete.

Ein Sekretär in Soutane mit einem großen, rechteckigen weißen Kragen trat ein und grüßte, indem er schweigend den Kopf senkte.

»Erwarte ich Besucher, Pozzi?«

»Mehrere«, antwortete der Sekretär.

»Den ersten?«

»Um vierzehn Uhr.«

»Aber es ist schon vierzehn Uhr dreißig! Wer ist es?«

»Monsieur de Maillet.«

»Kenne ich nicht. Wer hat ihm die Audienz zugesagt?«

Der Sekretär hob das Kinn und wartete einen Moment, ehe er antwortete. Pozzi war ein reifer Mann, den die Jahrzehnte im Vatikan ausgetrocknet hatten wie einen alten, besonders köstlichen Schinken. Wie eine Mumie unter ihren Binden war sein Gesicht für immer in einem Ausdruck von Empörung, Erstaunen und Dankbarkeit erstarrt. Seine Gesprächspartner durften sich selbst aussuchen, was sie auf seiner rätselhaften Maske lesen wollten.

»Nun, Pozzi, spielen Sie nicht den Erstaunten. Was ist los?«

»Sie haben ihn selbst eingetragen, Eminenz, denn er wurde Ihnen von Kardinal F empfohlen.«

Pozzi spürte sein Herz stärker schlagen. Die Vermittler in Vatikanangelegenheiten wie jener Mazucchetti, dem Monsieur de Maillet die Vertretung seiner Interessen anvertraut hatte, bedienten sich meist der Sekretäre. In diesem Fall hatte sehr wohl Pozzi diesen Termin auf Bitten des Vermittlers in Alberonis Kalender geschmuggelt. Deshalb hatte er ein persönliches Interesse an dieser Angelegenheit, die man ihm in der jenseitigen Welt sicher vorhalten würde, für die er aber zunächst in der hiesigen entlohnt zu werden hoffte.

»Kardinal F«, wiederholte Alberoni zögernd.

Der Name war offensichtlich gut gewählt, denn schließlich sagte er: »Lassen Sie ihn hereinkommen.«

»Eine Akte zu dieser Person liegt auf dem Stapel der Besucherunterlagen im Schrank Eurer Eminenz bereit«, fügte Pozzi hinzu, ohne seine Erleichterung zu zeigen.

Der Kardinal griff nach dem Dossier, ging zu einem riesigen Sessel auf Löwentatzen, setzte sich und schlug die Beine unter seinem Gewand aus purpurrotem Moiré übereinander. Im selben Moment öffnete sich die Tür, und Pozzi ließ den Besucher eintreten.

Monsieur de Maillet machte zwei große Schritte in den Raum hinein, so gerade, wie es ihm mit seinen Hüftschmerzen möglich war, um ja nicht zögerlich zu wirken, und blieb dann abrupt stehen.

Diese hohe Decke, dieser leere Schreibtisch unter riesigen Gemälden, der Leuchter ... all die Dinge, die der Mensch von jenen Giganten, den Staaten, entleiht – und sei es der Staat Christi auf Erden – und für die er sich mit solchem Genuß zum Sklaven macht ... Was für Erinnerungen! Welche Wehmut! Tiefe Rührung ergriff den einstigen Konsul in Kairo und ließ ihn, am Rande der Tränen, die glücklicherweise seit langem ausgetrocknet waren, erstarren.

Alberoni, der immer noch in seinem Sessel saß, las Respekt in dieser Unbeweglichkeit, und da man angesichts seiner gutmütigen Rundlichkeit und seiner kleinen Gestalt nur selten in dieser Weise reagierte, war er sehr davon eingenommen. »Nun, mein Lieber, treten Sie näher, und nehmen Sie mir gegenüber Platz.«

Monsieur de Maillet faßte sich und tat, was der Kardinal ihm sagte. Dieser hörte sich die Höflichkeitsfloskeln an, erklärte, er habe wenig Zeit, und bat den Gast, zu seinem Anliegen zu kommen. Der Konsul, der seine Verteidigungsrede wieder und wieder rezitiert hatte, sagte sie ein weiteres Mal mit all der Leidenschaft auf, die man nur in einen letzten Versuch legen kann: das Buch, die Verurteilung, die Vergebung des Papstes und so fort.

Der Kardinal überflog das Dossier. »Sie sind also der Autor eines Werkes mit dem Namen ›Telliamed‹?«

»Ja, Eminenz, ich bin stolz darauf...«

»Und was ist, in wenigen Worten, der Kern Ihres Werkes?«

»Eminenz, es handelt sich um einen philosophischen Dialog mit einem Phantasiewesen namens Telliamed...«

»Telliamed... Telliamed? Ein seltsamer Name. Wo haben Sie ihn gefunden?«

Der Konsul hustete in seine knochige Hand. Dies war wahrlich das einzige Detail an seinem Werk, das er bedauerte.

»Nun, also«, stotterte er etwas verlegen, »Demaillet, Telliamed...«

»Wie sinnreich«, meinte der Kardinal mit einem schiefen Lächeln.

Warum zum Teufel zwangen ihn seine Kollegen, solche grotesken Gestalten zu empfangen? Zweifellos wußten sie von der bewundernswerten Geduld, die er gegenüber solch unangenehmen Besuchern an den Tag legte.

»In diesem Buch«, fuhr der Prälat fort, während er noch in der Akte las, die man ihm vorbereitet hatte, »behaupten Sie offenbar, daß der Mensch aus dem Meer geboren ist. Eine seltsame Idee, wahrhaftig, und sehr skandalös, wenn man sie mit der Lehre unseres Herrn Jesus Christus vergleicht. Stammt sie von Telliamed oder von Demaillet?«

»Aber ... von beiden, Eminenz. Das ist keine seltsame Idee, sondern im Gegenteil eine Tatsache, die leicht in der Natur zu belegen ist. Hat nicht jede Art ihre Entsprechung im Wasser? Man kennt den Seehund sowie diese Tiere, die von den Matrosen Seekälber genannt werden.«

Während der alte Diplomat schwadronierte, dachte Alberoni an das bevorstehende Abendessen. Er hatte drei Erzbischöfe eingeladen, die für seine Pläne äußerst wichtig waren und die er – wie es seine Art war – mit seiner hervorragenden Küche beglücken wollte. »Kalb«, dachte er. »Er hat recht.« Und er begann, ein Rezept auszuwählen.

»... und in den gemäßigten Zonen, wo die Luft voller Feuchtigkeit ist und sich nur wenig vom Wasser der Meere unterscheidet, sind die Meeresgeschöpfe an Land gegangen. Deshalb sind die ersten Menschen in der Nähe der warmen Meere Europas und ...«

»Alles klar«, sagte Alberoni und knallte die Akte zu, denn er hatte sich gerade für Kalbfleisch in weißer Sauce entschieden. »Gut, Herr Konsul ...«

»Leider ... ich bin es nicht mehr ...«

»Ich weiß, ich weiß, aber der Titel wird doch auf Lebzeiten verliehen, nicht wahr? Nun, Herr Konsul, ich habe nur wenig Zeit: Ich bitte Sie, nicht zum Wesentlichen, denn das ist alles außerordentlich interessant, sondern zu dem zu kommen, was mich direkt betrifft. Wie könnten Sie zusammenfassen ... was Sie wollen?«

»Ah! Eminenz, ich will nichts, ich erflehe es. Ich erflehe Ihr Eingreifen beim Papst, um die Verdammung aufzuheben, mit dem dieses vielleicht kühne, aber aufrichtige Buch belegt wurde, das keineswegs die heiligen Lehren unserer Mutter Kirche angreift. Ich bin zu allem bereit, verstehen Sie, Eminenz, zu allem, damit die Aufrichtigkeit eines Mannes anerkannt wird, dessen Glaube ...«

Ohne auf diese Litanei zu hören, sprang Alberoni plötzlich

auf und begann im Zimmer auf und ab zu laufen. Ihm war
eine Idee gekommen. Woher? Er hätte es nicht zu sagen vermocht, zweifellos von einem Bild, einem zufälligen Auslöser
in den Worten, einer Erinnerung: Durch ebenjene unaufhör-
lichen Assoziationen arbeitete sein Geist stets, der ständig in
Bewegung war. Aber das war unwichtig, die Idee jedenfalls
war da. Er drehte sie in seinem Kopf hin und her, wie man
eine Frucht wendet, um zu sehen, ob sie nicht von einem
Wurm angefressen ist. Nein, sie schien gut. Er setzte sich beruhigt wieder und fragte: »Herr Konsul, wie lange waren Sie
im Orient?«

»Aber ... neunzehn Jahre, Eminenz.«

Alberoni überlegte noch einmal in Ruhe. »Lassen wir Ihre
Angelegenheit für den Moment beiseite, wir reden nachher
wieder darüber. Es scheint mir nicht unmöglich, Seiner Heiligkeit einige Argumente vorzulegen, die es ihm erlauben würden, seine Position zu überdenken. Aber«, und er sprach dieses Wort sehr laut, wobei er die Arme ausstreckte, um zu
verhindern, daß der Alte irgendwelche Karpfensprünge oder
etwas ähnlich Wäßriges vollführte, »aber ich möchte zunächst
Ihren Rat in einer anderen Angelegenheit erbitten, die vertraulich und sehr delikat ist.«

»Eminenz«, stammelte Monsieur de Maillet, »meine Loyalität wurde nie in Zweifel gezogen ...«

»Ich weiß. Ich habe Ihr Dossier gelesen, und außerdem weiß
ich immer ganz genau zu unterscheiden, mit wem ich es zu
tun habe.« Der Konsul lächelte schwach.

»Nun, also«, fuhr der Kardinal fort, der wie von einer gespannten Feder aufgerichtet, die Hände hinter dem Rücken
verschränkt, langsam im Kreis lief. »Der kürzlich nach Persi-
en entsandte apostolische Nuntius hat mir persönlich seltsame und empörende Nachrichten übermittelt. Persien ist fern,
natürlich, und ich kümmere mich wenig darum, was dort geschieht. Aber dennoch möchte ich nicht, daß diese Angelegenheit an das Ohr des Papstes dringt. Sie würde mir in diesem Moment, da Seine Heiligkeit mir all sein Vertrauen
schenkt und mich soeben zum Notar der päpstlichen Kanzlei

*ad instar participandum* ernannt hat, entsetzlich schade.
Kennen Sie Persien, Monsieur de Maillet?«

»Ich hatte Gelegenheit, die Provinz Hormozgan an der Küste zu besuchen.«

»Sehr gut! Sie sollen wissen, daß in diesem Land, das ich selbst nie betreten habe, jemand versucht, mich zu diffamieren.«

»Aber wer, Eminenz?« rief Monsieur de Maillet mit aufrichtiger Empörung.

»Ich weiß es nicht, und das ist das Problem. Es handelt sich wahrscheinlich um eine Frau. Aber es ist zu befürchten, daß sie Handlanger hat.«

»Und ... was tut sie?«

»Sie behauptet, mich zu kennen, Monsieur de Maillet, ja, mich zu kennen, mich, den Kardinal Alberoni.«

»Nun, letztlich, ist es doch möglich ...«, wagte Monsieur de Maillet beschwichtigend einzuwenden.

»Gar nichts ist möglich«, entgegnete der Kardinal aufgebracht, griff nach einer kleinen Bronzefigur und schlug mit dem Sockel auf den Tisch. »Sie verstehen nicht. Diese Dame behauptet, mich ... auf besondere Weise ... zu kennen. Können Sie mir folgen?«

Ohne eine Antwort abzuwarten, ging Alberoni zu einem großen Sekretär und bediente den komplizierten Mechanismus mit mehreren Schlüsseln, darunter einem, den er unter seinem Gewand um den Hals trug. Er ließ die Lade offen und kam mit einem Umschlag in der Hand zu Monsieur de Maillet zurück.

»Herr Konsul, das Dokument, das ich Ihnen offenbaren werde, ist äußerst vertraulich. Ich möchte, daß Sie sich in aller Form verpflichten, mit niemandem darüber zu sprechen, verstehen Sie, mit niemandem, niemals.«

»Ich schwöre es«, sagte Monsieur de Maillet aufs höchste erregt.

»Nun, dann sehen Sie, was man mir schickt.«

Monsieur de Maillet griff nach dem Brief in einem schmutzigen, fleckigen Umschlag, der ein Siegel ohne Wappen trug. Er las:

»An Seine sehr edle, sehr weise, hochgelehrte Eminenz, Kardinal Alberoni, bekannt beim ganzen Volk, das den Lehren Jesu folgt, rechter Arm des großen Herren, der in Rom herrscht, mein geliebter Jules!

Meine Seele war von so großem Glück erfüllt, daß alle Genüsse des Paradieses, das herrliche Grün, das seine Böden bedeckt, die Schönheiten, die Tag und Nacht erfüllen, nichts sind im Vergleich zu der guten, glücklichen und vom Schicksal gesegneten Stunde, da sich wie die Milch der jungen Kamelstute, gefärbt vom Honig der erlesensten Bienen, die gesegnete Nachricht von der Ankunft Eurer Eminenz, deren liebende Sklavin ich bin, in der Stadt Rom, gesund, voller Herrlichkeit und mächtig, wie kein anderer auf dieser Erde, in mein Ohr ergoß.

Persien und sein erhabener, weiser und allmächtiger Herrscher, der göttliche Schah Hossein, ein Engel der Gnade, der Barmherzigkeit, des Vertrauens, der Weitsichtigkeit und der Vollendung, haben mir, einer erbärmlichen, nichtswürdigen Sklavin in unendlicher Güte erlaubt, in diesem mächtigsten Reich der Welt zu bleiben, dem die Menschen aller Nationen von ganzem Herzen die Ehre erweisen.

Ich wünsche mir nur, bald zu Eurer strahlenden und teuren Heiligkeit zu kommen und die Schönheit, Sicherheit und Wollust eines Aufenthaltsortes wie der gesegneten Stadt unseres Papstes zu genießen. Der sehr mächtige, herrliche Fürst, den man hier Nasir nennt, hält sich zu Eurer Verfügung, mein Geliebter, der Ihr jedes Opfers wert seid und dessen Bild ständig vor meinen Augen steht, um meine Rückkehr an Euer warmes und großzügiges Herz *unter den besten Bedingungen* möglich zu machen. Schnell, schnell, antwortet mir,

Eure angebetete F.«

»Finden Sie das nicht skandalös?« fragte der Kardinal und stellte sich mit verschränkten Armen vor den Lesenden.

»Wahrhaftig«, antwortete der Konsul vorsichtig. »Der Stil ist sehr schwülstig.«

»Was heißt hier Stil!« schrie Alberoni und riß dem Konsul

den Brief aus der Hand. »Als wenn es darum ginge! Ich rede vom Inhalt!«

Der Konsul wich auf seinen Stuhl zurück und setzte ein würdiges, verschlagenes Gesicht auf.

»Es steht mir nicht zu, die Beziehung zu werten, die Eure Eminenz mit dieser Person unterhält.«

Alberoni war einen Moment sprachlos vor Wut. Er begann zu bedauern, daß er sich einem solchen Rindvieh anvertraut hatte.

»Herr Konsul«, sagte er scharf, jedes einzelne Wort betonend, »ich unterhalte keinerlei Beziehung zu dieser Person, noch zu irgendeiner anderen dieser Art im übrigen. Das sollten Sie ein für allemal zur Kenntnis nehmen.«

Etwas erschreckt von diesem Ton verneigte sich Monsieur de Maillet respektvoll.

»Man will mir schaden, das ist alles. Ich bin wieder einmal Opfer einer jener infamen Intrigen, die mich unaufhörlich verfolgen, angezettelt von Eifersüchtigen, Feiglingen und vor allem von Feinden der italienischen Freiheit.«

Pozzi trat unauffällig mit verschiedenen Akten in der Hand ins Zimmer. Mit einer ungeduldigen Bewegung befahl ihm der Kardinal, auf der Stelle zu verschwinden. Er setzte sich wieder auf den Rand seines Sessels, drehte sich um, damit er Monsieur de Maillet genau gegenübersaß, und bedeutete ihm, sich vorzubeugen.

»Irgend jemand gibt sich als meine Konkubine aus«, flüsterte er ganz nah am Ohr des Konsuls mit der Langmut eines Lehrers. »Ist das soweit klar? Dieser Brief, die Informationen des Nuntius und andere Zeugenaussagen beweisen es.«

Monsieur de Maillet nickte ausdruckslos bei jedem Satz, als lausche er der Wiederholung der Spielregeln für Pikett.

»Was steckt hinter diesen Verleumdungen?« fuhr der Kardinal fort. »Geht es um Erpressung? Einige dunkle Worte in diesem Text lassen es vermuten. Man verlangt Geld. Andere haben bereits dasselbe versucht. Ich fürchte sie nicht. Aber ich muß Gewißheit haben. Geht es vielmehr um den ersten Schritt einer gewaltigen politischen Bewegung, in der ich deutlich die Handschrift des Regenten von Frankreich und seines Ministers erkennen könnte? Warnt man mich zunächst, um mich in Aufregung zu versetzen und zu einem Fehler zu verleiten, ehe der Strom dieser vermeintlichen Geständnisse direkt zum Papst geleitet wird, um mich zu diskreditieren und meine Person zu vernichten, nachdem man bereits mein Werk zerstört hat?«

Der Kardinal gab die nach vorn geneigte Haltung auf, für die sein Bauch nicht geschaffen war, und fuhr mit lauter Stimme fort, da der Rest weniger vertraulich war:

»Sofern, sofern es sich nicht um die verschlüsselte Botschaft eines verzweifelten Freundes handelt. Die Gegenwinde, die uns in den letzten Jahren trafen, haben unsere kleine Anhängerschaft verstreut. Von verschiedenen Gefährten habe ich noch immer keine Nachricht. Ich würde es mir nicht verzeihen, einem Freund nicht geantwortet zu haben, wenn der Autor dieser Zeilen zufällig ein solcher wäre, ein Freund, der durch diese List lediglich versucht hat, die Wachsamkeit der Mohammedaner zu täuschen und mit mir in Kontakt zu treten. Diese Hypothese ist sehr unwahrscheinlich, aber ich will sie nicht ganz außer acht lassen.«

Während dieser Rede kreisten die Gedanken von Monsieur de Maillet unaufhörlich um die gute, die große, die herrliche Nachricht: Alberoni würde sich für ihn verwenden. Er wartete geduldig, daß diese Abschweifung in Vertraulichkeiten endete, um zu seiner Angelegenheit zurückzukehren. All das interessierte ihn im Grunde nicht, und er hoffte, sich mit einem einfachen Ratschlag aus der Affäre ziehen zu könne, wie man mit den Persern umgehen sollte.

Nachdem der Kardinal seine Rede beendet hatte, begann er wieder durchs Zimmer zu laufen und warf einen letzten Blick auf den alten Konsul, ehe er das Wagnis einging. Natürlich, dachte er, man hätte sich einen besseren Agenten wünschen können: Dieser hier konnte kaum noch laufen, er war mager wie ein Kuckuck. Würde er überhaupt noch sechs Monate durchhalten? Pah! Diese alten Kähne sanken nicht so schnell. Außerdem, sagte sich Alberoni, hatte er keine Wahl.

Er stand nicht mehr wie einst an der Spitze einer Nation, die seinem Willen unterworfen war und Armeen von Edelleuten in seinen Dienst gestellt hätte. Und schließlich – und dieses letzte Argument brachte die Entscheidung – würde ihn dieser alte, unauffällige Diplomat aus bester Familie, der die Welt und den Orient kannte, nichts kosten. Er wollte nur mit einer Gnade bezahlt werden, also mit dem Geld des Himmels, das einzige, womit der Kardinal nicht geizte.

»Monsieur de Maillet«, sagte er, »wir werden uns feierlich voreinander verpflichten, als Ehrenmänner, wie es uns ansteht. Ich werde die Verdammung aufheben lassen, die auf Ihren unschuldigen Werken liegt, so schwierig es auch werden mag, und ich weiß, daß es außerordentlich schwierig sein wird.«

»Ah!« krächzte der Konsul.

»Aber Sie als Edelmann und Bevollmächtigter des Königs von Frankreich geben mir die Versicherung ... daß Sie so bald wie möglich nach Persien reisen werden, um diese kompromittierende Angelegenheit aufzuklären.«

Der Konsul nahm diesen Vorschlag auf, als sei ihm ein Gewicht auf die Zehen gefallen. Er sprang zurück. »Nach Persien reisen! Ich!«

Der Kardinal hielt unschuldig die Augen gesenkt, die Arme am Körper wie bei einem Büßer. Er ließ den Alten mit dem Geschäft, das er ihm aufgezwungen hatte, hadern, jammern, erbleichen, stammeln und schließlich, unter dem Einfluß der riesigen Hoffnung, die der Prälat in ihm geweckt hatte, kapitulieren und zustimmen. Dann stand Kardinal Alberoni auf und bezahlte den Konsul mit einer Großzügigkeit, die er niemals unterdrücken konnte, im voraus und als Lohn für all seine Dienste mit einer herzlichen Umarmung.

## Zweites Kapitel

Magnus Koefoed gehörte zu jenen Menschen, denen das Leben die höchsten Titel schenkt, die sie als größte Selbstverständlichkeit annehmen: Er wurde zunächst Ritter, dann, nach dem Tod des Vaters, Baron. Karl XII., zu dessen Lieblingen er gehörte, ernannte ihn zum General. Seit er Gefangener war, hatte der Geistliche in ihm die Oberhand gewonnen, und man sprach nur noch als Ehrwürden von ihm.

Er und zweitausend andere Schweden, die zur gleichen Zeit gefangengenommen worden waren, hatten als Kerkermeister nur das gutmütige Dickicht, die wilden Weiher und den unbeweglichen Himmel der Steppen des Turgaj. Sobald Ehrwürden Magnus ein Jahr zuvor an diesem Ende der Welt angekommen war, hatte er die Führung seiner kleinen Herde übernommen und sich unerschrocken an die Arbeit gemacht.

Als Jean-Baptiste und seine Begleiter von dem Mann, den sie am Teich getroffen hatten, zu ihm geführt wurden, begrüßte sie der Priester, der sehr gut französisch sprach, voller Begeisterung. Er freute sich, seinen Besuchern das in wenigen Monaten vollbrachte Werk zu zeigen. Diese Tobsüchtigen aber wollten nur eines wissen: ob er Juremi kenne und wo dieser lebe.

»Der Zufall wollte es, daß Sie zunächst auf Lars stießen, der Artillerist im Regiment Ihres Freundes war. Wir haben hier noch mehr von seinen Soldaten. Er selbst aber gehört leider nicht zu unserer Gemeinde«, erzählte ihnen Magnus leicht verstimmt, ohne aber seinen liebenswürdigen Ton aufzugeben.

Jean-Baptiste konnte seine tiefe Enttäuschung nicht verbergen. Seit der Begegnung am Teich war er überzeugt gewesen, daß die Vorsehung sie direkt zum Ziel geführt habe und daß ihre Mühsal endlich ein Ende hätte.

»Beruhigen Sie sich«, sagte der Schwede, »wir werden schnell herausbekommen, wo er ist, und ich lasse Sie dorthin bringen. All unsere kleinen Lager – wir nennen sie lieber Dörfer – sind inzwischen durch ein Botensystem verbunden, durch das wir die anderen leicht benachrichtigen können. Sie werden sehen, dies ist nicht die letzte unter den Verbesserungen, die wir diesem Land gebracht haben.«

Jean-Baptiste drängte ihn, auf der Stelle eine Nachricht loszuschicken. Der Prediger war nicht an solche Hektik gewöhnt, erklärte sich jedoch bereit, vor ihren Augen einen Brief zu schreiben, der die Anführer der anderen Gemeinden aufforderte, ihm mitzuteilen, wo sich Juremi aufhielt. Dann reichte er das Schreiben einem jungen Mann, der ihm als Sekretär zur Seite stand, damit er Abschriften anfertige, und befahl, es ohne Verzug überall am Turgaj und im Ural zu verbreiten.

»Nun können Sie nichts anderes tun, als hierbleiben und warten«, erklärte der Schwede liebenswürdig. Er war sehr zufrieden, da er sich nun mit seinen Gästen endlich über das Wichtigste, nämlich sein Dorf, unterhalten konnte.

Er ließ ihnen ein kleines Holzhaus neben der Kirche im Zentrum des Dorfes zuweisen. Jean-Baptiste, George und Bibitschew erhielten eigene Zimmer und bestanden darauf, sogleich zu Bett zu gehen. Küyük verschmähte die verbleibenden beiden Räume und legte sich draußen auf dem breiten Holzbalkon, der das Haus umgab, zum Schlafen nieder.

Am nächsten Morgen kam Magnus, um sie zu begrüßen, und brachte ein reichliches Mahl, das aus getrocknetem Fisch, Beerentee und Gerstenfladen bestand. Er war sichtlich beglückt, daß der Himmel, den er insgeheim oft darum gebeten hatte, ihm diese unerwarteten Besucher zugeführt hatte, die ersten, denen er das Werk seiner Herde vorführen konnte. Sobald sie die Mahlzeit beendet hatten, führte er sie zur Besichtigung des Lagers herum.

Die unglücklichen schwedischen Exilanten zeigten einen gleichzeitig verzweifelten und unternehmerischen Geist, ähnlich jenen freiwilligen Schiffbrüchigen, die von den ersten Seefahrern einst auf fernen einsamen Inseln ausgesetzt wurden, wobei sie ihnen versprachen, bald zurückzukehren. Sie waren allein inmitten einer unberührten Natur.

Die meisten Gefangenen waren zu alt, um ihre Kultur zu

vergessen und ihre Sitten aufzugeben, aber jung genug, um sie hier neu zu schaffen. Zu ihrem Unglück konnte sich ihr Land, ehe es in der Niederlage unterging, der modernsten, der glänzendsten Zivilisation ganz Europas rühmen. Mit anrührendem Stolz zeigte ihnen der Geistliche nun die inmitten der Steppe verstreuten Splitter dieser Juwelen.

Das Dorf lag auf einem deutlich abgegrenzten Raum, in dem sich Wege und Plätze auf dem geharkten Boden abzeichneten. Kleine Häuser waren ordentlich dazwischen verteilt. Ihre schindelgedeckten und mit trockenem Schlamm in verschiedenen Farbtönen gestrichenen Giebel waren dem Hauptweg zugewandt. Diese Anstriche wirkten zwar etwas fleckig, schufen aber eine hübsche Abwechslung. Größter Erfindungsreichtum wurde in dieser Einöde verlangt, aber daran fehlte es der Truppe nicht. Da Metall jedoch außerordentlich selten war, konnten die meisten Handwerker ihre Talente nicht angemessen einsetzen.

Während die Technik noch etwas begrenzt war, durfte sich die Kunst hier voll entfalten. Die Besucher bewunderten eine regelrechte Ausstellung von Porträts im Stil von Velazquez, mit Leinöl gemalt, das wegen Terpentinmangels mehrere Wochen in der Sonne trocknen mußte, wie es die uralten Techniken van Eycks vorschrieben. Die Musik war unter den Gefangenen weit verbreitet, wobei ihr größtes Problem darin bestand, sich Instrumente zu besorgen. Sie besichtigten eine düstere Werkstatt, in der ein alter Handwerker, einst Tambourmajor in der königlichen Armee, eine kleine Orgel gebaut hatte. Die Pfeifen bestanden aus aufgereihten Bambusstangen, die mit Weidenruten aneinandergebunden waren. Der Mechanismus wurde durch die Kreisbewegung einer großen Holzrolle in Gang gesetzt, die mit Tausenden kleinen Nägeln bestückt war. Das Ganze klang wie ein Karren, der über Pflastersteine rollt, aber wenn man aufmerksam lauschte, hörte man wie ein fernes Pfeifen darunter das anrührende Murmeln einer Kavatine von Lully.

»Das ist ›Der Triumph der Liebe‹«, erklärte ihnen der Geistliche strahlend.

Der Zufall hatte es gewollt, daß ein Geigenbauer zu der Gruppe gehörte. Er hatte die Gemeinschaft mit Violinen versorgt, die er mit großem Geschick herstellte. Leider besaß er weder Leim noch Lack, und seine Instrumente, verdübelt und genagelt, glichen eher Säuglingssärgen. Die Saiten aus gespannten Sehnen gaben einen seltsamen, rauhen, klagenden Ton von sich. Dennoch spielten drei Musiker, die extra zusammengerufen wurden, mehrere Kammerstücke auf diesen Instrumenten, und das Ergebnis war zum Weinen schön.

Die große Leidenschaft von Magnus Koefoeld war jedoch der Tanz. Dessen Vorführung hob er sich deshalb für das Ende auf, nachdem die Besucher alles andere gesehen hatten: die Molkerei und die Ställe, die Bäckerei und das Gasthaus. Dazu gingen sie in einen großen, niedrigen Saal, der für Versammlungen, Ratssitzungen und Feste diente. Dorthin hatte der Geistliche die Frauen gebeten, um sie den Gästen vorzustellen.

Da die Russen nur Männer deportiert hatten, gab es in diesen Gemeinschaften von Kriegsgefangenen natürlicherweise nur ein Geschlecht. Zweifellos hätten sie sich auch auf diesem Gebiet – wie auf den anderen – gegenseitig Hilfe spenden und so wenigstens Erleichterung, wenn nicht gar ein gewisses Vergnügen verschaffen können. Die natürliche Neigung des Menschen, eine Nachwelt für sein Werk zu schaffen, hatte jedoch den Sieg davongetragen: Sie hatten sich einheimische Frauen gesucht.

Die meisten Tataren, die in der Gegend lebten, nannten sich selbst Kalmücken. Diese buddhistischen Mongolen waren ein Jahrhundert zuvor aus Fernost herangestürmt und hatten alles überrannt, was ihnen im Weg stand. Seltsamerweise hatte sie der Kontakt mit der russischen Bevölkerung vollkommen besänftigt. Die Kalmücken waren seßhaft geworden und hatten sich in Dörfern niedergelassen. Sie fischten, betrieben sogar ein wenig Ackerbau und hatten sich gern mit den Fremden gemischt. Sie hatten auch die schwedischen Gefangenen herzlich empfangen. Inzwischen waren sie sogar verwandt durch die Frauen, die sie ihnen überlassen hatten, ohne daß

sie deshalb darauf verzichteten, insgeheim weiter an ihnen teilzuhaben.

Nichts war so erstaunlich wie das Nebeneinander dieser
beiden Rassen. Die Schweden, glatt, weißhäutig, höchstens
von der Sommersonne gerötet, mit ihren hellen Augen und
den langen Nasen betrachteten ihre kupferhäutigen Frauen,
denen meistens alle Zähne fehlten, mit ihren runden Gesichtern und platten Nasen mehr mit Erstaunen als mit Vertrautheit. ›Es hat schon seltsamere Verbindungen in der Geschichte der Menschheit gegeben, und nichts verbietet ihnen,
glücklich zu sein‹, dachte Jean-Baptiste, der sich sein Unbehagen nicht erklären konnte.

Die ersten Tänze begannen. Es waren langsame Menuette
und Giguen, die der Geistliche selbst dirigierte, indem er einen langen Zeremonienstab im Rhythmus schwenkte.

Die Männer, die Jean-Baptiste in groben Leinenkleidern im
Dorf herumlaufen gesehen hatte, trugen jetzt ihre Uniformen.
Je nach Regiment unterschieden diese sich in Farbe und
Schnitt. In seinen besten Zeiten hatte Schweden genug Geld
besessen, um seine Armee prächtig auszustatten. Leider hatte die Niederlage die Stoffe abgenutzt. Sie waren in den Kämpfen zerrissen, und das Exil hatte ihnen den Rest gegeben. Die
Tänzer trugen Lumpen auf dem Leib, deren eleganter Schnitt
und kostbarer Stoff die zahllosen Ausbesserungen noch
furchtbarer erscheinen ließ, etwa so wie Geschwüre auf einem edlen Körper. Die Kalmücken-Frauen waren noch schlimmer dran. Die Schneider des Dorfes hatten aus dem, was sie
an Sackleinen oder Tierhäuten finden konnten, Hofkleider
nach den modernsten, kompliziertesten Vorlagen für sie
genäht, mit Reifröcken und Unterröcken, nach deren Material man besser nicht fragen sollte. Sie hatten die Ansprüche
– und die Grausamkeit – so weit getrieben, ihnen Perücken
aus Flachs auf die Köpfe zu setzen, die zwar meisterhaft gefertigt waren, sie jedoch endgültig entstellten.

Jean-Baptiste erkannte endlich den Grund für sein Unbehagen, ohne daß es deshalb verschwunden wäre: Diese Schweden hatten keineswegs kalmückische Frauen geheiratet, sie

hatten nur versucht, aus diesem einheimischen Rohstoff, den sie mit Verachtung und Resignation betrachteten, mit dem gleichen Geschick und den gleichen Mitteln, mit denen sie rohe Kisten zu Geigen und klapprige Karren zu Kutschen machten, schwedische Frauen zu fabrizieren.

»Wie hübsch sie sind!« seufzte der Geistliche Jean-Baptiste gerührt ins Ohr und wies auf die Tänzer.

Er hatte es einem anderen Musikanten überlassen, den letzten Galopp zu dirigieren.

»Welche Anmut! Welch ein Gefühl!« schwärmte er, den Tränen nah. »Können Sie sie sich in Versailles oder Charlottenburg vorstellen?«

»Ja, sicher«, entgegnete Jean-Baptiste etwas abwesend, ohne seine Fassungslosigkeit ganz verbergen zu können.

Dieses schreckliche Schauspiel dauerte länger als eine Stunde, und sie mußten es während ihres Aufenthaltes noch mehrfach ertragen. Anders als sie angenommen hatten, war es kein Fest, das ihnen zu Ehren gegeben wurde, sondern ein Vergnügen, das einzige im Grunde, das zum Lageralltag gehörte.

Jean-Baptiste machte sich, ehrlich gesagt, als einziger diese Gedanken. Küyük freute sich sehr über diese Tänze, ebenso wie die anderen Tataren. Da sie das Original, das hier nachgeahmt wurde, nicht kannten, sahen sie darin nur eine lustige Art, die Frauen zu drehen und ihre nackten Arme zu entblößen. George hingegen war voller Bewunderung für das Werk dieser Männer. Ständig beschrieb er Jean-Baptiste neue Beispiele für ihren Einfallsreichtum, die er bei den Besuchen in allen Werkstätten des Dorfes entdeckt hatte, die er allein unternahm. Seiner Meinung nach hatte hier die Vernunft den Sieg über die Tabula rasa der Steppe davongetragen, und er war nahe daran, diese Menschen als glücklich zu bezeichnen.

Jeden Tag kamen und gingen Boten zwischen den einzelnen Lagern hin und her. Der Geistliche befragte sie, sobald sie ankamen. Leider wußte keiner von ihnen, wo sich Juremi aufhielt. Endlich, nach drei langen Wochen, kam die erwartete Antwort; Magnus Koefoed teilte ihnen voller Bedauern mit, daß sie ihre Reise fortsetzen könnten.

Sie würde nicht lang sein. Bei der Strenge des beginnenden Winters mußte man dennoch zwei Wochen mit normal beladenen Pferden rechnen, um den Ort zu erreichen, an dem sie Juremi aufgespürt hatten. Sein Dorf lag am Rand des Aralsees, ganz im Osten. Sie mußten nur aufpassen, daß sie die Nomadenhorden, denen sie möglicherweise begegnen würden, nicht provozierten. Neben den Kalmücken, die seßhaft geworden waren, gab es in der Gegend noch kirgisische Nomaden. Sie lebten in Horden und trieben sich zwischen den Gefangenendörfern herum. Ab und zu gaben sie der Lust nach, diese zu überfallen, wobei sie großen Schaden anrichteten. Die Reisenden mußten aufpassen, sich nicht von dem Weg zu entfernen, auf dem sie immer wieder auf die Lager der Deportierten treffen würden.

Am Vorabend der Abreise, als alles bereit war, nutzte der Geistliche einen Vorwand, um allein mit Jean-Baptiste zu sprechen. Für einen Moment, während sie zwischen zwei Holzhäusern standen, gab der Prediger seine außerordentliche Höflichkeit auf und zeigte das Gesicht des Politikers.

»Verzeihen Sie mir«, sagte er flüsternd. »Ich hatte Sie anfänglich alle in einen Topf geworfen, das erklärt die Förmlichkeit und Kälte, mit der ich Sie empfangen habe.«

»In einen Topf?«

»Ja, mit diesem Mann, diesem schwarzgekleideten Russen.«

»Bibitschew?«

»Ja, sicher. Sie haben mich geradezu gefoltert mit Ihren Fragen: ›Warum fliehen Sie nicht? Warum bauen Sie keine Waffen, um sie gegen die Russen zu richten?‹ Glauben Sie, daß ich vor seinen Ohren antworten konnte?«

»Aber ...«

»Unwichtig. Da wir jetzt einen Moment allein sind, will ich Ihnen nur folgendes sagen: Wir gehen nicht weg, weil das Land voll ist mit Agenten der politischen Geheimpolizei wie diesem Kerl, das ist die Wahrheit. Wenn wir uns nur rühren, rufen sie sofort die Kosaken ... Aber, wenn wir schon davon reden ... Woher haben Sie diesen Bibitschew?«

»Der Zar selbst hat ihn uns als Führer und Dolmetscher mitgegeben.«

»Der Zar! Ich verstehe. Nun, ich weiß nicht, was Sie tun werden, wenn Sie ihren Freund gefunden haben, aber glauben Sie mir, Sie täten besser daran, diesem Russen zu mißtrauen und, wenn es möglich ist, ihn loszuwerden. Es ist niemals gut, so nah neben einem Agenten der Ochrana zu schlafen.«


## Drittes Kapitel


Der Winter gehört zu den schönsten Jahreszeiten in Isfahan. Der Himmel hat die Reinheit und Tiefe eines Saphirs, poliert von leichten, wendigen Winden, die die Gesichter und Finger der Passanten reiben, bis sie erröten. Alles erscheint strahlend sauber, in der Nähe wie in der Ferne, und die Farben, sogar die der Stoffe oder der Haut, nehmen unter der blassen Sonne den kalten Glanz von Metallen oder Edelsteinen an.

Es war gerade zwei Uhr nachmittags, als Alix, ganz außer Atem vom raschen Laufen, das Zimmer von Nour al-Houda betrat. Sie erwartete, die Freundin bereit zum Spaziergang zu finden, denn sie hatten drei Tage zuvor diese Zeit verabredet. Aber das junge Mädchen empfing sie ohne Schmuck und ungeschminkt. Sie trug ein Hauskleid aus heller Baumwolle, über das sie lediglich einen breiten Wollschal geworfen hatte.

»Ich dachte, ich komme zu spät«, wunderte sich Alix, »und Sie sind nicht bereit?«

»Sie hätten sich nicht beeilen müssen«, sagte Nour al-Houda in trübseligem Ton, »ich bin nach dem Willen dieses Ungeheuers hier eingesperrt.«

»Wen meinen Sie?«

»Was für eine Frage! Meinen teuren Gatten natürlich.«

»Verzeihen Sie, Nour, aber ich habe bisher noch nie erlebt, daß es Ihrem teuren Gatten, wie Sie sagen, gelungen wäre, Ihnen etwas zu verbieten.«

»Nun, jetzt ist es geschehen!« sagte das junge Mädchen und stand auf. »Mir allein kann er zwar seine Phantasien nicht aufzwingen, aber den Maßnahmen, die sich gegen alle richten, kann ich mich nicht entziehen. Heute und für eine Woche muß der ganze Harem, sogar die Eunuchen, in diesen Mauern bleiben.«

»Eine Woche. Was für ein Einfall!«

»Oh, das ist nicht sein Einfall, beruhigen Sie sich. Das ist ein großes Durcheinander in der ganzen Stadt, und wir dürfen als erste die Unannehmlichkeiten genießen, weil wir in der ersten Reihe sitzen.«

»Aber wem zu Ehren geschieht das?« fragte Alix, die immer weniger verstand.

»Wem zu Ehren! Alix, Gott ist mein Zeuge, daß ich Sie gernhabe, und deshalb darf ich Ihnen sagen, daß Sie ziemlich dumme Fragen stellen. Zu Ehren der Katastrophe, ganz einfach.«

»Der Katastrophe?«

»Der Katastrophe, die sich im Osten anbahnt. Die Afghanen stehen vor Kerman. Der König hat sich entschlossen, reichlich spät allerdings, ihnen eine große Armee entgegenzuschicken, und wenn diese geschlagen wird, sind wir ohne Schutz.«

»Das alles ist hinreichend bekannt«, versetzte Alix leicht pikiert.

»Nicht bekannt ist allerdings der Ausgang der Schlacht, die in dieser Woche stattfinden wird. In diesem Fall sind Astrologen wie Priester gleichermaßen entfesselt, um so mehr, als sie in Konkurrenz zueinander stehen. Wer wird die größeren Katastrophen vorhersagen und die schlimmere Buße fordern, diejenigen, die auf Gott hören, oder die, welche in den Sternen lesen? Deshalb hat der König beschlossen, eine öffentliche Reinigung zu befehlen: Straßenmädchen und Tänzerinnen werden ins Gefängnis geworfen, Wein wird noch strenger verboten als gewöhnlich, und um das Maß voll zu machen, werden die anständigen Frauen gebeten, in ihrem Harem zu bleiben. Da die Straßenmädchen bei ihren Gönnern Zuflucht finden und die Weinfässer bei diesem König nicht viel zu befürchten haben, sind es wieder einmal die unschuldigen Frauen, die für das Ganze zahlen müssen. Mein teurer Gatte wollte sich die Gelegenheit nicht entgehen lassen, um seinen Eifer zu zeigen, indem er uns diese Pflicht schon heute auferlegt, weil er es vor den anderen erfahren hat.«

»Na gut, es macht ja nichts«, sagte Alix und wollte den großen Schleier ablegen, denn sie vorher nur zurückgeworfen hatte. »Hoffen wir, daß es hilft, und trinken wir einen schönen warmen Tee ...«

»Nein, nein«, rief Nour al-Houda und stürzte zu ihrer Freundin. »Behalten Sie den Schleier an. Sie sind Ausländerin, Sie dürfen ausgehen. Sie werden dasselbe tun, wie wenn ich bei Ihnen wäre.«

Dann fügte sie mit leiser Stimme hinzu: »Und Sie werden diese Neuigkeiten zusammen mit der Medizin am gewohnten Ort überbringen.«

Der Vorschlag überraschte Alix. Sie war inzwischen an die Rolle der Komplizin gewöhnt, hatte jedoch nie daran gedacht, näheren Einblick in die Begegnungen zu gewinnen, die ihre Freundin im Königspalast hatte. Auch in ihren offenen, immer fröhlichen Gesprächen hatte Alix nie gewagt, sie danach zu fragen. Nour al-Houda, die gern von allem redete und unumwunden ihre geheimsten Gedanken offenbarte, wann immer ihr der Sinn danach stand, hatte nur sehr, sehr wenig von ihrem schönen Geliebten erzählt.

Alix kannte seinen Namen erst seit kurzer Zeit und hatte ihn selbst noch nie ausgesprochen. Den Wachposten, der das Palasttor öffnete, nachdem sie geklopft hatte, bat Alix, unter ihrem Schleier verborgen und mit einem seltsamen Gefühl, Reza Alibegh sehen zu dürfen. Sie folgte dem Soldaten durch einen kalten Kreuzgang, der durch einfache Maueröffnungen ohne Fenster beleuchtet wurde, die zu hoch waren, als daß man etwas anderes als den Himmel sehen konnte. Dieser Weg führte offenbar zu den Kasernen und erlaubte den Offizieren, zu kommen und zu gehen, ohne am offiziellen Eingang gesehen zu werden. Der Wachposten führte die Besucherin durch zwei Höfe, dann eine Treppe hinauf. Sie zögerte einen Moment, als er ihr anbot, vor ihm in einen Flur zu treten. Natürlich nahm er an, sie sei schon oft gekommen und kenne den Weg... Sie tat, als müsse sie niesen, und wahrte durch diese kleine Verzögerung ihren Platz hinter ihm. Endlich trat sie in ein quadratisches Zimmer, das sehr hoch, aber nicht groß war und fast ganz von vier Sitzbänken, die an den Wänden standen, und einem runden Tisch aus getriebenem Kupfer eingenommen wurde.

Dort stand Reza und erwartete sie. Aus dieser Nähe erschien er ihr weniger groß, als sie angenommen hatte, nachdem sie ihn zu Pferd gesehen hatte. Sein Kopf war jedoch weit beeindruckender, als es der Körper erwarten ließ. Zwei riesige, wassergrüne Augen strahlten unter Brauen, die wie mit chinesischer Tinte in einer eleganten, exakten Kurve gezeichnet waren.

Er nahm das Paket mit den Medikamenten und legte es auf den Tisch, während sie wie betäubt dastand. Dann griff er nach ihren Händen, führte sie zum Mund und begann sie mit Küssen zu bedecken. Erst in diesem Moment, mit einer Verzögerung, die sie sich sogleich bitter vorwarf, erinnerte sich Alix daran, daß sie von einem undurchsichtigen Schleier verhüllt wurde und daß dieser Mann sie für eine andere hielt. Eilig entblößte sie ihr Gesicht, und Reza wich vor Überraschung zurück.

In dieser engen Kammer konnte man jedoch nicht weit zurückweichen oder großen Abstand gewinnen. Als er sein Erstaunen überwunden hatte, bat er sie, sich zu setzen und ihre Erklärungen abzugeben. Sie tat es und bemühte sich um eine bescheidene Haltung. Aber sie hatte nicht gelernt, die Augen gesenkt zu halten.

»Kann ich... sprechen?« fragte sie und warf einen Blick zur Tür.

»Wie in der Wüste«, antwortete er.

Seine Stimme war angenehm, eine Spur zu tief für einen Perser. Er ließ die langen Vokale seiner Sprache klingen.

Ohne ihren Namen zu nennen, sagte sie, daß sie von Nour al-Houda komme und erklärte ihm, was ihr die junge Frau aufgetragen hatte.

»Eine Woche Trennung«, faßte er nachdenklich zusammen.

Er versank einen Moment in tiefes Schweigen, die Augen starrten ins Leere. Alix wunderte sich nicht über seine Traurigkeit. Schließlich brachte sie ihm schlechte Nachrichten. In seinem Gesicht las sie jedoch, daß diese Traurigkeit tiefer und dauerhafter war, als es die gegenwärtige Unannehmlichkeit erklärte.

»Sie sind Ausländerin?« fragte er schließlich und sah Alix nachdenklich an.

»Ja.«

»Wie sie ...«

»Aber nicht aus demselben Land«, unterbrach sie ihn eilig.

»Nein, ich bin nur ... ihre Freundin.«

In diesem Augenblick hätte sie sich gewünscht, daß er sie verabschiedete, denn das Leid dieses Mannes war ein sehr quälender Anblick für jemanden, der keine Möglichkeit hatte, es zu lindern.

»Hat sie Ihnen unsere Geschichte erzählt?« fragte er nach langem Schweigen.

»Nein«, antwortete Alix, und ihr klarer, gerader Blick sagte ihm, daß sie nicht log.

Er wartete lange. Durch das Fenster, das mit undurchsichtigen rotgelben Malereien bedeckt war, drang kein Geräusch herein. Alix suchte nach den richtigen Worten, um das Zimmer zu verlassen und ihre Flucht zu bemänteln.

»Sie hatte unrecht«, sagte er schließlich. »Wenn Sie unser Geheimnis schon kennen, sollen Sie es auch bis zum Ende erfahren. Also werde ich Ihnen sagen, warum wir uns unter diesen Umständen treffen.«

»Herr«, sagte Alix, »ich möchte lieber ...«

»Ich bitte Sie, mir zuzuhören«, unterbrach er sie. »Sie sind nicht indiskret, Sie helfen nur einem Mann, der diese Hilfe bitter nötig hat und Sie bittet, ihm die Erleichterung eines Geständnisses zu gönnen, das er keinem anderen machen kann.«

Hinter der außerordentlichen Höflichkeit dieser Worte fühlte sie den Ton einer Autorität, die keinen Widerspruch ertrug.

Alix, die ohnehin vor Neugier verging, kapitulierte höflich und gar nicht ungern.

»Meine Familie«, begann er, »stammt aus Tabaristan, an der Südküste des Kaspischen Meeres. Dort liegen die Grenzen des persischen Reiches, die unaufhörlich von plündernden Soldaten und aufdringlichen Nachbarn angegriffen werden. Mein Vater verwaltete diese Provinz und vor ihm sein Vater. Der große König hatte ihm unmittelbar nach ihrer Eroberung diesen Posten anvertraut. Ich bin der zweitälteste Sohn, und mein älterer Bruder wird die Nachfolge unserer Vorfahren in dieser Stellung antreten, wenn unser Land seine Freiheit bewahrt. Die Kinder unseres Landes kennen, wie Sie vielleicht wissen, weniger Klassenschranken als bei Ihnen. Sie wissen natürlich, wer sie sind, aber der Sohn des Flickschusters kann mit dem des Gouverneurs spielen, ohne daß sich jemand daran stört. Wir waren eine kleine Bande achtjähriger Jungen, die im Frühjahr zum Fischen an die großen Flüsse zogen, die vor unserer Stadt ins Meer fließen. Wir kamen abends spät nach Hause oder gar nicht. Die Häuser waren so groß, daß man es nicht sofort merkte. Während unserer Erkundungstouren entdeckten wir in einem unbestellten Feld voller Ginster eine Truppe Tscherkessen, die sich zwar immer noch Nomaden nannten, aber keine Anstalten machten, diesen friedlichen Ort zu verlassen. Wir gingen oft in der Nähe fischen, nicht weil man dort größere Fische fing, sondern weil man ihre Trommeln und Lieder hörte.

Nour al-Houda bildete das Verbindungsglied zwischen diesen Zigeunern und uns. Wenn sie nicht mit ihnen tanzte, kam sie in unsere Hütten. Sie war kein hübsches Mädchen, die langen Locken waren das einzig Schöne an ihr. Sie sprach nur schlecht Farsi und hatte den Namen, unter dem Sie sie kennen, noch nicht erhalten. Wir nannten sie Ozan, das heißt die Rote. Warum? Das habe ich nie erfahren, denn sie war niemals rothaarig. Vielleicht, weil sie lebhaft wie das Feuer war? Auf jeden Fall verbrannte sie die Herzen wie eine Flamme.«

Alix rührte sich nicht, aus Angst, den Fluß dieser Lebensbeichte zu unterbrechen.

»Wir prügelten uns oft, und ich war ein brutaler Anführer. Ich wollte schon damals Soldat werden, und wir sprachen von Schlachten und Armeen, abends, wenn wir in die Stadt zurückkehrten. Jeder erklärte, wofür er kämpfen wolle: für sein Land, seine Familie, Eroberungen, Reichtum, Ruhm. Auch ich dachte mir irgend etwas aus. Aber ich sagte mir, daß ich für Ozan kämpfen wollte. Eine Kindheitserinnerung ist immer etwas dümmlich. Man darf nicht zu hart urteilen. Das ist mir übrigens erst vor kurzem wieder eingefallen.

Die Zigeuner verschwanden vor dem dritten Winter. Ozan hatte uns nicht gewarnt. Sie ließen nichts zurück. Im Januar fiel Schnee und malte diese ganze Vergangenheit weiß. Ich vergaß. Ich wurde erwachsen.«

Mit den Spitzen seiner langen Finger drehte er das Paket mit den Medikamenten hin und her, bis es offen war. Dann spielte er mit den kleinen Pulvertütchen.

»Vor vier Jahren traf ich sie in Teheran wieder. Sie erkannte mich, bestimmt hatte ihr jemand meinen Namen gesagt. Sie war Tänzerin geworden. Sie wissen, welche Macht diese Frauen bei uns haben, aber auch welchen abscheulichen Ruf. Sie besuchte mich und rief mir unsere gemeinsamen Erinnerungen ins Gedächtnis. Sie nannte sich Nour al-Houda. Diese Kurtisanen pflegen sich nicht zu verschleiern. So zeigte sich mir ihre Schönheit ohne jedes Hindernis, und diese war um so verwirrender, als sie sich mit der Erinnerung an das Kind mischte, das mich einst so bewegt hatte. Ich verliebte mich in sie, stärker, als ich je verliebt war. Verrückt. Süchtig nach ihr, ständig auf der Suche, ihr zu begegnen, leidend, wenn ich sie sah, und leidend auch, wenn ich fern von ihr war. Nun, das muß ich Ihnen nicht beschreiben, gewiß haben auch Sie geliebt ...«

Alix senkte verwirrt die Augen.

»Verzeihen Sie«, sagte er und richtete seine Aufmerksamkeit auf ihren dunklen Schleier. »Sind Sie Witwe?«

»Ja«, antwortete sie und ärgerte sich sogleich, daß es ihr so leichtgefallen war zu lügen.

Er schwieg respektvoll, dann fuhr er fort: »Ich komme zum Ende, es ist sehr einfach: Mein Vater hatte mich bereits zwei

Jahre zuvor mit der Tochter des Finanzverwalters verheiratet, der bei uns ein hochgeachteter Mann ist. Es ist unmöglich, daß ich sie verstoße. Andererseits würde weder meine Familie noch ihre jemals dulden, daß ich mich in zweiter Ehe mit einer Tänzerin verbinde.«

»Ich dachte«, sagte Alix vorsichtig, »daß das persische Gesetz für solche Fälle verschiedene Arrangements kennt ...«

»Oh! Wenn Sie so etwas sagen, kennen Sie Ozan, das heißt Nour, sehr schlecht. Dazu würde sie niemals ihre Einwilligung geben. Sie ist voll wilder Eifersucht und kann nicht teilen. Dieses Thema hat auch bald zu bösen Streitereien geführt, die sich fast täglich wiederholten, und schließlich zu einem fatalen Mißverständnis. Ich dachte irgendwann, daß sie sich mehr für meinen Besitz und meine Titel interessiert als für mich. Und sie betonte immer wieder, daß ich sie spüren ließe, daß sie gesellschaftlich weit unter mir steht. So ersann sie den diabolischen Plan, der sie zur Frau dieses niederträchtigen Hootfi Ali Khan machte. Der Altersunterschied weicht bei uns die Klassenschranken auf. Auch wenn er Erster Minister ist, konnte er sie heiraten, ohne einen Skandal hervorzurufen. Sie hat damit bewiesen, daß sie mich nicht braucht, um Reichtum zu erlangen, und daß sie ebensogut wie jede andere eine große Dame sein kann.«

Dem armen Reza standen bei diesen letzten Worten Tränen in den Augen.

›Es ist ungerecht, aber durch die Schönheit wird die Traurigkeit unendlich bedauernswerter‹, dachte Alix. Sie empfand tiefe Anteilnahme für diesen Mann.

»Und nun?« fragte sie.

»Nun, jedesmal, wenn sie mit Ihrer Hilfe – denn ich nehme an, Sie sind die Komplizin, von der sie gesprochen hat – herkommen kann, will sie hören, daß ich sie liebe und mir dasselbe antworten. Ich weiß ihr nichts zu erwidern: Sie erklärt mir, daß sie mir folgen wird, wohin ich will, unter der Bedingung, daß ich jede andere Bindung aufgebe.«

Bei diesen Worten hob er die schmerzerfüllten Augen mit einem flehenden Blick zu Alix: »Der König hat mir das Kommando über seine persönliche Leibwache anvertraut. Mein Land ist bedroht, und ich kann von einem Moment zum nächsten in den Kampf geschickt werden. Ozan verlangt von mir, all das zu verraten, ganz zu schweigen von meiner Familie und meinen Verpflichtungen. Wohin sollte ich dann gehen? Wenn ich es tue, werde ich von so viel Haß und Rachedurst verfolgt, angefangen beim König selbst, daß wir ans andere Ende der Welt fliehen müssen, um dem zu entgehen. Oh! Warum will sie nicht begreifen? Ich bitte Sie, sagen Sie ihr, daß sie meinen Schmerz respektieren und nicht das Unmögliche von mir verlangen soll.«

Eine Stunde war vergangen. So lange dauerten gewöhnlich die Treffen, und sicher hatte der junge Mann seinem Dienst nachzugehen, denn er kam rasch zum Schluß.

»Sie wird acht Tage nicht kommen, sagen Sie? Das ist eine furchtbare Nachricht: Ich würde darin gern eine Erleichterung sehen. Acht Tage wird sie nicht jene Feuer entzünden, die wir mit Handküssen nicht löschen können, denn Sie sollen wissen, daß sie mir nichts anderes gestattet. Das sage ich mir, aber ich weiß, daß diese Tage tatsächlich eine Qual sein werden und daß mich das Warten zur Verzweiflung bringen wird.«

Nachdem er diese Worte ausgesprochen hatte, schien Reza einen Moment lang ein Bild vor seinem inneren Auge zu betrachten. Dann sah er Alix wieder an. Dieser Blick war so eindringlich, so gierig, so ausgehungert durch die Entbehrungen des Unglücks, daß sie erblaßte.

»Ich danke Ihnen, daß Sie mir zugehört haben«, sagte er, während er ihre Hand nahm und sie starr anblickte.

Spürte er, daß sie zitterte? Er hielt ihre Hand in der seinen.

»Sie haben mir sehr gutgetan«, fügte er hinzu.

Und obwohl sie fühlte, daß er vielleicht Lust gehabt hätte, diesen Moment zu verlängern, grüßte er hastig und verschwand. Er hatte sie nicht nach ihrem Namen gefragt. Sie freute sich über sein Taktgefühl und empfand gleichzeitig die Bitterkeit eines leichten Bedauerns.

Am Abend, den sie zu Hause verbrachte, brauchte sie lange, um das Mitleid mit diesem so edlen und so unglücklichen Mann aus ihren Gedanken zu vertreiben. Gleichzeitig machte sie Nour al-Houda keinerlei Vorwürfe: Sie verstand sie und konnte sich dennoch einer gewissen Ablehnung nicht erwehren. Spät in der Nacht gelangte sie zu einer Erkenntnis, die alles zusammenfaßte und sie zum Lachen brachte: ›Man kann einer Frau nicht einen schönen Mann zeigen, der weint, ohne daß sie denkt: Ich hätte ihn besser geliebt.‹ Eine Sekunde später lag sie in tiefen Träumen.

## Viertes Kapitel

Monsieur de Maillet stieß einen tiefen Seufzer aus, als er sah, wie der römische Geldwechsler das letzte Stück seines letzten Goldes oben auf den letzten Stapel legte. Durch zwei breite Straßenkreuzungen, die den Blick auf die rötlichen Fluten des Tiber und den Sacchetti-Palast freigaben, ließ eine blasse Sonne die drei kleinen Häufchen von Münzen auf dem fast schwarzen Leder des Schreibtisches schimmern. Das Geld stammte aus dem Verkauf jenes letzten Besitzes, der seiner Frau gehört hatte. Ein Bauer aus der Nachbarschaft hatte ihn jammernd zum halben Preis gekauft. Dann hatten sich Makler, Notare und Bankiers ihren Anteil genommen – einen königlichen, wie es sich gehörte. Es blieben jene tausend Taler, eine Zahl, die im Geist des armen Greises während der letzten Wochen so groß geklungen hatte, jene tausend Taler, die letztlich nichts anderes waren als diese erbärmlichen Häufchen abgegriffener Münzen.

Der Konsul schob diesen Notgroschen in ein Leinensäckchen, das er sich an einer Schnur um den Hals hängte. So spürte er das Gold an seinem Herzen, das man ihm würde durchbohren müssen, um seinen Schatz zu rauben.

Über die hohe Marmortreppe stieg er die beiden Stockwerke hinab und hielt sich krampfhaft am Geländer fest. Ehe

er auf die Straße trat, rief er einen Jungen herbei, der im Hof
mit einer Katze spielte. Er versprach ihm einen Kupfergro-
schen, damit er vor der Tür nachsah, ob ihn dort etwa jemand mit böser Miene erwartete. Das Kind beruhigte ihn,
und er ging hinaus.

Tatsächlich befand sich der Konsul in einer außerordentlich kritischen Lage, und der Anblick des Goldes hatte ihn
keineswegs beruhigt. In der Glut seiner Güte hatte Kardinal
Alberoni, dieser heilige Mann – Monsieur de Maillet sprach
seinen Namen nie aus, ohne sich zu bekreuzigen und seine
Barmherzigkeit zu segnen –, eine winzige Kleinigkeit vergessen: Der einstige Diplomat, dessen geistige Interessen er nunmehr vertrat, hatte praktisch keinen Heller mehr, um die Reise nach Persien anzutreten.

Einen Moment lang hatte Monsieur de Maillet daran gedacht, die Aufmerksamkeit des Geistlichen auf diesen Punkt
zu lenken, ehe er die Audienz verließ. Aber der große Mann
hatte ihn mit erbaulichen Reden und großen Plänen unterhalten – man konnte wohl von Staatsangelegenheiten sprechen –, bis er sein Zimmer verlassen hatte. Der Konsul, außer
sich vor Bewunderung, hätte es wahrlich als Geschmacklo-
sigkeit empfunden, sein ordinäres Elend in einem so erhabe-
nen Konklave auch nur zu erwähnen.

Auf den Straßen herrschte wenig Verkehr: Zu dieser Mit-
tagsstunde an einem Wintertag blieben die Römer zu Hause.
Der Konsul sah sich mehrfach um, machte kehrt und wechselte plötzlich die Straßenseite – niemand folgte ihm.

Alles lag auf der Hand. Er hatte lange genug über die Angelegenheit nachgegrübelt, um es zu wissen. Die Möglichkeiten beschränkten sich auf eine nüchterne Alternative: Entweder gab er Mazucchetti die tausend Taler, die er ihm als Lohn
für die Audienz beim Kardinal versprochen hatte. In diesem
Fall würde er nicht nach Persien gelangen und seine letzte
Chance auf das Seelenheil in dieser Welt wie in jener verlieren. Oder er behielt den Betrag, machte sich auf den Weg und
rettete sich. Dann lief er jedoch Gefahr, von dem Ganoven
heimtückisch umgebracht zu werden.

Wer hätte vorhersagen können, daß ein Mann von seiner Größe eines Tages an einen so erbärmlichen Punkt gelangen würde? Monsieur de Maillet seufzte. Allein schon der Gedanke an die Sünde trieb ihn zur Verzweiflung, denn die Entscheidung war bereits getroffen. Er war entschlossen, die tausend Taler zu behalten und, koste es, was es wolle, dem Wunsch des Kardinals zu folgen. Letztendlich hatte ihm dieser Mazucchetti schon seit Monaten ohne Ergebnis das Blut aus den Adern gesaugt und sich an seinem Vermögen gütlich getan. Er war genug bezahlt. Der einzige Fehler des Konsuls hatte darin bestanden, ihm noch mehr zu versprechen, was ihn nun heute zu einer Lüge zwang. Glücklicherweise gab es die Beichte, um ihn davon freizusprechen.

Seit der Begegnung mit dem Kardinal kam dieser schurkische Vermittler jeden Tag, um seinen Lohn zu fordern. Jeden Tag machte ihm der Konsul Hoffnung auf die Ankunft des Geldes am nächsten Tag und mußte dafür immer schlimmere Drohungen über sich ergehen lassen. Was konnte man der Gewalt entgegensetzen, wenn nicht eine List? Monsieur de Maillet hatte einen Plan ausgearbeitet, den er für außerordentlich gewitzt hielt: Er ging pünktlich jeden Morgen zu seinem Wechsler und kehrte ohne Beute zurück. Auf diese Weise würde der Tag, an dem er seinen Schatz erhielte, ein Tag wie jeder andere sein. Wie es im Evangelium geschrieben steht, wußte er selbst weder Tag noch Stunde. Seine Habe war in einem Sack verpackt, und wenn der Moment kam, würde er nur danach greifen und sich unauffällig auf den Weg machen müssen. Das Problem war nur dieser behaarte Paolo in seiner Nische. Damit dieser den Sack nicht sah, würde er nachts aufbrechen müssen, wenn der Gastwirt in der Küche an der Rückseite des Hauses seine stinkende Suppe schlürfte.

Und nun war der große Tag gekommen. Erregt vom Druck der tausend Taler auf seiner Brust – der allerdings geringer war, als er erwartet hatte, wenn er vorher seine Rolle geübt hatte –, führte der Konsul den Plan aus, den er sich ausgedacht hatte. Er streifte wie gewohnt in weiten Umwegen durch die Gassen, die zur Trajansäule und zum Colosseum führten.

Sein Rheuma ließ diese Spaziergänge etwas schmerzhaft geraten, und er gehörte nicht zu den Menschen, die sich an der Schönheit solcher Monumente weiden. Außerdem waren seine Augen durch den steifen Nacken meist nach unten gerichtet, so daß er die Sehenswürdigkeiten kaum wahrnahm. Glücklicherweise war er in Rom, und wenn er über die behauenen Steine lief, vorbei am Forum des Cäsar oder am Triumphbogen des Oktavian, fühlte er sich von der moralischen Strenge der Stadt durchdrungen. Der große stoische Trost der lateinischen Tradition versah ihn mit einem ehernen Harnisch. Das Beispiel Mark Aurels half ihm, den Gedanken an Mazucchetti zu ertragen.

Schließlich setzte er sich in ein Café nahe dem Palazzo Montecitorio und sah den Schachspielern zu. Er achtete darauf, nicht mehr als sonst zu bestellen, damit niemand in dieser Spielhölle, der vielleicht im Einvernehmen mit seinem Henker stand, diesen über den neuen Reichtum seines Schuldners in Kenntnis setzen konnte.

Gegen fünf Uhr humpelte er bis zum Gasthof »Zum lachenden Stier«. Im Westen warf das Abendrot einen violetten Schal über die Schultern des Vatikans. In der Hotelhalle war niemand, bis auf Paolo, der in seinem Verschlag hockte. Der Konsul grüßte ihn so liebenswürdig wie an jedem Tag. Aber was geschah nun? Hatte er zu eilig, zu ungezwungen, zu vertraulich gewirkt? Oder lag es einfach daran, daß diese Bestien das Gold riechen? Auf jeden Fall erwachte der mürrische Paolo und schenkte ihm einen etwas zu lebhaften Blick. Ohne daß ein Wort gesprochen wurde, erkannte der Konsul, der schon auf der Treppe stand, daß alles aufgedeckt war.

Er stieg ins vierte Stockwerk hinauf, sah niemanden im Flur und schob, nachdem er die Tür seines Zimmers geschlossen hatte, den Riegel vor, der ihm noch nie so zerbrechlich erschienen war. Was sollte er tun? Paolo war nicht so durchtrieben, daß er sofort losgehen würde, um ihn zu verraten. Er würde warten, bis Mazucchetti kam, um ihm alles zu sagen. Wieviel Zeit blieb ihm dadurch? Sehr wenig jedenfalls. Der Konsul setzte sich auf das Bett. Sein altes Herz klopfte so stark, daß die Goldmünzen auf seiner Brust erzitterten. Er war immer ein Mann der Tat gewesen! Oh! Bei allen Heiligen! So weit war es mit ihm gekommen! Angesichts seiner Hilflosigkeit und der Bedrohung verfiel er auf einmal in größte Panik. Er zog an seinem Bett, schob es vor, schnaufte wie ein alter Ochse und schleppte das Eisengestell an die Tür. Alles, nur diesen Elenden nicht noch einmal sehen! In der Ecke stand ein kleiner, leerer Schrank. Er legte ihn auf den Strohsack des Bettes, um das Gewicht zu erhöhen. Nun blieben noch ein armseliger Tisch und ein Stuhl vor dem Fenster. Er klemmte sie ans Fußende des Bettes. Der so zwischen Wand und Tür errichtete Möbelberg bildete ein ordentliches Hindernis. Nach Atem ringend setzte sich der Alte auf eine Ecke der Matratze und hätte sich beinahe einer gewissen Beruhigung hingeben können, wären nicht im gleichen Moment eilige Schritte auf der Treppe, dann auf dem Flur ertönt. Er, er war es, dort hinter der Tür! Gegen die er mit seinem Stock klopfte.

»Störe ich?« grölte der Schurke.

Die Klinke bewegte sich, und der Riegel gab eine vielsagende, aber kurzlebige Antwort.

Verloren! dachte der Konsul verzweifelt. Der Herr ist mein Zeuge, ich habe alles versucht, alles. O mein Gott, wenn dein Erbarmen so groß ist, wie ich glaube, so nimm mich auf unter die Gerechten!

Er stand auf und ging wie ein Schlafwandler zum Fenster.

Mazucchetti hatte den Riegel aufgebrochen. Die Tür öffnete sich einen Spalt und stieß gegen den Möbelhaufen.

»Ihr Widerstand ist zwecklos, Maillet! Niemand wird Ihnen hier zu Hilfe kommen«, schrie der Meuchelmörder, und durch den Türspalt sah man ein Messer blitzen. »Los doch, öffnen Sie! Sie haben es so gewollt. Ich schlage alles kurz und klein.«

Er trat zurück, um Anlauf zu nehmen. Während dieser kurzen Stille hatte der Konsul das Fenster geöffnet und die Beine nach draußen geschwungen. Die römische Winternacht, klar und kalt, zitternd vor Geklingel und Seufzern, bot seinem kurzsichtigen Blick ein letztes Bild von reinem Blau.

»Gerechtigkeit«, rief er und preßte ein Paket an sich, in dem auch sein teurer, unschuldiger »Telliamed« steckte. Dann sprang er.

∞

Fedor Nikolajewitsch Bibitschew wäre gern Priester geworden. Aber der siebzehnjährige Waisenknabe floh vor seiner Einsamkeit in die Arme eines mittellosen Mädchens, das ihm acht Kinder schenkte. Der Dienst für den Himmel verlangt in der orthodoxen Religion lange Studien und kann eine Familie nicht ernähren: Also ging er zur Polizei. Um seiner Berufung zu entsprechen, hatte man ihn mit der Überwachung des Klerus beauftragt. Er diente eifrig in verschiedenen Kirchen, wo er aufräumte, saubermachte und zuweilen sogar beim Gottesdienst half.

Bibitschew hatte sich selbst hinreichend beobachtet, um zutiefst von der Unvollkommenheit des Menschen überzeugt zu sein. Seine Achtung vor Titeln war ebenso groß wie seine Erbarmungslosigkeit gegenüber den Individuen. Für ihn ließ sich die Polizei so charakterisieren: ein Mittel, um die Institutionen gegen die Personen zu verteidigen, die damit beauftragt sind, sie zu verkörpern; den Mechanismus retten, indem man die Rädchen kontrollierte und die fehlerhaften so schnell wie möglich auswechselte.

Dank dieser Philosophie war auch die Denunziation für ihn kein Problem. Er diente gleichzeitig zwei Berufungen: Gott und dem Zaren zu gehorchen; die Kirche und den Staat von ihren menschlichen Schwächen zu reinigen.

Sein Eifer führte ihn rasch die Erfolgsleiter hinauf. Er wußte genug über die Religion, um Pope zu werden. Da aber ein aktueller Bedarf bestand, gab man ihm lieber einen falschen diplomatischen Titel und schickte ihn zum Spionieren in den Vatikan. Zwei Jahre später kehrte er zurück. Seither beauftragte ihn die Ochrana mit diplomatischen und religiösen Sondermissionen. Man hatte ihn mit dem Gefolge des Zaren ans Kaspische Meer geschickt, um die Geisteshaltung der Priester in jener Gegend zu überprüfen. Es mußte verhindert werden, daß im Rücken der Armee ein Aufruhr entstand, wenn diese in Persien einzog.

Einige Wochen zuvor hatte eine Depesche aus Isfahan dem russischen Geheimdienst von einer Konspiration berichtet, in der auch der berühmte Alberoni erwähnt wurde. Bibitschew hatte im Ausland erfahren, wie gefährlich dieser Mann war. Er war zum richtigen Zeitpunkt beim Zaren gewesen, als die in der Depesche angekündigten Personen versuchten, Kontakt zum Hof aufzunehmen. Diesem ärgerlichen Zufall verdankte der Polizist den Auftrag, diese zu überwachen.

Er hatte gehofft, nach Moskau zurückkehren zu können, um Weihnachten mit seiner riesigen Familie zu verbringen. Statt dessen steckte er nun in einer komplizierten und gefährlichen Staatsaffäre, die ihre Geheimnisse keineswegs enthüllte.

Für Bibitschew waren Menschen, die sich zu der Behauptung verstiegen, Gott, dem Staat oder dem Guten zu dienen, voller Unzulänglichkeiten. Dagegen war er jederzeit bereit, die menschliche Rasse mit den größten Fähigkeiten auszuschmücken, wenn es darum ging, das Schlechte zu vollbringen. So hatte er in der Gestalt dieser Verdächtigen sofort beunruhigende Qualitäten entdeckt, ja sogar ein gewisses Genie.

Als erstes natürlich die Kunst der Verstellung. Er hatte lange genug in Kirchenkreisen verkehrt, um festzustellen, daß er nie zuvor so seltsame Gestalten getroffen hatte: dieser Schönling von Apotheker, immer guter Laune, lächelnd wie ein Esel, elegant noch in den letzten Lumpen, der sich zu der dreisten Behauptung verstieg, mit seinen Mixturen heilen zu können … Der andere Bursche, sein Sohn. Sein Sohn! Als könnte eine Giraffe auf eine Biberratte weisen und ernsthaft sagen: »Mein Sohn.« Und als Krönung des Ganzen der Mongole. Wahrlich ein starkes Stück! Ein so geheimnisvolles, gefährliches Geschöpf, daß es nicht einmal gelungen war, seine wahre Religion in Erfahrung zu bringen.

Bei allen Zaren! Man konnte wohl sagen, daß dieser Alberoni auch in der Niederlage noch große Fähigkeiten bewies.

Solche Exemplare auszugraben, um seine Pläne auszuführen – das zeugte von echter Meisterschaft!

Und dann der Plan selbst! Welche Kühnheit! Persien: der erste Geniestreich. Aus ebender Ecke angreifen, aus der man es am wenigsten erwartete, darauf mußte man erst einmal kommen. Und jetzt ließen es sich die Verschwörer sogar einfallen, alle Erwartungen zu durchkreuzen, indem sie sich nach Zentralasien wandten und nicht, wie man es vermuten würde, nach Europa.

Von der neuerlichen Wendung, die ihre Reise nahm, war Bibitschew vollkommen überrascht worden. Er hatte keinerlei Erfahrung mit Wüstengebieten, noch weniger in der Kälte. Wer wäre je darauf gekommen, daß sich ein Spezialist für die Angelegenheiten des Vatikans direkt in die Steppe begab? Aber so war es, und die Bestände seines höfischen Gepäcks reichten nicht mehr aus. Die Stiefel waren durchnäßt, der rechte an der Seite zerrissen. Sein schwarzer Mantel klebte innen vor Schweiß und war außen durch den schlammigen Regen völlig steif; durch den Frost wurde alles zu einer kompakten Masse. Deshalb hatte er die Dienste des Schneiders annehmen müssen, die ihm Ehrwürden Koefoed freundlicherweise angeboten hatte.

Der geschickte Schwede hatte ihm weite Hosen aus Eichhörnchenfellen genäht, nach dem einfachen und bequemen Modell, in dem die Gallier einst bis nach Alesia gelangten. Trotz seiner anfänglich strikten Ablehnung mußte Bibitschew dazu die Erfindung überstreifen, auf die der Schneider besonders stolz war: eine gesteppte Schaffellweste, die außen mit Fischotterschwänzen bedeckt war. Im Ruhezustand wirkte das Ganze wie ein normaler Pelz, aber bei der geringsten Bewegung richteten sich die Schwänze auf und verliehen dem Polizisten das erschreckende Aussehen eines Tausendfüßlers.

Die ersten beiden Tagesstrecken verbrachte er damit, sie unauffällig abzureißen und in die Gräben am Wegrand zu werfen. Bald waren nur noch die Schwänze auf dem Rückenteil übrig. Gott weiß, warum, aber die Vorstellung, wie ein Stachelschwein auszusehen, störte ihn weniger.

Jeden Abend verfaßte Bibitschew eine kurze Notiz, die alle Taten und Reden der Verdächtigen zusammenfaßte. Die Ochrana verfügte überall in Rußland über ein eigenes Botennetz. Sogar in die Gefangenenlager der Schweden hatten sich Agenten eingeschlichen, die Bibitschew dank vereinbarter Zeichen, die man in den geheimsten Polizeischulen lernte, erkennen konnte. Er vertraute ihnen seine Nachrichten an, und sie verpflichteten sich, diese schnell zum Empfänger zu transportieren.

Dank der regelmäßigen Berichte dieses eifrigen Agenten konnte Moskau – nicht ohne Erstaunen – seinen langsamen Weg in die Steppe verfolgen.

Der kleine Trupp war zu Pferde aus dem Dorf aufgebrochen, in dem Koefoeld sie beherbergt hatte. Zweimal mußten sie schwere Schneestürme ertragen, dann wurden sie durch ein hügeliges Gelände aufgehalten, in dem die Spuren des Weges verwischt waren. Trotz aller Bemühungen, den Widerstand der Verdächtigen zu schwächen, indem er das zu erschaffen suchte, was man in den Handbüchern die ›Brüderschaft der Reise‹ nennt, hatte Bibitschew sie kein einziges Mal ertappen können. Das scheinbar schwächste Kettenglied, Poncets vorgeblicher Sohn, hatte mit dem Agenten endlose Gespräche von entwaffnender Naivität geführt, in denen er seinen Glauben in Fortschritt und Wissenschaft kundtat. Aber es war ihm gelungen, niemals den Namen Alberoni auszusprechen oder ihn auch nur indirekt zu erwähnen. Wahrlich ein starkes Stück!

Kurz vor dem katholischen Weihnachtsfest hatten sie endlich das Lager erreicht, in dem sich derjenige aufhalten sollte, den sie angeblich suchten.

Es dauerte fast drei Wochen, bis die folgende Depesche in Moskau ankam:

»Haben heute nachmittag das Dorf der Pioniere von G… erreicht. Haben dort wie immer unser Gepäck im Gästeraum neben der Kirche abgestellt. Ein schwedischer Geistlicher hat uns erklärt, daß der Verdächtige fünfhundert Meter vom Dorf entfernt sei. Wir haben ihn hinter einer vereisten Düne gefunden, auf einer plattgetrampelten Spielfläche. Er war dabei, acht junge Schweden im Fechten zu unterrichten (Indoktrinierung? Rekrutierung?).

Es handelt sich um einen großgewachsenen, korpulenten Mann mit grauem, lockigem Haar und Bart. Viele Falten. Noch sehr kräftig. Als wir ihn gesehen haben, hat er allein ins Leere gefochten und dabei Schreie in verschiedenen Sprachen von sich gegeben (italienisch: sicher, arabisch: wahrscheinlich, französisch, was seine Muttersprache zu sein scheint). Die Schweden lächelten (aber man weiß ja, daß dieses Volk immer einen solchen Gesichtsausdruck zeigt, sogar in der Deportation).

Der sogenannte Ponc... hat seinen vermeintlichen Sohn an die Hand genommen, und sie haben die Szene zunächst aus der Ferne beobachtet (Vorsicht? Signal? Unsicherheit über die Person?) Dann hat er laut den sogenannten Jur... gerufen. Der Verdächtige hat nichts gehört. Ponc... hat noch einmal gerufen. Dann konnte Ihr Agent folgende Szene erleben: Dem sogenannten Jur... verschlug es, als er so gerufen wurde, zunächst die Sprache. Er hatte offensichtlich die Stimme wiedererkannt. Nach einer ganzen Weile wurde er außerordentlich wütend. Er hat seinen Degen über dem Knie zerbrochen und die Stücke weit weggeworfen. Er hat angefangen herumzutrampeln, sich die Kleidung herunterzureißen und die Fäuste gen Himmel zu recken. Der Wind hat viele Worte verschluckt. Er sagte: ›Ich wollte nicht‹ (mehrfach wiederholt); ›Ich hatte dich gebeten, sie nicht herzuschicken.‹ (an die Adresse eines unsichtbaren Gesprächspartners im Himmel über ihm), ›Das ist alles meine Schuld‹ und ›Ich bin doch ein alter Zausel‹. Der Verdächtige hat all seine Kräfte in diesem Ausbruch erschöpft. Dann ist er schließlich im Schnee auf die Knie gefallen. Tränen sind ihm über das Gesicht gerollt.

Diese Handlungsweise hat Ihren Agenten davon überzeugt, daß es innerhalb der Gruppe schwerwiegende Differenzen geben muß. Offensichtlich hat jedoch die von Ponc... vertretene Richtung gesiegt. Letzterer ging näher heran. Er fiel vor

Jur... auf die Knie. Sie sind sich in die Arme gefallen und haben geweint, eng umschlungen, einer an der Schulter des anderen. Alle Anwesenden weinten, auch die Schweden.

Das Erstaunlichste ist, daß alle schließlich unter lautem Lachen ins Lager zurückgekehrt sind. Der Verdächtige Jur... schien sehr interessiert, die Bekanntschaft des angeblichen Sohnes von Ponc... zu machen, den er anscheinend noch nie gesehen hatte (Abschirmung? Täuschung? Austausch der Person?). Im Augenblick, da ich diese Depesche beende, sind sie alle in der Theaterhütte. Wie in jedem Dorf mußten wir ein Ballett ertragen, das von den Schweden mit ihren kalmückischen Frauen vorgeführt wurde. Die Verdächtigen schienen das jedoch heute gern hinzunehmen. Sie haben bereits eine Flasche Schnaps geleert, die ihnen der Dorfgeistliche spendiert hat. Ich nehme an, die Situation wird in den nächsten Tagen eine kritische Wendung nehmen. Ihr Agent überwacht alle Gespräche schärfer denn je. Er wird Sie über jede Entwicklung informieren.

Gezeichnet: B...

P.S. Bitte übermitteln Sie meiner Frau und unseren Kindern die besten Wünsche ihres Vaters zu Weihnachten. Es geht ihm gut.«


## Fünftes Kapitel


»Umarmen Sie mich, Lorenzo!«

Marcellina war in dieser Nacht hübscher denn je. Zwei Tage lang hatte sie ihr schweres blondes Haar, das so gut zu den schwarzen Augen paßte, kämmen und frisieren lassen. Kunstvoll miteinander verschlungene Zöpfe verliehen ihr die geometrische und zugleich sinnliche Reinheit der römischen Renaissance-Schönheiten.

Sie standen dicht neben den schweren Damastvorhängen, die das Fenster umrahmten. In der Ferne zeichnete der Vatikan seine gebrochenen Linien zwischen die beiden Nächte von Erde und Himmel. Die Spiegel im Zimmer intonierten die helle Melodie der Silberleuchter und brachten die dunklen Bässe der Kaminpfosten zum Klingen.

»Wollen Sie wirklich abreisen?« murmelte Marcellina, als sie ihre zarten Lippen vom Mund des Geliebten losriß.

»Wirklich«, sagte er.

»Morgen?«

»Morgen.«

Sie versenkte ihren Blick in seine dunklen Augen, dann legte sie langsam die Hand auf den Kragen seiner blauen Jacke. Man konnte sich nichts Erleseneres, Eleganteres als diesen jungen Mann vorstellen, der vielleicht nicht schön, aber doch unendlich charmant war.

»Wie kann man nur einen Soldaten lieben?« sagte sie lachend.

»Das frage ich Sie!«

Nun lachten sie gemeinsam, um so herzlicher, als beide um die Untreue des anderen wußten und einander so liebten, wie sie waren. Ein Sommer der Feste hatte sie zusammengebracht. Rom hatte ihnen die herrlichsten Genüsse geschenkt. Marcellina, Tochter einer reichen Bankiersfamilie, war ein Jahr zuvor, als eine Epidemie ihr die Eltern und Brüder raubte, als einzige zurückgeblieben. Sie hatte den Palast für sich allein behalten. Nichts verleitet stärker dazu, ein Haus mit Fröhlichkeit zu erfüllen, als wenn man es durch eine Tragödie erhalten hat. Die Heiterkeit dieses römischen Sommers hatte Marcellina das Gefühl gegeben, daß sie nie mehr einen Winter erleben würde. Aber Lorenzo würde abreisen.

»Der letzte Abend …«, sagte sie mit leiser Wehmut in der Stimme und nahm ihren Liebsten bei der Hand.

Plötzlich erschütterte ein dumpfes Geräusch das Zimmer und ließ die Kristallbehänge des Leuchters klingeln. Sie erstarrten, lauschten schweigend. Nichts.

»Was für eine erstaunliche Stadt!« sagte Lorenzo verträumt. »Daß es sogar im Dezember noch Verrückte gibt, die Feuerwerksraketen abschießen.«

Er zog Marcellina an sich. Sie umschlangen einander und blieben lange so stehen, Brust an Brust, wiegten sich nach einer Melodie, die sie allein hörten.

Plötzlich spürte Lorenzo, daß seine Geliebte einen Schrei unterdrückte und in seinen Armen schwerer wurde. Entsetzt stützte der junge Mann seine ohnmächtige Freundin und warf verzweifelte Blicke um sich.

In diesem Moment hörte er hinter seinem Rücken eine furchtbare Männerstimme, krächzend, laut und düster. »Gerechtigkeit!«

Der Soldat wandte sich mit seiner teuren Last im Arm um, von einem Schrecken erfüllt, wie er ihn selbst im Kanonenfeuer nie empfunden hatte.

Eine Gestalt stand im Schatten der Tür. Der Unbekannte trug ein Paket im Arm. Die Fackel in der Eingangshalle tauchte ihn in ein Gegenlicht und umkränzte die zu Berge stehenden Haare auf seinem Kopf mit einem wie von selbst leuchtenden Strahlenkranz.

Diese Vision dauerte nur einen Augenblick. Dann wiederholte der Mann weniger laut: »Gerechtigkeit!«

Er trat mit schwankendem Schritt ins Zimmer. Als er vom Licht der Kerzen erfaßt wurde, erkannte man einen zerlumpten alten Mann, der sich an den Tisch setzte, auf dem noch die Reste eines erlesenen Mahles standen.

Lorenzo faßte sich und setzte Marcellina sanft auf dem anderen Stuhl ab. Da sie wieder zu sich kam, zog er zunächst vor dieser charmanten Augenzeugin den Kragen zurecht. Dann fragte er den struppigen Alten vor sich mit drohender Stimme, was er in diesem Haus zu suchen habe.

»Ich bin der französische Konsul«, sagte Monsieur de Maillet und streckte die Hand aus, um seine Gastgeber zu beschwichtigen. »Zumindest war ich das. Aber das ist nicht mehr so wichtig. Ich verlange Gerechtigkeit, das ist alles.«

»Mein Herr«, sagte Marcellina, die sich von ihrer Angst erholte und es diesem Bettler übelnahm, ihr Glück zu stören, »wollen Sie mir bitte erklären, wie Sie in mein Haus gelangt sind?«

»Als wenn ich das wüßte!« sagte Monsieur de Maillet schulterzuckend.

Er stieß einen tiefen Seufzer der Erschöpfung aus.

»Ich wollte sterben, Signora. Gibt es denn niemanden in dieser Stadt, der das Leiden eines alten Mannes respektiert?« Der arme Mann sah tatsächlich so erbärmlich aus, daß Marcellina sich beruhigte.

»Erzählen Sie uns wenigstens, was geschehen ist«, sagte sie sanft. »Woher kommen Sie überhaupt?«

»Aus dem verfluchten Gasthaus, das den lächerlichen Namen ›Zum lachenden Stier‹ trägt.«

»Das ist eine schreckliche Absteige in der Via del Orso hinter diesem Haus«, erklärte Marcellina ihrem Liebsten.

»Ich wollte einem Haudegen entkommen, der mir an meine Habe wollte«, fuhr Monsieur de Maillet fort, als spreche er mit sich selbst.

Bei diesen Worten tastete er nach seiner Brust und schien erleichtert.

»Ein Haudegen! Wahrlich! Ich wollte lieber sterben. Ah! Sie sind jung. Das Leben lacht Ihnen zu. Gebe Gott, daß Sie nie dorthin kommen. Aus dem Fenster springen, um seine Ehre zu retten, wenn schon nicht die Existenz.«

»Sie sind aus dem Fenster gesprungen?« rief Marcellina.

»Genau!«

»Und Sie sind nicht tot?«

»Glauben Sie mir, Signora, ich bedaure es von ganzem Herzen«, sagte der Konsul würdevoll. »Ich habe mich nach besten Kräften bemüht. Konnte ich denn ahnen, daß es eine Terrasse unter meinem Fenster gibt?«

»Hatten Sie denn nie zuvor aus dem Fenster gesehen?« wunderte sich Marcellina.

»Doch, aber immer zum Himmel!« antwortete der Konsul und faltete die Hände.

Er machte eine Pause, dann fuhr er fort:

»Wie dem auch sei, so ist es nun mal. Eine Terrasse war auf meinem Weg, zwei Stockwerke tiefer.«

»Zwei Stockwerke!« rief Lorenzo.

»... und eine Dienerin, das nehme ich zumindest an, hatte dort Wäsche abgestellt, geflochtene Körbe, also lauter Dinge, die mich vor dem Ende bewahrten, das ich erhoffte.«

»Sie sind in die Körbe gefallen?« fragte Marcellina, und die beiden jungen Leute mußten ein Lachen unterdrücken.

Monsieur de Maillet zuckte die Schultern.

»Und von der Terrasse ... bis hier?« erkundigte sich Marcellina im Bemühen, wieder ernst zu werden.

»Ich wollte den Tod überlisten, Signora, das ist die Wahrheit, und dafür wurde ich bestraft. Anstatt über die Brüstung dieser Terrasse zu steigen und Schluß zu machen, habe ich Angst bekommen. Ja, ich gebe es zu. Ich hatte mich an den Körben verletzt, es war sehr schmerzhaft. Ich war gekommen, um zu sterben, verstehen Sie, nicht um mir die Glieder zu ramponieren.«

»Und?«

»Und, ich habe einen Giebel auf dem Nachbardach entdeckt, mit zwei Dachschrägen, so, wie man es bei uns macht.«

»Das ist meiner!« sagte Marcellina. »Mein Großvater hat ihn bauen lassen. Er bewunderte die Fugger und war durch Flandern gereist ...«

»Ich griff nach einer Leiter, die auf dieser Terrasse stand, und begann, ohne meinen teuren ›Telliamed‹ loszulassen ...«

Seine beiden Zuhörer blickten erstaunt. Monsieur de Maillet klopfte auf sein Paket.

»Ein Buch, Signora, aber das ist unwichtig. Ohne also mein Gepäck loszulassen, bin ich rittlings auf diesen Dachfirst geklettert, in die Mitte des Daches gerutscht und habe mir eine Seite ausgewählt: die linke. Zum Sonnenuntergang und der Residenz unseres Heiligen Vaters.«

»Der Fensterflügel!« rief Marcellina. »Ja, Sie wissen doch, Lorenzo, das Fenster, das beim letzten Gewitter unter dem Hagel zerbrochen ist ... Ich habe vergessen, es ersetzen zu lassen, und jetzt kommt Wasser in die Mansarde. Sie armer Mann!« fügte sie, an Maillet gewandt, hinzu, »Sie haben es gemacht wie der Regen. Sie sind hinuntergerutscht und dabei in meinen Speicher gefallen.«

Aufs höchste amüsiert von diesem Bericht, gaben die Beiden dem unglücklichen Greis zu essen und zu trinken. Die Mühen des Tages, die Aufregung und vielleicht auch der Wein ließen ihn rasch einschlafen, und seine Gastgeber betteten ihn sanft auf einer Bank.

Dann setzte Marcellina die Bewegung fort, die unterbrochen worden war, als dieser Meteorit bei ihnen einschlug, und zog ihren Liebsten in ihr Zimmer. Lorenzo fand dieses Zwischenspiel so lustig, daß er seine schalkhafte Geliebte verdächtigte, es absichtlich inszeniert zu haben. Sie leugnete lachend, jedoch voller Aufrichtigkeit. Auf jeden Fall, ob die Idee nun von ihr oder von der Vorsehung stammte, verlieh die Anwesenheit eines Mannes im Nebenzimmer, auch wenn er alt war, ihren Liebesspielen nur noch mehr Reiz und Wollust.

Am nächsten Morgen standen sie um elf Uhr auf, geweckt von einer strahlenden Sonne, die durch alle Ritzen der dichten Vorhänge drang. Der Konsul erwartete sie, gekämmt und gebürstet, vor dem Fenster des Salons.

»Nun, teurer Gast«, lachte Marcellina, die bei Tageslicht noch schöner aussah als in der Nacht, »wollen Sie immer noch aus dem Fenster springen?«

»Nein, Signora«, antwortete der Konsul ernst, »aber ich werde nach Persien reisen.«

Nun hielten ihn die jungen Leute für vollkommen übergeschnappt, aber sie mochten ihn deshalb nur noch mehr. So verließ um zwei Uhr nachmittags unter einem blaßblauen, von weißen Wolkenstreifen durchzogenen Himmel eine bequeme Kutsche die Stadt Rom auf der Straße nach Neapel. Darin saß ein junger Mann, der den Oberkörper aus der Fensteröffnung streckte und seiner Geliebten Kußhände zuwarf, während ihre Gestalt immer kleiner wurde. Der Alte neben ihm hielt sich vorsichtig im Schatten, wie es der Würde eines Gesandten des Kardinals zukam.

»Gott im Himmel! Tut das gut, wieder mal die eigene Sprache zu sprechen!« rief Juremi.

Er ging zwischen Jean-Baptiste und George. Alle drei waren noch ganz von den Strapazen der vergangenen Nacht gezeichnet, in der sie eine Flasche nach der anderen geleert und einander ihre Lebenswege erzählt hatten. Das Dorf lag bereits weit hinter ihnen. Dicht über dem Horizont stand eine weiße Sonne in einem gläsernen Himmel.

»Bei meinem Glauben, es gibt Tage, an denen ich ein Wort in meinem alten Kopf höre und es frage: Wer bist du? Ein türkisches Verb, eine arabische Stadt, ein Endchen französisch? Manchmal ist es einer von diesen Sprachfetzen, die hier herumschwimmen wie alte Bretter im Hafen: mongolisch, russisch, chinesisch, was weiß ich? Die Leute kommen zurecht, indem sie alles zusammensetzen, wie die Schweden ihre alten Pelze. Apropos, Jean-Baptiste, weil wir gerade von Pelzen sprechen, dieser Scherge, dessen Fratze mir überhaupt nicht zusagt, wird der uns die ganze Zeit hinterherrennen?«

Bibitschew trottete zehn Meter hinter ihnen, den Rücken immer noch von schwarzen Otterschwänzen übersät. Im Frost waren sie erstarrt und standen waagerecht von ihm ab wie Dolche, die ihm dreißig Feiglinge in den Rücken gerammt hatten. Er watschelte eifrig, um seinen Rückstand zu den Männern, deren Worte er nicht mehr hören konnte, aufzuholen.

»Ich fürchte, ja. Das ist ein Spion im Dienste des Zaren«, erklärte Jean-Baptiste.

»Ein Spion?« rief Juremi und schritt sofort etwas rascher aus, um die Entfernung zu Bibitschew zu vergrößern. »Und wen spioniert er aus, zum Teufel?«

»Ich weiß nicht. Uns ... dich!«

»Er hat mir in den letzten Tagen viele Fragen über Religion gestellt«, sagte George.

»Das hat uns noch gefehlt!« schimpfte Juremi. »Jetzt fangen sie auch noch an, den Protestanten zu mißtrauen. Also gibt es keinen Ort auf der Erde, selbst hier inmitten des Nichts, wo man uns friedlich leben läßt!«

»Das kann sein, aber warum sollte er sich in diesem Fall

speziell um dich kümmern?« fragte Jean-Baptiste verständnislos. »Die Schweden sind auch alle Protestanten, wir aber nicht, obwohl er bisher immer uns gefolgt ist.«

»Ja, das ist merkwürdig«, meinte der alte Riese und kratzte sich am Bart, in dem kleine Eiszapfen funkelten. »Auf jeden Fall, wenn ich bei den Russen eins gelernt habe, dann dies: Man darf nicht versuchen zu begreifen, was sie machen. Sie sind direkt vom Mond in dieser Steppe gelandet. Der Zar kann ihnen zwar die Haare, die Bärte und sogar jede einzelne Stoppel, die sie sonst noch haben, abschneiden, er wird keine richtigen Menschen aus ihnen machen, wie wir es sind.«

Bibitschew hatte sie endlich eingeholt; sie spürten seinen warmen Atem im Nacken und hörten ihn laut schnaufen.

»Wirklich ein schönes Land«, brüllte Juremi. »Es wird mir sehr fehlen. Wißt ihr, Freunde, daß ich hier etwas sehr Verwirrendes entdeckt habe? Die Wüste. Ja, eine Wüste, die nicht den Sandbergen in Afrika gleicht, die man schnell auf dem Kamel überquert. Nein, hier ist es eine Wüste mit Vegetation, eine endlose Heide.«

»Wahrhaftig, du bist geradezu ein Dichter geworden«, meinte Jean-Baptiste.

»Das kann gut sein! Auf jeden Fall bin ich jeden Tag in dieser Einsamkeit spazierengegangen. Ja, jeden Tag, ohne Ausnahme. Man wird euch erklären, daß das gefährlich ist, nicht wahr, Herr … Herr wie, bitte?«

»Bibitschew«, stammelte der Spion, als sich Juremi zu ihm umdrehte.

»Nun, das ist falsch, Herr Bibitschew, vollkommen falsch. Es ist zwar angebracht, bestimmte Vorsichtsmaßnahmen einzuhalten, das ist klar. Aber die Nomaden, die man trifft, sind meistens sehr nette Leute. Es gibt zwar Banden von Plünderern, die ab und zu hier herumstreifen. Aber wenn man aufpaßt, daß sie einen nicht sehen, hat man von den anderen nichts zu befürchten. Sie sind sogar gastfreundlich und geben dir alles, was sie haben. Ah, die Nomaden! Das sind Menschen so recht nach meinem Geschmack. Bei ihnen ist nichts so festgefahren wie bei uns Seßhaften. Sogar ihre Götter sind nicht so erstarrt. Sie sperren sie nicht in Kirchen ein. Sie lassen sie durch den Wind, die Wolken, den Schnee laufen. Es ist kein Zufall, wenn der Topf ab und zu überkocht und eine verwirrte Truppe ans andere Ende der Welt spuckt. Dschingis-Khan, Tamerlan, Babur, die Hunnen, sie kommen alle von hier ... Apropos, wo ist eigentlich unser Mongole?«

»Küyük?« fragte Jean-Baptiste lachend. »Ich habe den Eindruck, er hat in deinem Dorf eine Seelenverwandte gefunden.«

»Na, um so besser für ihn.«

Während sie so plauderten, hatten sie ein tüchtiges Stück zurückgelegt. Man sah das Lager nicht mehr, weil es in einer Senke verborgen lag. Die kalte Wüste umgab sie von allen Seiten, flach bis zum Horizont, der viel weiter entfernt zu sein schien als an jedem anderen Ort der Welt.

»Seht doch«, sagte Juremi, breitete die Arme aus und drehte sich um sich selbst. »Ihr seid in der Mitte der Welt, in der Werkstatt, aus der die Götter entstehen, dort, wo der Mensch selbst sie für seinen Gebrauch konstruiert ...«

Eine riesige Wolke, wie von Krallen zerrissen, zeichnete eine geheimnisvolle Rune auf die erste Seite des Himmelsbuches.

Während er den ganzen Horizont zu umarmen suchte, stieß Juremi schließlich auf Bibitschew. Der Anblick dieser Kreatur, die sich, zumindest von hinten, noch nicht ganz von ihrem tierischen Dasein gelöst hatte, ließ ihn auf den Boden zurückkehren.

Sie setzten ihre Wanderung schweigend fort. Etwas weiter wurde die Steppe ein wenig hügelig, sie gewannen leicht an Höhe und entdeckten in der Ferne eine erstaunliche Erhebung.

»Wißt ihr, was das für ein Berg ist?« fragte Juremi seine beiden Gefährten.

Sie verneinten.

»Ein Grab. Ein riesiges Erdgrab, groß wie bei uns ein Hügel. Die einstigen Steppenbewohner haben es errichtet, um ihren König oder andere große Persönlichkeiten beizusetzen. Ringsum sind Steine aufgerichtet, ein bißchen wie unsere Menhire. Die Ureinwohner nennen diese Berge Kurgan, und sie glauben, daß sie ihre Vorfahren in sich bergen, die ihnen tatsächlich heilig sind.«

Jean-Baptiste und George hielten die Hand über die Augen und spähten nach dem seltsamen Monument aus Erde, das über die grüne Horizontlinie hinausragte.

»Wie konnten sie so etwas bauen?« fragte George.

»Wie!« wiederholte Juremi mit strengem Gesicht. »Das ist so eine Frage, wie man sie in diesen pedantischen Zeiten zu stellen lernt. In deinem Alter, mein Junge, hätte ich gefragt: Warum? Der Rest ist unwichtig.«

»Trotzdem«, meinte George verärgert, »Die Technik...«

»Was ist mit der Technik? Glaubst du, diese Skythen konnten nichts mit ihren Händen anfangen? Sieh her.«

Der Protestant zog aus der Tasche einen glänzenden Gegenstand, den er zwischen Daumen und Zeigefinger nahm und zum Himmel streckte. Es war ein goldenes Schmuckstück in Form einer Schnalle, von erstaunlicher Reinheit. Es stellte ein stilisiertes Raubtier dar, in eleganten, strengen Linien.

»Gold!« rief George.

»Ja, Gold. Von der reinsten Art. Und mit mehr Geschicklichkeit bearbeitet, als unsere besten Goldschmiede es vermögen. Dennoch ist etwas daran, das nichts mit Technik zu tun hat. Es ist schön, verstehst du? Es ist voller Inspiration. Man hat ihm ein Stück jener gegenstandslosen Substanz gegeben, die das Genie des Menschen ausmacht und ihn Dinge schaffen läßt, die größer sind als er selbst.«

Juremi ließ das Schmuckstück noch einen Moment funkeln, dann steckte er es wieder in die Tasche.

»Diese Gräber sind voll davon«, berichtete er. »Leider kommen jedes Jahr im Frühjahr die verdammten Plünderer. Meistens sind es arme russische Bauern. Sie gehen in Banden hin, mit Schaufeln und Hacken, graben irgendwo und stecken alles, was sie finden, in ihre Tornister. Dann rennen sie in ihre Dörfer zurück und lassen alles zu Barren schmelzen, auf großen Feuern, die sie in den Wäldern anzünden. Die Nomaden sind sehr grausam zu ihnen, wenn sie es bemerken. Sie sind überzeugt, daß diese Grabschändungen die Geister der

Steppe stören und Unglück bringen. Wenn sie die Plünderer erwischen, sieht man diese nie wieder.«

»Diese Grabstätten sind also jetzt leer?« fragte Jean-Baptiste nachdenklich und blickte nach dem Kurgan in der Ferne.

»Nicht ganz«, antwortete Juremi. »Die Bauern haben schlechtes Werkzeug. Sie kratzen nur an der Oberfläche. Aber die großen Grabkammern sind im Herzen des Hügels und bleiben meist unberührt. Das müssen wahre Wunder sein.«

»Aber wer kann davon berichten, wenn niemand herankommt?« wandte George ein.

Sie hatten sich zum Dorf zurückgewandt, denn die Sonne berührte bereits den Horizont. Bibitschew war etwas zurückgeblieben, um ein Bedürfnis zu befriedigen. Er brauchte mehrere Minuten, ehe er sie einholte.

»Ich habe einen Schotten kennengelernt«, erzählte Juremi leise, seine Abwesenheit ausnutzend. »Ein alter Haudegen wie ich. Er hat sich in Polen fangen lassen, vor fast zehn Jahren. Sie haben ihn in ein Lager weiter im Norden gesteckt, er ist geflohen und lebt jetzt ganz wie ein Eingeborener. Ich habe ihn sozusagen gezähmt bei meinen Spaziergängen. Ihr wißt ja, wie das ist: Jeder Mensch hat eine Krankheit, die ihn verfolgt, auch wenn alle seine Spur verloren haben. Ich habe ihn behandelt. Er war mir dankbar. Seitdem vertraut er mir alles an.«

Jean-Baptiste und George drehten sich um und blickten über die Steppe. Man mochte kaum glauben, daß ein Mensch dort ganz allein überleben konnte.

»Er ist der einzige, der diese Grabstätten wie seine Westentasche kennt«, fuhr Juremi fort. »Natürlich handelt er. Aber er plündert nicht. Auf jeden Fall kennt er sich dort aus. Wenn er ein unberührtes Grab findet, nimmt er die schönsten Schmuckstücke mit, ohne etwas zu zerstören. Dann verschließt er die Öffnung, durch die er eingedrungen ist, wieder, und beseitigt sorgfältig alle Spuren.«

»Und was macht er mit diesen Schätzen?« fragte George.

»Er vertraut sie einem regelrechten Verteilernetz an, das über die Schweden führt und offenbar in Holland endet, wo es begeisterte Sammler gibt.«

»Er muß schwerreich sein in seiner Hütte«, meinte Jean-Baptiste.

»Ich glaube, er verkauft den Schmuck nicht mal zu einem Zehntel von dem, was sein Gewicht in Gold wert ist.«

»Warum tut er es dann?« fragte George mit leichtem Mißtrauen, denn er fürchtete inzwischen die Reaktionen des Riesen.

»Weil er dieses Leben liebt, das ist alles. Außerdem ist er überzeugt, daß er diese Schmuckstücke rettet, wenn er sie von hier wegbringt. Vielleicht ist er ganz einfach verrückt. Auf jeden Fall hätte ich ihn, wenn ihr nicht gekommen wäret, nächste Woche bei einem seiner Ausflüge begleitet. Er hat offenbar ein neues, wunderschönes Königsgrab entdeckt, wo er noch verschiedene Zimmer besichtigen will.«

»Wunderbar! Gehen wir zusammen!« rief George.

»Ja«, bekräftigte Jean-Baptiste, »warum nicht?«

»Ach so«, meinte der Protestant kopfschüttelnd, »ich dachte, ihr habt es eilig, nach Isfahan zurückzukehren. Ich wollte euch nicht ...«

»Wie lange würde es denn dauern?« fragte Jean-Baptiste.

»Vielleicht eine knappe Woche, wenn ich ihm heute nacht Bescheid sage.«

»Abgemacht«, erklärte Jean-Baptiste, und alle drei klatschten laut die Hände gegeneinander, um den Pakt zu besiegeln.

Bibitschew erreichte sie gerade während dieses Freudenausbruchs. Er sah sie schräg an, voller Wut, eine Szene verpaßt zu haben, die möglicherweise sehr wichtig war.

Auf dem Rückweg richtete er es so ein, daß er mit George hinter den Freunden lief, unter dem Vorwand, sich auf dessen Arm stützen zu müssen: eine alte Beinverletzung, erklärte er. Mit geschickten Fragen bearbeitete er den jungen Mann, der in seiner Begeisterung von dem Kurgan, von Gold und einem Schotten sprach, und dem gewitzten Spion – ohne ihren Plan direkt zu verraten – fast alles enthüllte.

Bibitschew brauchte mehr als eine Stunde, um an diesem Abend seine Depesche abzufassen. Sie endete mit den Sätzen:

»Verbindung zwischen einem Protestanten im Dienste der Schweden und einem Schotten, wahrscheinlich Stuart-Anhänger. Geplante Ausgrabung eines Schatzes auf dem Boden unserer Heimat. Der Komplott nimmt Gestalt an. Endlich wird das Motiv sichtbar: Reichtum erlangen. Die Verdächtigen erwähnen ihn nicht, aber die Handschrift des Alb... ist in diesem raffinierten Plan deutlich sichtbar.«

## Sechstes Kapitel

Es gibt Existenzen, die ganz am Rande der Menschheit geboren werden und die sich ihr Leben lang nicht ganz sicher sind, ob sie dazugehören. Einer von ihnen war Malcolm Halquist. Die Vorsehung hatte ihn eines Tages im Zorn auf der Insel Foula in die Welt geschleudert. Dieses winzige Zipfelchen Land, das sich gleich einem Beiboot vom Shetland-Archipel losgerissen hat, versucht vergeblich, gegen die ewig feindlichen Strömungen das Admiralsschiff der britischen Insel zu erreichen.

Halquists Söldnerleben an Bord verschiedener Kriegsflotten war nichts als eine lange Folge schwerer Irrtümer gewesen. Er war zur Wahrheit zurückgekehrt, nachdem ihn die Russen gefangengenommen hatten. Dieses sibirische Exil hatte ihn an seinen Platz zurückgeführt: an den Rand der menschlichen Welt, allein inmitten eines unheimlichen Ozeans aus Erde.

Juremi besuchte ihn in der nächsten Nacht in seiner Hütte, um ihn zu fragen, ob er zwei weitere Personen mit zu dem Grabmal nehmen würde. Der Protestant verbürgte sich für ihre Loyalität und beschrieb George und Jean-Baptiste in äußerst positiver Weise. Halquist hörte ihm zu, ohne mit der Wimper zu zucken, wie ein lauerndes Tier. Nach dieser langen Reglosigkeit stand der Schotte auf, nahm von der runden Wand seiner Hütte ein Gewehr und begann schweigend, das Schloß zu fetten.

»Einverstanden«, sagte er schließlich. »Aber niemand außer mir wird eine Waffe tragen. Und wenn einer Lust bekommt, das Gold anzurühren ...« Er betätigte den Abzug, und der Feuerstein traf dumpf auf den Anschlag. Glücklicherweise waren weder Zündhütchen noch Pulver eingelegt. Die Botschaft war klar.

»Aufbruch vor dem Morgengrauen, morgen nacht«, sagte er abschließend nach einer Pause.

Im Lager mußte man die anderen auf ihre Abwesenheit vorbereiten. Jean-Baptiste erklärte Küyük so gut er konnte, daß seine Freunde und er einen kleinen Ausflug in die Steppe unternehmen würden und ihn nicht mitnehmen könnten. Es sei unnötig, ja sogar gefährlich, irgend jemanden über ihr kurzzeitiges Verschwinden zu informieren. Der Schamane sah Jean-Baptiste mit einem seltsamen Gesichtsausdruck an, der seine Sorge und gewiß auch seinen Vorwurf kundtat.

Der Mongole hatte sich seit ihrer Ankunft sehr verändert. Vielleicht war es der Einfluß seiner kalmückischen Freundin, die ihm Trost und Fröhlichkeit spendete, ohne daß es den Schweden, mit dem sie verheiratet war, zu stören schien. Juremi beobachtete gerührt diese Dreierbeziehung und wies darauf hin, daß die Protestanten zwar nur selten etwas abgeben, aber fast alles zu verleihen bereit sind. Küyüks Ruf als Schamane brachte ihm immer mehr Kunden. Er empfing sie am Morgen nach dem Gottesdienst, an dem er wie jedermann unter allen Umständen teilnahm. Keiner der Tataren, die ihn um Rat fragten, schien eine Unvereinbarkeit zwischen der Anbetung von Jesus Christus und dem Rückgriff auf die Geister der Steppe zu sehen. Trotz dieses Trostes war Küyük stets bereit, alles liegenzulassen, um seinen Freunden zu folgen, sofern er die Gewißheit hatte, daß sie sich ohne ihn in große Gefahr begeben würden. Aber er zog es bei weitem vor, darauf zu verzichten und seine Herzens- und alle anderen Angelegenheiten in Ruhe weiterzuverfolgen.

Küyük wußte, daß Jean-Baptiste mit Halquist unterwegs sein würde, der den Mongolen mißtraute. Er bestand nicht darauf mitzukommen und war beruhigt zu wissen, daß seine

Freunde in Begleitung eines Mannes sein würden, der ebenso vertraut mit der Steppe war wie die Einheimischen. Der Mongole wünschte seinen Freunden viel Glück. Dennoch verabschiedete er sich an jenem Abend etwas feierlicher von ihnen als gewöhnlich, als sei unter den Möglichkeiten, die ihm im Kopf herumgingen, diejenige nicht eben die unwahrscheinlichste, sie nie wiederzusehen.

Bibitschew war sehr leicht zu überzeugen. Er schluckte ohne Probleme eine ziemlich alberne Geschichte von einer Marderjagd. Jean-Baptiste behauptete, er habe in einem Dorf einen Schlitten gemietet, und zu seinem größten Bedauern könne das Gefährt nicht mehr als drei Personen tragen …

Der Russe kannte den Apotheker, dessen Sohn und den Protestanten gut genug, um zu wissen, daß sie bestimmt keinen Spaß an der Jagd fanden, und noch weniger Verwendung für Marder hätten, wenn sie zufällig auf diese stoßen sollten. Man mußte schon sehr viel Nachsicht haben, um über eine so dumme Lüge, die auch noch so ungeschickt vorgetragen wurde, nicht zu lachen. Er war jedoch gütig genug, sich überzeugt zu geben, und trieb die Höflichkeit sogar so weit, das ebenso alberne Märchen zu erfinden, er habe hohes Fieber und bleibe im Bett.

Die Nacht brach herein. Die drei Reisenden ruhten ein wenig, von wilden Träumen begleitet, und standen um zwei Uhr morgens leise auf. Schweigend machten sie sich fertig und gingen in die kalte Nacht hinaus. Das Datum war gut gewählt: Der Mond stand kurz vor seiner Vollendung und leuchtete ihnen bei ihrem Marsch durch die gefrorene Wüste. Sein blaßblaues Licht schien das Eis zu durchdringen, so daß die Oberfläche nahezu transparent wirkte und wie von selbst funkelte. Sie schritten eilig voran. Nach weniger als einer Stunde hatten sie die Hütte des Schotten erreicht. Sie entdeckten sie erst, als sie direkt auf ihr standen, denn sie war auf einem Felsgrund unter dem Eis errichtet und hatte ein flaches Dach aus Baumstämmen, die vom Schnee versteckt wurden.

Der Einsiedler ließ sie nicht in seine Erdhöhle, sondern erwartete sie draußen. Als Juremi ihn Jean-Baptiste und

George vorstellte, hatten sie das Gefühl, bereits einer der Mumien zu begegnen, die sie unter der Erde besichtigen wollten. Die tausendfach gefrorene und aufgetaute Haut des Schotten hatte die Beschaffenheit von Pergament angenommen, gleich jenen Tieren aus Urzeiten, die man unbeschädigt in den Torfmooren gefunden hatte. Nichts schien ihn mehr angreifen zu können. Trotz der starken Kälte waren seine knochigen Unterarme und der magere Hals der Luft ausgesetzt, ohne daß es ihn störte. Ein breiter Kupferring hing an seinem linken Ohr. Das Loch in der Mitte des Ohrläppchens war so groß, daß er mühelos den kleinen Finger hindurchstecken konnte. Sein Gesicht schließlich vereinte die Unerschütterlichkeit der Schotten mit der Starre des Eises: Er zuckte kaum einmal auch nur mit den Wimpern.

Auch wenn er so erstarrt wirkte, war der furchteinflößende Kaledonier doch sehr beweglich: Er galoppierte wie ein Rentier, und sie hatten große Mühe, ihm zu folgen. Nach zwei Stunden im Laufschritt waren sie außer Atem und schwitzten unter ihren Pelzen, als sie am Fuß des riesigen Hügelgrabes ankamen, in dem sich die skythischen Grabstätten befanden. Rings um diesen Kurgan waren riesige längliche, spitze Felsblöcke aufgerichtet. Die Steine wirkten aus der Ferne winzig, verglichen mit der Masse des künstlichen Hügels. Als sie jedoch vor ihnen standen, überragten die Steine sie mit ihrer Masse. Diese düsteren Monumente waren offenbar nach Halquists Geschmack. Der Schotte ließ sich zwar nicht zu einem Lächeln herab, zeigte jedoch beim Näherkommen deutliche Aufregung. Er bestand sogar darauf, daß Juremi und dessen Gefährten seinem Beispiel folgten: Er legte beide Handflächen auf die kalten Felsen mit der rauhen, kristallinen Oberfläche und atmete tief, als würde er sich mit einer tellurischen Kraft füllen, die in den Steinen verborgen war. Diese Steinreihen glichen genau denen, welche die Kelten in Europa hinterlassen hatten. Durch die Fürsprache dieser Dolmen fand der verirrte Druide offenbar die Spuren seiner Vorväter wieder.

Nachdem sie in den Kreis getreten waren, den die aufgestellten Steine bildeten, hatten sie den verwirrenden Eindruck, in einen heiligen Ort einzudringen. Die Faszination war ausschließlich spiritueller Natur. Wäre der Kurgan ein natürlicher Hügel gewesen, so würde er ihnen bescheiden, ja sogar klein vorgekommen sein. Aber sie wußten, daß Tausende Menschen diesen Erdberg aufgehäuft hatten. Es war bewundernswert, daß sie ihn so hoch getrieben hatten, gewiß. Aber es war noch ergreifender zu sehen, daß die Menschen trotz ihres verzweifelten Bemühens, eine Spur in dieser Unendlichkeit zu hinterlassen, letztendlich nur ein einfaches Beben der Natur zu imitieren vermocht hatten, indem sie diese bescheidene Wölbung schufen, diese lächerliche Erhebung, diese Warze auf der gigantischen Haut der Welt.

Dieses ständige Auf und Ab in der Wahrnehmung zwischen den Eindrücken von Größe und Winzigkeit weckte ein Schwindelgefühl in den Seelen. Eben noch, als sie sich dem Kurgan näherten, hatten sie seine bescheidenen Ausmaße wahrgenommen. Jetzt aber waren sie nicht mehr hochmütige Beobachter, die sich am Universum maßen, sondern winzige Gestalten, an diesen steilen Hang geklammert, zerquetscht von der Majestät dieses Erdmonuments, das einst lebende Menschen geschaffen hatten, um ihre Könige zu begraben.

Die Oberfläche des Hügels erschien dem Auge glatt, wenn man weit entfernt war. Als sie den Kurgan nun bestiegen, entdeckten sie jedoch, daß diese im Gegenteil sehr uneben und von kleinen und großen Steinen übersät war. Zuweilen sank der Fuß in Mulden, Rillen oder tiefe Spuren ein. Man mußte vor allem darauf achten, nicht in einen der zahlreichen Gräben zu stürzen, die die Plünderer ausgehoben hatten. Manche dieser Öffnungen waren von hohem Gestrüpp, Ginster oder Stechpalmen verborgen und deshalb besonders gefährlich. Halquist, der voranging, kannte jeden Fingerbreit des Geländes und wies sie mit Zeichen auf die Fallen hin.

Etwa auf halber Höhe erreichten sie einen Graben, der sich in nichts von den anderen unterschied, aber offenbar ihr Ziel darstellte. Der Schotte nahm den Jutesack von der Schulter und stellte ihn auf den Boden. Dann holte er eine Messinglampe mit einer Kerze, ein Stück Zunder und eine Hacke aus hartem sibirischen Holz hervor. Er verschwand halb in dem Tunnel und entzündete die Lampe. Die drei anderen Forscher hatten keinen Blick für das wunderbare Panorama der Steppe im Mondlicht, sondern starrten auf das dunkle Loch, in das sie ihrem Führer folgen sollten. George, der sonst keineswegs ängstlich war, begann am ganzen Leib zu zittern und laut mit den Zähnen zu klappern. Er war völlig steif, die Augen weit aufgerissen. Man sah, daß ihn jenes Entsetzen gepackt hatte, das keinen vernünftigen Grund hat, aber so gewaltig ist wie ein Unwetter, und das den Geist aus allen Halterungen reißt – wahrlich ein heiliges Entsetzen. Jean-Baptiste fürchtete, der Junge würde schreien. Er war beunruhigt, ihn so leiden zu sehen, besorgt, einen Zwischenfall mit dem Schotten zu provozieren, und gleichzeitig insgeheim glücklich, daß George endlich anfing, etwas hinter den Dingen zu sehen.

Die schweren Lider des Himmels öffneten sich für einen neuen Tag. Eisige, wirbelnde Winde begleiteten das violette Morgengrauen und pfiffen über die Hänge des Kurgan.

Der Schotte kroch aus dem Loch heraus um zu sehen, was seine verdammten Begleiter aufhielt. Er fluchte auf englisch. Diese für George so vertraute Sprache brachte ihn auf den Boden zurück. Sie konnten alle, einer nach dem anderen, in den Schlauch hineinkriechen. George folgte Halquist, und Juremi bildete den Abschluß.

Das Innere der Höhle war nicht ganz so furchteinflößend wie der Eingang. Der enge Tunnel mit seinen grauen, brüchigen Wänden wurde in Abständen von Holzpfählen gestützt. Die Luft wurde immer wärmer, je tiefer sie gelangten. Zahlreiche Abzweigungen führten in andere Teile des Tunnelnetzes.

»Die Skythen lebten in der Antike, zu Zeiten des Herodot und sogar davor«, erklärte Juremi mit lauter Stimme, und man spürte, daß ihn die Rolle des Führers selbst beruhigte. »Halquist meint, diese Völker zogen von Griechenland bis nach China. Sie ritten durch die Steppe. Das waren freie Menschen.«

Der Schotte bedeutete ihnen stehenzubleiben. Sie mußten schon sehr tief in das Zentrum des Hügels vorgedrungen sein. Der Ort hatte nichts Bemerkenswertes, der Tunnel sah aus wie bisher. Halquist begann mit dem Absatz auf den Boden zu klopfen. Schließlich gab ein Schlag ein hohles Echo. Der Schotte kniete sich hin und berührte den Boden mit den Fingern, um den Staub wegzuwischen. Eine Steinplatte wurde sichtbar. Er setzte die Holzhacke als Hebel in einer Ecke an, hob den Stein hoch und klappte ihn zur Seite. Durch das freigelegte Loch hörte man ein deutliches Echo von jedem Flüstern, das durch unsichtbare Wände aus der Dunkelheit zurückgeworfen wurde. Jean-Baptiste und Juremi sahen zu George, denn sie fürchteten seine Reaktion. Dieser war jedoch offenbar auf die andere Seite des Spiegels gelangt, als er die große Panik überwand, die ihn am Eingang des Kurgan ergriffen hatte. Er beugte sich als erster mit vor Neugier leuchtenden Augen so weit über den Rand des Loches, daß der Schotte ihn aufhalten mußte. Er riß ihn so plötzlich zurück, daß George stürzte. Zum Trost für diese Grobheit vertraute er ihm die Lampe an. Dann schob Halquist ohne das geringste Zögern seinen langen, in Felle gewickelten Mumienkörper durch die Höhlenöffnung und ließ sich hinabgleiten. Kurz darauf sah man nur noch seine Hände, die sich an beide Seiten des Loches klammerten. Man hörte, wie seine Füße tastend nach einem Halt suchten. Sobald er diesen gefunden hatte, lösten sich seine Hände, und er verschwand im Dunkel. Ein Moment verging, die drei Neulinge warteten voller Angst. Dann ertönte Halquists Stimme, hallend wie in den Mauern einer Kapelle. Er verlangte nach der Lampe. George reichte sie ihm mit ausgestrecktem Arm, und nachdem der Schotte sie ihm abgenommen hatte, kletterte er ihm ohne zu zögern hinterher. Jean-Baptiste und Juremi folgten.

Als sie beisammen waren, schwenkte Halquist die Lampe um sich. Was wie eine Kapelle hallte, war in Wirklichkeit ein breiter, gerader Gang mit sauber geschnittenen Steinblöcken an den Wänden, die in ein ebenfalls gemauertes Gewölbe in Form einer umgekehrten Treppe mündeten. Die Platte, die sie entfernt hatten, um einzudringen, befand sich im Scheitelpunkt dieses Gewölbes, dort, wo sich die beiden Läufe der Stufen trafen, die einander gegenüberliegend die Decke bildeten. In der Luft lag nicht mehr jene süßliche, staubige Atmosphäre, die sie seit dem Betreten des Erdlochs geatmet hatten. Es war aber auch nicht, wie sie angenommen hatten, der Geruch nach feuchtem Stein, wie sie ihn aus einer Krypta kannten. Man hätte es eher für den abgekühlten und abgestandenen Geruch eines Wohnhauses halten können, gemischt aus verschiedenen Düften, Essensgerüchen, Stoffen, die von Körperausdünstungen durchdrungen waren. Es war ein Geruch, der allen menschlichen Behausungen gemeinsam und doch für jede besonders ist. Kein Zweifel: Sie waren bei jemandem zu Hause.

Halquist ging los, und die anderen folgten ihm auf dem blitzend sauberen Boden, der ihre Schritte hallen ließ. Der Flur endete in einem T. Der Schotte wandte sich in den rechten Arm des Tunnels und hob die Lampe. Seine drei Begleiter stießen einen Schrei aus. Direkt vor ihnen waren ein Dutzend Pferde im Tod erstarrt. Ihre Felle spannten sich so gut wie unbeschädigt über den Knochen und gossen die Körper der Tiere in die Position, in der man sie getötet hatte. Das nächste, von den vor ihm liegenden gestützt, stand beinahe aufrecht, sein riesiger Kopf, vom Schlag einer Spitzhacke gespalten, ragte über die Eindringlinge hinaus und maß sie mit einem Blick voller Entsetzen, Wut und ewigem Vorwurf. Halquist näherte sich diesem ersten Pferd ebenso vertraut, wie er es bei einem lebenden Tier getan hätte, und legte seine knochige Hand wie in einer Liebkosung auf den mageren Hals. All jenen, die dem menschlichen Leben Grenzen setzen, stellte dieser erstaunliche Anblick ein verwirrendes Dementi entgegen, wie das Zeichen einer geheimen Verständigung zwischen Gefährten an beiden Ufern des Flusses zum Totenreich.

Ohne den anderen Zeit zu geben, sich wieder zu fassen, wandte sich der Schotte von diesem gespenstischen Pferdestall ab und zur anderen Seite des Flures. Dieser Arm war länger. Ein Teil des Gewölbes war eingestürzt, und sie mußten über zerbrochene Steinblöcke klettern, die auf dem Boden lagen. In den sorgfältig geglätteten Steinwänden befanden sich in Bodenhöhe Öffnungen, die man einfach geschaffen hatte, indem man ein oder zwei Bruchsteine herausgelöst hatte.

»Er hat in den letzten Wochen alle Räume besichtigt«, erklärte Juremi schulmeisterlich.

Der Ort war zu unheimlich, als daß man sich vorstellen mochte, was ein Mann allein hier empfinden könnte. Am Ende des Flures sahen sie Halquist eine erneute Suche beginnen. Er prüfte zunächst sorgfältig die Wand, indem er leicht mit dem Stiel seiner Hacke gegen die Steine klopfte und über die Fugen strich, um irgendeine winzige Unebenheit zu finden, die auf eine Grabkammer hinweisen würde. Schließlich konzentrierte er seine Untersuchungen auf eine Stelle und zeichnete mit der Kante eines Kiesels ein Rechteck auf die Wand. Dann streifte er ganz ruhig seine Felljacke ab und enthüllte ein Hemd, das mehr aus Löchern als aus Baumwolle bestand. Er griff nach seiner Hacke und begann mit der Spitze in der Fuge zwischen zwei Steinen zu kratzen. Da es den drei Besuchern an Werkzeug – und vielleicht auch an Mut – fehlte, sahen sie ein, daß sie nichts tun könnten. Sie beobachteten Halquist mit einer Mischung aus Bewunderung und Entsetzen, sorgfältig darauf bedacht, den Pferden, die sie vom Ende des Flures immer noch böse anblickten, stets den Rücken zuzukehren.

Das Mauerwerk der Grabkammer war von hervorragender Qualität, und es dauerte eine Weile, bis sich der erste Stein löste. Dann ging alles viel schneller. Bald war eine Öffnung gleich den anderen geschaffen. Halquist richtete sich auf, legte die Hacke beiseite, wischte sich die Hände ab und zog die Felljacke über. Fürchtete er die Kälte des Grabes oder wollte er sich den Zeugen des Jenseits in einem ordentlichen Aufzug präsentieren? Auf jeden Fall schien er bestimmte Vorsichtsmaßnahmen zu ergreifen, ehe er die heilige Schwelle überschritt. Er zog einen Roggenfladen aus dem Sack und biß hinein. Da von den anderen niemand Hunger verspürte, aß er allein, trank ein paar Schluck aus seinem Wasserschlauch und entschloß sich erst dann, die Grabkammer zu betreten, die er aus einem dreitausendjährigen Schlaf gerissen hatte. Er kroch auf allen vieren in das schwarze Loch, verschwand jedoch zunächst nur bis zum Gürtel darin. Ein letzter Widerstand hielt ihn zurück. Auf seine Bitte reichte Juremi ihm einen Dolch, den er in seinem Sack mitgebracht hatte. Man hörte den Forscher kratzen und gegen eine Holzwand schlagen. Plötzlich gab sie mit einem Knacken nach. Nun verschwand Halquist ganz in dem Loch, verlangte die Lampe und ließ seine Begleiter wissen, daß sie ihm folgen könnten. Das taten sie einer nach dem anderen. Alle hielten zunächst den Atem an, als sie sich aufrichteten, und waren stumm vor Ergriffenheit.

Der Raum, in dem sie standen, war rechteckig, nicht groß, sehr vollgestopft und konnte sie kaum alle vier aufnehmen. Mit den Köpfen stießen sie gegen die Decke, so daß Juremi die Knie beugen mußte. Bretter an den Wänden und auf dem Boden verliehen dem Ganzen einen dunklen Farbton und verbreiteten einen lebendigen Geruch nach frisch geschnittenem, harzigem Holz. Ihr unheimlicher Gastgeber hatte die Lampe auf einem Holzvorsprung abgestellt. Er breitete die Arme aus, als würde er sie in seinem Eßzimmer empfangen, und sagte auf französisch:

»Voilà, Messieurs.«

Jubelndes Frohlocken war auf seinem Gesicht zu lesen, obwohl es sich kaum verändert hatte. Nur seine Augen funkelten in höchster Erregung.

»Das ist das Königszimmer«, murmelte Juremi, »das er so lange gesucht hat.«

In dieser tausendjährigen Stille dröhnte die Stimme des Riesen, wenngleich er sie zu dämpfen suchte, wie die Posaunen des Jüngsten Gerichts.

Diese feierliche Ankündigung war jedoch nötig, damit Jean-Baptiste und George der Wert einer solchen Entdeckung zu Bewußtsein drang. Nach dem ersten Eindruck schien ihnen nämlich die Unordnung in diesem Zimmer so groß, daß sie fürchteten, zu spät gekommen zu sein, weil die Plünderer bereits alles auf den Kopf gestellt hätten.

Mehrere Dutzend Amphoren, deren Inhalt die Zeit geleert hatte, lehnten aneinander. Neben zwei großen Kupferkesseln stapelte sich ein ganzer Satz von Gefäßen und Zeremonienschalen. Entlang einer Mauer sah man zwei hohe Räder einer Kutsche, deren geschnitzte Deichsel auf dem Boden lag. Sehr schnell erkannten sie, daß all diese Dinge nur wegen der Enge des Raumes so zusammengewürfelt wirkten. Im Grunde waren sie streng geordnet, und alles erhielt seinen Sinn, wenn man diese Utensilien mit ihrem Zweck verband, der in der Begleitung des Toten auf seiner ewigen Reise bestand.

Dieser aber fehlte in diesem Heiligtum. Das gut ausgestattete Haus diente einem Herren. Wo ruhte er? In dieser übernatürlichen Atmosphäre kam den Besuchern für einen Moment der Gedanke, daß dieser verstorbene König vielleicht zu einem anderen Ort entflohen war – warum nicht? –, oder er war einfach ins Paradies der Gerechten eingegangen.

Halquist brachte sie in die Wirklichkeit zurück, als er den schweren Deckel eines hölzernen Sarkophags quietschen ließ. »Können Sie mir helfen, Juremi?«

Der Protestant griff auf der anderen Seite zu, und mit seiner Hilfe konnte der Schotte die große Platte beiseite rücken. Der König oder vielmehr sein Geschmeide wurde sichtbar. Der Leichnam war im wahrsten Sinne des Wortes von Kopf bis Fuß mit Gold und Bronze bedeckt. Er trug einen Helm, Beinschienen, einen Brustharnisch. Seine Waffen lagen rechts neben ihm. Ein breiter, fein verzierter Goldreif schmückte seinen Hals. Das Gesicht war der einzig sichtbare Körperteil. Die Zeit hatte es keineswegs zerstört, sondern nur ausgetrocknet und gegerbt, wohl nach dem Verfahren, von dem auch Halquist bereits die ersten Phasen durchgemacht hatte. Die Lider öffneten sich über leeren Augenhöhlen.

Diese Begegnung war furchtbar peinlich. Dabei waren diese sterblichen Überreste keineswegs schrecklich anzusehen. Man hätte ihnen sogar eine gewisse Anmut zugestehen mögen. Das Unbehagen kam aus der Erkenntnis, daß die Anwesenheit des Todes, durch diesen mumifizierten Körper enthüllt, die Aufmerksamkeiten, mit denen der Tote umgeben war, absolut nutzlos, ja sogar absurd und empörend erscheinen ließ. Diese Krüge, dieser Wagen, diese Lebensmittel: Warum hatte man sie dort hingestellt? Und vor allem: Für wen? Der menschliche Glaube, der sie hier ausgebreitet hatte, wurde grausam ad absurdum geführt. An keinem Ort der Welt wurde der Schwindel der Religion deutlicher. Und dennoch war dieses Werk des Geistes alles, was von den Skythen geblieben war. Ihre Ewigkeit existierte nicht, aber sie öffnete den Weg für eine andere: die Ewigkeit der Menschen, die in diesem Moment zur Begegnung zwischen einem seit Jahrtausenden toten König und vier sehr lebendigen Burschen führte.

Dieser König allein in seinem Grab hätte nicht so beeindruckend von seiner Menschlichkeit zeugen können, wäre er nicht von Gegenständen und Kunstwerken begleitet, die das Leben, die Freude, die Kämpfe jener feierten, über die er geherrscht hatte. Die ganze Qual dieses Ortes ruhte in dieser Erkenntnis: Der gesamte Kurgan war eine Hymne auf die Kraft, die Königlichkeit und die Götter. Aber es waren weder diese Kraft noch diese Königlichkeit, noch diese Götter, die es den Menschen ermöglicht hatten, die Jahrhunderte zu überleben, sondern die Größe ihrer Träume, die Schönheit ihrer Phantasie und die Macht ihrer Kunst.

Während den Besuchern all das bewußt wurde, begannen sie, sich an diesem Ort immer wohler zu fühlen. Letztendlich war er für Tote geschaffen, die den Lebenden nur allzu ähnlich waren. Juremi steckte die Hand in die Amphoren, sammelte die Olivenkerne, die ihren Boden bedeckten. Er entdeckte einen Kamm, den er in seinen lockigen Bart steckte. Jean-Baptiste und George bewunderten den Schmuck und das Hochrelief der Teller. Es war keine Entweihung, sondern vielmehr eine brüderliche Vereinigung über die Jahrhunderte hinweg.

Halquist hatte sich inzwischen auf die Suche nach den Stücken gemacht, die ihn interessierten. Er bat George, seinen Sack zu holen, der im Flur geblieben war. Die drei Gefährten waren schockiert bei der Erinnerung an diese grausame Wirklichkeit: Sie waren nicht friedlich in diesen Raum eingedrungen. Sie kamen, um zu plündern, wenn auch sehr zurückhaltend und wenn auch Halquist darüber wachte, daß nicht andere seinen Spuren folgten und die Zerstörung dieses Heiligtums vollendeten.

Der Schotte hatte keine derartigen Seelenzustände, Er trat an den Sarkophag und begann mit der sorgfältigen Prüfung des Toten. Zunächst wandte er sich dem Halsreif zu. Seine trockenen Hände legten sich von beiden Seiten um den königlichen Hals, um im Nacken den Verschluß zu öffnen. Er hatte es fast geschafft, als George, der in den Gang gekrochen war, um den Sack zu holen, sie von draußen rief: »Kommt her!« schrie er, »kommt schnell!«

Halquist ließ das Schmuckstück los. Nacheinander krochen sie durch die Öffnung. Im Gang machte George ihnen Zeichen, zu schweigen und zu lauschen.

»Schreie!« bestätigte Juremi.

Sie rannten bis zu der Öffnung, durch die sie hinabgestiegen waren. Durch das dumpfe Echo der Erdgräben verstärkt, hörten sie wiederholte Rufe.

»Eine Männerstimme«, erkannte Jean-Baptiste.

George, der sich als erster bis zur Klappe hochgezogen hatte, nickte und rief: »Bibitschew!«


## Siebtes Kapitel


Die Schlacht von Kerman fand am letzten Tag in der Woche der Reinigung und Buße statt, die sich die Perser auferlegt hatten. Dabei bestätigte sich wieder einmal, daß der Krieg keine Moral kennt. Die Afghanen, denen man schändliche, aber verlockende Plünderungen in Aussicht gestellt hatte, schlugen sich voller Leidenschaft. Die Perser, durch den Eifer ihrer Priester des Weins und der ledigen Frauen beraubt, mit denen sie vielleicht im Falle eines Sieges belohnt worden wären, kämpften dagegen sehr unwillig. Die Schlacht war lang und chaotisch. Die kühnen Afghanen zeigten ihre Tapferkeit unverhohlen, und die vorsichtigen Perser verbargen ihre Mutlosigkeit hinter den Schutzmauern. Die Stadt fiel nach drei Tagen, in denen beide Seiten abwechselnd die Oberhand gewonnen hatten.

Jeden Abend ritten Kuriere nach Isfahan, um dem König über das Kampfgeschehen Bericht zu erstatten. Jede Botschaft, die den Hof erreichte, war bereits fünf Tage alt. Selbst in wildem Galopp und mit häufigem Pferdewechsel brauchte man diese Zeit, um die Hauptstadt zu erreichen. Und wie konnte man einer Nachricht, die so alt war, Glauben schenken? Trotz der triumphalen Proklamationen des Palastes herrschte unter der Bevölkerung tiefster Pessimismus. Die Straßen der Hauptstadt waren leer und unheimlich. Die Männer waren im Kampf oder fürchteten, dorthin entsandt zu werden, wenn sie sich in der Öffentlichkeit zeigten. Die Frauen waren in den Harems eingesperrt. Alix war in ihrer dreifachen Eigenschaft als Ausländerin, Witwe und Apothekersfrau, die Medikamente austragen mußte, eine der wenigen, die in dieser Zeit frei kommen und gehen konnten.

Sie besuchte Nour al-Houda noch zweimal und war entsetzt, ihre Freundin so fröhlich und ausgelassen zu erleben. Tatsächlich war der Harem des Ersten Ministers nie zuvor der Schauplatz solch ausgiebiger Vergnügungen gewesen. Die drei anderen Gemahlinnen des unglücklichen Mannes hatten einander einst vielleicht mit ihrer Eifersucht verfolgt. Jetzt aber waren sie alt und rivalisierten untereinander nur noch in der Stärke ihrer Schnurrbärte, die bei den Perserinnen als willkommenes Zeichen der Reife und der Erfahrung angesehen wurde. Sie behandelten die Tscherkessin wie eine Tochter und waren voller Nachsicht für ihre Tollheiten. Dieses Einvernehmen raubte ihrem gemeinsamen Gemahl jede Möglichkeit, in den Frauengemächern zu spionieren. Dieser Ort war so gut vor seinen Sanktionen geschützt, so frühzeitig über jede seiner Besuchsabsichten informiert, mit einem Wort so sicher und geheim, daß Nour al-Houda auf die Idee gekommen war, dort mehrere Tänzerinnen, Freundinnen von ihr, aufzunehmen, die draußen durch die neuen, strengen Gesetze bedroht waren. Fünf Frauen unterschiedlichen Alters, als Dienerinnen verkleidet, griffen nach Einbruch der Nacht zu ihren Trommeln und boten in den kleinen Zimmern mit geschlossenen Vorhängen die heitersten Darbietungen. Wenn Nour al-Houda nicht selbst tanzte, lag sie auf ihren Kissen und rauchte eine kleine Nargileh, die mit Zimtholz und Mehl gefüllt war und einen angenehmen Rausch erzeugte.

Lachend stellte sie Alix ihre Schützlinge vor. Eine von ihnen war mit dem Patriarchen Nerses verwandt. Sie erzählte der falschen Witwe, wie verzweifelt der Alte gewesen war, als er von Jean-Baptistes Tod erfuhr. Er hatte auf den Apotheker gerechnet, um ihn zu retten, indem er bei Alberoni für ihn eintrat. Letztendlich hatte er sein Heil nur durch den Ausbruch des Krieges mit den Afghanen gefunden. Nun hatte die Gemeinde andere Sorgen, und man hatte dem Patriachen verziehen.

Auf diese Weise erfuhr Alix, durch welche Indiskretion Nour al-Houda bekanntgeworden war, daß Jean-Baptiste Persien verlassen wollte. Sie versuchte, das Geheimnis ganz zu lüften, und fragte: »Aber wer hat Ihnen erzählt, daß Jean-Baptiste ... sterben wollte?«

»Mein teurer Gemahl«, gestand Nour al-Houda lachend, »hat mir von dem Gespräch Ihres Jean-Baptiste mit dem König berichtet. Ich wußte, daß er fortwollte. Man hinderte ihn daran. Ich habe es Ihnen gesagt: Ich wollte meinen Wohltäter gern wiedersehen. Ich wollte wissen, was er in dieser kritischen Situation unternehmen würde. Also brauchte ich nur einen unserer kleinen Bettler Tag und Nacht vor jedes Tor Ihres Hauses stellen.«

Dieses Geständnis war inzwischen nicht mehr sehr wichtig, und Nour al-Houda erzählte es nebenbei, während sie am Bernsteinmundstück ihrer Wasserpfeife sog. Alix empfand die Fürsorge des jungen Mädchens für einen Arzt, der sie in ihrer Kindheit behandelt hatte, jedoch reichlich übertrieben. Sie fragte sich kurz, ob man nicht in diesem Interesse Hintergedanken lesen sollte, die weniger leicht zu gestehen waren. Diese Idee mißfiel ihr. Dennoch mischte sich eine winzige Prise Befriedigung hinein, als würde die Eifersucht, wenn sie auch nur eine Spur von Berechtigung fand, ihr leichtes Schamgefühl auslöschen, weil sie Rezas Vertraulichkeiten mit soviel Anteilnahme gelauscht hatte.

Alix hatte es sorgsam vermieden, der Freundin jene Empfindungen zu enthüllen, die das Treffen mit dem Offizier in ihr geweckt hatte. Sie hatte sich jedoch äußerst pflichtbewußt ihres Auftrags entledigt, indem sie ihr genau von ihrer Begegnung mit dem unglücklichen Chef der königlichen Garde berichtete. Nour al-Houda hatte ihrer Erzählung zugehört, ohne Ärger oder Zufriedenheit erkennen zu lassen.

»Warum hat er Ihnen das alles erzählt?« frage sie am Ende.

»Ich glaube ... er ist sehr unglücklich«, wagte Alix zu erklären. »Er liebt Sie leidenschaftlich. Aber die Situation, in der er sich befindet ...«

»Welche Situation?« murmelte Nour al-Houda mit sichtbarer Ungeduld. »Er hat sich immer noch nicht entschieden, das ist alles.«

»Aber ist die Wahl, die Sie von ihm verlangen, nicht zu hart?«

Ohne zu antworten, zuckte Nour al-Houda nur die Schultern. Dann sprang sie auf, um das Thema zu wechseln, und ließ die Tänzerinnen mit ihren Spielen fortfahren.

Alix hatte ihr nichts weiter entlocken können. Nour al-Houda bat sie nicht, während dieser Woche des Eingeschlossenseins noch einmal in den Königspalast zu gehen. Wenn sie zufällig im Vorbeigehen die kleine Pforte sah, durch die man sie bis zu dem Offizier geführt hatte, ertappte sich Alix dabei, lange und voller Rührung an diesen Mann zu denken, der litt, während diejenige, die er liebte, ein Leben voller Feste und Fröhlichkeit führte. Alix ging sogar einmal über den Platz, auf dem die Wachablösung stattfand. Sie sah Reza von weitem und nur durch einen glücklichen Zufall.

Sobald die Nachricht vom Fall Kermans bekannt wurde,

kehrte Isfahan zum normalen Leben zurück: Passanten, Männer wie Frauen, liefen wieder durch die Straßen. Am Rhythmus der Schritte, dem Klang der Stimmen und dem angstvollen Glanz der Augen konnte man jedoch erkennen, daß diese Menge nur scheinbar ihren Gewohnheiten folgte: Tiefe Verzweiflung hatte alle ergriffen. Die einzige, wenn schon nicht gute, so doch ein wenig beruhigende Neuigkeit war die Flucht eines großen Teils der Armee. Anstatt bis zum letzten Mann zu kämpfen und das Reich ohne Verteidigung zurückzulassen, waren die persischen Soldaten lieber in Massen desertiert und zogen sich nun in kleinen Etappen zur Hauptstadt zurück. Diese Feigheit wirkte nach der Niederlage wie eine schlaue List, ja fast wie besondere Kühnheit. So begrüßte man diese versprengten Trüppchen fast mit Beifall.

Trotz der Rettung seiner Soldaten war der König in einer außerordentlich schwierigen Situation. Die Afghanen würden in Kerman ihre Kräfte neu sammeln, und dann würde nichts sie auf ihrem Weg nach Isfahan aufhalten können. Wenn es ihnen lohnend erschien, würden sie vielleicht auf dem Weg die Stadt Yazd einnehmen. Aber sie konnten sie auch ohne weiteres verschonen. Also mußte man damit rechnen, daß sie in wenigen Wochen am Rand des Chahar Bagh auftauchten.

Wie sollten die Perser ihnen widerstehen? Wer konnte sie noch retten? Die Niederlage schwächt eine Armee nicht so sehr wegen des Verlustes an Männern und Ausrüstung, sondern weil sie den vermeintlich göttlichen Schutz Lügen straft. Die Perser hatten sich selbst in den letzten Wochen größte Opfer auferlegt, um sich für ihre Verderbtheit zu strafen und Gott zufriedenzustimmen. Dennoch war es zu der Niederlage von Kerman gekommen. Menschen schwachen Glaubens schlossen daraus, daß das alles zu nichts nütze war; sie standen allein, vom Himmel war keine Hilfe zu erwarten. Die Gläubigen sahen in dieser Niederlage die Strafe Gottes und meinten, sie seien ungeachtet aller Buße zum Untergang verurteilt.

Nur die Wahrsager und Priester gaben nicht auf. Sie suchten nach einem Mittel, das Geschehen wieder in die Hand zu nehmen, und nach Gründen, die Strenge der Buße noch zu verschärfen. Seltsame Phänomene, die sich am Himmel zeigten, kamen ihnen, wie von der Vorsehung entsandt, zu Hilfe. Sie äußerten ihre Argumente, um zunächst neue Bekanntmachungen und anschließend die große, unvorhersehbare Strafe zu verlangen, von der niemand je erfuhr, wer sie zuerst erfunden hatte.

Alles begann drei Tage nach der Niederlage von Kerman, von der man in der Hauptstadt noch nichts erfahren hatte. Am frühen Morgen hatte sich der Himmel mit einer grauen Wolkenschicht bedeckt, die von der Sonne zum Schillern gebracht wurde, ohne daß ihre Strahlen sie jedoch zu durchdringen vermochten. Gewöhnlich gab es in Isfahan nur zwei Möglichkeiten: einen reinen blauen Himmel oder Gewitterwolken. Man wunderte sich über diesen unbeweglichen Nebel, der seinen häßlichen Vorhang zwischen die Menschen und den Himmelskörper spannte, den man in diesen Hochebenen so lange verehrt hatte. Am Abend verschwand die Sonne am Horizont und tauchte den Westen in rote Flammen. Das war einer jener Tage, deren Ende man herbeisehnt, der förmlich nach nicht zu entziffernden, wahrscheinlich finsteren Vorzeichen stinkt.

Aber am folgenden Tag war der Vorhang noch immer da. Er hatte die Erde über Nacht warm gehalten, und die stechende Frische des Winters machte einer lauen, weichen Luft Platz, die nicht zu dieser Jahreszeit paßte. Bei Tagesanbruch war die Opferung der Sonne noch blutiger als am Vorabend, als hätten Millionen Schafe des Aid das Blut aus ihren aufgeschnittenen Halsschlagadern über den ganzen Himmel verspritzt. Die Nachricht von der Niederlage traf am folgenden Tag unter demselben Leichentuch ein, und endlich verstand man, was der Himmel sagen wollte. Fast wären alle ihm dankbar gewesen. Er besaß das Feingefühl, bei so viel Schmerz nicht mit allen Strahlen einer heißen Sonne zu lachen. Die ganze Stadt stieg am Abend auf die Terrassendächer der Häuser um zu sehen, wie der Horizont dem Blut der Toten die Ehre erwies.

Das Fortdauern dieser Phänomene an den folgenden beiden Tagen ließ die erste Gewißheit ins Wanken geraten. Zunächst vernahmen die Einwohner mit der Beschreibung der

Niederlage auch den Bericht von der Schlacht, die keineswegs blutig gewesen war: Die persische Armee hatte die Weisheit besessen, davonzulaufen. Das war kein Stoff für diese himmlische Würdigung. Dann, als man die Daten verglich, errechnete man, daß sich der Schleier nicht am Tag der Niederlage gebildet hatte, sondern später. Diese fehlende Genauigkeit paßte nicht zu der Vorstellung, die sich die Menschen im allgemeinen und die Perser im konkreten von der genauen und pünktlichen Vorsehung der Himmelskörper machen. Warum diese Verspätung? Wahrsager und Astrologen berieten miteinander. Niemand erfuhr etwas von ihren Diskussionen. Man kann nur mutmaßen, daß sie von der rechtmäßigen Sorge getrieben wurden, die Zukunft vorzubereiten, ihre natürlich, indem sie neue Schrecken erfanden, die geeignet waren, ihre Fürsprache so unverzichtbar wie kostbar zu machen.

Es war der fünfte Tag ohne Sonne, als der Wahrsager Yahia Beg dem König die Schlußfolgerungen mitteilte, zu denen er und seine Kollegen gelangt waren.

»Majestät«, verkündete er, »die Situation ist außerordentlich ernst. Wenn diese Zeichen noch bis zum nächsten Tagesanbruch fortdauern, muß man das unmittelbare Bevorstehen ... von Erdstößen befürchten, wie sie im vergangenen Monat Täbris zerstört haben.«

Der unglückliche Hossein hatte bis zur Niederlage von Kerman brav enthaltsam gelebt. Er hatte sich kaum mit zwei Tagen der Zecherei von dieser Not erholt, die um so unerträglicher war, als sie keinen Nutzen gebracht hatte. Er fürchtete vor allem, man würde ihn zwingen, damit fortzufahren. Deshalb war er sehr erleichtert, als er Yahia Begs Diagnose hörte.

»Wir glauben, wenn der Himmel morgen früh nicht wieder in normalem Zustand ist, muß man ... die Stadt evakuieren.«

»Evakuieren!« rief der König voller Erstaunen. »Was wollen Sie damit sagen?«

»Die gesamte Bevölkerung aus diesen Mauern herausführen, die Gott jeden Moment über ihren Köpfen zusammenbrechen lassen kann. Und allen Sündern raten, unter dem schützenden Dach des Himmels darauf zu warten, daß Gott selbst die Reinigung dieser Stadt vollendet. Leider haben unsere Bemühungen sie nicht bis in die Tiefen heilen können.« Am nächsten Morgen war die laue Atmosphäre unter ihrem Deckel feucht. Der Schleier, grau und glatt wie ein Steingewölbe, erstreckte sich in alle vier Himmelsrichtungen bis zum Horizont. Keine Brise bewegte die Luft, und selbst die Vögel flogen nicht mehr. Mittags befahl eine Anordnung aus dem Königspalast, die von den Dächern herabgeschrien und dann wie ein Echo in allen Ecken verbreitet wurde, allen Einwohnern, ob jung oder alt, Männer oder Frauen, Ausländer oder Perser, das Allernotwendigste mit sich zu nehmen und sich zu versammeln, um auf die Felder hinauszugehen.

Diesmal hatte Nour al-Houda, eingeschlossen und mit ihren Vergnügungen beschäftigt, Alix nicht vor der Gefahr warnen können. Die Nachricht erreichte das Apothekerhaus ebenso unerwartet wie alle anderen. Man mußte sich beeilen und auf der Stelle wichtige Entscheidungen treffen. Sollte man beispielsweise Geld und Schmuck zurücklassen und verstecken, auf die Gefahr hin, daß Plünderer es fanden, oder war es vernünftiger, alles auf eine Flucht mitzunehmen, bei der ihnen Gewalt und Chaos drohten? Saba mit ihrer gewohnten Besonnenheit, die durch diese Prüfung noch verstärkt zu werden schien, überzeugte ihre Mutter, die Schätze zu teilen und nur eine Hälfte mitzunehmen. Alix beugte sich der Ansicht ihrer Tochter, und durch diese winzige Nachgiebigkeit trat sie ihr ungewollt ihre Rechte ab, die Operation zu leiten. Françoise weigerte sich zunächst wegzugehen: Sie hatte keine Kraft und würde die ganze Gruppe aufzuhalten. Saba kam auf die Idee, eine Trage umzubauen, mit der die Gärtner schwere Lasten wie Erde oder Steine transportierten. Zwei Männer, einer vorn, einer hinten, nahmen die Griffe. Saba ließ Françoise auf der Vertiefung des Leinenvierecks Platz nehmen, das in der Mitte dieser primitiven Trage gespannt war, auf der sie ein kleines Kissen und eine Holzlehne angebracht hatte.

Inzwischen lief Alix von einem Zimmer ins andere. Ihre Angst stieg mit jeder Minute. Der Verlust ihres Hauses, mit dem sie nicht gerechnet hatte, ließ ihr auf einmal ihre Einsamkeit und all die Gefahren, die sie umgaben, deutlich werden. Als sie das Labor betrat, dachte sie plötzlich an Jean-Baptiste, diesmal jedoch, um ihm vorzuwerfen, daß er sie allein gelassen hatte. Sie unterdrückte mit Mühe die Tränen und füllte aufs Geratewohl einen großen Ledersack mit überflüssigen Dingen, während sie Wichtiges liegenließ. Sie dachte nicht einmal daran, eine Waffe mitzunehmen, so fern lag ihr der Gedanke, kämpfen zu müssen. Diesmal riet Saba ihr und Françoise, einen Schleier anzulegen, das Gesicht jedoch freizulassen. In dieser Stunde, da der Pöbel womöglich in Versuchung geriet, nach Sündenböcken zu suchen, um den Zorn des Himmels zu besänftigen, war es besser, so wenig wie möglich als Ausländer aufzufallen.

In kaum zwei Stunden war alles bereit. Saba und Alix liefen neben Françoises Sänfte. Dahinter folgte die kleine Schar der Dienstboten, die sich durch die Beschränkungen nach der Abreise von Jean-Baptiste auf vier Personen reduziert hatte, dazu kamen die beiden Träger. Der alte Türsteher schloß das Gittertor hinter dieser Karawane und blieb allein im Haus zurück, dem Befehl des Königs folgend, der erlaubt hatte, daß zwei Wachen in den Palästen, eine in den Häusern der Reichen, aber niemand in denen des Volkes zurückblieb.

Kein Tier durfte die Flüchtenden begleiten, denn man wollte vermeiden, daß mit Hausrat beladene Maultiere oder gar Kamele den Fußgängern den Weg versperrten, was die allgemeine Verwirrung noch gesteigert hätte. Die Menschenmenge war so dicht, so erregt, voller Tränen und Geschrei, so nervös und von wilden Streitereien bewegt, daß mehrere Stunden nötig waren, in denen man immer wieder auf der Stelle herumtrampelte, ehe man die Stadttore erreichte. Das Kräuseln von Schleiern und Turbanen in diesem Menschenmeer war gleichmäßig, einheitlich, nur von einigen Ballen unterbrochen, die in Kopfhöhe vorüberschwammen. Selten bahnte ein Reiter der Garde sich einen Weg durch diese klebrige Masse, indem er wie ein Ruderer mit der flachen Seite seines Schwertes Schläge nach rechts und links austeilte.

Wer lenkte diese Masse? Niemand hätte es zu sagen vermocht. Instinktiv versuchte sie, die Stadt zu verlassen. So unwahrscheinlich es einem vorkam: In dieser Masse gefangen zu sein hieß, der Freiheit entgegenzugehen. Einige wenige verstanden das nicht und versuchten, sich gegen den Strom zu bewegen. Vielleicht hatten sie etwas Unentbehrliches vergessen, einen Verwandten verloren, oder sie flüchteten, nachdem sie einen Diebstahl begangen oder eine Schlägerei provoziert hatten. Diese Schwimmer entgegen der allgemeinen Richtung waren auf jeden Fall die gefährlichsten.

Einer von ihnen, den Alix und ihre Gruppe trafen, ehe sie die Stadtmauern sahen, war ein Riese mit rasiertem Schädel, der seinen Turban in der Menge verloren hatte. Er schwenkte ein großes spitzes Messer über den Köpfen und drohte jeden damit niederzustechen, der ihn nicht vorbeiließ. Hin und wieder bohrte er es in das Holz einer Tür oder eines Pfostens und zog sich an diesem Anker weiter. Als er neben Françoise war, bohrte der Verrückte seine Klinge in einen Tragegriff der Sänfte. Als er dann an der Waffe zog, brachte er die Träger aus dem Gleichgewicht. Françoise konnte sich nicht halten und fiel schwer zu Boden.

Das Gedränge war kurz und heftig. Je näher man dem Stadttor kam, desto mächtiger wurde der Strom der Menge. Es war fast unmöglich, stehenzubleiben. Saba und Alix waren sofort vom Rest der Gruppe getrennt und sahen Françoise verloren. Glücklicherweise dämpfte der Riese, der an allem schuld war, den Druck der Menge hinter der Trage ein wenig, als er seine Flucht fortsetzte, und ermöglichte es ungewollt den Trägern, Françoise aufzuheben und ihr hastig auf ihren provisorischen Sitz zu helfen, wo sie sich jammernd mit angezogenen Beinen zusammenkauerte.

Erst als sie das hohe Stadttor passiert hatten und frei über die Felder laufen konnten, fand sich die kleine Truppe wieder zusammen. Saba legte Françoise auf eine Gartenböschung, gab ihr zu trinken und fragte, ob sie sich verletzt habe. Die tapfere Frau beteuerte, alles sei in Ordnung. An ihrem entstellten Gesicht und den zusammengepreßten bläulichen Lippen sah man jedoch, daß sie litt. Als Saba sanft den Schleier der Verletzten zurückschob, entdeckte sie, daß diese ihren rechten Arm mit der linken Hand stützte, wie man es tut, wenn man sich einen Knochen gebrochen hat. Sie legte die Hand auf Françoises Schulter auf eine Stelle, die so schmerzhaft war, daß die kleinste Berührung der Verletzten einen Schrei entlockte, wenngleich sie sonst so hart im Nehmen und sehr darauf bedacht war, sich nichts anmerken zu lassen.

»O Gott! Wir haben die Medikamente vergessen!« rief Alix entsetzt.

Ohne ein Wort zu sagen, wühlte Saba in den Bündeln, welche die Diener an der Böschung abgestellt hatten. Sie holte ein Fläschchen mit Weidenwasser hervor, das sie vorsorglich eingepackt hatte, und gab Françoise davon zu trinken.

Während die Menge in den Gärten ausruhte, hatte der Sonnenuntergang sein blutiges Schauspiel begonnen. Muezzins waren auf Steinmauern oder Dächer von kleinen Hütten gestiegen und riefen ihre durchdringenden Gebete. Sie ließen den besänftigenden Hauch der Beschwörungen zum Himmel aufsteigen, und über der geröteten Erde ringsum verbreitete sich der gigantische Balsam Tausender Gläubiger, die sich zum Ruhm des Wahren Gottes auf den Boden geworfen hatten.

Nach Ende des Gebetes nahm die Menge, so weit das Auge reichte, ihr Getrampel wieder auf. Nun erschien in dem Tor, durch das Alix und ihre Begleiter eben gekommen waren, die königliche Sänfte, getragen von zwölf Sklaven und geschmückt mit braunem Baumwollstoff. Der Hofstaat zog langsam, im regelmäßigen Schritt der Träger an ihnen vorbei. Eine Abteilung berittener Wachen bahnte den Weg. Hinter der Sänfte des Herrschers folgten weitere sechs, in denen sich seine Frauen befanden. Zum Abschluß dieses schweigenden Trosses umringte eine weitere Kompanie Soldaten, diesmal zu Fuß, einen Reiter. Alix erkannte Reza, dessen bewegliche Augen die Umgebung absuchten, um jedes bedrohliche Zeichen von Unordnung oder Gefahr wahrzunehmen. Ihre Blicke kreuzten sich, und er zeigte mit einem leichten Lächeln, daß er sie wiedererkannt hatte.

## Achtes Kapitel

Ein Vorhang kahler Hügel umgab Isfahan wie ein Hufeisen im Nordwesten, eine halbe Stunde Fußweg von der Stadt entfernt. Ohne daß man es ihnen befohlen hatte, wandten sich die Bewohner – niemand wußte, wer sie führte – dieser Anhöhe zu und errichteten provisorische Lager an den Hängen. Die Luft blieb tagsüber warm und bewahrte ihre Milde auch in der Nacht. Dies glich einem Geschenk der Vorsehung, denn man fand auf diesem ausgewaschenen Boden kaum etwas, um ein Feuer zu unterhalten. Erst am zweiten Abend wurden Holztransporte aus den bewässerten Gärten gegenüber entsandt. Man hatte befohlen, dort alle Sträucher und sogar Obstbäume zu fällen, um die Stämme als Brennholz zu verwenden.

Der Morgen des achten Tages brach an, ohne daß die Sonne der Gefangenschaft ihres zarten Schleiers entronnen war. Ihr milchiges Licht schien diffus aus dem ganzen Himmel zu kommen, und man konnte den Punkt, der stärker blendete und hinter dem der verborgene Himmelskörper zu vermuten war, kaum erkennen.

Saba hatte für ihr Lager ein Viereck an einer Böschung gewählt. Es war nicht sehr bequem, denn der Boden war uneben und mit spitzen Steinen übersät. Dafür hatte es den Vorzug, dicht am Weg der Gespanne zu liegen, die Wasser, Holz und Früchte brachten. Vor allem bot sich jedoch von diesem erhöhten Platz ein weiter Blick auf ganz Isfahan und genau auf ihr Haus, dessen Dach zwischen den kahlen Ästen des Gartens hervorsah.

Der Tag verging schnell, angefüllt mit tausend Notwendigkeiten, wie sie Seßhafte entdecken, die gewaltsam zum Nomadenleben gezwungen werden. Françoise litt wegen ihres Arms, den Alix und Saba mit einem Verband aus einem zerrissenen Hemd fest an den Körper gebunden hatten. Gegen vier Uhr gelang es ihnen endlich, auf ihrem kärglichen Feuer ein wenig Gemüse und hartes Brot zu kochen, das sie mitgebracht hatten. Sie teilten diese einzige Mahlzeit des Tages mit den

Dienern. Um fünf Uhr wiederholte sich in allgemeiner, lastender Stille mit dem zinnoberroten Sonnenuntergang das geheimnisvolle und beängstigende Blutopfer am Himmel. Die Perser hatten sich inzwischen daran gewöhnt und sahen diese himmlische Tragödie als normal an.

Saba, Alix und Françoise dagegen, die anfangs nicht besonders von diesem Naturschauspiel beeindruckt gewesen waren, empfanden an diesem Abend bei seinem Anblick ungekanntes Entsetzen. Zu ihren Füßen litt Isfahan ohne ein einziges Licht, ein einziges Feuer schmerzhaft unter der Glut des Himmels, die alle Minarette rötete, die ockerfarbenen Stadtmauern entflammte und die grünen Emaillekuppeln der Moscheen blitzen ließ.

Welche neue Seite des heiligen Buches schrieb dieses Volk im Exil auf der Schwelle seiner Häuser? Seine Propheten hatten es zu einer schrecklichen Bestrafung geladen. Aber aus welcher Richtung würde der Schlag kommen? Vom Himmel, der im Moment noch sein Feuer zurückhielt, aber vielleicht nicht mehr viel Geduld hatte? Von der Erde, die verärgert war über den lang andauernden Juckreiz der Sünde, dem die Menschen sie aussetzten und für den die Wahrsager nahe Rache verkündeten? Von den Menschen selbst, da doch niemand wußte, ob die Afghanen seit der Niederlage von Kerman nicht schon unterwegs waren, um Rache für das Unrecht zu nehmen, das man ihnen angetan hatte?

Endlich kam die schwarze Nacht. Es war seltsam, die Stille der Stadt wahrzunehmen und dazu diese Landschaft voller Stimmen. Wer ein Feuer entzündet hatte, erstickte jetzt die Flammen, um Brennmaterial zu sparen. Ohne diese Lichter waren die Lager vollkommen finster und weckten in den Flüchtigen nur ein einziges Verlangen: noch weiter zu fliehen, in einen tiefen Schlaf. Nach einigem Hin und Her auf den ausgebreiteten Strohsäcken oder Fellen, nachdem man die Kinder mit sanften Worten beruhigt hatte, legte sich eine tiefe Stille über den Hügel.

Françoise und Saba, die eine vor Erschöpfung und Schmerz, die ihre Kräfte überstiegen hatten, die andere wegen eines Restes von Zartheit, der ihr von der Kindheit blieb, schliefen sogleich fest ein.

Alix hatte ein paar glimmende Scheite bewahrt, als sie das Feuer löschte, und träumte nun vor sich hin, während sie die grünen Zweige glühen sah, die rauchend verbrannten. Sie konnte nicht an Jean-Baptiste denken, ohne einen seltsamen Groll zu verspüren. Sie nahm es ihm übel, daß er sie verlassen, mehr noch, daß er ihrem Leben durch den Bruch mit der Vergangenheit und durch das Exil diese Richtung gegeben hatte. Vielleicht hatte er ihr sogar ganz und gar die Jugend geraubt... Dieses Gefühl war gleichzeitig so ungerecht und so mächtig, daß sie es gern aus ihrem Kopf vertrieben hätte.

Andere Bilder tauchten auf, weiter zurückliegende, vom Nimbus des Wunderbaren umgeben, den verlorene Dinge erhalten, die nicht von der Zeit entstellt sind: ihre Kindheit in verschiedenen Pensionaten in Frankreich, ihre Ankunft in Kairo und das Leben, das sie dort mit ihren Eltern geführt hatte. Obwohl sie es keinen Moment bereut hatte, diesen goldenen Käfig zu verlassen, dachte sie jetzt voller Zärtlichkeit daran zurück. Ihre Mutter, so sanft, so ergeben, die arme Frau! Alix hatte ihr nie geschrieben, aus Furcht, sie könnte den Brief ihrem Gatten zeigen und das Versteck in Isfahan enthüllen. Und ihr Vater, ihr armer Vater, der Konsul! Lebte er oder war er tot? Nach all der Zeit erschienen ihr die Albernheiten dieses Mannes wie lächerliche Schwächen, die seine Schüchternheit und gewiß eine große Güte versteckten.

Sie war im Labyrinth dieser Erinnerungen verloren, als ihr plötzlich einige Gestalten auffielen, die auf dem Weg hin und her liefen, der für die Karren freigelassen wurde. Bald bemerkte sie unter diesen Menschen weiße Uniformen der Soldaten. Manche hielten Harzfackeln in den Händen, die ihre blassen Flammen in die unbewegliche Luft entsandten. Sie gingen von Gruppe zu Gruppe und leuchteten die Schläfer an, als suchten sie jemanden. Sie erschrak, als einer der Gardisten auf sie zukam, und besaß nicht einmal die Geistesgegenwart, sich zu verschleiern. Der Soldat sah sie an, rannte zurück zum Weg und rief die anderen.

Aus der Gruppe, die sich rasch versammelte, löste sich ein Mann, dessen Gesicht hinter dem Licht einer Fackel verborgen war. Erst als er direkt vor ihr stand und sie ehrerbietig grüßte, erkannte sie Reza. Françoise und Saba schliefen friedlich. Alix stand auf und folgte ihrem Besucher zu dem Hohlweg. Er gab seinen Männern den Befehl, zu ihrem Lager zurückzukehren. Alix und er setzten sich nebeneinander auf die Böschung am Wegrand, und Reza bohrte seine Fackel etwas entfernt in den sandigen Staub.

»Ich habe vorhin gesehen, daß Sie eine Verletzte bei sich haben«, sagte der Perser leise. Als er mit der königlichen Sänfte an ihnen vorbeigekommen war, hatte Saba gerade Françoises Arm verbunden.

»Danke«, sagte Alix, gerührt über seine Aufmerksamkeit. Sie war glücklich, sich von diesem Mann geschützt zu wissen. »Sie ist eine Verwandte, die bei mir in Isfahan wohnt und im Gedränge böse gestürzt ist.«

»Wollen Sie nicht, daß wir sie zu unseren Ärzten bringen lassen? Der Mediziner bei der königlichen Garde ist nicht schlecht. Er hat auf der anderen Seite des Hügels eine kleine Hilfsstation eingerichtet, neben den Zelten des Königs und des Hofstaats.«

»Nein«, rief Alix erregt, »das ist unnötig. Wir haben Medikamente. Es ist alles in Ordnung, ich danke Ihnen.« Sie wollte um keinen Preis, daß Françoise in die Nähe des Nasirs und des abergläubischen Hofes käme. Wenn die vermeintliche Konkubine des Kardinals in einem so kritischen Augenblick auftauchte, konnte sie womöglich irgendeine verhängnisvolle Idee wecken, deren Opfer sie selbst sein würde.

»Dann erlauben Sie wenigstens, daß ich Ihnen morgen früh genug Holz für ein anständiges Feuer und täglich drei Mahlzeiten bringen lasse.«

Rezas Fürsorge war so aufrichtig, so natürlich und anrührend, daß Alix ohne Vorbehalte zustimmte und ihm voller Gefühl dankte.

Nachdem sie dieses Thema abgeschlossen hatten, verließen sie den sicheren Boden der Konversation und erhoben sich im

Schutze langen Schweigens in die luftigen, schwer zu formulierenden Höhen der Gedanken.

»Haben Sie ... Nour wiedergesehen?« fragte Alix schüchtern.

Wie im Palast starrte Reza auch hier auf den Boden und fuhr mit den Fingerspitzen über den feinen Kies, der ihn bedeckte.

»Nein«, gestand er.

Er machte eine Pause, dann hob er den Blick und fügte leise hinzu: »Ich glaube, ich bin auf dem Weg der Genesung. In dieser Woche habe ich nicht gelitten. Jedenfalls nicht so sehr wie zuvor.«

»Ich freue mich für Sie«, sagte Alix aufrichtig. »Und was haben Sie getan, um schließlich diese Gelassenheit zu erreichen?«

»Ich habe Ihre Ratschläge befolgt, weiter nichts.«

»Meine Ratschläge! Habe ich Ihnen Ratschläge gegeben?«

Sie erinnerte sich, daß sie nichts zu antworten vermochte, nachdem sie seinen Bericht gehört hatte. Sie hatte beim Abschied lediglich ein paar Floskeln der Ermutigung, des Dankes und der Höflichkeit gestammelt.

»Ich weiß nicht, ob Sie sie mir gegeben haben, auf jeden Fall habe ich sie gehört.« Als er das sagte, blickte er Alix starr an. Die Dunkelheit verbarg seine Pupillen. Sie sah nur die reine Linie seiner Wimpern und konnte ihren Blick nicht davon lösen.

»Und was sind diese Ratschläge, die ich Sie hören ließ?« fragte sie mit unsicherer Stimme.

»Ganz einfach, daß man nicht leiden soll, sondern ...«

»Sondern?«

»... eine andere lieben.«

Die Fackel tauchte die Szene in ihr rötliches Licht, das nach Kampfer und Harzteer roch. Jede Bewegung hätte diesen Zauber zerstört und sie weit voneinander fortgerissen, während dieser rote, duftende Abstand sie vereinte, wie umschlungen von seinen bebenden Lippen. Tausende Schatten lagen um sie herum in bläulicher Erstarrung im Schlaf, als seien sie bereits

Opfer der angekündigten Strafe. Sie allein hatten überlebt und trugen für die ganze Menschheit, was an Verlangen und Wollust auf der Erde blieb.

Vielleicht haben die Götter die Unschuld nur geschaffen, um die Unvorsichtigen davor zu bewahren, zu große Gefahren einzugehen. Dies gelang jedenfalls einem Mann mit schlichtem Gesicht, der an Reza herantrat und ihn um die Erlaubnis bat, ein Holzscheit an seiner Fackel zu entzünden. Sein Kind hatte Fieber, und er wollte sein Feuer wieder anfachen.

Dieser Zwischenfall brachte den Plaudernden das Bewußtsein ihrer selbst, des Ortes und der Zeit zurück. Nach ein paar verlegenen Worten – und sie hatten nun das Gefühl, daß alle ringsum ihnen lauschten und sie hören konnten – trennten sie sich bis zum nächsten Tag und verabschiedeten sich voller Scham.

Der folgende Tag, noch immer verschleiert, war trübselig und schier endlos. Soldaten brachten Holz und Lebensmittel für Françoise, aber Reza tauchte nicht auf. Alix war darüber fast erleichtert, so sehr hatte sich die Freude darauf, ihn zu sehen, im Laufe des Tages mit Unruhe gemischt. Was tat sie? Die apokalyptische Stimmung der Sonnenuntergänge und dieser Nächte hatte alles auf den Kopf gestellt und den Vertriebenen das Gefühl gegeben, daß sie bereits am Rande eines Jenseits standen, wo die Zeit zu laufen aufgehört hatte. Aber der Tag zerstreute diese Illusionen, brachte Hunger, Durst und Sorgen zurück, das Geschrei der Kinder, die Mühen der schweren Lastzüge, die unter Peitschenhieben den Hang hinaufstiegen. Alix fragte sich mit leichter Unruhe, wo Nour al-Houda sein mochte. Dann vergaß sie das alles. Die Sonne war noch nicht ganz untergegangen, als sie nach zwei durchwachten Nächten in tiefen Schlaf fiel.

Am nächsten Tag kam die Sonne am späten Vormittag nach zehn Tagen hinter ihrem Vorhang hervor, ganz rein, an einem tiefblauen Himmel. Die Stadt fand ihre Farben wieder und die Luft die beißende Frische. Der Sonnenuntergang zeigte heiter seine rosigen Röckchen und ließ die vertraute Nacht des iranischen Winters hereinbrechen, übersät mit Sternen und verziert mit einer schmalen Mondsichel. Die Magier berieten sich bis zum Morgengrauen, stellten gelehrte Berechnungen über den Lauf der Sterne und die Sternbilder an. Schließlich erklärten sie dem König, daß die Gebete geholfen hätten. Die Erde, erleichtert vom Gewicht dieses reuigen Volkes, hatte endlich beschlossen, ihre Bestrafung vorerst auszusetzen. Mittags gaben die verstörten, von Staub und Asche geschwärzten Bewohner von einem Lager zum nächsten den Befehl des Königs weiter: Alle konnten in die Stadt zurückkehren.

Bibitschew war kein Feigling. Um drei Uhr morgens in die eiskalte Nacht hinauszugehen, ohne Licht, in vorsichtigem Abstand, also außer Sichtweite, einer kleinen, eiligen Truppe zu folgen, die nur eine schmale Spur im Schnee hinterließ, das war weder angenehm noch ungefährlich. Aber ein Agent wie er würde so kurz vor dem Ziel nicht aufgeben. Dort lag die Größe seines Berufes, an jenem Grat, wo sich Theorie und Praxis trafen, die sich gegenseitig stützten, aber jeden in den Abgrund rissen, der sich zu sehr nach einer Seite lehnte. Die Theorie dieser Geschichte war klar: Er hatte für seine Vorgesetzten den Plan dieser Verschwörung zweifelsfrei rekonstruiert. Nun mußte er nur noch konkrete Beweise erhalten. Und diese Früchte ließen sich eben nur um drei Uhr morgens in einer eisigen Steppe ernten. So war das Leben.

Mehrfach stand er kurz davor, von denen, die er verfolgte, entdeckt zu werden, vor allem, als sie sich mit diesem schottischen Teufel trafen, der aus dem Nichts aufgetaucht war. Ein anderes Mal kämpfte Bibitschew gegen ein Niesen, das ihn verraten hätte, und er besiegte es. Als sie sich dem Kurgan näherten, wurde es einfacher: Er mußte nur hinter einem der aufgestellten Steine warten, darauf achten, in welchem Tunnel die Verdächtigen waren und dann in aller Ruhe hinaufsteigen. Ihnen ins Innere zu folgen, wäre zu gefährlich gewesen. Er wußte, daß diese Maulwurfsgänge voller Verzweigungen waren. Außerdem hatte er keine Lampe. Er kauerte sich neben den Eingang zur Höhle und beschloß zu warten. Es war sehr kalt, aber die von dem verdammten Schweden genähten Felle hielten ihn warm. Die Otterschwänze – das mußte er zugeben – erhöhten das Wohlbehagen bei diesen Temperaturen, und er vermißte sie an seinem Bauch, wo er sie abgerissen hatte. Um keine Wärme zu verlieren, kauerte er sich zusammen und überließ der kalten Nacht nur den Kontakt mit seinem von schwarzem Fell bedeckten Rücken. Diese Stellung wurde die Ursache seines Untergangs.

Als sich die Sonne über der weißen Unendlichkeit der Steppe erhob, lief eine Truppe Kirgisen mit lauernden Blicken langsam am Rand des Kurgans entlang, einen Pfeil mit Stahlspitze im gespannten Bogen. Diese Nomaden gehörten zu einem kleinen Stamm, der im Unterschied zu den friedlichen Kalmücken allgemein gefürchtet wurde, weil er für seine brutalen Jagden und Plünderungen berüchtigt war.

Als die Nomaden den Kreis der aufgestellten Steine erreichten, die auf einer Seite vom Morgengrauen bläulich gefärbt wurden, stellten sie sich daneben auf und liefen sternförmig auseinander, wobei sie den Hügel hinter sich ließen. Das war ein einfaches Mittel, um sich mittags wiederzufinden, wenn alle Jäger kehrtmachen und ihre eigene Spur zurückverfolgen würden. Nur ein einziger folgte von Anfang an der entgegengesetzte Richtung. Er hatte die Aufgabe, das Wild zu jagen, das sich möglicherweise auf dem Kurgan selbst verbarg. In dieser Nacht hatte man dafür einen fünfzehnjährigen Jungen namens Jakash ausgewählt, der als Erwachsener an der zweiten Jagd seines Lebens teilnahm.

Jakash kannte alle Tricks der Steppenläufer. Er bewegte sich geräuschlos mit großen Sätzen und konnte neben einem Felsen mit der allgemeinen Bewegungslosigkeit verschmelzen. Er konnte die Saighaks, wilde Antilopen, aus großer Entfernung erkennen, ebenso Füchse, Wölfe und sogar die große schwarze Wüstenlerche.

Ein Tier wie das, was er in halber Höhe am Kurgan vor

seinem Erdloch sitzen sah, hatte er jedoch nie vorher erblickt. Die märchenhaften Berichte der Alten kamen ihm in Erinnerung, während er sich heranschlich. Um sich mit dem Wind zu nähern, hatte er den Hügel umgangen und sah von dem Tier nur den Rücken mit schwarzem Fell. Er hatte keine Ahnung, wie groß es war: Es konnte eine dicke Tarantel sein, die ihr Netz zwischen den Steinen spinnt, oder ein riesiger Bär, den man in dieser Gegend eigentlich nicht traf, von dem jedoch sein Vater behauptete, ihn vor langer Zeit am Ufer des Kaspischen Meeres getroffen zu haben. Das Tier rührte sich nicht. Jakash spannte seinen Bogen bis zum Zerreißen, während er langsam voranging. Jetzt war er keine zwei Sprünge mehr entfernt. Trotz seiner Jugend wußte der Bursche, daß man nie auf den Rücken eines unbekannten Tieres zielen darf. Viele Arten verfügen über Panzer, die dem besten Pfeil widerstehen, und nutzen die Warnung durch den folgenlosen Schlag, um sich auf den kurzzeitig wehrlosen Jäger zu stürzen. Dagegen gibt es nur wenige Tiere, bei denen Kopf und Bauch keine Angriffsfläche für eine tödliche Verletzung bieten. Auch wenn es höchst gefährlich war, mußte er sich zunächst durch ein Geräusch bemerkbar machen, damit sich das Tier in seiner Überraschung aufrichtete und entblößte. Jakash schrie einen kasachischen Fluch. Die schwarze Gestalt wurde sichtbar. Der junge Mann erstarrte für einen Augenblick.

Auch Bibitschew machte keine Bewegung, hob nicht einmal die Hände. Diese Reglosigkeit rettete ihm das Leben, denn der Jäger ahmte ihn nach, ehe er eine bewußte Entscheidung treffen konnte. Er erstarrte ebenfalls, und in dieser Frist wurde ihm klar, was er da erwischt hatte. Er hoffte auf einen Auerochsen, statt dessen war es ein Beamter.

Diese Entdeckung schien ihn etwas zu beruhigen. Er wich drei Schritte zurück, verminderte die Spannung seines Bogens, hielt aber den Pfeil immer noch auf den Mann gerichtet, und beschloß, seine Gefährten zu rufen, indem er einen vereinbarten Schrei ausstieß.

Kurz darauf war Bibitschew von einem Dutzend mißtrauischer Wilder umringt, die ihn schweigend anstarrten. Nach einer leise geführten Unterhaltung näherten sie sich dem Loch, und einer von ihnen steckte den Kopf hinein, um auf Geräusche zu lauschen.

Sie hatten offenbar begriffen, daß Bibitschew nicht allein war, und hielten ihn für den Späher einer Truppe von Plünderern. Diese Stämme hassen niemanden so sehr wie diejenigen, die sich dieser Grabschändung hingeben. Zwar sind sie voller Verachtung für das Leben – ihr eigenes wie das der anderen –, aber den Toten, die in diesen Gräbern liegen und mit denen sie verwandt sind, bezeugen sie tiefsten Respekt.

Noch immer von Jakash und zwei weiteren Jägern anvisiert, wurde Bibitschew rücksichtslos zum Eingang des Tunnels geschubst, und mit eindeutigen Bewegungen befahlen ihm die Nomaden, seine Gefährten zu rufen. Zunächst rief er fast lautlos. Ein gut plazierter Fußtritt, der ihn genau im Nacken traf, ließ ihn mit gesteigerter Inbrunst fortfahren. Er wählte die klangvollsten Worte, und bald hörte man durch die unsichtbaren Tunnel den folgenden Schrei hallen:

»Hilfe! Juremi! Hierher, Poncet! Schnell!«

# 4
## Gefangenschaften und Katastrophen

# Erstes Kapitel

Im 6. Jahrhundert vor Christus wurde das mächtige Ninive, die Hauptstadt des assyrischen Reiches, in einer warmen Augustnacht erobert. Die Befehle der medischen Sieger waren eindeutig: kein Diebstahl, keine Vergewaltigung, aber auch kein Überlebender. Allen dreihunderttausend Einwohnern wurden in einem Gemetzel, das einen ganzen Tag lang währte, die Kehlen durchgeschnitten. Die Vernichtung der Gebäude war ebenso radikal wie die der Bevölkerung. Kein Haus blieb verschont. Sogar die Zedernbibliothek des Assurbanipal ging mit ihren Tausenden Tontafeln in Flammen auf.

Nur wenige Städte bewahren nach ihrem Tod noch so viel Macht über die Seelen der Lebenden. Von Mossul am anderen Ufer des Tigris kann man die Überreste der Mauern betrachten, auf denen seit drei Jahrtausenden niemand gewagt hat, einen Stein über den anderen zu legen.

Als Monsieur de Maillet diesen überaus berühmten Ort erreichte, ließ er sich zuerst zur einstigen Hauptstadt bringen, um dort zu meditieren, während er über die Steinhaufen stieg, die von Disteln und Glaskraut überwuchert waren. Der Konsul fand in diesem schrecklichen Anblick viel Ermutigung für sich selbst. Der einstige Triumphzug der Meder zeugte schon von der Nähe der Perser, deren Urväter sie waren: Er war seinem Ziel sehr nah. Außerdem bestätigten die Ausbreitung der Wüste, die in diesem Hügel aus Staub und Tränen sichtbar wurde, und die neu erbaute Stadt gegenüber, auf der anderen Seite des schmalen Flusses, die allmähliche Austrocknung der Erde, die weit vor der Menschengeschichte begonnen hatte und die Grundlage der genialen und harmlosen Überzeugung des »Telliamed« darstellte.

Monsieur de Maillet konnte allmählich wieder aufatmen. Seit der Abreise aus Rom war ihm alles gelungen. Kühnheit machte sich offenbar bezahlt. Er hatte Italien durchquert und in Manfredonia eine Tartane genommen, die ihn nach Griechenland brachte. Mit verschiedenen Schiffen, alle neu und schnell, und nach mehreren Zwischenstopps auf einladenden Inseln erreichte er schließlich Juniyah im Libanon.

Die Karawansereien in dieser Gegend waren bequem und sicher. Er hatte keine Mühe, nach Aleppo und von dort aus nach Mossul zu gelangen. Der Winter war nicht sehr streng. Der Konsul fühlte sich hervorragend, und der Gedanke, daß er dem Paradies entgegenwanderte, ließ ihn alle Mühsal ertragen.

Überall nächtigte Monsieur de Maillet bei Einheimischen oder in Herbergen und mied sorgsam jeden Kontakt mit den französischen Konsulaten. Seine Mission war geheim und ging die offiziellen Diplomaten nichts an. Außerdem fühlte er sich unter ihnen sehr unwohl, als schäme er sich seiner Entlassung. In Mossul befand sich die Gesandtschaft Frankreichs glücklicherweise außerhalb der Stadt auf einem Hügel, als wären die Diplomaten nicht ganz überzeugt, daß Ninive für immer zerstört sei, weshalb sie es für besser gehalten hätten, sich in der Mitte zwischen beiden Städten niederzulassen.

Monsieur de Maillet erfuhr, daß er in Mossul die Wahl zwischen mehreren Karawansereien mit hervorragendem Ruf hatte. Man empfahl ihm unter anderem eine Herberge in europäischem Stil, die mehrere Zimmer besaß und deren Küche zwar seltsam, aber doch berühmt war. Der Konsul war sehr erstaunt über den Namen dieses Hauses. Es trug einen französischen Namen, den die Türken zwar nicht verstanden, aber wie einen exotischen Satz nachzusprechen gelernt hatten. Es war die Herberge »Zum Freund des Negus«.

Dorthin ließ sich Monsieur de Maillet führen. Das Gebäude lag am Rand der Türkenstadt, oberhalb des Basars. Über eine kleine, mit Kakteen verzierte Freitreppe betrat man das Erdgeschoß, das auf der hinteren Seite weit oben lag und durch seine vier Fenster ein wunderbares Panorama des Flusses und sogar die ockerfarbenen Umrisse der Stadtmauern von Ninive offenbarte. Eine sehr alte Dienerin mit zwei blonden Zöpfen, die fröhlich an den Seiten herabhingen wie bei einem kleinen Mädchen, führte den neuen Gast in die obere Etage. Sie zeigte ihm ein bescheidenes, aber sauberes Zimmer mit roten Fliesen, einem Holzbett und einer Frisierkommode, auf der ein Krug und eine Schüssel aus Steingut im Rouen-Stil mit blauen Verzierungen standen. Alles wirkte ansprechend, und der Preis war vernünftig.

Der Konsul zeigte sich sehr zufrieden, nur das rauhe Geschrei, das er beim Hinaufkommen gehört hatte, beunruhigte ihn ein wenig. Dieser Lärm verstärkte sich noch, während er das Zimmer besichtigte. Sobald sich die Dienerin davon überzeugt hatte, daß er zufrieden war, beeilte sie sich, diesen energischen Rufen zu folgen. Sie entschuldigte sich mit einem Knicks, der ihre Zöpfe hüpfen ließ, und verschwand eilig im Flur. Der Konsul hatte nicht einmal Zeit, sie nach dem seltsamen Namen des Hotels zu fragen.

Der Tag neigte sich nun rasch dem Ende zu. Monsieur de Maillet gönnte sich ein wenig Ruhe auf dem Bett, während er zusah, wie sich die Ruinen am Horizont im Abendrot färbten. Dann wurde ihm bewußt, daß er Hunger hatte, daß es im Zimmer keine Kerzen gab und daß es besser wäre, wenn er sich nach Licht und Nahrung umsah, ehe es Nacht war.

Er trat in den schon dunklen Flur hinaus, stieg die Treppe hinab und fand den Gastraum von einem halben Dutzend Personen besetzt, die auf Hockern um kleine, niedrige Tische saßen und schweigend zu Abend aßen. Alle nahmen dasselbe Gericht zu sich, das in Schüsseln für jeweils zwei bis drei Personen angerichtet war. Monsieur de Maillet genoß das Privileg, ein eigenes Gedeck zu erhalten. Sorgfältig schob er die Spitzenärmel zurück, ehe er seine Finger in der Schüssel versenkte.

Die türkischen Führer hatten die Wahrheit gesagt: Es war eine seltsame Küche. Auf einem breiten Fladen, der den Boden bedeckte, waren die geheimnisvollsten und unerwartetsten Speisen in kleinen Häufchen angeordnet. Einige ließen sich identifizieren: Blätterteigpastete, Forelle mit Mandeln, Mangosorbet. Andere wirkten verunglückt, ließen aber noch vertraute Zutaten erkennen: Eine Kugel Pilawreis mit Rosinen, pürierter Spinat, krümeliger Käse. Bei den übrigen jedoch war es unmöglich, den Ursprung zu erraten. Allerdings leuchteten sie in so scharfem Rot, daß man sie nicht ohne weiteres für harmlos halten mochte. Überall in der orientalischen Küche findet man diese Mischungen nach Kriterien, die weniger dem Geschmack als vielmehr den nostalgischen Erinnerungen des Kochs ihre Reverenz erweisen.

Zwei weitere Dienerinnen halfen der Magd, die Monsieur de Maillet schon begrüßt hatte, die Speisen und Getränke aufzutragen. Die Unglücklichen waren ebenso jugendlich frisiert und gekleidet wie die erste, obwohl sie schon das Alter von Großmüttern erreicht hatten. Sie versuchten, das grausige Schauspiel ihrer verdorrten Brüste, die durch ein Riemchenkorsett nach oben gedrückt wurden, mit aufmunternder Höflichkeit erträglich zu machen, weckten jedoch bei den armen Gästen noch mehr Melancholie als die Ruinen von Ninive.

Mit dem, was ihm an Appetit geblieben war, machte Monsieur de Maillet der Küche alle Ehre. Er war zufrieden mit diesem Aufenthalt, auch wenn seine leichte Unruhe nicht ganz schwand. Während des Abendessens hörte er noch zweimal die gleichen brummenden Rufe, die er schon in seinem Zimmer vernommen hatte. Seine Nachbarn, meist friedliche Händler – viele von ihnen Griechen –, schienen sich nicht daran zu stören und aßen weiter, ohne auch nur den Kopf zu heben. Er richtete sein Verhalten nach dem der Stammgäste, aber diese Anonymität sollte nicht lange dauern. Kaum hatte er seine Mahlzeit beendet und ein Glas Tee getrunken, trat die Dienerin mit den Zöpfen an ihn heran und neigte sich zu seinem Ohr:

»Monsieur, der Botschafter erwartet Sie in der oberen Etage«, sagte sie.

Der Botschafter! Monsieur de Maillet erschrak zutiefst. Er rückte seine Ärmel zurecht und klopfte seine Jacke ab. Sollte er ohne Perücke gehen? Er war schon fast unterwegs, als ihn ein anderer Gedanke in Angst versetzte: Was tat ein Botschafter an diesem Ort? Und aus welchem Land kam dieser Diplomat überhaupt? Es war leider nutzlos, der armen Dienerin diese Fragen zu stellen, denn ihr ganzes Französisch hatte sich in einem einzigen Satz erschöpft. Monsieur de Maillet besann sich also auf seine Würde und folgte dem Gretchen brav zur Treppe.

Oben, dem Flur gegenüber, der zu den Zimmern führte, gab es eine niedrige, von einem Vorhang versteckte Tür zu einem anderen Flügel des Gebäudes. Monsieur de Maillet trat hindurch und bemerkte, daß er in einem früheren Laubengang stand. Die Balken waren an der Decke und den Wänden mit einem Sammelsurium von Brettern und alten Blechen verkleidet, die jedoch nicht ausreichten, um alle Lücken zu schließen. Rauhe Stoffe, die sich im Wind blähten, bedeckten die leeren Stellen. Das Ganze diente halb als Haus, halb als Zeltlager – eine ebenso seltsame Mischung wie die Küche dieses Hauses. Am Gebälk dieser Konstruktion hingen die verschiedensten Gegenstände, die anscheinend afrikanischen Ursprungs waren: Reifen aus Nilpferdhaut, zwei gekreuzte Lanzen, das staubbedeckte Fell eines Tigers.

In der Mitte des Zimmers stand ein riesiges Möbelstück aus Holz, bedeckt mit fleckigen Teppichen und schmutzigen, völlig abgewetzten Baumwolltüchern. Es war gleichzeitig Bett, Thron und Katafalk. Zwei, drei Personen hätten sich nebeneinander darauf ausstrecken können, aber derjenige, der darauf lag, reichte vollkommen aus, um es ganz zu bedecken. Der riesige Kaftan, der seinen Körper bedeckte und der gut als Decke für zwei Pferde gereicht hätte, ließ die Umrisse dieses mächtigen Körpers im ungewissen. Man sah jedoch in Richtung der Tür zwei Beine herausragen, die vom Knie herab nackt waren und eher Elefantenrüsseln glichen: ebenso gewaltig, die gleiche dicke, faltige Haut, die gleiche schwärzliche, ins violett gehende Färbung. Als Monsieur de Maillet seine entsetzten Augen von diesem Anblick losreißen konnte, führte er sie zum anderen Ende dieses seltsamen Gerüstes. Seine schlechten Augen zeigten ihm auf dem Gipfel dieser Masse einen fetten Kopf mit beeindruckenden wulstigen Lippen, der jedoch entgegen jeder Erwartung menschlich erschien und sogar liebenswürdig lächelte.

»Ich bitte Sie, nehmen Sie Platz«, sagte dieselbe Trinkerstimme, die der Konsul am Nachmittag Befehle brüllen gehört hatte. »Ich liebe es, meine neuen Gäste kennenzulernen.«

Monsieur de Maillet ließ sich vorsichtig auf dem Rand eines Holzstuhls nieder.

»Wie hat Ihnen meine Küche gemundet?« fragte der Mann und ließ mit seinen Worten die hängenden Hautringe erbeben.

»Nun ... einfach köstlich!«

»Bei Gott! Das ist ein Mann mit Geschmack. Wissen Sie, daß ich auf diesem Gebiet keine Kritik dulde? Der Grund ist sehr einfach: Diese Rezepte wurden mir von einem großen König anvertraut, ja, dem größten aller Könige, der durch den Willen Gottes auf diese Erde gebracht wurde, um dessen Befehle auszuführen.«

»Und wer ist dieser Monarch?« fragte Monsieur de Maillet, der es für angebracht hielt, leidenschaftliche Neugier erkennen zu lassen.

»Ah! Ah!« grunzte der Mann. »Ist es noch möglich, daß jemand hierherkommt, ohne es zu wissen? Natürlich der Negus von Abessinien, der König der Könige, dessen Botschafter ich bin, ja sogar sein Freund, wie der Name dieses Hauses kundtut.«

Bei diesen Worten beugte sich Monsieur de Maillet auf seinem Stuhl nach vorn, um zu erkennen, was die schlechten Öllampen seinen müden Augen nur unzureichend enthüllten. Er konnte nicht mehr erkennen, als daß der liegende Mann von Tontellern mit Mandeln, Pistazien und Trockenfrüchten umgeben war. Diese Lebensmittel nahmen allen Platz ein, der auf dem Bett noch frei war. Danach griff er beim Reden mit seinen Wurstfingern und schob sich ganze Hände voll Erdnüsse in den Mund, die er unzerkaut verschlang, während er Luft holte.

»Und Sie, Monsieur«, fuhr der merkwürdige Gastgeber fort, ohne im Kauen einzuhalten, »ich weiß, daß Sie Franke sind, aus einer Nation, die ich gut kenne. Darf ich Ihren Namen erfahren? Und nehmen Sie es mir nicht übel, wenn wir uns womöglich schon kennen: Ich sehe fast gar nichts mehr.«

»Mein Name ist Maillet.«

»Maillet?... Maillet? Ich kannte früher in Kairo einen Strolch, der den gleichen Namen trug, allerdings mit Adelsprädikat. Dieser Kerl hat mich fast in die Hölle befördert, und ich hoffe nur, daß er jetzt dort schmort.«

Der Konsul hatte sich aufgerichtet, und jetzt war ihm alles klar. Murad! Der armenische Koch, den dieser Hochstapler Poncet aus Abessinien mitgebracht hatte! Der Mann, der die Frechheit besessen hatte, bis nach Versailles reisen zu wollen und den er glücklicherweise aufgehalten hatte. Dieser Freßsack war mit einer Gruppe von Jesuiten nach Abessinien zurückgekehrt, und Monsieur de Maillet hatte gehofft, daß er dort für immer bleiben würde. Aber diese Abenteurer haben kein Zuhause, und so mußte er ihn hier wiedertreffen.

»Ich sage das so dahin«, erklärte Murad mit klarerer Stimme, »aber im Grunde habe ich ihm schon lange verziehen. Die Stunden, die ich damals in Abessinien und Kairo verbrachte, sind mir so teuer ... Und heute habe ich niemanden mehr, mit dem ich sie teilen könnte.«

Der arme Mann war aufrichtig bewegt und befeuchtete seine Trockenfrüchte mit Tränen.

»Soll ich daraus schließen«, fragte Monsieur de Maillet mit derselben Schärfe, mit der er diesen Übeltäter früher behandelt hatte, »daß Sie der Murad sind, der vor fünfzehn Jahren in Kairo war?«

»Ist es denn möglich?« rief der Armenier und unternahm gleichzeitig eine furchtbare Anstrengung, die all sein Fleisch nach vorn schleuderte, so daß er sich hinsetzen konnte. »Maillet! Monsieur de Maillet! Ja, jetzt erkenne ich Ihre Stimme. Ah! Herr Konsul! Ich bin ja so froh! Was für eine Ehre!«

Dann stieß er einen Schrei aus, der den alten Diplomaten beinahe ins Wanken brachte, und rief, während er in die Hände klatschte: »Kommt her, Mädchen! Bringt zu trinken für Monsieur de Maillet! Schnell, Cathy, Leandra! Kommt her! Wein, auf der Stelle und vom besten, nicht euer scheußliches Gebräu!«

Nach dieser unendlichen Mühe fiel Murad auf sein Bett zurück und stöhnte zufrieden. Der Konsul wußte nicht, wie er sich verhalten sollte. Es war finstere Nacht. Eine Flucht war unbesonnen, ja unmöglich. Andererseits schien diese Begegnung keineswegs gefährlich, wenngleich sehr unangenehm. Ihm blieb keine Zeit für Grübeleien. Die abgenutzten Puppen kamen alle drei angesprungen und füllten eilig zwei Gläser. Murad, der vor Aufregung ganze Hände voll Rosinen in den Mund schob, brachte einen lauten Trinkspruch aus, und ein köstlicher Bordeaux entspannte Monsieur de Maillets verkrampfte Kehle.

»Wie hätte ich hoffen können, Sie eines Tages als Zeugen meines Wohlstands zu empfangen?« schrie Murad noch immer fassungslos. »In diesem Haus, das ich mit meinem Geld, von meiner Arbeit gekauft habe! Ist es nicht wunderbar? Und dann diese Schönheiten, was halten Sie von ihnen?« Er hatte jeden Arm um einen Hals gelegt und zog zwei der Unglücklichen an sich, die unter ihren Spitzenschürzen zitterten und beim Lachen ihre zahnlosen Münder entblößten.

Der Konsul mußte sich mit viel Geduld wappnen, um das Ende dieser Ergüsse abzuwarten. Schließlich waren sie allein, Murad machte sich an die zweite Flasche Wein und beruhigte sich so weit, daß sie sich unterhalten konnten.

»Nun, mein lieber Monsieur de Maillet«, sagte er und kaute wollüstig auf dem Namen herum, »ich nehme an, Sie sind auf dem Weg nach Ägypten?«

»Nein«, antwortete der ehemalige Diplomat etwas verlegen. »Ich lebe nicht mehr in Kairo.«

»Sind Sie nicht mehr Konsul dort?«

»Weder dort noch anderswo«, meinte Monsieur de Maillet trocken. »Ich habe diese Karriere aufgegeben und Schluß.«

»Und ... was tun Sie hier?« fragte Murad ohne Hintergedanken.

»Ich reise«, antwortete der Konsul in abschließendem Ton.

Der Armenier nahm einen großen Atemzug zerstampfter
Nüsse und überlegte einen Moment. Dann kniff er nicht nur
ein Auge, sondern das halbe Gesicht zusammen, so daß selbst
Monsieur de Maillet diese verschwörerische Miene wahrnahm: »Geheimmission! Klar! Nein, nein, Sie werden es nicht
zugeben. Sie haben recht. Das wäre zu gefährlich. Aber unter Diplomaten ...«

Der Konsul schloß kurz die Augen. Es war eine schöne Idee
Gottes, daß der Mensch aus dem Wasser gekommen war. Aber
warum hatte der Schöpfer auch diesen unwürdigen Pottwal
herausziehen müssen?

»Darf man wenigstens erfahren, wohin Sie reisen?« bohrte Murad weiter.

»Nach Persien«, enthüllte ihm der Konsul, der wußte, daß
er sein Ziel nicht lange würde verbergen können.

»Nach Persien! Bei dem, was dort los ist!«

Murad konnte sich nicht noch einmal aufrichten, also ge-
stikulierte er im Liegen und warf den Kopf zurück. »Wissen
Sie, daß die Armenier im letzten Jahr Jerewan erobert haben,
daß die Russen am Kaspischen Meer angreifen, angeführt vom
Zaren persönlich? Und vor allem, vor allem, daß die Afghanen vor den Toren Isfahans stehen?«

»Das weiß ich«, entgegnete der Konsul ohne sichtbare Regung.

»Er weiß es! Ich muß falsch gehört haben. Glauben Sie mir,
Monsieur le Consul: Das darf man nicht verharmlosen. Diesmal ist das Ende nah. Mit Persien ist es aus, glauben Sie mir.
Ich sehe viele Leute hier vorbeikommen, ich frage, ich höre
zu. Nun, ich sage Ihnen, wie es ist: Jeder vernünftige Ausländer verläßt heute dieses Land, so schnell er kann. Und Sie,
Sie wollen sich in die Höhle des Löwen stürzen!«

»Wie viele Tage – mit einer guten Kutsche – sind wir von
Isfahan entfernt?«

»Isfahan! Wie oft soll ich es wiederholen, daß diese Stadt

279

unmittelbar vor der Belagerung steht! In diesem Moment sind die Afghanen vielleicht schon vor den Toren.«

Es ging noch lange hin und her, aber es war nichts zu machen. Der Konsul war entschlossen, auch wenn er den Grund nicht eingestand, sich um jeden Preis in die persische Falle zu begeben. Murad erklärte sich schließlich voller Entsetzen bereit, ihn dabei zu unterstützen. Er bot dem Konsul eine Kutsche an, die er einst nach seinen eigenen Maßen hatte anfertigen lassen und die jetzt ungenutzt im Stall der Herberge stand. Er knüpfte nur eine einzige Bedingung daran: daß dieses Gefährt nicht in die Stadt hineinfahren, sondern mit dem Kutscher zurückkehren würde, sobald es den Konsul abgesetzt hatte.

Mit dem Voranschreiten der Nacht entwickelte sich zwischen den beiden Männern eine gewisse Vertrautheit. Monsieur de Maillet war inzwischen überzeugt, daß der arme Murad harmlos, ja sogar wohlwollend war. Er beschloß, ihn in einer Frage um Hilfe zu bitten, die ihn seit der Abreise aus Rom beschäftigte. Er hatte die Wahrheit gesagt: In Isfahan eingeschlossen zu werden machte ihm keine Angst, auch wenn er dort den Tod finden sollte. Er wollte aber nicht, daß mit ihm jede Spur seiner Mission und der Verpflichtung, die der Kardinal ihm gegenüber eingegangen war, verschwand. Er hatte ein geheimes Memorandum entworfen, in dem er die ganze Angelegenheit darlegen würde, von der zweifelhaften Erpressung der Konkubine bis hin zu seinem Anliegen an den Papst bezüglich seines Buches. Aber wo sollte er ein solches Dokument sicher hinterlegen?

»Ich bin Ihnen äußerst dankbar für Ihre Güte, mein lieber Murad«, sagte der Konsul nach langem Nachdenken. »Kann ich es wagen, Sie um einen weiteren Gefallen zu bitten?«

»Ich bitte Sie. Alles, alles, um Ihnen zu Diensten zu sein.«

»Also: Könnten Sie mir einen Tresor zur Verfügung stellen, dessen Schlüssel Sie mir überlassen?«

»Eine Kassette? Suchen Sie sich unter dem Bett eine aus. Es gibt zwei, unterschiedlich groß.«

Monsieur de Maillet nahm die kleinere der Kassetten, hob

sie mit Mühe hoch und stellte sie zwischen die fast leeren Pistazienschalen. Murad wühlte unter seinem Mantel und zog zwei kleine Schlüssel hervor.

»Legen Sie die Papiere, die drin sind, in die andere, die größere. Und behalten Sie diese. Sie gehört Ihnen.«

»Ich danke Ihnen von ganzem Herzen«, erklärte Monsieur de Maillet ganz gerührt, weil er eine Lösung für sein Problem gefunden hatte. »Morgen früh übergebe ich Sie Ihnen verschlossen, und ich behalte den Schlüssel bei mir. Wenn mir ein Unglück zustoßen sollte, während ich all den Gefahren begegnen muß, die Sie mir ankündigen, werde ich Ihnen diesen Schlüssel zukommen lassen und dann auf Sie zählen, daß Sie diese Dokumente bekanntmachen und an die Adresse senden, die ich aufschreiben werde.«

Murad versprach alles. Die Überraschung und die Aufregung über dieses Wiedersehen hatten ihn ermüdet. Der Konsul ließ ihn einschlummern und nutzte diese Gelegenheit, um in sein Zimmer zurückzukehren und seinen Plan sofort auszuführen.

Eine halbe Stunde später rieb Leandra, zweifellos von ihrem Herrn, dem Botschafter, geschickt, zart ihren Zopf an der Tür des Konsuls und stöhnte unzweideutig. Monsieur de Maillet jedoch war ganz in seine Arbeit vertieft. Er hörte sie kaum und öffnete nicht.


## Zweites Kapitel


Alle Geiseln werden bestätigen, daß es besser ist, von reichen Verbrechern entführt zu werden. Die kleine Truppe kirgisischer Plünderer, die Bibitschew und seine Begleiter am Ausgang des Kurgans gefangen genommen hatte, war es jedenfalls nicht. Ihr Aul war eine Ansammlung kleiner runder Filzzelte, wie sie alle Nomaden der Steppe errichten. Über die an den Spitzen zusammengebundenen Zeltstangen waren jedoch nur armselige, gelblich graue und sehr dünne Fetzen von Kamelhäuten gelegt, die den eisigen Wind und sogar ein wenig Regen hereinließen. Kein Teppich bedeckte den Boden, nur stinkende Felle, die kaum noch ein Haar trugen und voller Flöhe waren. Die erbärmlichste dieser Kibitka genannten Behausungen diente zur Aufbewahrung von Sellerie und Melkgeräten, die im Winter nicht gebraucht wurden. Dort wurden auch die vier Gefangenen untergebracht, immer noch mit Fußfesseln aneinandergebunden und die Hände hinter dem Rücken verschnürt. In dieser eisigen Unendlichkeit war es überflüssig, sie weiter zu bewachen: Alle Nomaden verschwanden, um gemeinsam ihren Fang im Zelt des Ältesten zu feiern.

»Dieser Schotte ist wirklich schlau«, sagte Jean-Baptiste, um das lastende Schweigen zu unterbrechen. »Wir hätten ihm folgen sollen.«

»Wie denn, ihm folgen!« schrie Juremi, der seit dem Morgen vor Zorn kochte. »Wenn man mich zu Hilfe ruft, dann komme ich!«

Und er warf böse Blicke zu Bibitschew, der eine würdige, abwesende Miene aufgesetzt hatte. Tatsächlich hatten sie sich alle drei ohne den geringsten Widerstand fangen lassen, so eilig hatten sie es gehabt, dem Polizisten zu Hilfe zu kommen. Nur Halquist war klugerweise zurückgeblieben. Als er Juremi brüllen hörte, daß man sie gefangen hätte, hatte er sich blitzschnell aus dem Staub gemacht. Obwohl die Kirgisen am Eingang des Tunnels ein Grasfeuer entzündeten, um ihn auszuräuchern, zeigte sich der Schotte nicht mehr. Er kannte die Tunnelgänge so genau, daß er gewiß auf der anderen Seite entwischt war oder sich auf einen achttägigen Aufenthalt eingestellt hatte.

»Ich hoffe nur, daß er jetzt gerade skythisches Pferdefleisch verspeist«, brummte Juremi wütend.

Der Wind brauste in Böen über die verschneite Steppe und durch das Filzzelt, wobei er indiskret die Rücken der Gefangenen kitzelte. Diesmal sah die Angelegenheit sehr viel ernster aus als mit ihren Entführern im Kaukasus. Vor allem war

Küyük nicht bei ihnen, um sie mit seinen Trancezuständen zu retten. Wie sollte man auch die Geister der Steppe anrufen, wenn man ihre Sprache nicht gewohnt war?

Ab und zu gelangten mit den Windstößen lautes Lachen und Bruchstücke von Liedern zu ihnen, die aus dem Zelt kamen, in dem ihre neuen Herren feierten.

»Oh! Oh!« rief plötzlich George, der noch nie so offensichtlich die Geduld verloren hatte, »es ist schön, das Zentrum der Welt, nicht wahr! Die Werkstatt der Götter, ja! Eine tolle Idee, dieses Grab. Jetzt sitzen wir in der Falle.« Und er schimpfte weiter in seinen Pelz.

»Meint dein Sprößling vielleicht mich?« fragte Juremi an Jean-Baptiste gewandt.

Da er keine Antwort erhielt, sprach der Riese den jungen Mann direkt an. »Ich war hundertmal bei diesen Stämmen, verstehst du, Ahnungsloser, Ungläubiger, kein Vertrauen hat du, und ich bin nie auf die geringste Feindseligkeit gestoßen. Wenn dieser Spaßvogel sie nicht provoziert hätte, indem er sich als Miezekatze verkleidet.«

Bibitschew tat, als höre er nichts.

»Jetzt reicht es aber!« explodierte George, und sein schönes, noch vom Tunnelstaub geschwärztes Gesicht wirkte wahrlich furchteinflößend. »Wir verkleiden uns doch ununterbrochen, seit wir aufgebrochen sind. Wir haben uns den Aberglauben der Armenier angehört, das Theater eines vorgeblichen Schamanen, und bald wird man uns einreden, daß wir in den Händen braver Leute sind, ganz gutmütig und friedlich ...«

»Und?« fragte der Protestant und wartete mit strenger Miene auf die Fortsetzung. »Was schlägst du vor?«

»Oh! Mir ganz brav die Kehle durchschneiden zu lassen, keine Sorge. Aber bitte, geben Sie wenigstens zu, daß ich recht haben könnte: Diese Länder werden erst an dem Tag einladend für Besucher sein, wenn man den Aberglauben ausgetrieben hat, um das Licht der Vernunft zu verbreiten. Ich möchte gern sterben, aber ich möchte aussprechen, weshalb. Nun: Ich sterbe als Opfer des Fanatismus und der Barbarei.«

»Das Licht der Vernunft! Kleiner Schelm! Hört ihn euch an…«

»Hört auf, hört auf«, sagte Jean-Baptiste, der dazwischengehen wollte und darunter litt, die Hände nicht bewegen zu können. Zum Ausgleich hob er gewaltig die Stimme. »Es geht uns dreckig genug, ohne daß wir uns auch noch gegenseitig zerfleischen müssen.«

Vielleicht hatte er zu laut gebrüllt, denn die Lieder im Nachbarzelt verstummten, und diese Stille beruhigte auch die Diskussion der Gefangenen. Einige Minuten verstrichen, dann wurde die Filztür der Kibitka heftig zurückgeschlagen, und drei Kirgisen kamen herein. In der Hitze des Festes hatten sie ihre Pelze abgelegt. Sie trugen bunte Gewänder aus unterschiedlichsten Stoffstücken, die ohne Sorgfalt aneinandergenäht waren. Ihre breiten Gesichter mit den vorstehenden Backenknochen waren von den fröhlichen Zeremonien gerötet, und ihre windgegerbte Haut glänzte wie lackierte Töpferware. Obwohl sie einander ziemlich ähnlich sahen und den gleichen farbenprächtigen *khalat* trugen, stellte sich heraus, daß es sich um zwei Männer und ein junges Mädchen handelte. Die junge Frau lächelte, als sie die Gefangenen nacheinander betrachtete. Entsetzt sahen diese, daß sie ihre Zähne sorgfältig schwarz gefärbt hatte. Ihre Arme hingen friedlich am Körper herab. In der rechten Hand hielt sie einen Gegenstand, der sich erst identifizieren ließ, als sie ihn vor sich schwenkte. Es war eine schwere, runde Stahlschere mit scharfen Klingen, wie man sie zum Scheren der Schafe verwendet.

Die beiden Männer standen lachend neben ihr, während sie jede Geisel eingehend musterte. Schließlich trat sie auf George zu, und die Kirgisen applaudierten laut. Jean-Baptiste war von wildem Entsetzen erfüllt. Er hatte alles nur mögliche getan, um die Aufmerksamkeit dieser Schicksalsgöttin auf sich zu ziehen, von der er nichts Gutes erwartete. Als er sah, daß sie George als Zielscheibe auswählte, konnte er einen Schrei nicht unterdrücken. Aber das junge Mädchen ließ sich dadurch nicht beirren. Sie kniete sich vor George, packte seinen Kopf und legte ihn mit fester Hand auf ihre Knie.

Alle Anwesenden hielten den Atem an. Die breiten, dicklichen Finger verschwanden in der blonden Mähne und griffen nach einzelnen Strähnen, welche die Wilde nachdenklich betrachtete. Schließlich bewegte sie die Schere und schnitt eine dicke Locke direkt über der Kopfhaut ab. Eine Sekunde später war sie aufgestanden und rannte mit lautem Lachen davon, gefolgt von den beiden fröhlichen Männern.

»Was sollte das nun wieder?« fragte Jean-Baptiste, als im Zelt wieder Ruhe herrschte.

George, noch ganz zerzaust, hatte so große Angst ausgestanden, daß er vor Erschöpfung kein Wort hervorbrachte.

»Wohl auch so ein gefährlicher Aberglaube, den unser junger Freund austreiben will«, erklärte Juremi noch immer verärgert.

»Sag schon, was weißt du?« drängte Jean-Baptiste.

»Sie glauben, daß die Haare von Fremden, um so mehr, wenn sie blond sind, besondere Tugenden besitzen, das ist alles«, verkündete Juremi mißmutig. »Meine sind grau, dafür gab es keine Liebhaber. Aber ich habe schon öfter ein paar an Einheimische verschenkt, die keinen Engländer zum scheren hatte.«

»Das beruhigt mich, also heißt es nicht, daß sie George für ein Opfer oder irgendeine Folter ausgewählt haben.«

»Leider nicht«, sagte Juremi, »obwohl er es eigentlich verdient hätte. Am wahrscheinlichsten ist, daß in einem Zelt dieses Auls eine Entbindung bevorsteht. Die anmutige Person, die wir gerade gesehen haben, wird die Locke, die sie gerade abgeschnitten hat, unter die Nase der Gebärenden hängen. Dadurch wird die Geburt beschleunigt, denn diese Ahnungslosen nehmen an, daß der Säugling genauso scharf auf dieses weißliche Fell ist wie sie.«

George zuckte die Schultern. Obwohl er sich zwang, nicht zu lächeln, war er doch sichtbar erleichtert.

»Nicht nur, daß deshalb nichts zu fürchten ist«, fuhr Juremi fort, den der Zwischenfall in Schwung gebracht hatte, »ich halte das Ganze sogar für ein gutes Vorzeichen.«

»Warum das, zum Teufel?« fragte Jean-Baptiste.

»Hast du gesehen, wie sie George angeguckt hat? Wie sorgfältig sie seinen Kopf zwischen ihre Schenkel einer jungen Büf-
felkuh gepreßt hat. Glaubt mir, Freunde, das Mädchen ist bis
ins Herz getroffen.«

Jean-Baptiste hielt diesen Kommentar für sehr unangebracht und befürchtete, es könne einen erneuten Streit mit
George geben. Aber sie waren aneinandergefesselt, was auch
geschah, und konnten sich Juremis Hirngespinsten nicht einfach entziehen.

»Ihr glaubt mir nicht?« fragte dieser. »Ich meine es ganz
ernst. Betrachten wir uns die Situation mal ganz in Ruhe, man
kann es ruhig aussprechen. Wir sind verloren. Das ist die
Wahrheit. Das Unglück wollte, daß wir diese Gauner treffen.
Wißt ihr, was sie mit uns machen werden? Sie werden uns bis
nach Buchara oder Chiva schleppen und dort als Sklaven verkaufen. Die Türken werden uns nur zu gerne erwerben, und
dann verbringen wir den Rest unserer Tage – glücklicherweise wird es nicht lange sein – mit Eisen an den Füßen unter
ihren Stockschlägen.«

Bibitschew, erschöpft von seinem Morgenlauf in der eisigen Steppe, war eingeschlummert.

»Wenn, ja, wenn wir nicht unsere Vernunft, unsere Intelligenz, unser Licht sozusagen nutzen«, vollendete Juremi
genüßlich.

»Ich flehe dich an, laß das«, bat Jean-Baptiste.

»Ich meine es ernst!« unterbrach ihn der Protestant und
senkte die Stimme, ehe er fortfuhr: »Morgen und an den folgenden Tagen, wenn sie eine Karawane bilden, sehen wir dieses Mädchen wieder. Die Truppe dieser Vagabunden ist nicht
groß. George muß ihr zulächeln! Er muß die Macht ausbau-
en, die er durch seinen Charme über sie gewonnen hat!«

»Es reicht, Juremi«, schrie George, zog sich so weit zurück,
wie es die engen Fesseln zuließen und wandte sich ab, um seinen Gefährten den Rücken zu zeigen.

»Ich meine es ernst, sage ich dir. Du willst nichts von Aberglauben hören. In Ordnung. Ich verstehe dich. Aber hier geht
es um das menschliche Herz und um dessen allgemeingülti-

gen Gesetze. Es kommt dazu, daß die Mädchen dieser Völker zu allem fähig sind. Manchmal fliehen sie zu Pferd und galoppieren tagelang, verfolgt von den Reitern ihres Vaters, um zu dem zu gelangen, den sie lieben.«

Er setzte seinen Vortrag zu diesem Thema noch lange fort, aber die anderen hörten nicht mehr zu. George schmollte, und Jean-Baptiste fühlte sich durch die Erwähnung von Entführungen an Alix erinnert, an Kairo, an die Augenblicke von Wärme und Liebe, die ihm Tränen in die Augen trieben und ihn an sein großes Glück erinnerten.

Alles lief so, wie Juremi es vorhergesagt hatte. Am Tag nach ihrer Gefangennahme gab es eine Entbindung. Die Kirgisen ließen die junge Mutter zwei Tage ruhen, dann bauten sie die Zelte ab. Die Gruppe bestand aus acht Männern, zwölf Frauen und einem Dutzend Kindern. Um die Holzstangen für die Kibitkas, die Filzdecken und die Holzkisten voller Hausrat zu transportieren, hatten die Nomaden nur sechs große Kamele, müde Tiere mit mageren Höckern, denen es ständig an Futter mangelte. Die Männer ritten auf kleinen Steppenpferden, die auch noch eine Frau auf der Kruppe und zwei oder drei Kinder auf dem Hals tragen mußten. Abwechselnd gingen ein Mann oder eine Frau zu Fuß, um eine große Peitsche zu schwingen und die Schafe mit langem schwarzem Fell voranzutreiben, die dem Konvoi ohne jede Ordnung folgten. Die noch immer an den Füßen gefesselten Gefangenen waren aneinandergebunden und der erste, gewöhnlich Juremi, außerdem mit einem Strick um den Hals an den Sattel des Ältesten, des Anführers der Truppe.

Neben dieser Strenge gab es jedoch auch Zeichen der Aufmerksamkeit, ja der Sympathie. Die Kirgisen sorgten sich um ihre Geiseln, die sie zu gutem Geld machen wollten. Sie ernährten sie gut und opferten jede Woche ein Schaf, um ihnen die besten Stücke gegrillt zu servieren.

Die Steppe zeigte jeden Tag dieselbe gleichzeitig reglose und bewegte Landschaft, unmöglich wiederzuerkennen und ewig vertraut. Die ganze Woche lang sahen sie vereiste Sandhügel, graues Gras und, solange sie im Süden des Aralsees wanderten, Dornengestrüpp, große Sträucher mit verkrüppelten Stämmen, die so hart waren, daß man sie nicht schneiden konnte und gleichzeitig so leicht splitternd, daß man nichts anderes als Holzkohle daraus machen konnte.

Sie marschierten in langen Etappen über die Salzwüsten, die ihre Stiefel in acht Tagen verbrannten. Die Nomaden nähten ihnen mit großer Fürsorge neue. Nachts, wenn sie sich in diesen Salzsümpfen ausstreckten, verspürten sie einen unerträglichen Juckreiz an Gesicht und Händen, und ihre Wärter litten nicht weniger.

Diese gemeinsam durchlittenen Prüfungen, der Tod von zwei Kindern, die ewige Stille der Wüste schufen schließlich zwischen ihnen allen, an welchem Ende des Stricks sie auch stehen mochten, eine Verbindung, in der die Gewohnheit fast schon die Färbung von Freundschaft annahm.

Dennoch blieb jeder in seinen eigenen Träumen verfangen, und die Gefangenen hielten hartnäckig nach jeder Möglichkeit zur Flucht Ausschau.

Es hatte sich noch keine einzige ergeben. Ohne Hilfe, ohne Ausrüstung, ohne Nahrung und ohne Reittiere war es illusorisch, in dieser Einöde überleben zu wollen. Während die Wochen verstrichen, wurde immer offensichtlicher, daß die verrückte Idee, die Juremi am Anfang entwickelt hatte, den einzigen vernünftigen Plan darstellte.

Die junge Kirgisin, die George geschoren hatte, war das einzige ledige Mädchen in heiratsfähigem Alter, was sich an ihrem langen, offenen Haar erkennen ließ. Kutulun, das bedeutete »die Glückliche«, versäumte es nie, den Gefangenen abends mit drei anderen Frauen das Essen zu bringen. Da man nicht das Risiko eingehen wollte, ihnen die Fesseln abzunehmen, wurden sie gefüttert. Kutulun weigerte sich, einen anderen Mund als den von George zu füllen, um ihm dann mit gerührtem Blick beim Kauen zuzuschauen.

Kutulun würde eines Tages heiraten. Im Moment war sie

frei, und ihr Vater, ein Bruder des alten Anführers, sah kein Problem darin, wenn sie sich um dieses menschliche Vieh kümmerte, das sie bald verkaufen würden. Offenbar konnte sich niemand vorstellen, daß dieses junge Mädchen andere Wünsche verspüren könnte als jene, auf die sie ihr künftiges Los als Mutter vorbereitete. Die Kirgisen sind gewiß, daß man ihnen gehorcht, denn ihre Strafen sind furchtbar.

Juremi durchschaute die Seelen der Frauen etwas tiefer, zumindest las er darin etwas anderes. Er überzeugte seine Gefährten, daß dieses Mädchen genug Leidenschaft besaß, um ihre eigenen Ketten zu zerbrechen und vor allem die der Gefangenen. Aber George wollte noch immer nichts davon wissen. »Vielleicht, weil sie schwarze Zähne hat?« fragte der Protestant, der herausbekommen wollte, worauf sich der Widerstand dieses unmöglichen Burschen gründete. »Mein Gott! Meinst du, der Tod hat weiße Zähne?«

Meistens gab er seine Kommentare zwischen zwei Bissen ab, die ihm ein zerlumptes Weibsstück gab, das zu seiner Fütterung bestimmt war.

»Vergleich sie doch mit den drei anderen«, drängte Juremi. »Langsam, Madame, ich bitte Sie, langsam mit diesem Brei.«

Die Mongolin, die nichts verstand, verschloß ihm den Mund mit einer noch größeren Portion.

George bedauerte nur eines: Jean-Baptiste sein Geheimnis nicht gestanden zu haben, als er mit ihm allein war. Sie würden ihn in Ruhe lassen, wenn sie nur wüßten... Aber wie konnte er jetzt irgend etwas von seiner Seele offenbaren, wenn dieser schreckliche Juremi dabei war, der alles ins Lächerliche zog?

Das Jahr ging voran, und in seinem Rhythmus erreichten sie südlichere Regionen. Der Schnee verschwand, und von einem Tag auf den anderen zeigte die Steppe die lebhaften Farben einer Frühlingswiese. Tupfer von Zwergwermut und Eberraute durchbrachen die Eintönigkeit. Die Luft füllte sich mit Gerüchen von Knoblauch und wilden Zwiebeln. Große Storchenschwärme verdunkelten den Himmel über den Salzsümpfen, die der Aralsee im Süden hinter sich zurückließ. End-

lich erreichten sie das frische, grüne Tal von Amou-Darja,
voller Herden und Schäfer. Der Moment zum Handeln war
gekommen.

## Drittes Kapitel

Mit der Rückkehr des milden Wetters, der Feuchtigkeit und
der guten Weiden kam auch die Herde, die die Kirgisen begleitete, schnell wieder zu Kräften. Jeden Abend hörte man
die Milch von Schafen, Stuten und Kamelen in die ledernen
Melkeimer spritzen. Sie bereicherte die Küche der Menschen
und vergor zu Käse und alkoholischen Getränken.

Bei jedem Halt nahm der ganze Aul diesen Geruch an und
trug ihn von Etappe zu Etappe. Die von der Sonne erwärm-
ten Kibitkas verströmten einen unerträglichen Gestank nach
Tierhäuten, Schweiß und gebratenem Fett, dazu kamen die
süßlichen Gerüche nach Milch und Gärung. Die meisten
Nomaden schliefen im Freien. In diesen herrlichen Nächten
schien die Welt kopfzustehen, denn die dunklen, leeren Weiten der Erde wurden von einem Himmel überdeckt, an dem
Tausende Feuer strahlten.

Auf Juremis Befehl schliefen die Gefangenen weiter im
Schutz ihrer Hütte. Die Nomaden sorgten sich zu sehr um ihre Gefangenen, um ihnen diesen Gefallen zu verweigern. Wenn
die Nacht hereingebrochen war, holten die Aneinandergefes-
selten ein letztes Mal tief Luft, dann krochen sie in die stinkenden Eingeweide der Kibitka.

Juremis Plan beruhte auf dieser nächtlichen Zurückgezo-
genheit. Er hatte beobachtet, wie sich die Leidenschaft im Herzen der jungen Kutulun entwickelte, und nahm an, der entscheidende Moment sei bald erreicht. Dieser Tölpel von
George hätte die Sache sehr beschleunigen können, wenn er
nicht so dumm gewesen wäre. Doch endlich kam die Nacht,
auf die der Protestant gewartet hatte.

Sie lagen seit etwa zwei Stunden in ihrem Zelt, als sich der Filzvorhang einen Moment vor einem mondlosen, dunklen Himmel hob. Eine Gestalt schob sich in das Zelt, in der man Kutulun mühelos erkennen oder wenigstens erahnen konnte. Die Gefangenen waren noch immer an Händen und Füßen gefesselt, und die Verbindungsstricke ließen ihnen kaum einen Meter Raum. Auch wenn sie angesichts dessen, was nun folgen sollte, gern Diskretion gewahrt hätten – sie konnten sich nicht entfernen. Auf Zehenspitzen, aber mit großer Sicherheit erreichte Kutulun George und griff zärtlich in sein Haar. Da das Objekt ihrer Begierde wie seine Gefährten die Hände hinter dem Rücken zusammengebunden hatte, blieb es ihm erspart, die gleiche Leidenschaft zu zeigen. Er war ohnehin weit davon entfernt. Juremi hatte in den letzten Tagen lange auf ihn eingeredet und ihm erklärt, was wahrscheinlich geschehen würde. Er hatte sich darauf vorbereitet, ohne jedoch die Hoffnung, diesem Spiel zu entkommen, völlig aufzugeben. Und nun war es soweit.

Das junge Mädchen hatte den *khalat* abgestreift und war nackt unter Georges Felle geglitten, wobei sie der Symphonie tierischer Gerüche noch einige neue Noten hinzufügte, säuerlich, in der Tonlage der Oboe.

»Ich schreie!« flüsterte der junge Mann.

Der zärtliche Klang der leisen Worte löste bei dieser Frau, die an die Rauheit der Steppe gewöhnt war, ein verlangendes Schnurren und vielleicht sogar schon Befriedigung aus.

»Denk daran«, hatte Juremi jedesmal gesagt, wenn sie von dieser Szene sprachen, »wenn du schreist, bringst du sie um und uns ebenso.«

Es bedurfte all seines Widerwillens gegen ein solches Verbrechen, um den jungen Engländer davon abzuhalten, das auf seine Person verübte Attentat öffentlich zu machen. Diese moralische Zerrissenheit entlockte ihm ein Röcheln, in dem seine Vergewaltigerin die zärtlichsten Worte der tatarischen Sprache zu erkennen meinte.

Die anderen Gefangenen und vor allem Bibitschew, der nicht zur Familie gehörte, bewiesen vollendete Diskretion, obwohl sich die Szene immer länger hinzog und zuweilen etwas indezent wurde. Der Engländer ertrug seine Niederlage wie ein Edelmann und vermittelte schließlich sogar den Eindruck, einen fairen Beitrag zu der Unternehmung zu leisten.

Am Morgen, als sie sich im Kreis um das Feuer gesetzt hatten, an dem die Nomaden eine Mahlzeit zubereiteten, strahlte Juremi, während George die Augen gesenkt hielt. Kutulun lief mit trübsinniger Miene im Lager hin und her, und niemand hätte ahnen können, daß sie im ersten Morgengrauen wie ein Schatten die Kibitka verlassen hatte.

»Ich habe ausgerechnet, daß uns noch etwa zehn Tagesmärsche bis Chiva bleiben. Es ist nicht sicher, daß sie uns dort verkaufen wollen. Sie können auch bis Buchara ziehen. Aber ich habe so eine Ahnung, daß sie den näheren Markt vorziehen. Du mußt also schnell handeln, mein lieber George.«

Der junge Mann hatte sich zwar der Vorstellung gefügt, alles zu erdulden, war aber noch nicht bereit, selbst zu handeln.

»Wir helfen dir«, sagte Juremi, um ihn zu ermutigen. »Zuerst mußt du diesem gierigen Weib klarmachen, daß sie viel mehr davon hat, wenn sie deine Hände befreit. Glaub mir, die Frauen haben da genug Phantasie. Dabei bleibst du zwei Nächte, dann redest du mir ihr über Pferde und erklärst ihr, daß du mit ihr bis zum Horizont reiten möchtest. Da darfst du mir ruhig danken: Ich habe schon für dich vorgearbeitet. Seit drei Tagen lausche ich all ihren Gesprächen, und ich habe schon eine ganze Menge Wörter mitbekommen. Die Wüste hier in der Nähe nennt man beispielsweise *karakum*, das heißt ›schwarzer Sand‹. Pferde heißen, soweit ich es verstanden habe, *kulan*, und du kannst auch die *kamtscha* erwähnen, das ist die große Reitpeitsche.«

Jean-Baptiste war hin- und hergerissen. Er konnte gut nachempfinden, wie unangenehm diese Situation für seinen armen Sohn war. Er war zwar nicht böse darüber, daß dieser einen Vorgeschmack auf das wahre Leben bekam, fürchtete jedoch eine Reaktion der Verzweiflung oder Auflehnung. Dennoch mußte er Juremis Voraussicht anerkennen. In ihrer kritischen Situation hatten sie kaum eine andere Wahl.

»Aber wie stellst du dir unsere Flucht vor?« fragte Jean-Baptiste den Protestanten. »Wir sind zu viert, hast du das vergessen?«

»Drei«, sagte Juremi entschieden und warf Bibitschew einen bösen Blick zu. »Also reichen drei Pferde. Sie bereitet eins für George vor, eins für sich und schließlich eins für das Gepäck. Das geht auf. Sobald sie ihn befreit hat, borgt er sich ihr Messer und macht uns zum Abschied los. Sie wird sich nicht widersetzen. Dann gehen sie raus zu den Pferden. Wir folgen ihnen. Im letzten Moment greifen wir sie uns, knebeln sie und lassen sie gefesselt in gehöriger Entfernung vom Aul liegen. Dann sind wir frei.«

»Du willst die Unglückliche umbringen!« rief George.

»Das habe ich gewußt! Gestern wollte der Herr nichts von ihr wissen. Sie hatte schwarze Zähne, sah aus wie ein bretonischer Kleiderschrank, was weiß ich. Und heute ist er verliebt, und wir dürfen seiner Schönen kein Haar krümmen.«

»Verliebt!« wiederholte George und verdrehte die Augen zum Himmel.

»George hat recht«, mischte sich Jean-Baptiste ein. »Das arme Mädchen hat einen solchen Verrat nicht verdient. Warum sollen wir sie nicht mitnehmen?«

»Gut, wie ihr wollt. Dann sind sie zu zweit auf ihrem Pferd. Ich warne euch nur, wenn man uns verfolgt...«

»Das Risiko müssen wir eingehen«, sagte Jean-Baptiste nach einem Blick auf Georges verschlossenes Gesicht.

Auch unter diesem Vorbehalt war noch nicht klar, ob sich der Junge einem solchen Ränkespiel hingeben würde.

Die nächste Nacht brachte weitere Fortschritte. Ohne daß man ihr irgend etwas sagen mußte, zerschnitt Kutulun die Fesseln an Georges Handgelenken und ersetzte sie durch ein Hanfband, das leichter zu verknoten und zu lösen war. Mit bemerkenswertem Taktgefühl ließ sie dann eine Nacht aus, was allen ein wenig Erholung verschaffte. Am nächsten Abend wiederholte Juremi sein Zureden: Für George sei der Moment zum Handeln gekommen. Leider verstrich die Nacht in schweigendem Rascheln der Pelze unter dem gewohnten Geruch von Tierfellen und Milchsäure.

Den ganzen folgenden Tag trug George eine beleidigte Miene zur Schau und weigerte sich, eine Erklärung abzugeben. In der Nacht darauf setzte Juremi deshalb alles auf eine Karte und entschloß sich, selbst einzugreifen. Sobald ihre nächtliche Besucherin erschienen war und sich unter Georges Fell geschoben hatte, begann der Protestant eindringlich zu flüstern.

»Karakum, Mademoiselle. Kulan! Kulan! Und klack, klack, Kamtscha, vorwärts, Kamtscha.«

Die Nomaden sind an enges Zusammenleben gewöhnt. Da die ganze Familie unter einem Zeltdach zusammengepfercht ist, werden sie schon als Kinder Zeugen der Liebesspiele ihrer Eltern. Das junge Mädchen wußte wohl um die Anwesenheit der drei Männer, deren Nähe durch die Stricke unvermeidlich war. Dennoch erstarrte sie, als sie Juremi reden hörte. War es die Empörung, diesen alten Mann, dessen schelmischen Blick sie kannte, zu ihr von warmem Sand, wilden Pferden und der Peitsche reden zu hören? Auf jeden Fall verpaßte sie ihm sogleich ein paar gewaltige Ohrfeigen und verschwand.

Es wurde eine Nacht voller Verzweiflung. Die Gefangenen waren davon überzeugt, daß Georges Opfer unnütz gewesen war, und wechselten kein Wort miteinander.

In den folgenden Tagen legte die Karawane lange Etappen fern vom Fluß zurück, inmitten weicher Dünen, auf denen nicht einmal mehr ein paar Sträucher wuchsen. Um Feuer zu machen, suchten die Kirgisen auf dem Boden nach winzigen Pflanzen mit gelben Blüten, deren holzige Wurzeln, die sich tief in den Sand bohrten, oft armdick waren. Die Nomaden schienen plötzlich von größter Eile erfüllt. Sie legten unendliche Strecken zurück, luden für die Nacht nur das Notwendigste ab und stellten keine Zelte mehr auf, was Kutulun aller Möglichkeiten beraubte. Sie stand derzeit im Mittelpunkt der allgemeinen Aufmerksamkeit.

Am dritten Abend in der Wüste rasierten die anderen Frauen der vermeintlichen Jungfrau den Kopf, und diese Veränderung war keineswegs eine Strafe, sondern wurde von Lachen und Festvorbereitungen begleitet. Am nächsten Tag wandten sie sich nach Süden und näherten sich wieder dem Fluß. Gegen Mittag erreichten sie einen großen Aul, umgeben von reichen Herden, wo sie von einer großen Gruppe Tataren mit großem Geschrei begrüßt wurden. Die *khalats* dieser Gastgeber waren aus edlen Stoffen und mit goldenen Stickereien verziert.

Die Gefangenen erkannten unter den Männern dieses Stammes einen der Reiter, die sie in der Nähe des Aralsees getroffen hatten. Er hatte damals drei Tage in ihrer Gesellschaft verbracht und lange vertrauliche Gespräche mit dem Stammesältesten geführt. Erst jetzt verstanden sie den Zweck: Eine Allianz war geschlossen worden, zu der Kutulun ihren Beitrag leisten würde.

In dem großen Aul war alles für eine Hochzeit vorbereitet. Ein junger Mann, sehr fett, mit gelblicher Haut und Schlitzaugen, die er fast immer geschlossen hielt, war offenbar für Georges Geliebte bestimmt. An der bewundernden Art, mit der die Gastgeber die Gefangenen untersuchten, erkannten diese, daß der Alte nur durch einen Abschlag auf ihren Verkauf eine so reiche Partie für seine Nichte gewonnen hatte. Zwei arme Kerle, Diener der Angehörigen dieses reichen Clans, waren Tag und Nacht damit beschäftigt, sie mit der Lanze in der Hand und bösem Blick zu bewachen.

Drei Tage lang mußten die unglücklichen Gefangenen, die ständig gefesselt waren, das Schauspiel endloser Freudenbekundungen ertragen, an denen sie höchstens in Form von fetttriefendem Lammfleisch Anteil hatten, das man ihnen in die Münder schob. Die Braut, deren Kopf jetzt mit dem großen weißen Schleier bedeckt war, der den geschorenen Schädel, den Nacken und das Kinn verheirateter Frauen verbirgt, hatte keinen Blick für den Mann, den sie vor so kurzer Zeit erobert hatte.

Juremi hatte seine Ohrfeigen nicht verkraftet, noch viel weniger das Scheitern seines Plans. Er bedachte die Braut mit empörtem, rachsüchtigem Murmeln. Für ihn belegte diese Geschichte, sofern ein Beweis noch nötig war, daß diese Wilden den sogenannten zivilisierten Frauen in nichts nachstehen, was das Register der Bösartigkeit betrifft.

Aber er hatte noch nicht alles gesehen. Als der Tag der Abreise gekommen war, verabschiedete sich die kleine Truppe herzzerreißend von der Tochter, die ihre Familie verließ, um bei ihrem Gatten zu bleiben. Man wünschte ihr viel Glück. Es gab endlose Segenssprüche im Namen Allahs, denn diese Nomaden halten sich für Moslems, auch wenn sie niemals die zugehörigen Gebete sprechen und von der Existenz Mekkas nichts ahnen, geschweige denn die Richtung wissen, in der die heilige Stadt liegt. Die Reiter waren schon im Sattel, die Kamele beladen und die Gefangenen in Marschordnung, als Kutulun einen Schrei ausstieß. Sie rannte in eine Kibitka, kam ebenso schnell wieder heraus und stürzte auf George zu. Sie schwang ihre Schafschere, raubte ihm unter gerührtem Jubel der beiden Clans eine letzte Strähne und schmiegte sich dann an ihren Gatten, während sie den Talisman als Pfand künftiger Fruchtbarkeit vor ihren Bauch hielt.

»Ganz klar«, kommentierte Juremi unterwegs finster, »wenn das Luder ein blondes Kind zur Welt bringt, liegt es an deinen Haaren, mein lieber George, und nicht etwa an den Hörnern des Gatten.«

Nach zwei Tagesmärschen erreichten sie Chiva, wo ein fanatischer Khan herrschte. Kein Ungläubiger betrat die Stadt anders denn als Gefangener und verließ sie anders denn als Sklave. Die Stadt war zunächst hinter einem dichten Vorhang von Bäumen verborgen. Sie liefen zwischen den hohen Mauern der Obstgärten entlang, über die das Laub von Erlen und Weiden hing.

Endlich sahen sie den ersten Schutzwall der Stadt, eine furchterregende Mauer, die unten aus Ziegeln und oben aus Lehm gebaut war, so hoch, daß kaum die Spitzen der Minarette und der mit bunten Kacheln bedeckten Kuppeln dahinter zu sehen waren. Sie traten durch ein massives Tor mit Eisenbeschlägen und entdeckten zunächst einen breiten

Sandstreifen, der die erste Befestigung von der zweiten, weniger hohen, trennte, hinter der die Stadt selbst gebaut war. Dieser unbewohnte Raum diente auf der einen Seite als Markt, auf der anderen sah man wild verstreut mohammedanische Grabstätten. In den reichen Gassen der Stadt gab es zahllose kleine Läden, in denen man alles Erdenkliche finden konnte. Im Gegensatz dazu war ihre Karawane nur um so elender. Während jedoch die Gefangenen die Köpfe senkten und zeigten, daß sie sich ihrer Fellumpen schämten, die zu warm für dieses Klima und von der Reise zerfetzt waren, schritten ihre Wärter erhobenen Hauptes einher, so stolz waren sie, vor aller Augen ihre beachtliche Beute herumzuführen.

Entweder kannten sie den Basar nicht, oder sie wollten diese Parade noch verlängern, auf jeden Fall machten die Kirgisen zahlreiche Umwege, ehe sie ihr Ziel erreichten. Die Sonne verschwand bereits hinter den Stadtmauern, als sie die Stände erblickten, an denen die Sklaven verkauft wurden.


## Viertes Kapitel


Während des kurzen Exodus der Einwohner in die Hügel war Isfahan gänzlich unberührt geblieben. Es gab keine Plünderung, nicht den geringsten Verlust. Dennoch war die Stadt nicht mehr wie zuvor. Das Leben kehrte nicht in seine gewohnten Bahnen zurück. Die Bewegungen blieben dieselben, ebenso die Gerüche und das Geschrei, aber die Einwohner, vielleicht, weil sie sich sozusagen von außen gesehen hatten, weil sie die Zartheit, Zerbrechlichkeit und Lächerlichkeit ihres Lebens wahrgenommen hatten, fühlten, daß sich ihre Seelen verändert hatten, so daß sie sich selber fremd wurden.

Bei Alix waren diese Wandlungen stärker als bei allen anderen. In ihrem Haus fand sie alles wieder und erkannte nichts. Woran sollte man sich auch noch klammern? Das, was sie mit Jean-Baptiste geteilt hatte, war durch seine Abwesenheit entstellt. Was sie seit seiner Abreise beschäftigt hatte, erschien ihr kindisch und fad.

Françoise war erschöpft von ihrer Verletzung, sie blieb im Bett und litt stumm vor sich hin. Die Diener hatten ihren Platz wieder eingenommen, aber sie zeigten durch eine kaum merkliche Veränderung ihres Verhaltens, daß sie Saba als die einzige anerkannten, die in der Lage war, wichtige Entscheidungen zu treffen und damit auch als einzige legitimiert war, die kleinen durchzusetzen. Die Rosenpflanzen brauchten ebenso Pflege wie die Heilpflanzen, die Alix in den letzten Monaten sehr vernachlässigt hatte. Saba widmete ihnen all ihre Zeit und verbrachte den größten Teil ihrer Tage in dem Garten, der nicht ganz ihr Zuhause und nicht ganz die Außenwelt war.

Nach ihrer Rückkehr vermied es Alix fast eine Woche, an Nour al-Houda zu denken und erst recht an Reza, denn sie spürte, daß sie sich dort auf einen gefährlichen Weg gewagt hatte. Mit kindlicher Naivität redete sie sich ein, wenn sie die Erinnerungen aus ihren Gedanken verbannte, könnte sie diese ganz und gar auslöschen.

Dies war ihr so gut gelungen, daß sie furchtbar erschrak, als sie eines Nachmittags die spitze Mütze von Ahmad, dem Eunuchen, hinter der Gartenmauer auftauchen sah. Gleichzeitig läutete es, und Nour al-Houda kam vor ihrem Bewacher in den Garten geeilt.

Sie umarmte Alix, sobald sie den Schleier abgelegt hatte, und zog die Freundin ins Haus, als sei sie die Gastgeberin. »Kommen Sie ins Warme«, sagte die junge Tscherkessin, »es ist noch Winter, ich weiß nicht, wie Sie es mit nackten Armen aushalten.«

Sie setzten sich an einen kleinen achteckigen Tisch mit Perlmutt-Intarsien. Nour al-Houdas Kleid aus königsblauem Taft war bis zum Hals geschlossen, und über diesem Brustharnisch glänzte eine doppelte Reihe von Saphiren und Diamanten. »Was für eine schreckliche Woche!« sagte sie lebhaft. »Schon während dieses lächerlichen Ausflugs mußte ich auf meine Freundinnen verzichten, denn Sie können sich wohl denken, daß ich sie in ihrem Versteck im Harem zurückgelassen habe. Und um meine Traurigkeit auf die Spitze zu treiben, erhalte ich seit der Rückkehr keinen einzigen Besuch von Ihnen. Was habe ich Ihnen getan? Sagen Sie es mir! Haben Sie mich nicht mehr gern?«

Auf ihrem feinen Gesicht war so viel Aufrichtigkeit zu lesen, so großer Schmerz klang in ihrer Stimme, daß sich Alix plötzlich sehr schämte und das Bedürfnis verspürte, die Freundin um Verzeihung zu bitten.

»So etwas dürfen Sie nicht denken«, sagte sie mühsam. »Es fehlte mir nur an Zeit, glauben Sie mir. Françoises Krankheit, die Mühen des Rückwegs, auch die Furcht davor, auf die Straße zu gehen ...«

»Das weiß ich alles« erklärte Nour al-Houda und griff nach ihren Händen. »Ebendeshalb bin ich ja gekommen. Nein, ich bin Ihnen nicht böse ...«

Alix versuchte Haltung zu bewahren und rief erst einmal nach Tee und Kuchen.

»Außerdem ist jetzt nicht der richtige Moment, sich zu beklagen oder zu streiten«, fuhr die Besucherin fort. »Das Schlimmste steht uns noch bevor. Nun ist es gewiß: Man muß jeden Tag mit der Ankunft der Afghanen vor den Toren der Stadt rechnen.«

Wenngleich sie alle es seit Wochen wußten und seit der Niederlage von Kerman sozusagen die offizielle Bestätigung hatten, konnten sich die Einwohner von Isfahan keineswegs dreißigtausend brutale afghanische Schafhirten vor den Toren ihrer herrlichen Hauptstadt vorstellen. Bei den Empfindungen, die eine solche Invasion hervorrief, siegte die Empörung über das Entsetzen.

Auf der Veranda, die im Licht einer milden Sonne badete, deren Strahlen durch das Geäst der Eiben drang, erschien den beiden Frauen diese unmittelbar drohende Gefahr noch unwirklicher als anderswo.

»Werden sie die Stadt stürmen oder belagern?« fragte Alix.

»Das weiß niemand und mein teurer Gatte noch weniger als alle anderen. Nicht einmal die Armee hat Befehle erhalten. Offiziell bereitet man sich vor. Tatsächlich wartet man ab. Wenn die Afghanen angreifen, wird man sich verteidigen, aber sie können sich Zeit lassen. Eine richtige Belagerung ist in dieser Jahreszeit wohl unmöglich, weil die Stadt nicht so gebaut ist, daß man sie von allen Seiten umschließen könnte, wegen des Flusses, der sie schützt und dessen Brücken wir verteidigen.«

»Was für ein Glück!«

»Ja und nein. Mein teurer Gatte, den ich darin ausnahmsweise unterstütze, setzt sich für Verhandlungen ein. Er will den Plünderern eine Summe anbieten, mit der sie ruhig nach Hause abziehen. Leider findet er für seine Meinung keine Mehrheit. Um den König steht eine Partei, die ihn dazu treibt, mit dem Rest der Armee einen wilden Angriff zu wagen. Es könnte sogar sein, daß die Garde…«

Alix zuckte zusammen. Nour Al-Houda war verstummt und zeigte so große Verzweiflung, daß die Freundin zum ersten Mal den Glanz von Tränen in ihren Augen sah. »Reza will mich nicht mehr treffen«, erklärte sie mit gebrochener Stimme.

»Aber wie … woher wissen Sie das?« fragte Alix verwirrt.

»Über den üblichen Weg, durch den ich auch die Treffen vorbereiten konnte, die ich Ihnen verdanke. Die Frau eines ihm unterstellten Soldaten ist bereit, ihm Botschaften zu überbringen und mir die Antworten zukommen zu lassen.«

Dann, nach einer langen, zögerlichen Pause, setzte sie hinzu: »Wenn es welche gibt.«

Alix war betroffen vom Schmerz ihrer Freundin. Da sie nicht der Versuchung erliegen durfte, etwas zu gestehen, das nur sie selbst erleichtert hätte, versuchte sie Einwände geltend zu machen, die sie von jeder Schuld freisprechen könnten. »Vielleicht ist er durch all diese Ereignisse verhindert.«

»Er ist keineswegs verhindert. Diese Frau hat ihn gesehen. Er selbst hat ganz seelenruhig erklärt, er habe mir nichts mitzuteilen.«

»Das verstehe ich nicht, Nour«, sagte Alix etwas zu hastig.

»Sie wirkten immer so desinteressiert. Als ich Ihnen erzählt habe, was er zu mir gesagt hat…«

»Na und, was wollen Sie hören?« entgegnete die junge Frau und hob den Kopf. »Ja, ich konnte desinteressiert wirken, so lange er es nicht war. Was haben Sie mir denn anderes erzählt, als daß er litt? Also liebte er mich. Warum hätte ich alarmiert sein sollen?«

»Aber das, was er mir gesagt hat…«, argumentierte Alix, entsetzt über dieses Geständnis, »… die Leidenschaft, die er Ihnen gegenüber bezeugt hat, und Sie haben ihn abgewiesen, Ihre Heirat…«

»Alix, ich bitte Sie. Zwingen Sie mich nicht, vor Ihnen meine Ehre zu verlieren…«

»Was soll das heißen?«

»Zwingen Sie mich nicht, Ihnen einen vollständigen Bericht zu geben, der mich in meiner ganzen Schwäche zeigen würde und in jedem Punkt einen Gegensatz zu seinem bildet. Seine Leidenschaft! Allein dieses Wort läßt mich vor Zorn kochen. Ich, ja, ich weiß, was Leidenschaft ist. Ich weiß, daß sie keine Grenzen kennt, daß man sich für sie opfert, daß man sich für sie aufgibt. Seit meiner Kindheit, verstehen Sie, seit meiner Kindheit werde ich von dieser giftigen Blume verschlungen. Seit der Kindheit konnte ich den Gedanken nicht ertragen, ohne ihn zu leben oder ihn zu teilen, verachtet zu sein, als Mätresse behandelt zu werden, geliebt vielleicht, ja, aber heimlich, in den Grenzen der familiären Schicklichkeit. Ich habe mich aufgegeben, um diesem Schmerz zu entfliehen. Das Unglück wollte es, daß ich ihm erneut begegnete, und seitdem höre ich nicht damit auf, mich aufzugeben. Meine Heirat! Glauben Sie, daß ich vor seinen Augen und auch noch so einen Menschen geheiratet hätte, wenn ich ihm wirklich hätte entfliehen wollen, wenn ich nicht den Wunsch verspürt hätte, ihm eine flammende Botschaft zu vermitteln, ihm deutlich zu machen, wie sehr ich das verachtete, was ihm so wichtig war? Ich hatte nur eins im Kopf: ihn! Ihn, der nie diesen kleinen Schritt gegangen ist, mich zu wählen, mich jedem und jeder anderen vorzuziehen. Selbst jetzt wird er sein Leben riskieren, um diesen verdorbenen König zu verteidigen. Und das nennen Sie eine große Leidenschaft?«

Nour al-Houda beendete ihren letzten Satz mit einem Schluchzen und verbarg ihr Gesicht in den Händen. Alix stand auf und stellte sich hinter sie, um sie nicht weinen sehen zu müssen. Als das Mädchen die Fassung zurückgewonnen und die Tränen getrocknet hatte, setzte sie sich wieder zu ihr. »Verzeihen Sie«, sagte Nour al-Houda. »Keine meiner Freundinnen kann das verstehen. Sie sind Frauen, die vielleicht zu viel Unglück erlebt haben, um so weich zu werden wie ich.«

Und ich, dachte Alix, habe ich vielleicht nicht genug gelebt? Niemals hatte sie sich so schuldig gefühlt, keine unglückliche Liebe gekannt zu haben. Vielleicht war es einfach das, was sie suchte.

»Auf jeden Fall werde ich herausbekommen, was mit ihm los ist«, fuhr Nour al-Houda in neuem, energischen und drohenden Ton fort, indem sie sich aufrichtete. »Er hat sich nicht einfach so, ohne Grund, geändert. Jedesmal, wenn er versucht hat, Abstand zu gewinnen, hat er die Tür einen Spalt offengelassen. Wenn er mich so fortjagt, muß es eine andere geben, die ihn von mir abgebracht hat. Wen? Ich weiß es nicht, aber glauben Sie mir, ich werde es erfahren, und meine Rache ...«

Sie vollendete den Satz nicht. Alix hatte die Tasse mit kochend heißem Tee auf ihre Knie fallen lassen. In der verbleibenden Zeit kümmerte die Besucherin sich um die leichte, aber großflächige Verbrennung und begrüßte Françoise, um sie etwas aufzuheitern.

Die Karawanserei von Kashan hatte sich gerade erst von dem Tumult erholt, den die Entdeckung einer als Mann verkleideten Frau hervorgerufen hatte. Der Name des Händlers Ali, den man seitdem nicht mehr gesehen hatte, war abends bei den Gesprächen in der Kühle des großen Hofes noch in aller Munde. Allmählich aber hatten die Kriegsgerüchte den Staffelstab übernommen, und jetzt, wo die Afghanen in Sichtweite vor der Hauptstadt standen, bildeten die Kutschen von Ausländern, die in wildem Galopp aus Persien flüchteten, die Hauptattraktion der Herberge. Seit dem Beginn jener tragischen Ereignisse sah man sie stets nur in eine Richtung rasen: Sie verließen Isfahan und wandten sich zur türkischen Grenze. Allein diese Tatsache machte die Ankunft eines Gefährtes bemerkenswert, das sich in entgegengesetzter Richtung bewegte.

Diese Kutsche, grob gebaut und bereits etwas baufällig, fiel durch die riesigen Blattfedern auf, die ein geschickter Hufschmied zweifach, ja dreifach verstärkt hatte, damit sie auch bei einem beachtlichen Gewicht die schlimmsten Holperpfade erträglicher machen könnten. Anstelle eines Kolosses oder zahlreicher Fahrgäste, die man deshalb erwartete, erschien ein kleiner, dürrer Mann an der Tür, sprang heraus und zeigte sich äußerst mißgelaunt.

»Endlich!« rief Monsieur de Maillet, als er den Fuß in die Karawanserei setzte.

Er schrie den Kutscher an, sein dürftiges Gepäck sogleich abzuladen. Im Grunde war es nur ein Bündel, das selbst zu tragen jedoch unter seiner Würde war.

Als er die Herberge betrat, war der Konsul sehr enttäuscht, nicht mehr als eine leicht verächtliche Neugier hervorzurufen, jedenfalls keinerlei Dienstbeflissenheit. Er ließ sich widerwillig und für viel Geld ein kleines Zimmer in der oberen Etage zuweisen. Nachdem er einen raschen Blick hineingeworfen hatte, kam er wieder herunter, um von den Händlern die letzten Neuigkeiten zu erfahren. Aber die Gespräche wurden bei seiner Annäherung unterbrochen, und schließlich stand er ganz allein mit gekreuzten Armen neben einem der Wasserspiele, die den Hof in allen vier Ecken schmückten. Dort fand ihn der Kutscher.

»Sie sehen sehr besorgt aus, Beugrat«, meinte der Konsul boshaft.

»Ich, besorgt?« antwortete der Kutscher und sah sich dabei um, als könne die Bemerkung jemand anderem gelten. Dieser Postillon war ein riesiger Schweizer, dessen Kopfhaut und Wangen mit rotem Haar bedeckt waren. Nach einer unglücklichen Laufbahn als Söldner, die durch einen Bruch im Knie im Zustand der Volltrunkenheit ein wenig ruhmreiches Ende gefunden hatte, war er bei Murad gestrandet.

Nunmehr legte er seine ganze Ehre in das Bemühen, sich als echter Waadtländer darzustellen, und beschimpfte deren Nachbarn und Feinde, die Walliser, ständig ob ihrer Dummheit und vor allem ihrer Schmutzigkeit, wenngleich diese Mängel auch um ihn wahrlich keinen Bogen machten. Sein bester Witz, im übrigen auch der einzige, den er unaufhörlich wiederholte, bestand aus einem Satz: »Warum ist die Luft im Wallis so rein? Weil die Einwohner nie die Fenster öffnen.«

Als er endlich erfaßt hatte, an wen sich der Konsul wandte, machte Beugrat einen riesigen Fortschritt in puncto Selbsterkenntnis.

»Ja, Monsieur«, sagte er, »Sie haben ganz recht: Ich bin besorgt.«

Dann verfeinerte er seine Aussage und fuhr mühsam fort: »Nein, das heißt, ich bin es nicht. Also nicht mehr. Gar nicht mehr sogar.«

»Erklären Sie sich«, verlangte der Konsul ungeduldig.

»Nun, also, mein Herr, der Botschafter Äthiopiens ...«

»Sagen Sie ›Murad‹, wir sind unter uns.«

»Mein Herr jedenfalls hat mir geraten, die Kutsche zu schonen. Ich habe mich erkundigt. Die Straße, die von hier aus weiterführt, ist sehr schlecht, und der Krieg droht. Sie müssen mich also verstehen: Ich werde nicht weiterfahren.«

Nichts konnte diesen gewissenhaften Kutscher von seiner Entscheidung abbringen, der nur eines in seinem Leben kannte: die Sorge um das Fahrzeug, das man ihm anvertraut hatte. Das mußte Monsieur de Maillet einsehen. Weder Drohungen noch große Geldversprechen oder verzweifeltes Flehen wirkten. Das einzige, was er erhielt, war Beugrats Versicherung, mindestens zwei Wochen in Kashan auf ihn zu warten. Monsieur de Maillet war der Meinung, seine Angelegenheit würde ihn nicht länger beschäftigen, und wenn er darüber hinaus zurückgehalten würde, wäre es, wie er es schlicht nannte, »für jenes Rendezvous, auf das sich jeder Mensch vorbereiten muß, ohne Tag oder Stunde zu kennen«.

Im Grunde war die Laune des Kutschers fast ein Segen: Mit diesem allzu auffälligen Gefährt wäre er nicht so leicht in die bedrohte Stadt gekommen. Monsieur de Maillet gelangte zu der Gewißheit, daß ihn ein einfaches Maultier eher zum Ziel führen würde. Während er über den Kauf eines Tieres verhandelte, hielt eine prächtige Equipage aufsehenerregend Einzug in die Karawanserei. Es stellte sich heraus, daß dies eine Abteilung der königlichen Gendarmerie Frankreichs war. Die Soldaten hatten die Botschaft bis zum letzten Augenblick bewacht. Erst jetzt folgten sie dem Befehl zum Rückzug.

Die Feldjäger in ihren blauweißen Uniformen besetzten den besten Tisch in dem Gewölbesaal, wo man die Mahlzeiten servierte, und verlangten mit grobem Geschrei nach Wein. Monsieur de Maillet wartete, bis sich die Truppe beruhigt hatte, dann trat er, einer Eingebung folgend, zu dem Mann, der am Ende der Bank saß und wie der Anführer aussah. Die ordnungsgemäße Perücke des Offiziers war platt wie eine Baskenmütze und saß ebenso schräg auf seinem eckigen Schädel, der den Eindruck machte, sogleich zu explodieren. Der Rotwein, den der gute Mann in sich hineinschüttete, schien sich den Umweg über die Eingeweide zu ersparen, um sofort das Gesicht von innen zu röten und die großen Augen zu befeuchten. Eine so begossene Pflanze kann nicht in eine schlechte Richtung wachsen, mit anderen Worten dachte Monsieur de Maillet bei sich: ›Dieser brave Mann weckt Vertrauen.‹

Der einstige Diplomat bat unter Berufung auf ihr gemeinsames Vaterland um die Erlaubnis, am Tisch Platz zu nehmen. Er trank auf ihre Gesundheit, aber trotz all seiner Bemühungen wirkte er zwischen diesen Männern wie eine Margerite in einem Mohnfeld.

Glücklicherweise standen die braven, sehr schlichten Burschen bald auf, um sich zum Schlafen auszustrecken. Nur der Offizier blieb am Tisch sitzen, denn er brauchte entsprechend seines Alters eine doppelte Dosis.

»Also verlassen Sie Persien, dieses arme Land!« stellte Monsieur de Maillet voller Anteilnahme fest. »Und wer soll nun die Botschaft Frankreichs beschützen?«

»Der Botschafter! Aber der ist schon vor einer Ewigkeit abgehauen und alle Diplomaten mit. Und den armen Gendarmenschweinen bleibt nichts anderes übrig, als nach dem Gewehr zu greifen.«

»Sie haben die Botschaft leer zurückgelassen! Fürchten Sie denn keine Plünderungen?«

»Wir fürchten sie, aber vor allem für uns selbst. Wenn sie die Botschaft plündern, nun, dann wird eine andere gebaut oder auch nicht. Das ist jedenfalls nicht unsere Angelegenheit. Danach wird man erst mal abwarten müssen, bis sich diese ganzen Verrückten untereinander geeinigt haben, und das kann Jahre dauern.«

Bisher hatte der Offizier geantwortet, ohne weiter nachzudenken und dem sentimentalen Alten größere Aufmerksamkeit zu widmen. Als er jedoch die zweite Karaffe Wein in Angriff nahm, sah er ihn genauer an und wunderte sich: »Wie ist es möglich, daß Sie das alles nicht wissen? Jeder Franke in Isfahan weiß Bescheid.«

»Nun, also ...«, sagte Monsieur de Maillet, »... ich komme nicht aus Isfahan. Ich bin auf dem Weg dorthin.«

»Sie wollen hin? Verrückt! Wollen Sie sich umbringen lassen?«

Der Konsul war zufrieden. Seit er für das Wohl seiner Seele und seine Rückkehr in dem heiligen Körper der Kirche tätig war, fühlte er sich zu allem fähig. Es gab kein Mittel, das durch diesen guten Zweck nicht geheiligt würde. Der Plan, der in seinem Kopf Gestalt annahm, zwang ihn zu einer großen Lüge: Er brachte sie ohne die geringste Reue heraus.

Fast eine Viertelstunde gab er dem Offizier eine herzzerreißende Schilderung seiner Situation. Er gab sich nicht nur einen neuen Namen und verheimlichte seine früheren Funktionen, sondern erfand noch eine Reihe schrecklicher Unglücke, die ihn selbst, seine Kinder, seine Geschwister und sogar seinen Lieblingshund getroffen hätten. Um sich aus diesem verfluchten Teufelskreis zu befreien, hatte der Bischof in seiner Heimat ihm persönlich zu einer Pilgerfahrt nach Isfahan geraten, wo der heilige Thomas das Wort Christi verbreitet hatte. Für die Wirksamkeit dieser Fürbitte mußte er am Morgen der Frühlings-Tagundnachtgleiche in der Krypta stehen, wo der Apostel gepredigt hatte, also in von nun an genau vierzehn Tagen.

Dieser Bericht war so lang und mit so viel Talent, Gefühl und Schmerz vorgetragen, daß der Soldat zwei weitere Karaffen benötigte, um nicht in Schluchzen auszubrechen oder gleich ganz und gar zu explodieren. Am Ende griff er nach dem Arm des Konsuls: »Ich verstehe Sie«, erklärte er. »Mehr noch, ich billige Ihr Verhalten.«

Dann blickte er sich vorsichtig um und fügte hinzu: »Und wenn Sie es mir gestatten, will ich Ihnen helfen. Sie gehen nach Isfahan. Nur zu. Aber wo werden Sie wohnen? Die Karawanserei-Besitzer dieser Stadt sind Halsabschneider, heute mehr denn je, vor allem für einen Fremden.«

Monsieur de Maillet blinzelte nur und ließ seine Beute kommen.

»Diese verdammte Botschaftsbaracke ist leer«, erklärte der Gendarm. »Wir haben sie in den Händen eines persischen Aufsehers gelassen, der nur aus Faulheit ehrlich ist. Sobald er die ersten Explosionen hört, wird er aufwachen und der eifrigste sein, der alles im Haus plündert. Gehen Sie dorthin!«

»Was meinen Sie?« fragte Monsieur de Maillet mit größtem Erstaunen.

»Gehen Sie dorthin, sage ich. Sagen Sie diesem Hassan, so heißt er, daß Sie von mir kommen: Chauveau, das können Sie sich wohl merken, nicht wahr? Und hier haben Sie den Schlüssel der Gesandtschaft, ja, nehmen Sie ihn, wir waren nicht so dumm, ihn diesem Kerl zu überlassen. Wenigstens solange Sie in diesem Haus wohnen, werden Sie es schützen, und es wird Sie schützen. Zumindest ein wenig, denn ich glaube nicht, daß diese Afghanen sich besonders gut in diplomatischen Gebräuchen auskennen. Nun ja, Sie werden schon sehen. Nehmen Sie ihn – und viel Glück!«

Mit diesen Worten verließ der Offizier das einfache Feld der irdischen Gedanken. Er leerte sein Glas, dann ging er mit starrem Blick und festem, wenngleich ein wenig nach den Seiten ausschlagendem Gang über den Hof und legte sich zu seinen Männern.

## Fünftes Kapitel

In der Stille dieses Frühlingsmorgens blickten alle Einwohner von Isfahan stumm von ihren Terrassendächern ebenso wie die ganze Armee von der südlichen Stadtbefestigung hinab auf die schwarze Masse hinter dem glänzenden Fluß, die in der Ebene zum Stehen gekommen war. Die Afghanen waren da! Sie! Die Barbaren! Der Tod! Mütter preßten ihre Kinder an sich, Männer ihre Frauen, die Alten schüttelten die Köpfe. Jeder erkannte auf einmal, daß zuviel Blau am Himmel war, zuviel Seide auf diesen Körpern, zuviel herrlicher Lack auf den Majolika-Kacheln an den Wänden und den Blättern der Magnolien. Isfahan die Schöne, Isfahan die Zärtliche, Isfahan die Sinnliche und Erlesene, wie eine verliebte Jugend, wie eine glückliche Kindheit, hatte ganz einfach den Tod vergessen, der jetzt da war, schwarz und reglos, dort in der Ebene.

Die Afghanen kamen nicht mehr näher. In der Entfernung, in der sie verharrten, konnte man nichts Genaues von ihnen erkennen. Errichteten sie ein Lager? Kein Rauch von Lagerfeuern erhob sich in die Luft. Waren sie überhaupt von ihren Pferden gestiegen? War es nur eine Vorhut, die auf die Hauptmacht wartete?

Persische Aufklärer ritten in weiten Schleifen umher, kamen den Eroberern kurz näher und brachten Neuigkeiten zurück in die Stadt. Vier geschmacklose Bussarde ahmten diese Kreise am Himmel nach, und als sei die Stunde der Tragödie auch die der Vögel, besetzten Tauben die Stille der Gärten, um dort ihre gurrenden Verwünschungen auszustoßen.

Im Königspalast eröffnete sich das weiteste Panorama von einem Wachturm neben den Küchengebäuden. Auf dieser Terrasse, geschützt durch einen roten Baldachin, der von vier Sklaven gehalten wurde, starrte Hossein, der König von Persien, auf die schwarze Saat in der fernen Ebene, die schon die Keime der Katastrophe und damit seines Untergangs enthielt. Höflinge und die höchsten Würdenträger bildeten in respektvollem Abstand einen Kreis. Ausnahmsweise bemühte sich einmal jeder von ihnen, nicht ganz vorn zu stehen. Es gab grausame Höflichkeitsattacken, um den anderen den Vortritt zu lassen und sich hinter ihnen zu verbergen. Anders als die Apoplektiker, die besser Luft bekommen, wenn man sie zur Ader läßt, fand der Herrscher Erleichterung in seiner schlechten Laune, wenn er andere bluten sah. Es war zu befürchten, daß er an diesem Morgen das dringende Bedürfnis verspüren würde, einige Köpfe rollen zu sehen.

Tatsächlich aber war Hossein bereits weit über derartige Vergnügungen hinaus. Der Wein, seine einzige Rettung, hatte die Herrschaft übernommen und versenkte ihn in eine sprachlose, ja fast gleichgültige Friedfertigkeit. Er starrte zum Horizont, und niemand hätte zu sagen vermocht, was er dort sah.

Das Entsetzen bei Hofe und der Ernst der Stunde hatten keineswegs die Komplotte und Rivalitäten zu schlichten vermocht, die im Gefolge des Königs herrschten. Wenn eine Katastrophe bevorsteht, schlägt die Stunde jener, deren Ehrgeiz bisher durch einen allzu friedlichen Alltag begrenzt wurde. Während der Frieden die vernünftigen Menschen, das maßvolle Denken und die erlesenen Sitten fördert, entfesseln Tragödien und das Chaos die Triebe der großen Bestien des Übernatürlichen, deren riesige Propheten- oder Heldenkörper in den zu engen Schranken des gewöhnlichen Lebens eingesperrt waren und die nun endlich die Gelegenheit ergreifen, sich weit über allen anderen zu entfalten.

So ein Mensch war Yahia Beg, Magier und Astrologe, zwar ein Günstling, aber – und darunter hatte er gelitten – immer einer unter vielen, mit denen er seine Macht über den König teilen mußte, zuerst mit den Mullahs, der ganzen Schiiten-Clique des Hofes. Der überall präsente persische Aberglaube leiht sich zwar die Formen vom Islam, aber er ist sehr viel älter und stammt aus jenen Urzeiten, als der Mithras-Kult und Menschenopfer zum Alltag gehörten. Die Magier, Hüter jener alten Wahrsagertraditionen, hatten ihre Macht nur sehr widerwillig mit den moslemischen Würdenträgern geteilt und niemals aufgehört, ihnen diesen Einfluß streitig zu machen. Ein großes Drama bot die ersehnte Gelegenheit, diese Rechnungen zu begleichen.

Während der Kreis der Höflinge auf der Terrasse zitternd zurückwich, trat Yahia Beg vor und wagte es, sich allein vor den König zu stellen. »Majestät«, verkündete er mit lauter Stimme, »ich habe Euch eine wichtige Nachricht mitzuteilen.«

Hossein wandte dem Astrologen seine schwarzen Augen zu, die unter den wie Würste geschwollenen Lidern kaum erkennbar waren.

»Was willst du?« schimpfte er.

»Mit Euch sprechen, Herr, aber das, was ich Euch zu sagen habe, duldet keine Indiskretion und ist einzig für den Herrscher bestimmt.«

Der Ton des Magiers war so sicher und enthielt eine so deutliche Drohung, daß der König trotz der Anstrengung, die ihn jede Bewegung kostete, beide Arme hob und dem ganzen Hof gebot, sich zurückzuziehen. Nur die vier Sklaven, die den Baldachin hielten, blieben zurück. Yahia Beg bestand darauf, daß auch sie verschwanden, und Hossein, der im Schatten ein wenig fröstelte, war gern bereit, sich von der Sonne dieses schönen Morgens wärmen zu lassen.

»Sprich«, sagte er.

»Herr, was ich Euch zu sagen habe, ist von größtem Ernst. Glaubt mir, ich habe lange gezögert, und ich tue es nur, nachdem ich wieder und wieder die Bestätigung für das gefunden habe, was ich in den Sternen las.«

Weit weg, in der Ebene, nahe bei den Afghanen stiegen zwei blaue Rauchschwaden gen Himmel. Hatten sie endlich ihr Lager aufgeschlagen?

»Hört, Majestät«, verkündete Yahia Beg, und seine hohe, magere Gestalt zeichnete sich vor der fernen Linie der verschneiten Hochplateaus des Irans ab. »Ich spreche ohne Umschweife: Der Prophet Mohammed und sein Schwiegersohn Ali, haben sie uns ausreichend gegen unsere Feinde geschützt?«

Er schwieg lange, und der Herrscher antwortete verlegen. »Nicht genug, das gebe ich zu«, murmelte er. »Man muß glauben, daß wir viel gesündigt haben ...«

»Nein, Herr. Euer Vorfahr, Schah Abbas, hatte keine anderen Sitten als wir, vor allem, was die Vergnügungen der Tafel und des Leibes angeht. Aber er hat gesiegt. Man hat Buße von uns verlangt, wir haben gebüßt. Es hat nichts genützt.«

»Wollt Ihr sagen, daß Gott ...?« fragte Hossein entsetzt.

»... existiert, Herr, das bestreite ich nicht. Es gibt keinen anderen Gott neben Gott, das versteht sich. Aber ...«

»›Aber‹ zu sagen, heißt bereits, ihn verleugnen.«

»Nein, Majestät, dieses ›aber‹ betrifft nicht Gott, dessen Kraft unendlich ist und dessen Macht keine Grenzen kennt. Es bezieht sich nur auf die, die sich für seine Übersetzer ausgeben.«

»Die Mullahs!«

»Majestät, das behaupte ich. Dieses Land ist für Gott nicht ein Staat wie jeder andere. Er hat einen großen Propheten hierher kommen lassen ...«

»Zarathustra.«

»Ebendiesen, der uns über Jahrhunderte den Weg gewiesen hat. Er hat uns den heiligen Namen Ahura Mazda enthüllt. Er hat uns über die diabolischen Pläne des Ahriman, der Verkörperung des Bösen, aufgeklärt. Über Jahrhunderte haben die großen Könige Persiens ihre Macht von diesem Gott der Sonne und des Feuers gewonnen, der Licht und Wärme schenkt, der unbesiegbar macht.«

Mit seinem schwarzen Haar, das bis zu den Schultern herabhing, und den starren Augen strahlte Yahia Beg schreckliche Größe aus. »Werden wir nicht bestraft, weil wir diesen Gott vergessen haben, der uns einst auserwählte? Sind wir nicht schuldig, weil wir sein Bild hinter dem des sehr wahren, aber sehr allgemeinen Gottes der Moslems verblassen ließen? Ehrlich ausgesprochen: Jener hat diesen verdeckt. Hat er ihn ersetzt? Ist das nicht nur die neue Form, die Ahura Mazda gewählt hat, um uns zu erscheinen und seine Macht in der Welt kundzutun? Allah ist der Name, hinter dem sich Gott für alle Völker dieser Welt versteckt. Ahura Mazda ist der Name, mit dem er sich dem einzigen Volk, das er unter allen ausgewählt hat, enthüllt. Ist es nicht das, was er uns sagen wollte, als er zur Stunde der Niederlage jenes riesige Feuer über unseren Köpfen entzündete?«

Dann drehte sich Yahia Beg ein wenig zur Seite und wies mit einer weit ausholenden Bewegung seines rechten Arms auf den drohenden Schatten, den die Afghanen in der Ebene über das Land warfen.

»Diese dort haben denselben Gott wie unsere Mullahs. Warum sollten sie siegen?«

Er ließ Hossein sehr viel Zeit zum Nachdenken. »Weil wir unsere wahre Kraft nicht einsetzen, Majestät«, verkündete er dann. »Es ist an der Zeit, den Schleier zu zerreißen und zu beweisen, daß wir dem einzigen Gott dieses Landes treu sind. Es ist an der Zeit, das Unglück abzuwenden, indem wir den ewigen Gott anrufen, der einen Bund mit diesem Volk geschlossen hat, den tausendjährigen Gott unserer Vorfahren, Ahura Mazda.«

»Aber was verlangt er von uns?« fragte Hossein ganz im Bann dieser Worte.

»Ihn zu verehren, Majestät, und die Opfer zu bringen, die er fordert.«

»Opfer... Welche?«

»Ich weiß es nicht, Herr. Wir werden es noch heute nacht erfahren, wenn Ihr so entscheidet.«

»Was für eine schreckliche Wahl! Zwischen Verleugnung und Niederlage«, sagte Hossein und biß auf seiner Hand herum.

»Nein, Majestät, Ihr könnt nach dem Sieg und der Versöhnung mit den Ursprüngen Eurer Dynastie greifen.«

Hossein fühlte sich entsetzlich unwohl und zappelte jammernd auf seinem Thron herum. In diesem Augenblick erschienen die vier Bussarde und zogen ihren Kreis über dem Palast. Vielleicht sah er darin ein Zeichen? »Und wo soll diese Zeremonie stattfinden?« fragte er.

»Das ideale wäre es, nach Persepolis zu gehen, zu den Altären Eurer Vorväter«, antwortete Yahia Beg lebhaft, ohne seinen Triumph zu zeigen. »Daran ist heute nicht zu denken. Aber in den Vororten von Abbas Abad gibt es einen alten Tempel, der angehen mag.«

»Und ... wann?«

»Die Zeit drängt. Wir beginnen noch heute nacht, um vier Uhr, kurz vor Morgengrauen.«

Hassan liebte nur eins: sich den Bart schneiden zu lassen. Er fühlte sich nie so wohl wie in dem Augenblick, wo er im Sessel des Barbiers lag, der Hals von einem warmen Handtuch liebkost, umgeben von Parfumfläschchen und Spiegeln ... Nur eines tat ihm leid: Sein Bart wuchs nicht schnell genug, um Material für allzu häufige Wiederholung dieses Genusses zu bieten. Da die Volksweisheit besagt, das Haar wachse schneller, wenn man schläft, war dies eine gute Begründung, seine Mittagsruhe bis fünf Uhr hinzuziehen. Er hatte einen Teppich und Kissen im Schutz des hölzernen Wandelganges ausgebreitet, der früher den Gendarmen diente: Von dort aus sah man das Eingangstor, den ersten Garten und die Freitreppe der Botschaft Frankreichs mit ihren fünf Glastüren. Hassan glaubte zunächst zu träumen, als er an diesem Nachmittag beim Erwachen feststellte, daß die mittlere Tür einen Spalt weit offenstand. Er ging vorsichtig näher heran, stieß die Tür weiter auf und trat ein. Es war das erste Mal seit der Abreise der Franken, daß er das Botschaftsgebäude betrat. Alle großen Möbel standen an ihrem Platz und boten einen schönen Anblick: die geschwungenen Kommoden, die langen Tische, die großen mit Seidensamt bezogenen Sessel. Die Diplomaten hatten nur kleinere Dinge mitnehmen können, das Silber, die Leuchter, kleine Gemälde. Die Zimmer waren also nach europäischem Geschmack reich möbliert und zugleich jener Kleinigkeiten beraubt, die sie bewohnt erscheinen lassen.

Die letzten Sonnenstrahlen wanderten von Saal zu Saal, ließen im Vorbeigehen das Gold auf den Zierleisten funkeln und das Kristall der Leuchter bläulich schimmern. Aus Vorsicht ging Hassan lautlos und auf Zehenspitzen.

In der Eingangshalle und im großen Salon sah er niemanden, dann steckte er den Kopf in die Küchenräume, die ebenfalls leer waren. Schließlich wandte er sich zum Arbeitszimmer des Botschafters, das auf einer Ebene mit dem Garten lag. Wie in einer letzten Sorge um die Etikette waren die Möbel in diesem Raum mit Schonbezügen aus ungebleichtem Leinen bedeckt. Der Haushofmeister der Botschaft hatte sich vor der Abreise in den Gedanken gefügt, daß das Gebäude geplündert werden könnte, aber die Vorstellung, auf den Möbeln sollte sich Staub ablegen, war unerträglich.

Als sich Hassan im Zimmer umsah, brauchte er einen Moment, ehe er unter all den weißen Gespenstern die Gestalt eines kleinen, würdigen Greises erkannte, der ehrfurchtgebietend hinter dem großen Schreibtisch im Boulle-Stil Platz genommen hatte.

Hassan hatte diese Stellung wegen seiner passablen Französischkenntnisse bekommen, die er als Kind erworben hatte, während er mit den Söhnen eines Händlers spielte. Als ihn Monsieur de Maillet nun aber ganz ungerührt anwies, näher zu kommen und sich zu setzen, ließ es sich der Perser dreimal wiederholen, denn er war überzeugt, daß er die Stimme von Geistern nicht verstehen könne.

»Brigadegeneral Chauveau hatte mir bereits angekündigt, daß Sie ein ehrlicher Mann sind«, fuhr der Konsul fort, ohne dem armen Kerl Zeit zu lassen, sich von seiner Verblüffung zu erholen. »Meine Hochachtung! Nichts wurde von der Stelle bewegt. Sie haben gut aufgepaßt.«

»Aber ... wer Sind Sie?«

»Monsieur de Maillet, französischer Konsul.«

Als er diese Worte aussprach, die Hände flach auf der Lederoberfläche des Schreibtischs, über sich das Porträt des Königs Ludwig XIV., das man wegen der Tumulte der Regentschaft noch nicht ausgewechselt hatte, fühlte Monsieur de Maillet seine Lippen ein wenig zittern, konnte jedoch die Rührung zurückhalten, die ihn übermannte.

»Haben Sie einen Läufer?«

»Einen was, Exzellenz?«

»Einen Boten, jemanden, der in der Stadt hin und her laufen und Nachrichten überbringen kann.«

»Der älteste Sohn meiner Schwester, wenn es Ihnen recht ist ...«

»Hervorragend. Ich brauche ihn schon ab heute. Sagen Sie mir, wissen Sie, wer an diesem Hof der Nasir genannt wird?«

»Der Nasir? Natürlich, Exzellenz. Das ist der oberste Verwalter der königlichen Besitzungen.«

»Nun, ich möchte ihm noch heute abend eine Nachricht zukommen lassen. Beherrscht er die französische Sprache?«

»Ich glaube nicht, Exzellenz, aber ich kann übersetzen, wenn es nicht geheim ist.«

Monsieur de Maillet hatte in einer fast leeren Schublade eine Feder, Tinte und ein kleines Stück Papier gefunden. Rasch schrieb er die folgenden Zeilen:

»Mein Herr,
Bitte haben Sie die Güte, sich so schnell wie möglich in der Botschaft Frankreichs einzufinden. Es geht um die Sache Alberoni.
Unterzeichnet: B. de M.«

Er faltete das Blatt zusammen, und da er auch in den anderen Schubfächern keinen Umschlag fand, vertraute er es dem Türsteher so an.

»Sagen Sie Ihrem Neffen, er soll Sie im Garten ersetzen, und überbringen Sie diese Botschaft auf der Stelle.«

Hassan lief mit dem Briefbogen auf die Straße, ein wenig

enttäuscht, die kurze Atempause der letzten beiden Tage nicht genutzt zu haben, in denen er sich in Ruhe etwas in der Botschaft hätte aussuchen können. In seinem tiefsten Innern jedoch war er zufrieden, daß das Leben wieder seinen gewohnten Gang ging.

Eine Stunde später rauschte die Kutsche des Nasirs durch das zweiflügelige Gartentor der französischen Vertretung, und der beleibte Würdenträger eilte die Freitreppe hinauf. Er hatte alles stehen- und liegenlassen, als er den Brief des Konsuls erhielt. In der Atmosphäre der allgemeinen Auflösung, die mit der Ankunft der Afghanen in der Hauptstadt eingezogen war, sorgte sich jeder nur darum, seine Habe zusammenzusammeln, Verstecke dafür vorzubereiten und die mögliche Flucht zu organisieren. Eine Folge dieser Panik war, daß ein jeder die Rückzahlung seiner Schulden verlangte. Der Nasir war Tag und Nacht damit beschäftigt, seine Forderungen einzutreiben und denen der anderen zu entgehen. Was für ihn herauskam, war lächerlich wenig. Und da bot ihm plötzlich Alberoni, der sich im letzten Moment seiner erinnerte, die Perspektive einer Unterstützung im Ausland: In einem solchen Augenblick war dies das Glück, die Freiheit, vielleicht das Leben. Das alles mußte bestens ausgehandelt werden.

Der Nasir war zunächst erstaunt, als er sah, was für einem Mann der mächtige Kardinal die Vertretung seiner Interessen anvertraut hatte. War es eine Folge des Krieges oder eine besonders schlaue List, dieser fadenscheinige, geflickte Anzug, vergilbt vom häufigen Waschen und dennoch schmutzig an den Manschetten und am Ärmel, den der Alte trug, ohne daß dadurch das zur Schau getragene Bewußtsein seiner Würde verletzt wurde? Und was verbargen die weißen Schleier, mit denen die Möbel in seinem Arbeitszimmer geheimnisvoll bedeckt waren? Der Nasir setzte sich auf ein kleines Kanapee, dessen Bezug bis zum Boden herabhing. Sogleich hatte er den unangenehmen Eindruck, daß sich sehr wohl ein Mensch unter diesen Stoffbezügen verbergen könnte. Er verdoppelte seine Vorsicht.

»Ich rede ohne Umschweife«, begann der Konsul nach einer kurzen Begrüßung. »Kardinal Alberoni möchte umgehend die Wahrheit über … den Brief erfahren, den er aus Persien erhalten hat, geschrieben von einer Frau, die vorgibt, ihn zu kennen, und die Sie ausdrücklich erwähnt.«

Der Nasir zog an einer Strähne seines Schnurrbarts und ließ sie los, als er am Ende angelangt war. Sogleich kringelte sie sich wieder unter seiner Nase zusammen. Hassan übersetzte, und der Nasir zeigte durch ein Kopfnicken, daß er verstanden hatte.

»Die Anweisungen des Kardinals, die ich blind ausführe, sind eindeutig: Ich muß diese Frau treffen«, fuhr der Konsul fort.

›Sie treffen?‹ dachte der Nasir hastig. ›Das ist wohl nötig. Aber nicht bei Poncet. Dieser Gesandte darf nicht erfahren, wo sie sich versteckt. Sonst nimmt er sie mit, und ich habe nichts mehr in der Hand. Die Kontrolle über diese Angelegenheit bewahren. Das ist das Wichtigste.‹

Er ließ durch den atemlosen Hassan eine schwülstige Antwort übersetzen, die besagte, daß er geblendet sei vom Ruhm Alberonis, daß der Konsul auf dieser Erde keinen ergebeneren Sklaven finden könne und schließlich, daß er dafür sorgen werde, daß der Konsul die sehr ehrwürdige Konkubine Seiner Heiligkeit gleich am nächsten Morgen ansehen könne.

›Ansehen!‹ dachte Monsieur de Maillet. ›Schlauberger. Du willst mich daran hindern mit ihr zu sprechen und ihre Hochstapelei aufzudecken.‹

»Erlauben Sie mir zumindest«, sagte er laut, »daß ich zu ihr spreche und ihr versichere, wie sehr sich der Kardinal um sie sorgt.«

»Oh, Exzellenz«, protestierte der Nasir lauthals. »Sie würden sie umbringen. Nein, nein, glauben Sie mir. Wir werden uns zunächst hier zu zweit verständigen, alle Bedingungen für ihre Abreise festlegen, und dann werde ich sie mit der notwendigen Vorsicht darauf vorbereiten.«

Während des langen Schweigens, das nun folgte, zog der Nasir eine Schnupftabakdose aus der Tasche und versenkte seinen Schnurrbart darin.

317

»Er soll sich mit den Bezügen vorsehen!« rief Monsieur de Maillet, als er das schwarze Pulver herabrieseln sah.

Der Nasir fand diesen Ort sehr merkwürdig und diesen Mann ziemlich nervös.

»Nun gut«, sagte der Konsul schließlich. »Wenn ich nicht mit ihr sprechen kann, brauche ich sie auch nicht zu sehen. Ich fürchte, meine Mission ist beendet.«

Es brauchte fast eine Stunde wechselseitiger Beschwörungen, ehe sich die beiden Füchse einigten. Man verabredete sich für den nächsten Morgen beim Nasir. Die Begegnung würde auf Vermittlung des Persers stattfinden, mit zwei Dolmetschern, so daß der Konsul keine Botschaft überbringen könnte, die nicht in die Pläne des Nasirs paßte.

Als diese Angelegenheit geregelt und der Besucher gegangen war, entließ Monsieur de Maillet Hassan und blieb allein im Arbeitszimmer, das schon vom violetten Halbschatten des Abends erfüllt wurde. Er öffnete die Tür zum Garten und trat einen Moment in die Frische hinaus. Das hatte er in Kairo nach einem arbeitsreichen Tag auch immer getan. Die gleichen Schreie, das gleiche Hundegebell stiegen aus der Stadt auf. Die ganze Wollust der Macht war in dieser bitteren Einsamkeit enthalten.

Ein leichter Abendwind ließ ihn erschauern. Er ging hinein. Unter ihren Schleiern streckten die Sessel in der beginnenden Dunkelheit die Arme aus. Alle Fackeln waren verschwunden. Auf Zehenspitzen erreichte der Konsul zwischen diesen Gespenstern hindurch die Tür, dann das Treppenhaus, die breite Treppe und schließlich die obere Etage. Im ersten Zimmer, das er betrat, strich er über die Matratze eines großen Betts, von dem man die Laken abgezogen hatte. Er streckte sich angekleidet darauf aus, und die große, sanfte Hand der Nostalgie trug ihn rasch in den Schlaf.

## Sechstes Kapitel

Wenn dich eines Tages die Lust packen sollte, eine große Religion zu gründen, dann sprich, lehre, lebe, sei ein Vorbild – aber schreibe nie etwas auf. Keiner der großen Vorläufer, ob nun Jesus, Mohammed oder Buddha, hat eigenhändig irgend etwas zu Papier gebracht. Zweifellos wird gerade dadurch die ursprüngliche, sprudelnde und lebendige Kraft ihrer Botschaft bewahrt. Später hatten eifrige Generationen von Priestern alle Zeit der Welt, diese Quelle im Eis ihrer Schriften und Interpretationen erstarren zu lassen. Zarathustra hatte dieses Unglück oder Glück nicht. Für seine Lehre wurden keine Normen festgelegt, und die ausgefallensten Zauberlehren können sich auf ihn berufen, ohne daß eine Widerlegung möglich wäre.

Zu der Zeit, als Yahia Beg versuchte, ihnen wieder offizielle Geltung zu verschaffen, waren die religiösen Bräuche so sehr in Vergessenheit geraten, daß man sich jede Neuerung einfallen lassen konnte. Der Tempel von Abbas Abad war ein schlichter Steinaltar inmitten einer unbebauten Fläche, die deshalb der ideale Ort für ein Rendezvous oder eine Müllhalde war. Zur Vorbereitung der Zeremonie schickte der Astrologe eine kleine Truppe seiner Sklaven los, um das Umfeld zu säubern und den Platz mit Palmenzweigen zu bedecken. Man mußte vor allem Stammgäste und Neugierige fernhalten. Deshalb wurde verkündet, daß die Todesstrafe dem ersten drohe, der es wagen würde, näher zu kommen oder auch nur von der Ferne zuzusehen. Um Mitternacht waren alle Reisigbündel aufgeschichtet, und Holzscheite lagen hinter einer Mauer bereit. Yahia Beg trug einen roten Talar, als er wenig später persönlich in seiner prächtigen Kutsche den König abholte. Bis er den Herrscher vorbereitet und an Ort und Stelle gebracht hatte – allein, das war eine wesentliche Bedingung –, war es halb fünf Uhr morgens. Die zahlreichen Handlanger des Astrologen hatten einen riesigen Scheiterhaufen entzündet. Dicke Pinienäste verbrannten laut knisternd und duftend in den Flammen und waren bald nur noch ein heller roter Schein.

Yahia Beg setzte den König auf einen Teppich dicht beim Feuer und in einer Linie mit dem Altar. Nach wenigen Minuten war der arme Hossein in Schweiß gebadet. Aber der Radau, den der Wahrsager ringsum ausgelöst hatte, brachte den König davon ab, sich zu rühren. Das Klatschen zahlreicher Hände in einem langsamen Tempo, das betäubende Psalmodieren tiefer Stimmen und der abgehackte Rhythmus der Stehtrommeln, deren Haut fast zum Zerreißen gespannt war, fügten sich mit der Hitze und der Glut der Zweige zu einem faszinierenden Schauspiel. Bald wurde dem König ein Fläschchen mit einem gesegneten Likör gereicht, und er spürte mit Vergnügen einen anderen Brand, der sich tief in seinem Innern entzündete.

Nach einer Stunde dieser Trance tauchte die Sonne auf. Der König saß so, daß die rote Scheibe für ihn direkt den großen, flachen Stein des Altars berührte. Er hatte die Illusion, sie stiege blutig aus einem Sarkophag auf.

»Schau hin, Hossein«, murmelte Yahia Beg. »Sohn der Sonne. Schau sie an.«

Der König wollte die Augen zusammenkneifen, aber der Wahrsager zwang ihn mit all seiner Macht, sie aufzureißen.

»Das Licht verjagt das Böse«, schrie der Magier. »Ahriman weicht zurück. Er wird schwächer. Er flieht. Schau hin, Hossein.«

Die Sonne war nun ganz aus ihrem Grab aufgetaucht. Sie stand über dem Altar und mischte ihr Licht mit der Wärme der Scheite, die vor den Füßen des Königs verglühten.

»Jetzt wird er uns sagen, was ihn beruhigen kann«, schrie der Magier. »Ahura Mazda, was willst du?«

Der König, die Augen immer noch weit offen der Sonne zugewandt, war völlig blind, schweißnaß und sehr geschwächt. In diesem Zustand wurde ihm das Verlangen des Himmelskörpers, der die Welt beherrscht, mitgeteilt. Eine rostige Stimme erhob sich hinter dem Altar. Sie gehörte einem Komparsen Yahia Begs, der sorgfältig ausgewählt worden war, um die

Weissagung zu verkünden: Eine Angina der Stimmbänder, die in der Kindheit schlecht verheilt war, hatte seine Kehle verschlossen und ließ ihn Töne hervorbringen, die kaum noch menschlich zu nennen waren.

»Ich will«, stammelte die übernatürliche Stimme, »daß drei Schalen roten Zinnobers Tag und Nacht im Palast meines Sohnes Hossein brennen.«

»Drei Schalen roten Zinnobers!« wiederholte Yahia Beg heulend in das Ohr des verstörten Königs.

»Ich will, daß Hootfi Ali Khan öffentlich ausgepeitscht wird, bis seine Haut nur noch eine rote Wunde ist.«

»Der Großwesir ausgepeitscht!« schrie Yahia Beg.

»Ich will hundert Rubine von zwanzig Karat, um die Gewänder der Priester von Persepolis zu schmücken.«

»Hundert Rubine von zwanzig Karat!« wiederholte Yahia Beg.

Die Sonne schien jetzt mit all ihrer Kraft, aber der König, der mit aufgerissenen Augen immer noch in ihr Licht starrte, spürte offenbar nicht einmal mehr ein Brennen.

»Ist das alles?« rief Yahia Beg.

»Nein! Ich will daß die ganze königliche Garde meines Sohnes Hossein morgen in roter Galauniform zum Angriff übergeht.«

»Angriff morgen für die Garde.«

»Meine Garde ...«, murmelte Hossein, ganz und gar in einer anderen Welt.

»Ist das alles?« fragte Yahia Beg abschließend, denn er erwartete keine andere Forderung mehr.

»Nein! Ich bin erst zufrieden, wenn in drei Monden hier an diesem Platz eine rote Jungfrau geopfert wird.«

»Eine rote Jungfrau?« schrie Yahia Beg erstaunt und starrte selbst zum Altar.

Offensichtlich hatte sich sein Helfer selbst von der Szene verzaubern lassen. Es war vereinbart, daß die Sonne die Bestrafung des Ersten Ministers und die Vernichtung der Garde, also der Rivalen, die Yahia Beg am meisten fürchtete, verlangen sollte. Und nun wurde der, welcher im Namen der

Sonne sprach, selbst von einer plötzlichen persönlichen Eingebung ergriffen und fügte noch etwas hinzu. So weit man die Lehre Zarathustras kannte, lehnte diese derartige Opfer ab und hatte die rohen Traditionen des Mazdaismus in dieser Hinsicht sehr abgeschwächt. Von seinem Eifer mitgerissen, hatte dieser Idiot dem alten Instinkt des alten Iran Worte verliehen und diese absurde Geschichte der roten Jungfrau erfunden. Aber wie sollte man dem jetzt widersprechen?

»Eine rote Jungfrau«, wiederholte Hossein und bewies damit, daß er es leider verstanden hatte.

»Ja, Majestät, in drei Monden«, bestätigte Yahia Beg, wütend, aber gezwungen, sich dem Willen der Sonne zu unterwerfen. »Ich glaube, jetzt ist es wirklich alles«, erklärte er sehr laut, um den Phantasien seines Schauspielers ein Ende zu setzen.

»Ist das alles?« fragte der König und legte die Hände auf die Augen. »Das ist alles. Wunder, o Wunder!« Und mit einem Mal fiel er aus seiner Trance so schlaff wie ein Hampelmann in die Arme seines siegreichen Astrologen.

In dem Chaos, zu dem die Ankunft der Afghanen in Isfahan geführt hatte, gewann das geringste Ereignis besorgniserregende Dimensionen. Françoises Vorladung zum Nasir versetzte das ganze Haus in Aufregung und ließ Zwangsmaßnahmen gegen die Arme befürchten, die sich kaum von ihrer Verletzung erholt hatte.

Durch ihre Niederlage gedemütigt, trafen die persischen Beamten die ausgefallensten Entscheidungen. Sagte man nicht, daß der König nun ganz und gar unter dem Einfluß seines Magiers stünde, so daß man sich schon nach der Strenge der radikalsten Mullahs zurücksehnte? Welche Schandtat plante der Nasir, von dem man wußte, daß er zu allem fähig war, um seine Stellung und seine Privilegien zu bewahren?

Durch all diese Gedanken zutiefst beunruhigt, stieg Françoise in die Kutsche, die ihr der oberste Verwalter geschickt hatte, um sie abzuholen. Alix und Saba verabschiedeten sich wie vor einer langen Reise, obwohl sie kaum die Länge der vier Gärten des Chahar Bagh hatte. Schon der Anblick der armen Frau tat einem weh. Sie wirkte müde und erschöpft. Ihr Arm wurde noch immer von einem Holzbrett gestützt, das mit Binden umwickelt war. Es war schwierig, sie umzukleiden, und so trug sie seit mehreren Tagen dasselbe einfache Kleid aus braunem Leinen, das unangenehm nachlässig wirkte.

Als ihr der Nasir aus der Kutsche half, verzog er gequält das Gesicht, um diese Schäden zu begutachten.

›Wie kann ich bei einem so armseligen Artikel die Angebote in die Höhe treiben?‹ fragte er sich.

Mit höflichen Verrenkungen wies er der Besucherin den Weg. Sie betraten nicht den Palast selbst, sondern wandten sich dem kleinen runden Pavillon zu, in dem einst Poncet seinen Patienten erwartet hatte. Das Gartenhäuschen mit den Lamellenwänden war ziemlich düster, obwohl es nach allen Seiten offen war. Es war von einem Graben umgeben, in dem Seerosen schwammen und der von einer kleinen Holzbrücke überspannt wurde, die in der Mitte nach chinesischem Vorbild steil nach oben führte. Der Nasir ging Françoise voran und setzte sie auf einen Sessel in dieser Laube, dann verschwand er.

Françoise hatte kaum Platz genommen, als sie schon wieder aufsprang. Irgend jemand schluchzte hinter ihr. Sie drehte sich um und sah in der anderen Ecke des Pavillons ein so entsetzlich verunstaltetes Geschöpf, daß sie es beim ersten Blick nicht von den Weinranken unterscheiden konnte, die an den kleinen Säulen wuchsen. Sie fühlte sich auf einmal völlig gesund, verglichen mit einer Person, die von der erbarmungslosen Faust des Lebens ohne jede Gnade getroffen worden war. Der Mann kauerte in einem Rollstuhl und weinte.

»Mein Gott!« flüsterte Françoise dicht neben ihm. »Mein armer Herr. Warum Sind Sie nur so traurig?«

Sie warf sich diese Frage sogleich vor. Als könnte selbst die optimistischste Seele in einem solchen Zustand auch nur einen Rest von Fröhlichkeit zeigen.

»Wegen meiner Katze«, jammerte Leonardo schniefend.

»Ihrer Katze! Wo ist sie denn? Haben Sie sie verloren?«

»Sie ist tot«, stammelte der arme Invalide und öffnete seinen rosigen Nilpferdmund.

»Was für ein Unglück ... Wann ist das geschehen?«

»Vor acht Tagen.«

»Nun, aber es ist vielleicht Zeit, sie ein wenig zu vergessen ...«, schlug Françoise vorsichtig vor.

»Sie vergessen!« unterbrach sie Leonardo und sah sie an wie eine giftige Viper. »Hören Sie, Madame, Piano ist in diesem Moment in einer Holzkiste auf meinem Arbeitstisch, und nichts auf der Welt wird mich dazu bringen, diese zu schließen.«

Françoise wich vor Entsetzen zurück.

»Er war das sanfteste, das herrlichste Tier, Madame.«

Während dieser Worte hatte Leonardo Françoises gesunde Hand ergriffen und drückte sie zwischen den seinen, genau denselben, dachte Françoise voller Abscheu, die sich noch vor kurzem an einem toten Körper zu schaffen gemacht hatten.

»Und darf man wissen«, fragte Françoise, während sie vorsichtig die Hand zurückzog, »welche Notwendigkeit Sie getrieben hat, diesen teuren Verblichenen zu verlassen, um in die Kühle dieser Laube einzutauchen?«

»Natürlich der Nasir! Wer sonst könnte so grausam sein, Madame? Stellen Sie sich vor, heute braucht er zwei Dolmetscher. Ich bin zu meinem Unglück einer von ihnen.«

Er wollte gerade wieder zu schluchzen beginnen, als Bewegung in den Garten kam. Der Nasir brachte die kleine Brücke ins Wanken, als er hinübergerannt kam. Er griff nach Leonardos Rollstuhl und schob ihn quer in den Eingang des Pavillons, der gegenüber der Brücke lag. Françoise nahm wieder auf ihrem Sessel Platz, und der Nasir stellte sich, nachdem er diese Anordnung überprüft hatte, auf den erhöhten Mittelpunkt der Brücke. Auf der anderen Seite des Grabens waren zwei Männer aufgetaucht, ein Perser mit einem untadelig geschnittenen Bart und ein alter Franke, der die Hand über die zusammengekniffenen Augen hielt, als er zum Pavillon hinüberschaute.

Der Perser schrie dem Nasir ein paar Worte in ihrer Sprache zu.

»Was sagen sie?« fragte Françoise Leonardo, der ihr die Sicht versperrte.

»Ich darf Ihnen ausschließlich die Worte des Nasirs übersetzen«, erklärte dieser würdevoll.

Was war das wieder für ein Theater? Françoise verstand es nicht. Schließlich drehte sich der Nasir um und sprach einen kurzen Satz.

»Man grüßt Sie vom Weg aus«, sagte Leonardo und trocknete seine Tränen.

»Aber wer denn überhaupt?«

»Und man fragt Sie, ob es Ihnen gutgeht.«

»Ja, ja, es geht mir gut, aber sagen Sie mir doch ...«

Leonardo übermittelte die Übersetzung, die wie ein Echo bis in den Garten gelangte, wo der bärtige Perser sie erneut übersetzte. Eine Antwort wanderte in die andere Richtung.

»Würden Sie gern Europa wiedersehen?«

»Hören Sie, Monsieur, sagen Sie mir ...«

Ungeduldig über dieses lächerliche Verhör schob Françoise Leonardo ein wenig zurück und trat in den Eingang des Pavillons. »Mein Gott!« rief sie. »Der Konsul!«

Sie trat rasch in den Schatten zurück. Dennoch war sie vor Erstaunen einen Moment zu lange reglos stehengeblieben, und das reine, helle Frühlingslicht von Isfahan hatte ihre Züge so deutlich sichtbar gemacht, daß sogar Monsieur de Maillet sie erkannt hatte. Er wich ebenfalls zurück, dann stellte er mit leiser, eindringlicher Stimme eine Frage, die für den Nasir übersetzt und von Leonardo schließlich an sie weitergegeben wurde.

»Ist Ihr Name Françoise?«

Der Nasir wußte ihren Namen. Er hielt es nur für höflicher, daß sie selbst die Frage beantwortete.

»Ja«, sagte sie und schloß die Augen.

Sobald dieses Geständnis übermittelt war, geriet der ganze Garten in große Aufregung. Der Alte hatte zu schreien begonnen, und sie konnte einzelne Worte auffangen: »Eine Wä-

scherin!« brüllte er, »... meine frühere Dienerin in Kairo ...
Alles ist aufgedeckt ... Ah! Ah! Hochstapelei!«

Der Nasir machte ein Zeichen, und Wachen, die sich hinter den Bäumen versteckt hatten, kamen von allen Seiten herbei und führten den alten Mann eilig zum Haus. Sein Dolmetscher erfuhr das gleiche Schicksal, allerdings mit weniger Rücksicht.

Als sich alles beruhigt hatte, kam der Nasir zurück und entschuldigte sich, ohne daß er versuchte, den Zwischenfall aufzuklären.

»Ein alter Verrückter«, sagte er. »Er wollte Sie sehen, aber ich ahnte schon, daß es einen Skandal geben würde. Seien Sie beruhigt, und kehren Sie nach Hause zurück. Versprechen Sie mir, daß Sie mir diese Störung nicht übelnehmen werden.«

Françoise blieb stumm, dankte ihren Gastgebern und stieg würdig in die Kutsche, die sie zurückbrachte.

Etwas früher, kaum zehn Minuten, nachdem Françoise zum Nasir aufgebrochen war, klingelte ein Unbekannter an Alix' Tor. Es war ein persischer Soldat, der einen Filzmantel über seine Uniform geworfen hatte. An der weißen Hose über den Knöcheln erkannte man jedoch, daß er zur königlichen Garde gehörte.

Alix empfing ihn im Vorgarten, denn weiter wollte er nicht gehen. Er übergab ihr einen Brief und grüßte, dann verschwand er auf der Straße. Nachdem Alix sich umgesehen hatte, entfaltete sie den Brief und las:

»Madame,
Der König hat soeben einen Angriff befohlen, den wir morgen in roter Galauniform durchführen werden. Vielleicht werden wir siegen. Ich werde mit all meinen Kräften dazu beitragen. Aber da ich ein Hauptdarsteller bin, werde ich in vorderster Linie stehen, und der Kampf wird mich nicht verschonen.

Die Gewißheit des nahen Todes bringt gewisse Privilegien mit sich: aufrichtig zu sein ist darunter das größte. Sie haben mich von einer Liebe geheilt, indem Sie mir eine andere offenbarten. Würde ich weiterleben, wäre ich von einem einzigen Gedanken erfüllt: Wann und wie kann ich Ihnen sagen, was ich fühle? Da ich verschwinde, habe ich das unendliche Glück, diese einfache Spur hinter mir zurückzulassen. Dank Ihnen habe ich das Glück gesehen, ich habe ihm zugelächelt, ich weiß, daß es existiert, und ich werde ohne Bedauern sterben. R.«

Alix zerknüllte den Brief sofort, als wolle sie ihn verschwinden lassen. Sie hätte ihn gern weit weggeworfen, wäre dem Soldaten hinterhergerannt, um ihn zurückzugeben, damit all das nie stattgefunden hätte.

Aber sie hatte keine Zeit, weiter darüber nachzudenken, denn im gleichen Moment kamen die Köchin und der Kutscher in den Garten und stürzten sich auf sie.

»Wo ist Fräulein Saba?« fragten sie gleichzeitig.

»Ich weiß nicht. In ihrem Zimmer nehme ich an ... Was ist los?«

»Ich komme gerade vom Markt«, sagte die Köchin.

»Und ich aus der Moschee«, übertraf sie der Kutscher.

»Ruhig doch, erklärt mir, was los ist.«

Die Köchin ergriff das Wort und ließ es nicht mehr los.

»Die Agenten des Königs haben überall verkündet, daß sie eine rote Jungfrau suchen, und geben jedem, der eine solche kennt, den Befehl, sie dem König auszuliefern.«

»Eine rote Jungfrau!« wiederholte Alix entsetzt.

»Oh, Herrin! Wir werden sie niemals ausliefern. Aber sie darf nicht mehr ausgehen.«

»Ja«, bestätigte der Kutscher, »glücklicherweise waren Sie neulich, als der Himmel in Flammen stand, so vorsichtig, Schleier zu tragen.«

»Von wem sprecht ihr denn?« fragte Alix

»Natürlich von Ihrem Fräulein Tochter, so rein und mit so herrlich rotem Haar.«

»Saba«, wiederholte Alix für sich. »Eine rote Jungfrau.«
Sie wäre nie auf die Idee gekommen, ihre Tochter so zu be-
schreiben, aber ja, man konnte sie so sehen. Und wenn man
sie so sah, war sie bedroht. »Niemand kennt sie«, sagte Alix.
»Sie geht niemals aus.«
»Sie müssen sehr vorsichtig sein, Herrin«, beharrte der Kutscher, »wenn sie denunziert ...«
»Denunziert!« schrie Alix fassungslos. Alles fiel ihr auf der
Stelle wieder ein: der Brief, den sie gerade erhalten hatte, Nour
al-Houdas Verdacht. Sie stieß einen entsetzten Schrei aus.
Wenn Saba denunziert würde ... Mit großen Schritten eilte sie
zur Küche und warf den Brief, den sie in kleine Stücke zerrissen hatte, in den Ofen. ›Ruhig doch‹, sagte sie bei sich, ›es
gibt nun wirklich keinen Grund zur Aufregung, sie wird nichts
erfahren.‹ Beruhigt ging sie ins Haus, um ihre Tochter zu suchen.

Inzwischen war der Soldat, der den Brief überbracht hatte,
endlich vor dem Tor der Garde zum Königspalast angekommen. Er wußte, was ihn am nächsten Morgen erwartete und
hatte es nicht eilig, die Stadt, ihre Gassen, die frischen Düfte
zu verlassen. Ehe er ins Quartier zurückging, wühlte er in seinen Taschen und holte drei Kupfermünzen heraus. Wie als
Abschiedsgeste gab er sie mit einem Lächeln der kleinen, zerlumpten Bettlerin, die ihm durch die Gassen gefolgt war. »Da,
nimm, und morgen wirst du für mich singen, kleine Zigeunerin.«


## Siebtes Kapitel


Jetzt, am Ende des Winters, waren die Sklavenstände in Chiva nicht mehr sehr üppig bestückt. Die großen Razzien der
Plünderer fanden etwas später im Jahr statt, wenn sich Bauern oder Jäger zu weit hinaus in die Felder wagten. Die Nach-
frage war auch nicht sehr groß. Der Händler, der die vier

Männer kaufte, entlockte den Kirgisen fast Tränen, als er ihnen ihr Geld auszahlte, so bitterlich klagte er über diesen gewaltigen Betrag. Insgeheim gab er jedoch zu, daß er ein gutes Geschäft gemacht hatte. Trotz des langen Weges, den diese vier Sklaven zurückgelegt hatten, waren sie kräftige Burschen. Der behagliche Frühling in der Oase hatte ihnen auch wieder Farbe gegeben. Da man sie während all der Wochen mit dem Fleisch der Steppenschafe und roher Milch ernährt hatte, besaßen sie kein Gramm Fett zuviel, und ihre Körper waren von den Freiluftübungen abgehärtet.

Sie verließen die Kirgisen, die sie gefangen hatten, mit aufrichtigem Bedauern, denn sie hatten all die Strapazen mit ihnen geteilt und fühlten sich ihnen dadurch sehr verbunden. Sie waren zwar Sklaven, aber sie blieben in einer wohlhabenden Stadt, die mit ihresgleichen bevölkert war, während diese armen Kerle in ihre schrecklichen Wüsten zurückkehrten. Sie wünschten ihnen viel Glück.

Vom ersten Tag an kümmerte sich der Händler um seinen Neuerwerb. Zunächst ließ er sie die abgetragene Kleidung ablegen: Sie rochen so stark nach Fell und geronnener Milch, daß sie auch den besten Käufer in die Flucht geschlagen hätten. Dann führte er sie in ein Bad, immer noch aneinandergefesselt, und sie wuschen sich voller Wonne im warmen Wasser, das aus der Erde kam. Am Abend erlaubte ihnen der Händler, sich in Leinentuniken zu hüllen. Am folgenden Tag gab er ihnen zu verstehen, daß sie in einem knapperen Kleidungsstück zum Kauf angeboten werden sollten, das aus einem weißen Baumwollstreifen bestand, der dreimal um die Hüften und durch den Schritt führte. So würde man ehrlich ihre Mängel und Qualitäten begutachten können, zumindest was das Äußere betraf.

Die Baracke, in der sie angeboten wurden, konnte etwa zwanzig Modelle aufnehmen. Als sie eintrafen, war sie leer bis auf einen kleinen, sehr mageren, gebeugten Mann mit hervorstehenden Rippen, dessen Anblick fast schmerzhaft war. Er war Montenegriner, gewöhnlich eine sehr robuste Rasse,

die jedoch hier die berühmte Ausnahme von der Regel auf-
wies, denn dieser Nicolas war niemals dicker oder stärker gewesen als jetzt. Er wollte nicht erzählen, wie er auf diesem
Markt gelandet war, und diese Zurückhaltung weckte die Be-
fürchtung, er sei ein Spitzel. Dafür war er jedoch besonders
weitschweifig, wenn es um Verhaltensratschläge ging.

»Wenn ihr euch gut verkaufen wollt, müßt ihr euch schön
gerade halten, so, schaut her.«

Er reckte seinen armseligen Oberkörper und schlug mit den
knochigen Fäusten auf seinen vorstehenden Brustkorb.

»Aber warum sollten wir versuchen, uns zu verkaufen?«
fragte Jean-Baptiste. »Ist das ein so beneidenswertes Schicksal, Sklave zu sein?«

»Vielleicht nicht beneidenswert. Aber auf jeden Fall besser,
als ein Sklave ohne Herr zu sein, das könnt ihr mir glauben.
Draußen bewegt man sich wenigstens, man hat zu tun. Die
Leute hier sind nicht allzu hart zu ihren Dienern. Ich habe
viele hier erlebt, und alle erzählen das gleiche. Außerdem habt
ihr es ja selbst gehört: Hier im Orient bezeichnet sich jeder
als Sklave von jedem, und es gibt keinen ehrenvolleren Titel,
als der des Königs zu sein. Achtung, stellt euch ordentlich hin,
da kommen Leute.«

Drei, vier Käufer kamen vorbei, blieben mit finsterer Miene vor dem Stand stehen und gingen weiter.

»Wenn ihr meine Meinung hören wollt, haben sie Angst,
zuviel zu bezahlen. Das muß man sich auch mal ansehen, diese Muskeln, dieses Gebiß, diese Haare. Wie kann man nur so
herrlich gebaut sein wie ihr? Wirklich, ich möchte, daß ihr
schnell verschwindet. Sonst werde ich bald zu gar nichts mehr
gut sein.«

»Zu gar nichts mehr gut?« wiederholte Juremi erstaunt.

»Ihr seid wirklich nett. Aber tut nicht so, als hättet ihr es
nicht gemerkt: Ich bin einfach unverkäuflich. Sie hätten mich
sogar beinahe freigelassen, weil ich im Wege bin. Aber dann
hatte ein Händler die Idee, die gar nicht so schlecht ist, mich
für ein paar Pfennige zu kaufen und als Aufwerter zu verwenden. Neben mir wirkt auch der Schwächste ziemlich ro-

bust. Was glaubt ihr, warum ich mich immer neben ihn hier stelle?«

Er zeigte auf Bibitschew. Mit seinen X-Beinen, dem endlosen, unbehaarten Oberkörper und der Trichterbrust, die aussah als sei sie durch einen Faustschlag eingebeult, unterstrich der Polizist tatsächlich die geradezu unverschämte Gesundheit der drei anderen.

George, der dem Gespräch zunächst schweigend zugehört hatte, mischte sich ein: »Wir möchten aber auf gar keinen Fall getrennt werden.«

»Da kann man nicht viel machen«, erklärte der Montenegriner kopfschüttelnd. »Das Schicksal entscheidet. In diesem Punkt treffen sich allerdings eure Interessen mit denen des Händlers. Er wird sicher alles dazu tun, euch als einen Posten zu verkaufen.«

»Als Posten!« wiederholte Juremi finster.

Wehmütige Bilder eines Ausbruchs schossen ihm durch den Kopf, eine Kibitka im Schnee. Er sah Kutulun und die von diesem Trottel George verpatzte Gelegenheit vor sich und seufzte.

Die folgenden Tage verstrichen im gleichen zähen Rhythmus, und tatsächlich schlich sich Langeweile ein. Da es keine Bewerber gab, kamen sie nach einer Woche in den Genuß eines zweiten Besuchs im Bad.

»Ich habe mich aus Neugier nach eurem Preis erkundigt«, erzählte ihnen Nicolas eines Morgens. »Sehr vernünftig. Aber ich bleibe dabei: Die Kunden flüchten, weil sie denken, daß ihr ein Vermögen wert seid. Ich erlaube mir, meine ersten Empfehlungen abzuwandeln. Richtet euch nicht zu sehr auf; das wirkt unverschämt und martialisch. Sie könnten einen Aufstand befürchten. Besser, ihr erscheint etwas schwächlich. Dann halten sie euch für zugänglicher.«

Außer Bibitschew, der nicht anders als steif dastehen konnte, sackten sie alle in sich zusammen, so daß sie fast nachlässig wirkten.

»Das ist auch nicht besser«, sagte Nicolas fassungslos nach zwei weiteren ergebnislosen Tagen. »Aber verliert nicht den

Mut. Mit dem Frühling kommen die Bauern, sie sind weniger erfahren und wenn auch nur einer von ihnen einen getrübten Blick hat …«

Offenbar hatte der alte Spitzbube einen sechsten Sinn. Kaum zwei Tage waren vergangen, als sich die seltene Perle vor ihnen aufbaute. Es war ein kleiner, magerer Greis, in einen langen Wollmantel gehüllt, unter dem Hosen hervorsahen, die an den Knöcheln zusammengebunden waren. Er trug einen dicken Stock quer über den Schultern. Seine Hände hingen an den beiden Enden wie bei einem Gekreuzigten. Der platte Filzhut war tief ins Gesicht gezogen und glich eher einem Blasebalg.

»Da«, flüsterte Nicolas, »ein Afghane.«

Der Alte starrte sie immer noch reglos an. Das war nicht sehr angenehm, denn seit zwei Tagen hatten sie wegen des kalten Bergwindes Gänsehaut und blaue Hände. Sie gaben sich Mühe, weniger erfroren zu wirken.

»Gebt euch nicht zuviel Mühe, er sieht nichts«, merkte Nicolas an.

Tatsächlich lagen die verdorrten Lider über Augäpfeln, die mit weißen Hornhautflecken bedeckt waren. Er war wohl nicht blind, denn er bewegte sich vorwärts ohne zu tasten, aber viel konnte er nicht sehen. Nach einer ganzen Weile rief er mit dem gurrenden, betäubenden Schrei eines Hirten. Der Händler tauchte in der Tür des Teehauses auf, wo er seine Tage verbrachte, und eilte zu dem Kunden. Obwohl Türken und Afghanen Nachbarn sind, sprechen sie sehr unterschiedliche Sprachen, aber der Alte kam offenbar aus einer Grenzregion, denn er sprach ziemlich fließend türkisch. In dieser Sprache wurde nun gehandelt.

»Wie viele brauchen Sie?« fragte der Händler.

»Zwei.«

»Dann zögern Sie nicht. Nehmen Sie die besten.«

Er griff Nicolas, den Montenegriner, und Bibitschew beim Arm und schob sie vor den Afghanen. Dieser lehnte den Stock gegen die Wand des Verkaufsstandes und begann die beiden Sklaven mit seinen knochigen Händen, die viel Erfahrung mit

Schafen besaßen, abzutasten. Er sah sie nacheinander an, indem er den Kopf ein wenig neigte, damit das Licht in die einzige Öffnung fiel, die es in seinen kranken Augen noch finden konnte. Sofort schob er den unglücklichen Nicolas mißmutig zurück.

»Was habe ich euch gesagt«, triumphierte der Montenegriner. »Sogar die Blinden ...«

Nachdem er Bibitschew eingehend untersucht hatte, wandte sich der Afghane mit einer weiteren Frage an den Händler. »Der geht im Notfall, aber haben Sie nichts anderes zum Vergleich?«

»Ah, ich sehe, der Aga ist ein Kenner. Da habe ich was, worüber Sie staunen werden.«

Er schob Juremi nach vorn. Der alte Afghane legte die Hände flach auf den riesigen Brustkorb des Protestanten, der ganz und gar von schrecklichen Schnittwunden verwüstet war. Aber diese Narben beeindruckten den Afghanen weniger als der Brustumfang und die harten Muskeln.

»Ein wahrer Riese!« rief er ganz begeistert. »Ja, ja, der ist genau das richtige für mich. Aber haben Sie noch was anderes dazu?«

»Die restlichen gehen nur als Paar weg«, entgegnete der Händler in bedeutungsvollem Ton. »Wenn Sie die beiden zusammen mit dem Riesen nehmen, werden wir uns sicher einigen. Aber ich will sie nicht trennen, weil ich für einen von ihnen bestimmt nicht die Hälfte kriegen würde.«

Mit diesen Worten schob er Jean-Baptiste und George auf die Verkaufsfläche. Der Afghane war von ihrer Untersuchung sehr befriedigt. Dann fing er an zu überlegen. »Ich komme nicht nur für mich selbst«, erklärte er. »In unserem Tal haben wir viele Männer verloren. Der letzte Winter bei uns war sehr hart und voller giftiger Dämpfe aus den Sümpfen. Man hat mir einen Auftrag gegeben. Ich würde gern drei mitnehmen, aber der Preis ...«

Nun begann eine lange Diskussion. Glücklicherweise verstrich der Vormittag rasch, die Sonne schien auf das Palmendach und erhitzte die Bude so, daß sich die kurzen Pluderhosen der ausgestellten Männer als ausreichend, ja sogar angenehm erwiesen. Der Gedanke an eine gemeinsame Abreise erfreute Jean-Baptiste, Juremi und George sehr. Der einzige, dessen Miene finster, ja verzweifelt wirkte, war Bibitschew.

In diesem ganzen Abenteuer hatte der Spion nie vergessen, nach einer Spur, einem Indiz, mit einem Wort dem wohl verborgenen, aber zweifellos vorhandenen Netz eines Komplotts zu suchen. Waren die Kirgisen, die sie entführt hatten, zufällig dort aufgetaucht? Gewiß nicht. Außerdem hatten sich die drei anderen recht schnell mit den Nomaden verbrüdert. Man konnte sich fragen, ob sie diese in ihrem Loch nicht einfach erwartet hatten. War nicht dies der gewählte Weg, um das Gold zu transportieren, das sie im Kurgan gesammelt hatten. Wie hätten sie es bequemer in Umlauf bringen können?

Das alles war außerordentlich geschickt, dachte sich der Polizist, die Verdächtigen hatten nur einen Fehler gemacht: auf seine Naivität zu setzen. Seitdem sie unterwegs nach Chiva waren, entwarf Bibitschew in Gedanken eine Depesche nach Moskau und lernte sie auswendig. Sobald er wieder über Feder und Papier verfügte, würde er alles weitergeben. Inzwischen mußte er diese neue Falle durchkreuzen. Diese gemeinen Verschwörer waren auf ihre heuchlerische und harmlose Art dabei, sich seiner zu entledigen.

Der Händler und der Afghane waren sich fast einig. Sie waren gerade bei der Justierung, damit das Geld des einen genau zum Preis des anderen paßte. Dabei fiel dem Russen auf, daß der alte Afghane den Blick seiner weißen Augen immer wieder auf ihn richtete.

Der Händler hatte Bibitschew von den anderen drei getrennt, deren Verkauf nahezu erledigt war. Aber kein Zweifel war möglich. Der Käufer schielte immer wieder zu ihm. Vielleicht wollte er ihn doch noch dazunehmen, damit sich das Geld auch lohnte. Auf jeden Fall begann der Russe, wieder ein wenig Hoffnung zu schöpfen. Er versuchte es mit einer einnehmenden Pose, reckte seinen mageren Oberkörper vor, so gut er es vermochte, ließ wie ein Turner die sehnigen

Muskeln seiner Arme rollen, beugte das Bein, zeigte in einem breiten Lächeln sein Gebiß. Die anderen waren fast gerührt, als sie die Bemühungen dieses eifrigen Polizisten sahen, einen Käufer zu finden.

Der alte Afghane war näher gekommen, um diese Zurschaustellung zu betrachten, und Bibitschew verstärkte noch die stolze Mimik und die athletische Haltung.

»Nein«, meinte der Afghane schließlich kopfschüttelnd. »Dieser ist so aufgeregt. Er wird zuviel essen.« Er zog die Börse heraus, um die drei anderen zu bezahlen.

So nah war er der Rettung gewesen! Bibitschew wirkte plötzlich vollkommen niedergeschmettert. Er appellierte an die Menschlichkeit seiner Gefährten, obwohl er nicht daran glaubte.

»Habt Mitleid mit mir«, flehte er sie an. »Ich habe acht Kinder. Was soll hier allein aus mir werden?«

Einem Zeichen der Vorsehung gleich kam ihm der Montenegriner zu Hilfe. Er hatte keine Lust, in der Rolle des Aufwerters von diesem Russen verdrängt zu werden. Nach einem so langen Aufenthalt in Chiva sprach Nicolas den Dialekt der Türken gut genug, um den Händler in dessen Sprache zu rufen und ihm ein paar Worte zuzuflüstern, die der Afghane nicht verstand.

»Der Preis ist hervorragend, sogar ein bißchen übertrieben«, murmelte er. »Verlangen Sie von ihm zwei Tuman mehr, und lassen Sie den Russen mitgehen. Mit ihm allein können Sie kein besseres Geschäft machen.«

Ohne zu antworten folgte der Händler diesem weisen Ratschlag, um so mehr, als der Afghane bereits sein Gold hervorgezogen hatte und er nur noch das brennende Bedürfnis empfand, den Handel abzuschließen und danach zu greifen.

Mittags war der Handel geschlossen. Jean-Baptiste, George, Juremi und Bibitschew waren neu eingekleidet und folgten fröhlich dem Afghanen, der sie gekauft hatte, durch die Gassen des Marktviertels.

Er führte sie in eine andere Ecke des Basars zu einem Schmied, der ihnen Ketten anlegte, die an den Knöcheln in zwei genietete Stahlringe mündeten. Sie waren lang genug, um große Schritte zu erlauben, aber zu schwer, um zu rennen, und so laut, daß die Sklaven keine Bewegung machen konnten, ohne daß man es hörte. Mit dieser Maßnahme hatte man sie sicher, ohne ihnen die Hände fesseln oder sie aneinanderbinden zu müssen. Trotz dieser Eisen an den Füßen hatten die Männer endlich wieder das Gefühl, freie Menschen zu sein. Sie begleiteten ihren neuen Herren in die Karawanserei, wo er seine beiden Esel zurückgelassen hatte. Am nächsten Tag brachen sie im Morgengrauen auf der Straße entlang des Amou Darja auf. Der Fluß war gen Süden von einem fruchtbaren Tal gesäumt, in dem Tamarinden und Aloe wuchsen. Fette Herden weideten neben den Brunnen und tranken klares Wasser, das fröhliche, halbnackte Burschen mit Holzböcken, an denen Ledereimer hingen, aus der Erde holten.

Je näher sie jedoch der Quelle kamen, desto dünner wurde der Fluß, und bald war es nur noch ein Bergbach. Die zunächst noch frischen Nächte wurden nun bitterkalt, Eisstürme rasten von den Gipfeln herab. Nach kurzer Zeit wandten sie sich nach Süden in Richtung Herat und durchquerten einsame Landstriche.

Alle Fröhlichkeit aus Chiva hatte sie verlassen. Wieder einmal waren sie Wanderer, ein Dasein, das sie nur zu gut kannten. Früher, hatte es ihr Leben mit Begeisterung erfüllt, heute war es ihr Unglück. Sie besaßen keine Freiheit, keine Hoffnung mehr. Selbst mit der dürftigen Ablenkung, die der Anblick der Menschen und des Lebens in großen Städten oder wenigstens kleinen Dörfern ihren gefangenen Seelen verschaffte, war es nun vorbei. Es blieb nur die reine Verzweiflung, eben so rauh und kalt wie die Felsen, die anstelle jeglicher Vegetation in diese Mondlandschaft gepflanzt waren.

Als Jean-Baptiste eines Abends das Lager vorbereitete, hatte er eine schreckliche Vision: Saba, seine geliebte Tochter, erschien vor ihm, ebenso wahrhaftig als sei sie bei ihm, mit ihrem feuerroten Haar, den schwarzen Augen, der kindlichen Zärtlichkeit. Sie war in großer Gefahr, sie schrie. Er rührte sich nicht, starrte in die Steinwüste, über die ein scharfer Wind pfiff. Er wollte die Hände ausstrecken, um seine Tochter zu berühren, sie in die Arme zu nehmen, zu verteidigen.

›Ich werde allmählich verrückt‹, dachte er.

∞

Er konnte nicht wissen, daß in ebendiesem Augenblick in Isfahan die Handlanger des Yahia Beg die Tür seines Hauses aufbrachen, mit der Sicherheit von Menschen, die genau informiert waren, in Sabas Zimmer gingen und das schreiende Mädchen packten. Aber dennoch hörte er es. Ebenso, wie er, ohne den Grund zu erkennen, das Schluchzen und die Flüche hörte, die Alix bis in die Nacht hinein ausstieß, während sie inmitten seiner Rosen sein leeres Grab mit ihren Tränen begoß. War sie es, die ihn rief, oder der Wind des Himalaja, angefüllt mit dem Murmeln der Tibeter, deren Heiligtümer er zuvor überflogen hatte? Und jene tröstenden Worte, sanft und rund wie Pfannkuchen, deren Sinn er nicht erfaßte, wie hätte er wissen können, daß Françoise sie aussprach, während sie das Haar ihrer verzweifelten Freundin streichelte. Alix verfluchte sich, gab sich selbst alle Schuld, schrie den Namen von Jean-Baptiste. Aber ihre Seele, die noch immer nicht ganz und gar mit dem Orient vertraut war, konnte nicht ahnen, daß der tiefste Schmerz sich mit den Elementen mischen kann, um die ganze Welt rast und selbst an ihren fernsten Grenzen gehört wird.

Jean-Baptiste hingegen begann an solche Mysterien zu glauben. Er konnte den Gedanken nicht verdrängen, daß all das, was ihm erschienen war, nicht nur in den Träumen existierte und vielleicht irgendwo tatsächlich geschah.

Während ihrer langen Märsche und der leeren Nächte waren ihnen die Träume zu vertrauten Gefährten geworden. Sie erzählten sie einander am nächsten Morgen, manchmal sogar bis zum Abend. Juremi dachte an Françoise, erlebte mit ihr Momente voller Glück und stellte sich große Reisen vor, auf denen sie ihn begleiten würde. Jean-Baptiste sah nach dieser herzzerreißenden Erscheinung ständig Alix und Saba vor sich, die ihm in seinem Dasein zwischen Vergangenheit und Gegenwart Gesellschaft leisteten. Auch George gab sich seinen Träumen hin. Da sie jedoch sein berühmtes Geheimnis betrafen, weigerte er sich, darüber zu reden, und behielt seine Phantasien für sich.

Es war ihnen ziemlich egal, wo sie sich befanden, ob Herat noch weit war oder nicht, ob diese Stadt überhaupt ihr Ziel war. Sie liefen, wie man lebt: ohne an einen Halt zu denken, an ein Ziel oder auch nur ein Ende. Vielleicht wären sie zu der Überzeugung gelangt, bereits tot zu sein, hätte Jean-Baptiste sie nicht eines Abends an das Sprichwort erinnert, das ihn einst ein Abessinier gelehrt hatte: »Sieht der Bettler keine Butter in seinen Träumen, stirbt er vor Hunger.«

# 5
## Letztes Glück in Isfahan

# Erstes Kapitel

Nichts wäre geschehen, wenn man Mir Vais nicht fünfzehn Jahre zuvor so großes Leid angetan hätte. Seit den Eroberungen von Abbas dem Großen im vorangegangenen Jahrhundert waren die Afghanen von Kandahar Untertanen der Perser. Obwohl diese Stämme dem sunnitischen Glauben anhingen, fanden sie sich gelassen mit ihren fernen Lehnsherren ab. Sie verwalteten sich praktisch selbst, und der Kalentar, der erste Stadtrat, besaß die wirkliche Macht. Die Könige jedoch versichern sich gern ihrer Stärke – um so mehr, wenn ihnen nur noch wenig davon geblieben ist. Deshalb kam der persische Herrscher eines schönen Tages auf die Idee, einen besonders energischen Gouverneur nach Kandahar zu entsenden, einen zum Glauben Mohammeds konvertierten Georgier, der den ängstlichen, ungeschickten Eifer eines Konvertiten an den Tag legte. Mir Vais, der friedliche Kalentar von Kandahar, bekam dies zu spüren. Der Georgier ließ ihn verhaften und nach Isfahan bringen. Kaum eine Entscheidung hatte je so tragische Folgen gehabt.

Aus der Ferne betrachtet, gewinnen Herrscher immer an Ansehen. Kaum in der Hauptstadt angekommen, enthüllte sich Mir Vais das ganze Ausmaß des Verfalls an diesem persischen Hof, den er bisher stets geachtet hatte. Doch er nahm diese Lasterhaftigkeit nicht nur zur Kenntnis, sondern verstand auch sogleich, Nutzen daraus zu ziehen. Er schmeichelte sich ein, erlangte seine Freiheit zurück, hofierte den König, strich seinen eigenen Wert heraus und erreichte schließlich, daß der Georgier, der blind genug gewesen war, diesen zu ignorieren und ihn ins Gefängnis zu werfen, größten Schimpf erleiden mußte. Hocherhobenen Hauptes kehrte Mir Vais nach Kandahar zurück: Der König hatte ihm all seine Macht zurückgegeben.

Als Zeichen, daß er kapitulierte und eine Blutsverwandtschaft mit seinem ehemaligen Feind besiegeln wollte, hielt es der georgische Gouverneur für geschickt, Mir Vais um die Hand seiner Tochter zu bitten. Dieser willigte ein und sandte ihm das Mädchen mit erstaunlichem Wohlwollen. Er zeigte sich sogar so gütig, ein großes Fest auszurichten, zu dem er alle Stammesführer einlud, deren oberster Herr er war. Drei Tage und drei Nächte kamen die wilden afghanischen Krieger aus ihren Bergen herab, um an der Hochzeit teilzunehmen. Ein riesiges Zelt war in der Mitte der Stadt aufgestellt worden und empfing nun diese finstere Menge, unter die sich die persischen Soldaten der Garnison ohne Argwohn mischten. Spät am Abend erhob sich der Gouverneur, um die Trauung zu vollziehen.

Im selben Augenblick begriff er alles, aber es war zu spät. Das Mädchen, das er an der Hand hielt, war offensichtlich nur eine Komparsin, die der Afghane anstelle seiner eigenen Tochter entsandt hatte. Sie flüchtete sogleich. Der Georgier hatte nicht einmal mehr Zeit zu einer Geste der Abwehr, als ihm der Dolch des Mir Vais schon die Kehle durchtrennte. Auf dieses Signal hin wurden alle Perser, die sich im Zelt oder auch nur in der Stadt befanden, umgebracht. Der Krieg begann.

Nachdem Mir Vais die Herrschaft Isfahans abgeschüttelt und Kandahar zu einem eigenen Königreich erklärt hatte, ließ er keine Gelegenheit aus, um Persien zu erniedrigen. Sein Haß nährte sich weder aus Eroberungslust noch aus der Vision eines Staatsgründers. Es war auch kein religiöser Bekehrungseifer oder eine heilige Mission, die ihm der Himmel übertragen hätte. Es ging ihm einzig und allein um die Ehre. Seine einzige Triebkraft war die erlittene Kränkung. Angesichts der Verachtung, die Mir Vais für jene empfand, die sie ihm angetan hatten, war sie nicht zu sühnen.

Mir Vais sammelte Siege über die Perser, bis ihn eine Krankheit unverhofft zu Boden warf. Nach dem raschen Tod dieses großen Aufrührers folgte ihm sein Bruder, der den Fehler beging, seine Rache mit geringerer Inbrunst zu verfolgen. Seine Herrschaft dauerte drei Jahre. Dann war Mahmud, der älteste Sohn von Mir Vais, achtzehn Jahre alt und in der Lage, den Onkel als erwachsener Mann zu verurteilen. Er selbst vollstreckte das Urteil und schnitt ihm die Kehle durch: Das schien sich allmählich zum Gründungszeremoniell einer Herrschaft zu entwickeln, die in dieser männlichen Dynastie einen solchen Namen verdiente.

Mahmud hatte sich selbst zum König ernannt und herrschte seit drei Jahren über Kandahar, als ihn die Schwäche der Perser – mehr als seine eigene Stärke – schließlich vor die Tore Isfahans führte. Der lange Marsch über den Boden des Erbfeindes hatte ihn zunächst mit Stolz erfüllt; jetzt wurde ihm dieses Geschenk der Vorsehung allmählich recht lästig.

Was sollte er vor den Mauern dieser festungsähnlichen Hauptstadt unternehmen? Unter seinen dreißigtausend Männern konnte Mahmud kaum auf ein Drittel wahrer Krieger zählen, die aus seinem Stamm und ihm treu ergeben waren. Die anderen waren Hilfstruppen, die sie unterwegs aufgesammelt, gekauft oder gemietet hatten. Einige hatten sich ihnen auch in Erwartung der Plünderungen freiwillig angeschlossen. Alle waren erschöpft, ausgebrannt von der Wüstensonne. Die Pferde waren ausgemergelt und von Geschwüren übersät. Die Truppe hatte kaum ein Zelt auf hundert Männer. Es bedurfte der ganzen Feigheit der Perser, um diese Vagabunden nicht zu Kleinholz zu machen. Eines aber war im Geist dieser rohen Bergbauern eingebrannt: Der Verfall der Perser war grenzenlos. Hatten sie ihnen nicht noch eine Woche zuvor ihren albernen Gesandten geschickt, der um Gnade bettelte? Ein Höfling in goldbesetztem Gewand auf einem herrlichen Pferd, an dem tausend Glöckchen läuteten, umringt von einer Garde wohlgenährter und gut bewaffneter Soldaten, hatte sich vor dem dreckstarrenden Mahmud, der seine Kleider seit Kandahar nicht gewechselt hatte, auf den Boden geworfen. Dieser Botschafter des Königs von Persien bot fünfzehntausend Tuman, damit die Afghanen die Stadt verschonten.

Wie konnte es die Perser verwundern, daß Mahmud diesem widerwärtigen Boten und seinem kleinen Hofstaat eigenhändig die Kehle durchgeschnitten hatte? Dies war genau die Art von Angeboten, die ihn die Klugheit seines Vaters preisen ließ und sein Verlangen nach Rache verdoppelte. Er beschloß daraufhin, Isfahan zu belagern.

Sich nicht zurückziehen war eins – diese verfluchte Hauptstadt zu erobern etwas ganz anderes. Die sechshunderttausend Hasenfüße in ihrem Innern zählten nicht. Das Problem waren ganz allein die Befestigungsmauern. Die Stadt war ganz davon umgeben, und Mahmud hatte keine einzige Kanone, um eine Bresche hineinzuschlagen. Er hatte lediglich die kleinen Feldschlangen mitgebracht, die sie *zumbooruke* nannten. Sie waren auf Kamelen festgebunden und schossen Kugeln von höchstens einem Pfund ab, die gerade ausreichten, einen Kopf abzureißen, aber wie Kiesel von einer Mauer abprallten.

Die Afghanen konnten die Stadt auch nicht aushungern, denn sie hatten den Fluß, der sie durchfließt, nicht überschritten. In der Frühlingszeit war es ein breiter, mächtiger Strom, und es gab keine Furt.

Mahmud ließ zwar die gesamte Umgebung an dem Ufer des Flusses, wo er lagerte, verwüsten, aber auf der anderen Seite sah man blühende Gärten.

Zum ersten Mal seit er König war, fühlte sich Mahmud unentschlossen. Dieser Geisteszustand paßte ihm ganz und gar nicht. Der kleine, knochige Mann, gleichzeitig kühn und rastlos, dessen Wangen von häßlichen braunen Fellknäueln bedeckt wurden, war ständig in Bewegung. Er kam und ging, hielt im Laufen Rat, die Hände hinter dem Rücken verschränkt, aß im Stehen. Wenn er in Momenten der Gefahr oder Überraschung erstarrte, flitzten seine schwarzen Augen weiter von rechts nach links, wie Schäferhunde, die eine Herde zusammentreiben. Dank dieser Unermüdlichkeit bei Tag wie bei Nacht – er schlief kaum drei Stunden und blieb auch dabei ständig in Bewegung – konnte er all seine Aufgaben erledigen. Er gab seine Befehle und kontrollierte ihre Ausführung, besuchte jede Einheit seiner Armee, verhörte persönlich Gefangene, Reisende und Verräter, die ständig aus der Stadt kamen, um ihm ihre Dienste anzubieten. Keiner dieser Abtrünnigen hatte jedoch bisher wirklich interessante Informationen mitgebracht. Mahmud warf sich selbst zuweilen seine Skrupel vor. Anstatt diese Feiglinge endlos zu verhören, würde man kostbare Zeit gewinnen, wenn man ihnen gleich die Kehle durchschnitt.

Nach zwei Wochen der Unschlüssigkeit kam der Afghane zu dem Ergebnis, daß er sich eigentlich damit zufriedengeben konnte, bis vor Isfahan gelangt zu sein: Dieser Erfolg erlaubte es ihm, erhobenen Hauptes nach Hause zurückzukehren. Persien war bis ins Herz getroffen, zutiefst erniedrigt, die Hälfte des Landes von Plünderungen verwüstet. Die Türken und Russen im Norden bemühten sich nach Leibeskräften, den Rest zu erledigen. Man konnte Isfahan verschonen. Dieser riesige Kopf, den der tödlich verwundete Körper nicht mehr ernähren konnte, würde irgendwann von selbst verfaulen.

Mahmud war im Begriff, den Rückzug zu befehlen, als drei Flüchtlinge unterschiedlicher Herkunft in kurzen Abständen die gleichen Informationen brachten. König Hossein hatte unter dem Einfluß seines Astrologen – seines Astrologen! – den Großwesir beseitigt, der Boten entsandt hatte, um die Gnade der Afghanen zu erkaufen. Die königliche Garde war kampfbereit. Der General, der sie anführte, hatte die Befehlsgewalt über die gesamte Armee erhalten und bereitete einen Ausfall vor.

Die königliche Garde! Die Eliteeinheit des persischen Reiches. Das war endlich ein würdiger Feind für Mahmud. Bisher hatte man ihm nur normale Truppen von bedauerlicher

Schwäche zugestanden. Jetzt wurde die Angelegenheit ernst und gefährlich. Der Afghane kannte den armseligen Zustand seiner eigenen Streitkräfte: Würden sie diesem Angriff widerstehen? War es nicht besser, sofort das Signal zur Rückkehr zu geben, die noch kein Rückzug wäre, weil niemand von dem drohenden Angriff wußte? Im Grunde dachte Mahmud nur nach, um seine ständige Erregung zu bändigen, die sich jetzt noch verstärkte. Seine Seele eines Bergkriegers befahl ihm, ohne mögliche Ausflucht, einem so herrlichen Feind entgegenzurennen, um seine Ehre auf ewig im Blut oder im Triumph reinzuwaschen.

Am nächsten Morgen stellte er sein Heer in Schlachtordnung auf. Es bestand aus drei Armeen, der mittleren, die er selbst anführen würde, und zwei Flügeln aus Reitern. Dahinter wartete seine magere mobile Artillerie: fünfzig Kamele mit einer Feldschlange an der Seite, einem Korb mit Steinkugeln auf dem Rücken und zwei Männern zur Bedienung auf den Höckern. Diese Verstärkung würde demjenigen Teil der Armee zu Hilfe kommen, die den härtesten Ansturm aushalten mußte.

Zwei Tage vergingen, ehe die Perser bereit waren. Endlich, als die dritte Nacht zu Ende ging, nutzten die belagerten Truppen die Dunkelheit vor dem Morgengrauen und verließen die Stadt durch das bronzene Tor von Djolfa, das hinter ihnen sogleich wieder geschlossen wurde. Die aufgehende Sonne erhellte ein beeindruckendes Bild. Die königliche Garde, ganz in Rot gekleidet, den Krummsäbel in der Hand, bildete eine erste Reihe regloser Reiter. Dahinter und an den Seiten, zu Pferd oder zu Fuß, kam alles, was die persische Armee nach der Niederlage von Kerman hatte retten können. Das war allerdings immer noch viel, etwa doppelt so viele Männer, wie die Afghanen aufbieten konnten. Kanonen waren auf den Mauern aufgestellt. Sie hatten noch nie geschossen, denn die Perser hüteten sich, die Verantwortung für kämpferische Auseinandersetzungen zu übernehmen, solange es noch eine Hoffnung auf Verhandlungen gab. Neben diesen festen Geschützen gab es noch eine Feldartillerie, die mit den Soldaten aus der Stadt gekommen und sogleich aufgestellt worden war, in zwei Einheiten aufgeteilt, die rechts und links neben der persischen Armee standen.

Mahmud war außer sich vor Erregung. Er rannte von einer seiner erbärmlichen Einheiten zur anderen. Auf seine Schreie antwortete wütendes und wildes Geschrei. So abgerissen es auch war, und zweifellos gerade deshalb, weil es ihm an allem fehlte, wurde das verhungerte, barfüßige, vor Kälte zitternde Heer durch die unerträglichen und unentbehrlichen Nadelstiche des Hasses und der Not angetrieben, als sie den vor Gold strotzenden Feind sahen, der mit allem Luxus des Wohlstandes überladen war. Jeder einzelne afghanische Reiter, jeder Mann der Hilfstruppen von der indischen Grenze spürte geradezu wie eine persönliche Notwendigkeit das Verlangen, diese verweichlichten, von einem zu süßen und zu glücklichen Leben weibisch gewordenen Männer zu bestrafen. Sie, die nichts besaßen, empfanden gleichzeitig große Verachtung für diese Reichtümer und ein wildes Verlangen, sich ihrer zu bemächtigen. Sie hatten die Hoffnung, sie zu einem kleinen Preis zu erobern: Ihnen bedeutete es nichts, ihr Leben zu opfern, das sie ohnehin jeden Tag ohne Grund, ohne Gewinn und ohne Furcht aufs Spiel setzten.

Jeder Befehl Mahmuds wurde auf der Stelle ausgeführt. Die Pferde der Afghanen tänzelten und bäumten sich auf. Die Tiere waren erbärmlich, aber jeder Krieger hatte sein eigenes; nur sehr wenig Fußvolk unterbrach die ungeduldige Bewegung dieser Reitertruppe.

Die persischen Reihen waren starrer und weniger entschlossen. Die langsame Bewegung der Fußtruppen, die bewegliche Geschütze mitschleppen mußten, und vielleicht auch ein unterschwelliges Widerstreben unter den Befehlshabern bremsten die Bewegung dieser Masse. Es dauerte drei Stunden, bis sich die beiden Flügel entfalteten und wie ein Schmetterling auf der Nadel eines Naturforschers an die grauen Mauern hefteten. Mahmud fürchtete die Artillerie, aber er wurde rasch beruhigt. Die Kanonen auf den Mauern schossen zu weit. Ehe sie richtig eingestellt waren, hätte der Kampf bereits begonnen. Dann waren sie unnütz. Die mitgeführten Geschütze begannen ihre Rohre mit ein, zwei Kugeln auszurichten. Die Afghanen mußten nur in Bewegung bleiben und sich ein Stück von der anvisierten Stelle entfernen, damit die Artilleristen mit ihren Berechnungen wieder von vorn anfangen mußten. Kurz, dieses Instrument eignete sich nicht für einen solchen Krieg. Die Schlacht würde zwischen den Reitern ausgetragen werden.

Mittags begann mit dem Angriff der Garde die heiße Phase. Die Perser hatten beschlossen, den rechten Flügel der Belagerer aufzubrechen. Auf ihn richtete sich der Sturm. Die roten Reiter der königlichen Garde waren ordentlich bewaffnet und von guten Rüstungen geschützt, die sogar ihre Pferde bedeckten. Der Ruf ihrer Tapferkeit war nicht übertrieben. Die Afghanen mit ihren Lanzen und Kurzschwertern hatten größte Mühe, diesem Druck zu widerstehen. Kein einziger wich zurück, aber sie fielen zu Dutzenden unter den gewaltigen Hieben, die auf sie niederprasselten. In wenigen Minuten hatte die Garde im rechten Flügel der Afghanen ein Blutbad angerichtet. Die Pferde trampelten auf den Leichen herum, und die roten Uniformen waren mit Blut durchtränkt, so daß sie ihren Satinglanz verloren und einen furchterregenden Purpurton annahmen. Die Perser waren ganz mit dem Schlachten beschäftigt und dachten allein an den Sieg, der sich mit den letzten Reihen der afghanischen Armee näherte. Mahmuds Fehlen auf dem Schlachtfeld machte sie nicht stutzig.

Angesichts dieser Katastrophe kochte der Afghane vor Ungeduld und vor Verlangen zuzuschlagen. Noch aber hielt er sich mit unendlicher Anstrengung zurück und verurteilte seine mittlere Einheit, die ebenfalls drängte, sich in die Schlacht einzumischen, zur Reglosigkeit. Es bedurfte all der Furcht, die Mahmud seinen Soldaten einflößte, damit niemand die unsichtbare Grenze überschritt und seinen gemordeten Brüdern zu Hilfe eilte. Alle fragten sich, worauf ihr Anführer wartete.

Beruhigt durch den Sieg der königlichen Garde hatte sich das Gros des persischen Heeres entschlossen, an dem leichten Sieg teilzuhaben, der sicher erschien. Es löste sich von den Mauern und wandte sich ebenfalls dem rechten Flügel des Feindes zu. Die ersten Kämpfer der königlichen Garde hatten ihn fast vollkommen niedergemacht. Aber die Afghanen hatten tapfer gekämpft, ehe sie ihr Leben ließen, und auch die persische Garde hatte fast die Hälfte ihrer Männer verloren. Der General war gleich zu Beginn gefallen. Reza, der Kommandeur der persönlichen Wache des Königs, hatte das Kommando übernommen. Jetzt konnte er hinter der Linie der Reiter, die noch zu besiegen waren, der letzten Baumreihe dieses Menschenwaldes das freie Land sehen, die ungezähmte Erde seiner Vorfahren. Rezas letzter Gegner war ein dicker Belutsche, der die gestickte Kappe seiner Herkunftsprovinz auf dem Kopf trug. Der Arme fühlte sich bei einer Plünderung gewiß wohler. Trotz seiner Erschöpfung erledigte ihn der Perser mit zwei Schlägen. In dem Moment, als der Dickwanst zu Boden krachte, erstarrte Reza plötzlich angesichts einer Vision. War es die Wildheit des Kampfes, der Hunger und der Durst, die ihn quälten, die Wunde durch einen Säbelhieb, der ihn an der Schulter getroffen hatte, die immer stärker zu bluten begann? Der junge Offizier saß aufrecht auf seinem Pferd am Rand dieses Leichenfeldes, auf das jetzt die Masse des persischen Heeres strömte, um seinen Mut dadurch zu beweisen, daß man die Verletzten tötete und die Toten noch einmal durchbohrte, und empfand plötzlich tiefste Verzweiflung und Entsetzen, als er die offene Wüste vor sich sah. Einige Schritte entfernt waren fünfzig steinerne Löwen aufgereiht, die grauen Knie lagen auf dem Staubsockel der Ebene. Ihre dunklen Augen richteten den vorwurfsvollen Blick der tierischen Natur mit ihrer jahrtausendealten Geduld und Weisheit auf dieses menschliche Gemetzel. Sie schauten auf ihn, Reza, den Sieger. Das war Mahmuds mobile Artillerie, bereit, die Angreifer niederzumähen!

»Was habe ich aus meinem Leben gemacht?« fragte sich Reza, während er unwillkürlich auf seine blutrote Hand niederblickte.

Er schrie: »Ozan!«

Im gleichen Augenblick feuerten die fünfzig Kamele. Die Feldschlangen an ihrer Seite sandten der entsetzten Garde, die den Sieg bereits errungen glaubte, hundert Granitkugeln entgegen, die ein grauenhaftes Gemetzel anrichteten. Kein Offizier kam davon. Reza, dessen Bauch von einer Kugel durchbohrt war, fiel mit offenen Augen tot zu Boden. Das war der Augenblick, in dem Mahmud sein Zentrum und den linken Flügel auf die andere Seite und in den Rücken der Perser stürmen ließ. Sie, die eben noch den Sieg vor Augen gehabt hatten, sahen sich nun in einem Netz gefangen, ohne Rückzugsmöglichkeiten in die Stadt, ohne Ordnung, der Elitetruppe der Garde beraubt.

Das Massaker dauerte zwei Stunden und war schrecklich. Kein Flüchtender wurde verschont. Dreiviertel der Soldaten kamen um. Mahmud war erst gegen Abend bereit, Gefangene zu machen, weniger aus Erbarmen mit den Überlebenden denn aus Überdruß, sie weiter abzuschlachten.

Der Sieg der Afghanen war vollkommen. Zu ihrem Triumph fehlte lediglich die Eroberung der Kanonen, denn die Perser waren vorsichtig genug gewesen, diese während der Schlacht in die Stadt zurückzubringen. Das war für Mahmud recht ärgerlich. Isfahan hatte zwar keine Verteidiger mehr, war aber auch nicht erobert. Die Truppen sandten Allah und seinem Propheten laute Dankgebete, dann machten sie sich in allgemeinem Tumult an die Aufteilung der riesigen Beute, die sie den Leichen abgenommen hatten. Der siegreiche König jedoch blieb finster: Er stand erneut vor demselben ärgerlichen Problem. Wie sollte er diese wehrlose Stadt einnehmen, die mit ihrem ungeheuren Reichtum vor seiner Nase lag und immer noch von ihren verfluchten Mauern geschützt wurde?

## Zweites Kapitel

Nach der Gefangennahme ihrer Tochter war Alix drei Tage lang vollkommen niedergeschmettert. Dieses Ereignis hatte sie förmlich versteinert. Sie konnte nicht handeln, denken oder auch nur aufstehen und essen. Wenn sie für einen Moment zu Bewußtsein kam, dann nur, um den Schmerz noch gewaltiger, die Gewissensbisse noch unerträglicher zu verspüren, so daß sie sogleich schreiend zurückwich und wieder in den Träumen Zuflucht suchte. Trotz der großen Müdigkeit, die sie selbst empfand, wachte Françoise bei der Freundin. Dreimal rief sie jede Nacht das Küchenmädchen und eine andere Dienerin, um die Laken wechseln zu lassen, die Alix mit ihrem Fieberschweiß durchnäßte.

Im Schutzpanzer ihrer Träume genoß Alix jedoch einen Frieden, den sie bereits vergessen hatte. Sie war in Kairo und wartete auf Jean-Baptiste. Sie traf ihn nach seiner Rückkehr aus Abessinien, berührte seinen Körper und küßte seine Lippen. Nur die ersten Momente der Leidenschaft, der Trennung und der Wiederkehr waren von ihm geblieben. Nichts hatte sie entstellt, weder ihr Leben in Isfahan, das von der Mittelmäßigkeit des Alltags gezeichnet war, noch die unglaubliche Leichtigkeit, mit der sie es zur Trennung hatten kommen lassen: er, um der Erinnerung an eine Freundschaft entgegenzueilen, und sie, um eine Freiheit zu genießen, die ihr nie gefehlt hatte. Nach drei Tagen und drei Nächten im qualvollen Frieden dieser goldenen Vergangenheit in ihren Träumen kam Alix langsam wieder zu sich. Sie stand auf, kleidete sich an, gab den Dienern ihre Anweisungen und machte sich nur einen Vorwurf: noch nichts unternommen zu haben, um Saba zurückzuholen.

Mit Françoise nahm sie den abgerissenen Faden dieser schrecklichen Tage wieder auf. Zunächst die unglaubliche Nachricht von der Rückkehr ihres Vaters. Was tat er hier? Alix spürte ein großes Verlangen danach, ihn wiederzusehen. Allerdings fürchtete sie, daß der furchtbare Alte seine hochtrabende Naivität erneut in den Dienst irgendeiner verhängnisvollen Sache gestellt haben könnte. War er nicht in Gesellschaft des Nasirs? Hatte er nicht geschrien, Françoise sei seine Wäscherin? Man mußte fürchten, daß er eine späte Rache an ihr nahm, indem er sie bei den Persern denunzierte, die sie im Glauben an eine Lüge aufgenommen hatten. Und wenn sie ihn tatsächlich treffen könnte – was keineswegs sicher war –, konnte Alix sich nicht darauf verlassen, daß er ihr verziehen hatte und daß sie seinen abartigen Vergeltungsdrang nicht verstärken würde.

Es war besser, diese Angelegenheit erst einmal ruhen zu lassen. Viel dringlicher war Saba. Wohin hatte man sie gebracht? Durch die Indiskretion von Hausangestellten konnte das Küchenmädchen in Erfahrung bringen, daß die rote Jungfrau in einem Flügel des Harems im Königspalast gefangen war. Dort behielt man sie, ohne ihr etwas anzutun, bis zum Tag des Opfers, das die Magier für den dritten Vollmond angekündigt hatten, also in fünfzig Tagen. Dieses vom Sonnengott, dem Herrn der Welt, geforderte Opfer würde in jedem Fall stattfinden, selbst wenn die Stadt bis dahin gerettet wäre. In diesem Fall würde es eben als Dankzeremonie gefeiert werden.

Kein Besucher durfte zu der Gefangenen. Die Handlanger von Yahia Beg bewachten persönlich Tag und Nacht die erste Tür des königlichen Harems. Alix begab sich zu unzähligen vornehmen Persern, von denen einige hervorragende Stellungen bei Hofe innehatten. Sie erklärten ihr alle ihre Anteilnahme und ihr aufrichtiges Bedauern, aber sie konnten nichts für sie tun. Um ihre Tochter zu retten, war Alix zu allem bereit, auch dazu, sich vor Nour al-Houda zu erniedrigen, wenngleich sie nicht daran zweifelte, daß diese hinter der Denunziation stand.

Alles hatte sich in kurzer Zeit vollkommen verändert. Die Armee war vernichtet, und Reza hatte den Tod gefunden, während Alix in ihrer Traumwelt gelebt hatte. Das war eine der ersten Neuigkeiten gewesen, die sie nach dem Erwachen erreicht hatten. Sie hatte nichts dabei empfunden. Die Schande lag inzwischen hinter ihr. Ernstere Dinge machten diese kindische, totgeborene Leidenschaft bedeutungslos. Sie war ihr nun völlig unverständlich, gemessen an dem, was wirklich für sie zählte. Außerdem hatte Reza ihr in seinem letzten Brief angekündigt, was ihn erwartete. Die offizielle Nachricht von seinem Tod fügte für Alix diesem Wissen nichts hinzu, außer vielleicht eine leichte Beruhigung, weil dieses Kapitel nun endgültig abgeschlossen war. Sie fragte sich, ob Nour al-Houda ähnlich ungerührt darauf reagierte. Würde sie verzeihen, helfen? Ein Versuch konnte nichts schaden. Alix versuchte sie zu treffen.

Aber der Erste Minister, ihr »teurer Gatte«, wie die Tscherkessin zu sagen pflegte, war in Ungnade gefallen. Trotz seines Alters hatte er die Strafe der öffentlichen Auspeitschung mit fünfzig Schlägen ertragen müssen. Dann hatte man ihn ins Gefängnis geworfen. Sein Palast war für Besucher geschlossen und wurde von den Bütteln des Nasirs bewacht. Offiziell war das Gebäude, das der König einst dem Großwesir geschenkt hatte, an diesen zurückgefallen. Die Diener und Eunuchen hatte man aufgeteilt. Was war aus seinen Frauen geworden? Sie waren, so beruhigte man Alix, zu ihren Familien zurückgekehrt. Nour al-Houda hatte keine Verwandten in Persien und war unauffindbar.

Es blieb eine letzte Chance: das Erbarmen des Königs. Alix sandte ihm zwanzig herzzerreißende Bittschreiben, schlug sogar vor, den Platz ihrer Tochter unter dem Messer des Henkers einzunehmen. Sie erhielt keine Antwort. In ihrer Verzweiflung überwand sie sogar die Wachsamkeit der Soldaten und schlich sich in den Palast. Im zweiten Hof wurde sie gefaßt, und aus Rücksicht auf ihre Trauer als Witwe setzte man sie mit einer strengen Zurechtweisung auf die Straße, ohne sie zu bestrafen.

Françoise versuchte jeden Abend, sie zu trösten. Aber die Zeiten waren vorbei, in denen Alix, wie noch vor kurzem, bei der älteren und vernünftigeren Freundin Absolution für ihre Verrücktheiten erhalten konnte. Françoise war eine alte Frau, wehrlos und zutiefst erschöpft. Die Erfahrung ist nur eine

Maske, mit der man seinen Optimismus ausstaffiert, wenn man ihn mit einem jüngeren Menschen teilen will, und diese Maske war jetzt gefallen.

Im Grunde war Alix allein, um sich eine Lösung auszudenken, allein, um zu entscheiden, allein, um zu handeln. Zwei Tage lang lief sie im Rosengarten auf und ab, besänftigt von der Wiedergeburt ihrer geliebten Blüten. Am letzten Abend ließ sie sich auf der Steinbank nieder, nahm eine halb geöffnete, schwere Teerose in die Hand und sog lange ihren Duft ein. Es war ein unglaublicher Geruch, der aber zugleich die Verdorbenheit der Welt um sie herum fernhielt, als könnten bestimmte Wesen, zu welchem Reich sie auch gehören mochten, durch ihre Schönheit, ihre Reinheit und ihren Frieden stärker sein als die unendliche Bewegung des Todes, der sie doch zerstören würde. Alix spürte mit einem Mal, daß ihre Zweifel verschwunden waren. Das Leben öffnete ihr erneut seine Türen, sobald sie die magischen Worte auch nur dachte: ›Ich will‹ und ›Ich werde es tun‹.

Nerses, der Patriarch der Armenier, war kein schlechter Mensch. Er hatte Jean-Baptiste seinen Tod nicht übelgenommen. Um ganz genau zu sein, mußte man sogar zugeben, daß er ihm dafür dankbar war. Gewiß, die Alberoni-Angelegenheit war sozusagen gestorben, aber der plötzliche Tod des Apothekers hatte im Schicksal des unglücklichen Patriarchen wie ein Trommelschlag gewirkt. Von da an war alles erwacht, hatte den Rhythmus und die Farbe geändert, und heute war Nerses, nachdem er Schande und Flucht erlebt hatte, zu seinem einstigen Ruhm zurückgekehrt. Der Krieg hatte die Armenier von ihren Schulden bei den Türken befreit und die früheren Fehler ihres ungeschickten Patriarchen ausgelöscht. Die Niederlagen gegen die Afghanen hatten die Reihen der Gemeinde enger geschlossen und den göttlichen Schutz, den eine verständnisvolle und hilfreiche Kirche anbot, im Wert steigen lassen. Seit Mahmud und seine Haudegen vor den

Mauern der Stadt lagen, genauer vor denen des armenischen Viertels Djolfa, war der Patriarch wieder das Emblem des Heils, die goldene Standarte, welche die Händler verzweifelt schwenkten, um die Aufmerksamkeit Gottes auf sich zu ziehen und ihn zu bitten, sie zu verschonen.

Nerses empfing Alix in dem Pfarrhaus, in das er voller Würde zurückgekehrt war. Es lag auf dem höchsten Punkt des Stadtviertels inmitten dunkler Zypressen neben einer großen Kapelle und bestand aus vier im Karree aufgestellten Steinhäusern. Zwei gepflasterte Wege zeichneten ein Kreuz in den kleinen Garten in ihrer Mitte und trennten die Koloquinten-Kürbisse von den Wassermelonen. »Sie werden also zu zweit sein?«

»Ja, Hochwürden«, antwortete Alix.

»Nun, ich glaube, das wird sich machen lassen... sagen wir... morgen abend. Paßt Ihnen das?«

»So früh wie irgend möglich.«

»Morgen ist das früheste«, sagte der Patriarch bestimmt.

»Einverstanden.«

Der Alte klatschte in die Hände. Zwei leichtbekleidete Dienerinnen, sehr jung und sehr hübsch, schenkten dem Patriarchen und seiner Besucherin Tee ein. Der zurückgewonnene Wohlstand hatte den Geiz nicht ganz und gar vertreiben können: In der Küche gab es die Anweisung, kein Gebäck zu servieren und an Zucker zu sparen. Nerses kostete das kochendheiße Getränk um sich zu versichern, daß es so bitter war, wie er es liebte. Und da er mit seinen Bewegungen ebenso sparsam war wie mit allem anderen, trank er es gleich aus. »Aber denken Sie an meine Warnung!« fuhr er dann fort, angeregt vom Aufruhr seiner Innereien nach der Ankunft der noch brodelnden Flüssigkeit. »Ich hoffe nur, daß derjenige oder diejenige in Ihrer Begleitung ebenfalls sehr beweglich ist. Es wird alles andere als ein Vergnügen sein. Sie selbst werden vielleicht...«

»Ich schaffe es, glauben Sie mir«, unterbrach ihn Alix. »Ich habe alles mitgemacht, fechten, reiten, Jagd. Ich glaube nicht, daß es diesmal schlimmer kommen wird. Um denjenigen, der

mich begleitet, müssen Sie sich nicht sorgen: Es ist ein Hausknecht, ein Gärtner, der früher selbst Waffen getragen hat…«
»Gut, wenn Sie meinen«, entgegnete der Patriarch, den das Ganze nicht weiter bewegte. »Auf jeden Fall habe ich Sie gewarnt. Was geschehen wird, liegt in Ihrer Verantwortung.«
»Der Preis, den Sie mir genannt haben, Hochwürden, gilt er für uns beide oder für jeden einzelnen?«
»Für jeden. Dafür können Sie mir danken, wenn ich das hinzufügen darf. Die Leute, die diese Arbeit machen, gehen ein großes Risiko ein. Normalerweise verlangen sie das Doppelte.«
Alix lächelte, um zu zeigen, daß sie ihm diese Lüge verzieh. Dann holte sie die verlangte Summe aus ihrer Ledertasche. Der Patriarch ließ sie unter seinem Mantel verschwinden.
»Sie wußten natürlich über alle Angelegenheiten Ihres armen Jean-Baptiste Poncet Bescheid?« fragte er, um rasch das Thema zu wechseln.
»Über die meisten.«
»Alberoni?«
»Ja«, gab Alix mit leichter Ungeduld zu.
Anscheinend war dieser erste Scherz der Ursprung allen Unglücks, das später folgte. Sie erinnerte sich nicht gern daran.
»Nun, stellen Sie sich vor, Ihr Gatte hatte recht«, stöhnte der Patriarch, während er sich zu ihr beugte und die Stimme senkte. »Ich habe erfahren, daß dieser Teufel von Kardinal tatsächlich so sehr an seiner Mätresse hängt, wie Poncet mir erklärt hat. Ist diese Kurtisane eigentlich immer noch bei Ihnen?«
»Ja«, sagte Alix unwillig. »Aber sie ist keine Kurtisane, Hochwürden. Die arme Frau ist außerdem sehr krank.«
»Sie ist bei Ihnen« wiederholte der Patriarch fassungslos, »und Sie wissen nichts?«
»Aber was sollte ich denn wissen?«
Nerses' Augen glänzten, denn nichts liebte er mehr als eine Indiskretion, vor allem, wenn er sie der Person enthüllen konnte, die als letzte davon erfuhr und gleichzeitig als erste davon betroffen war. Genüßlich erklärte er: »Nun, daß dieser Kardinal Alberoni bis hierher nach Isfahan einen Ge-

sandten aus Italien geschickt hat, um sich nach seiner Konkubine zu erkundigen.«

Ebendies hatte der Alte erfahren, und das trieb ihm die Hitze ins Gesicht, während das kochende Wasser keinerlei Reaktion hervorrief. Dieser seltsame Patriarch wußte offenbar alles, und auch der Besuch von Monsieur de Maillet war ihm nicht entgangen. Alix gefiel die ganze Geschichte keineswegs. Dennoch versuchte sie, etwas mehr über diesen Boten Alberonis zu erfahren. Dabei amüsierte sie sich nur über eines: In diesem Spiel hatte sie einen Punkt Vorsprung, denn der Armenier wußte offensichtlich nicht, daß Monsieur de Maillet ihr Vater war. »Wissen Sie, was aus diesem Gesandten geworden ist, da er es nicht bis zu mir geschafft hat?« fragte sie unschuldig.

»Der Nasir hat ihn in seine Fänge bekommen, wie man mir berichtet. Er hat ihn aus einem Grund, den ich nicht kenne, in seinem Palast eingeschlossen. Zweifellos will er später irgendeinen Nutzen aus dieser Geisel ziehen, vor allem, wenn die Stadt fällt und er seine Flucht decken muß.«

»Wird er wenigstens … gut behandelt?«

»Sehr gut, wie es scheint. Der Nasir geht jeden Tag mit seinem unsäglichen Dolmetscher Lorenzo zu ihm, um ihn irgendwelche Dokumente unterschreiben zu lassen. Der Mann weigert sich, und er läßt ihn in Ruhe. Was halten Sie davon? Ist das nicht merkwürdig?«

Alberoni! dachte Alix. Das war also der Grund, der ihren armen Vater hierher geführt hatte. Wer würde die teuflische Maschine der Lüge jemals zum Stillstand bringen?

»Auf jeden Fall will ich in der ganzen Sache ein gutes Gewissen behalten«, fügte Nerses hinzu. »Ich werde morgen einen Boten zu dieser Geisel des Nasirs schicken. Wir haben unsere Spitzel in seinem Haus, die mit ihm reden können.«

»Was wollen Sie ihm sagen?«

»Nun, daß es der Konkubine des Kardinals gutgeht, daß Poncet sie aufgenommen hat, daß er mein Freund war und sich verpflichtet hatte, bei Alberoni zu unseren Gunsten vorstellig zu werden.«

»Wozu soll das alles gut sein?« fragte Alix, die voller Entsetzen sah, wie sich all diese Märchen ineinander verknoteten.

Der Patriarch griff in höchster Erregung nach ihrer Hand. »Niemand weiß, was aus dieser Stadt werden wird. Was aus uns armen Christen wird, ist noch ungewisser. Stellen Sie sich einen Moment vor, man könnte dem guten Mann zum Ausbruch verhelfen ... So wie Sie selbst morgen ausbrechen werden, in eine andere Richtung natürlich. Nehmen Sie an, er kehrt mit unserer Hilfe nach Rom zurück. Wem wäre er dann wohl zu Dank verpflichtet, dem Nasir oder Ihrem ergebenen Diener?«

Alix wollte dem alten Mann nicht widersprechen. Unter dieser Verkettung von Fehlern und Mißverständnissen glomm nämlich noch eine letzte Hoffnung. Ihren Vater entkommen lassen? Warum nicht. Sie konnte nichts für ihn tun. Also mußte sie wenigstens die anderen Wege des Schicksals, die ihm hilfreich sein konnten, offenhalten.

»Ihr Plan ist hervorragend, Hochwürden, aber darf ich Ihnen ein Geständnis machen und einen Rat geben?«

»Gern.«

»Ich habe Ihnen am Anfang unserer Unterredung nicht die ganze Wahrheit gesagt, denn ich wußte nicht, wie ausgezeichnet Sie unterrichtet sind.«

Der Patriarch lächelte geschmeichelt.

»Ich wußte von diesem Mann«, fuhr Alix fort. »Er hat die Person getroffen, wegen der er gekommen ist.«

»Ach ja? Die Konkubine?«

»Wenn Sie so wollen. Aber aus Vorsicht, um der Erpressung durch den Nasir zu entgehen, der die Freiheit dieses Mannes mit einem Passierschein nach Rom bezahlt haben will ...«

»Ein Passierschein für wen?«

»Für ihn selbst natürlich!«

»Dieser Teufel!«

»... um dieser Erpressung zu entgehen, sagte ich, tut der Gesandte so, als hätte er die Person, die er gesehen hat, nicht wiedererkannt. Er behauptet, sie sei nicht die Konkubine des Kardinals.«

»Ich verstehe«, sagte Nerses und kniff die Augen zusammen.

»Und was meinen verstorbenen Gatten angeht, so behauptet dieser Mann aus demselben Grund, ihm nur Böses zu wollen.«

»Gott sei seiner Seele gnädig!« sagte Nerses mechanisch.

»Wenn Sie also vorhaben, diese einflußreiche Persönlichkeit zu unterstützen und ihr zur Freiheit zu verhelfen, erscheint mir das politisch sehr klug«, schloß Alix. »Sie sollten dabei jedoch keine Erklärungen von ihm verlangen und weder über die Konkubine noch von Poncet reden. Sagen Sie nur, daß Sie … beispielsweise im Namen der christlichen Brüderlichkeit handeln.«

»Ihr Ratschlag ist außerordentlich klug«, murmelte der Patriarch, der die Verwicklungen dieser Situation allmählich besser zu erfassen meinte und die Notwendigkeit einsah, so diskret wie möglich zu handeln. »Ich werde ihn genau befolgen.«

Er umarmte Alix herzlich und stand auf, um sie zu verabschieden. Es war die Stunde der großen Messe in der benachbarten Kapelle, und der schrille Klang einer kleinen Glocke hallte bereits in der unbeweglichen Abendluft. Als Alix den alten Armenier verlassen wollte, zögerte sie einen Augenblick. Dann nahm sie die trockene Hand des Alten und erklärte:

»Hochwürden, ich hätte beinahe eine hochwichtige Einzelheit vergessen. Eine Information wird Ihnen sogleich das Vertrauen dieses Gesandten des Kardinals schenken.«

»Und welche?«

»Dieser Mann ist der Vater einer einzigen Tochter, die heute im Orient lebt. Das Leben hat sie getrennt. Die Zeit ist verstrichen, sie ist inzwischen eine reife Frau; er hat keine Nachricht von ihr. Diese Frau habe ich gut gekannt. Wenn ich nicht morgen fortmüßte, wäre ich selbst zu ihrem Vater gegangen, um ihm folgendes zu sagen: Sie ist gesund und glücklich, und sie liebt ihn.«

»Versprochen«, sagte der Patriarch, berührt von der Zartheit ihrer warmen Hand. »Ich werde es ihn wissen lassen.«

»Sie liebt ihn«, wiederholte Alix. »Und sagen Sie ihm auch: Sie hofft, daß er ihr verziehen hat.«

Als sie auf dem staubigen Weg den Hügel von Djolfa herablief, klang die Glocke im Rhythmus ihrer Schritte. In diesen tragischen Tagen war die ganze Stadt so beschäftigt, daß niemand sich nach dieser schönen Frau umdrehte, die bitterlich weinte.

Isfahan hatte in diesem Jahr gleichzeitig das Eintreffen der Afghanen und des Frühlings erlebt. Die einen lagerten vor der Stadt, der andere hatte sie ganz und gar ergriffen. Der Chahar Bagh war so dicht wie ein Wald. Die großen Orient-Platanen warfen einen dichten Schatten auf die Wege und färbten den schmalen Kanal schwarz, in dem die runden Flecken der Seerosen verstreut waren. Die Maulbeerbäume und Zedern, die im Winter gealtert waren, erlebten den Ansturm der Jugend von Ulmen und Weiden, die ihre frischen Blätter in den Frühlingsböen kichern ließen. Feine Lichtschnüre in diesem Unterholz banden das Gewölbe von Blättern an die Pflöcke der dicken schwarzen Stämme. Neben den Wegen, inmitten der tausend Lichtungen rings um die Wasserspiele, waren die Gärtner damit beschäftigt, Teppiche von Mohn und Geiskraut, Tulpen, Lilien und weißen Nelken erblühen zu lassen. Überall sprangen die Rosenknospen auf, und dieses Unglücksjahr war für sie offenbar besonders günstig. Sie öffneten sich früher, reichlicher, duftender denn je. Die Stadt war voller Rosen, nicht nur das Zentrum und das Viertel der vier Gärten. Die kleinste Mauer in der ärmlichsten Gasse war stolz darauf, diese Schönheiten zu tragen, die ihre schweren Köpfe gegen die Steine lehnten.

Auch das Zimmer von Françoise, dessen Fenster sich zum Rosengarten öffneten, war erfüllt von diesem Trost für die Sinne, als Alix sie kurz vor Mittag voller Schwermut umarmte.

Alle Vorkehrungen waren getroffen, damit die bedauernswerte Frau, deren Arm noch immer empfindlich und deren Gesundheit angegriffen war, von den zurückbleibenden Dienern mit allem Notwendigen versorgt würde. Françoise fürchtete weder die Einsamkeit noch den Tod, nur den Gedanken, ihre Freundin nicht wiederzusehen. Mehr als alles wünschte sie jedoch, diese möge ihre Pläne ausführen, ohne die Last von Gewissensbissen mit sich zu schleppen. Sie gab sich so fröhlich, wie sie konnte, verkürzte den Abschied, dankte Alix und gab ihr jenen Segen alter Frauen mit auf den Weg, der in einem Kuß bestand, den sie ihr mit geschlossenen Augen auf die Stirn drückte.

Alix trug einen Leinensack auf der Schulter, groß genug für alles, was sie brauchte, und klein genug, um nicht wie ein Gepäckstück zu erscheinen. Der Zugang zu der Bogenbrücke über den Zayandehrod wurde streng von einer Zivilmiliz bewacht, die man nach dem Abschlachten der Armee eilig ausgehoben hatte. Die kleinen Geschäfte auf der Brücke waren geschlossen, und die Männer, die auf den Dächern saßen, überwachten das brodelnde Wasser, das in der Sonne funkelte. Die Afghanen verbreiteten eine solche Angst, daß man sie überall erwartete, selbst im mächtigen Strom des Flusses, auf dem sie in die Stadt eindringen könnten.

Alix beobachtete aus der Ferne den Zugang zur Brücke. Sie war beruhigt, als sie in der Menge denjenigen erblickte, nach dem sie suchte: Dostom, der an das Geländer gelehnt ins Wasser starrte. Sie ging an ihm vorbei, ohne ihn anzusprechen und setzte den Weg bis zu der Schranke fort, die den Zugang zur Brücke versperrte. Glücklicherweise hielten die Milizen niemanden an und begnügten sich damit, sie böse anzustarren, als sie vorbeiging. Am anderen Ende warf sie einen kurzen Blick zurück und sah, daß Dostom in seinem leichten Schritt ebenfalls über die Brücke kam. Sie wandte sich nach Djolfa. Im Gewirr der Straßen, wo die Geschäfte voll waren von Schaulustigen und Händlern, bog sie zweimal nach rechts und einmal nach links, ehe sie einen abschüssigen kleinen Platz mit gepflastertem Boden erreichte. An jeder Ecke mündeten kleine Gassen, die von Steingewölben überdeckt waren. Dort gesellte sich Dostom zu ihr.

»Alles in Ordnung?« fragte sie.

»Alles«, antwortete der junge Mann mit einem leichten Lächeln.

Ein kleiner Junge, der sie beobachtete, kam auf sie zu und sagte die drei Worte, die Nerses ihm aufgetragen hatte. Sie anworteten in der vereinbarten Weise. Der Junge machte ihnen ein Zeichen, ihm in eine der Gassen zu folgen. Nach einem langen Marsch, der offenbar dazu dienen sollte, daß sie die Orientierung verloren, gelangten sie zu einem kleinen Haus, das mit Kalk verputzt war und der Straße eine enge, blaugestrichene Tür zuwandte. Das Kind klopfte. Eine Dienerin führte sie in einen kleinen Hof, wo Wäsche in Tonschüsseln eingeweicht war. Dort warteten sie fast eine Stunde. Endlich tauchte ein Armenier auf, der eine weite Wollhose und eine gefütterte Jacke trug. Er stellte sich nicht vor, sondern verkündete sogleich: »Die Wache auf der Mauer wird um fünf Uhr abgelöst. Wir hören sie an dieser Tür vorbeikommen. Dann ist der Moment gekommen.«

Der Mann sprach in einem verächtlichen Ton von dieser Wache. Wie alle Armenier war er zutiefst verletzt, daß die Perser ihnen das Recht verweigert hatten, Djolfa selbst zu verteidigen. Dieser Vorort trug den Namen einer kaukasischen Stadt, die einst Abbas der Große erobert hatte, der ihre Einwohner in seine neue Hauptstadt verschleppte. Viele Armenier waren während dieser Zwangsreise umgekommen. Inzwischen aber hatten sie ihr Schicksal akzeptiert, in Isfahan ein neues Djolfa erbaut, ihr ganzes Leben dem Handel gewidmet und sich immer als loyale Untertanen des persischen Königs erwiesen. Angesichts der afghanischen Gefahr hatten sie sich in bestem Glauben darauf vorbereitet zu kämpfen, um seinen Thron zu verteidigen und seine Stadt zu retten. Leider waren sie als Christen des Vertrauens unwürdig. Man hatte sie gezwungen, ihre Waffen abzugeben, und eine persische Wache hatte auf den Mauern von Djolfa Stellung bezogen. Nun, da die Armee zerstört war, bestand diese Garde aus irgendwelchen Neulingen und Strolchen. Die Armenier fühlten sich berechtigt, sie zu täuschen, wo immer es möglich war.

Um fünf Uhr hörte man die unregelmäßigen Schritte vor der Tür, dann eine Schimpftirade. Die persische Truppe verließ ihren Posten. Alix und Dostom gingen mit dem Armenier hinaus und folgten ihm eine steile Treppe hinauf, die bis zu dem mit Zinnen bewehrten Rundweg führte. Es war noch heller Tag, obwohl die Sonne bereits sank und die Schatten in die Länge zog. In der Ferne breitete sich in der verwüsteten Landschaft das Lager der Afghanen aus, von dem der blaue Rauch der Lagerfeuer aufstieg. Unterhalb der Mauer, weit entfernt und furchterregend, lag der steinige Boden. Der Mann ließ zunächst Dostom herabsteigen. Er empfahl ihm ein letztes Mal, sich unten dicht an die Mauer zu kauern, bis die Nacht hereingebrochen wäre. Die Ablösung würde zu sehr damit beschäftigt sein, sich auf ihre Nachtwache vorzubereiten und bestimmt nur nach vorn schauen. Sie fürchteten keine Flüchtlinge, und wenn es dunkel war, würden Alix und Dostom ohne Gefahr ihr Versteck verlassen und sich ungehindert bewegen können.

Dostom schwang sich in das Nichts und verschwand. Die Leine war im Abstand von zwei Armlängen geknotet, um den Abstieg zu erleichtern. Als sie nicht mehr gespannt war, reichte der Armenier sie zu Alix hinüber. Ohne zu zögern, griff sie danach und kletterte auf die Zinne. Der laue Wind trug ein letztes Mal den Duft der Rosen und der von der Sonne erhitzten Steine zu ihr. Sie schwang sich in die Leere und begann den Abstieg.

## Drittes Kapitel

Nach seinem Triumph über die persische Armee genoß Mahmud eine kurze Atempause. Die ungeduldige Truppe war mit Siegesfeiern und der Aufteilung der Beute beschäftigt. Da er sich aber noch immer nicht entschließen konnte, den Sturm auf die Befestigungsanlagen der Hauptstadt zu befehlen, spürte der Afghane bald wieder eine besorgte Unentschlossenheit um sich herum. Er kam auf die Idee, noch ein wenig Zeit zu gewinnen, indem er seine Soldaten eine kleine Zitadelle erobern ließ, die nur zwei Meilen von Isfahan entfernt lag. Die Festung von Ferrahabad barg schöne Gärten und einen Palast des persischen Königs. Die entsetzten Soldaten der Garnison ergaben sich kampflos, weshalb die Angreifer ihnen sehr bequem und in aller Ruhe im Schatten der großen Schirmpinien, die den Park zierten, nacheinander die Kehlen durchschneiden konnten.

Die Afghanen teilten die besten Plätze in der Festung untereinander auf, und so hatte Mahmud Gelegenheit, sich zum ersten Mal in seinem Leben in einem Palast, der diesen Namen auch verdiente, auf Seidenkissen auszustrecken. Nun fühlte er sich endgültig als König. In genau jener Gefühlsregung, die er bei seinen Feinden angeprangert und die ihren Untergang verursacht hatte, verlor er sich im Luxus. Mit weniger Zorn, ja fast mit Vergnügen sah er Isfahan nun jeden Abend, wenn er an seinem Fenster lehnte, in der untergehenden Sonne erröten. Die Schwalben kreisten kreischend über dem Park. Kein Berg störten den Blick mit seiner wilden Einsamkeit; man sah nichts als die sanften Wellen der Hochebene. Fast hätte das hassenswerte Wort »Frieden« süß geklungen in Mahmuds Ohren.

Durch einen Zwischenfall konnte er sich wieder fangen. In letzter Zeit hatte es nur wenige Überläufer gegeben. Zweifellos wußte man inzwischen in der Stadt, was diejenigen zu erwarten hatten, die auf die Milde des Feindes setzten. Dennoch hatte man in jener Nacht zwei Personen gefangengenommen. Sie warteten in einem Vorzimmer des Palastes darauf, daß Mahmud den Befehl gab, sie vorzuführen. Mittags standen Alix und Dostom vor dem König.

Der große Saal, in dem die Audienzen stattfanden, war ein früherer Innenhof, den man mit einer Decke aus Zedernholz verschlossen hatte, die mit lackierten Arabesken geschmückt war. Sie machte den Raum sehr dunkel, denn nur am hintersten Ende gab es ein riesiges Glasfenster zum Park. Mahmud aß zu Mittag. Eine große Schale mit Fleisch und Gemüse dampfte nahe bei der großen Glasscheibe, und eine silberne Wasserkanne stand auf demselben Tisch. Der unruhige Herrscher lief davor hin und her, nahm im Vorbeigehen einen Bissen, manchmal einen Schluck Wasser und setzte seinen Weg fort.

Die Gefangenen, die ihn im Gegenlicht sahen, bemerkte er nicht sofort. Sobald er sie jedoch wahrnahm, blieb er fassungslos stehen. Alix hatte ihren Schleier abgelegt und trug ein hautenges, nach Männerart zugeschnittenes Jagdkostüm, das unter dem Kammgarn und dem rauhen Leinen die zarte Einzigartigkeit ihrer Figur nur noch deutlicher hervortreten ließ. Ihr offenes blondes Haar fiel bis auf die Schultern herab. Sie hielt zunächst sich selbst für die Ursache des königlichen Erstaunens und suchte sich mit dem eindringlichen Blick ihrer hellen Augen zu verteidigen. Aber Mahmud durchquerte mit großen Sätzen das ganze Zimmer und stellte sich, ohne ihr die geringste Aufmerksamkeit zu schenken, vor Dostom. Er ließ etwas Zeit verstreichen und sah den jungen Mann aufmerksam an. Als er gewiß war, ihn wiedererkannt zu haben, schloß er ihn brüderlich in die Arme und brach in Lachen aus.

Nach dieser herzlichen Umarmung ließ er den beiden die Fesseln abnehmen und führte sie zu einer Terrasse, auf der sie sich niederließen. Alix, die die afghanische Sprache nicht verstand, erriet ohne Mühe, worüber die beiden Männer sich so lautstark unterhielten.

In Isfahan hatte sie zu den wenigen Menschen gehört, die Dostoms Geschichte kannten oder vielmehr sich ihrer erinnerten, und ebendiese hatte sie auf den Gedanken gebracht, ihn auf ihrer Flucht zum Komplizen zu wählen. Der Vater des jungen Mannes war ein Afghane, Kampfgefährte von Mir Vais. Er war dem Kalentar in die Gefangenschaft gefolgt und ihm stets treu ergeben. Seine Frau und seine Kinder kamen nach Isfahan. Als Mir Vais in Gnaden entlassen wurde, begleitete er ihn zurück nach Kandahar. Sein ältester Sohn aber, Dostom, war in Persien geblieben. War es eine Vorsichtsmaßnahme für den Fall, daß die Afghanen ihnen einen üblen Empfang bereiten würden? Oder hatte Mir Vais bereits begonnen, sein Netz um den persischen König zu spinnen? Auf jeden Fall sorgte Dostom in Isfahan dafür, daß man seine Herkunft vergaß. Er suchte sich eine Frau, setzte Kinder in die Welt, fand Unterkunft in einem der ärmeren Stadtviertel. Für alle war er ein ehrlicher Händler – wenngleich nicht sehr begabt –, der oft in Geschäften unterwegs, jedoch nach der Rückkehr nicht reicher war als zuvor. Jean-Baptiste hatte ihn kennengelernt, als er sein erstes Kind behandelte. Dostom hatte einen persischen Namen angenommen, kleidete sich wie ein Perser und lebte wie ein Perser – niemand erinnerte sich mehr daran, woher er kam. Während langer Gespräche tauschten sich Jean-Baptiste und er oft über die Bergpflanzen aus. Dostom besaß auf diesem Gebiet ein erstaunliches Wissen. Er kannte Arten, die im persischen Klima nicht wuchsen. Sein Sohn wurde gesund. Er war voller Dankbarkeit für den Arzt, der ihm keinen Heller für seine Behandlung abverlangt hatte. Er schlug vor, ihm einige der seltenen Pflanzen zu bringen, von denen sie gesprochen hatten und die Jean-Baptiste für seine Heilmittel benötigte. Unter dem Siegel der Verschwiegenheit enthüllte Dostom seinem Arzt den Grund für seine langen Reisen. Der Handel war nur ein Vorwand. Tatsächlich begab er sich immer wieder nach Kandahar, um Nachrichten aus Persien zu übermitteln.

Diese Informationen waren Mahmud bei seinem Feldzug gegen Persien sehr nützlich gewesen. Seit der Belagerung von Isfahan war Dostom in der Stadt eingeschlossen, denn wenn er sie verlassen hätte, würde er nicht mehr zurückkehren können. Er erwartete den letzten Sturm auf die Stadt, um die Ak-

tionen der Angreifer von innen zu unterstützen. Als jedoch
Alix ihn bat, sie zu Mahmud zu führen, hatte Dostom nicht
gezögert. Sie hatte sich wohl gehütet, dem Spion von ihrer
Verwandtschaft mit der roten Jungfrau zu erzählen. Sie hatte ihm nur sagen müssen, daß sie ein schreckliches Geheimnis bewahre, das sie dringend dem König der Afghanen anvertrauen müsse.

Als sich die Wiedersehensfreude etwas gelegt hatte, stellte
Dostom Alix dem König vor und bot sich an, für sie zu übersetzen.

»Sie sind also die Witwe eines französischen Arztes?« fragte Mahmud.

Er war es nicht gewohnt, auf diese Weise mit einer Frau zu
reden. In seinen Bergen hatte er kaum mit ihnen zu tun, außer
mit Gefangenen, denen er einen anderen Empfang bereitete.
Die Furcht, sich unpassend zu verhalten, lähmte ihn, und er
wirkte ganz wie ein Holzfäller, dem ein selbstgefällter Baum
auf den Kopf gefallen war.

»Ja, Majestät«, antwortete Alix, die ebenfalls sehr eingeschüchtert war.

Sie hatte lange über diese Begegnung nachgedacht. Wie
konnte man diesen Krieger überzeugen, Isfahan einzunehmen
und zwar mit äußerster Dringlichkeit? Die Vernunft verlangte, daß er den Sommer abwartete, wenn das Wasser flach genug war, um den Fluß zu durchwaten, die Stadt von beiden
Seiten zu umzingeln und einfach auszuhungern. Aber bis dahin wäre Saba tot. Was konnte sie vorbringen, damit er so
schnell wie möglich versuchte, sich der Hauptstadt zu
bemächtigen? Und welche Mittel sollte sie ihm empfehlen, damit es ihm gelänge? Verrat war nicht vorstellbar. Selbst Dostom, der seit Wochen darüber nachdachte und seine ganze
Intelligenz darauf verwandte, meinte, es gäbe keine Hoffnung.
Die Armenier waren zwar gern bereit, ein paar Geldstücke
einzustecken und dafür Verrückte über ihre Mauer zu werfen. Aber ihre Stadt dem Feind auszuliefern, daran würde keiner der Christen auch nur denken, so schlecht sie auch von
den Persern behandelt wurden.

Seit dem Beginn der Belagerung befand sich die gesamte Bevölkerung im Kriegszustand. Solange die Armee dagewesen war, hatten die Zivilisten ihr die Sorge um ihre Sicherheit anvertraut. Nun kümmerten sie sich selbst darum, mit einem Eifer und einer Wachsamkeit, die niemand überlisten konnte. Man mußte darauf hoffen, daß Mahmud selbst als erfahrener Anführer irgendeine Schwäche in der Verteidigung der Stadt entdeckte oder einen Weg fand, sich Kanonen zu besorgen. Aber wie lange dauerte es, Kanonen bis vor die Stadt zu schleppen? Es blieb nur eine Lösung, auf die Alix insgeheim setzte, daß das Verlangen des Königs, die Hauptstadt zu erobern, groß genug sein würde, damit er die Hälfte seiner Armee dafür opferte. Wenn man die Mauern mit Leitern stürmte, würden die ersten fünf Wellen, oder auch die ersten zehn, vernichtet werden, aber die elfte wäre siegreich.

Sie konnte nicht ein solches Massaker auslösen, wenn sie einfach darum bat, daß man ihre Tochter befreien möge. »Majestät«, fuhr sie fort, entschlossen, alles zu versuchen, »alle Aufgaben meines verstorbenen Gatten beim König von Persien ...«

»Seine Aufgaben! Ich habe gehört, er sei Apotheker. Hat er diesen Hund etwa behandelt?«

»Glaubt mir, er hat es lange Zeit vermeiden können, denn der König ist sehr ungerecht, und mein Gatte mochte ihn nicht. Aber schließlich hat man ihn gezwungen. Ihr wißt, in was für einer Situation sich die Ausländer befinden ... Also, wie ich sagte, all seine Funktionen sind nach seinem Tod mir zugefallen.«

»Sind Sie auch Arzt?«

»Sagen wir, ich kann Medizin zubereiten. Ich habe sie weiterhin in den Königspalast gebracht.«

Mahmud hatte seine Gäste aufgefordert, Platz zu nehmen. Er selbst streckte sich auf einem Teppich aus, was er nur selten tat. Es war ihm nicht unangenehm, er war eher erstaunt darüber, so lange nichts von dieser Bequemlichkeit gewußt zu haben. Das Bewußtsein, diese schöne Ausländerin vor sich zu sehen, die noch vor kurzem ebenso elegant mit König Hossein geplaudert hatte, versetzte ihn in eine Ekstase, die ihm noch einen Monat zuvor ganz unvorstellbar erschienen wäre.

»Ebendort habe ich von der Geheimoperation erfahren, die geplant wird, Majestät«, fuhr Alix fort, ein wenig beruhigt durch den freundlichen Empfang, den man ihr bereitet hatte. »Dostom selbst, dem ich sie enthüllte, hielt sie für ernst genug, zu Euch zu kommen und Euch zu warnen.«

»Eine Geheimoperation!« rief Mahmud und wandte sich an den Spion.

»Ich bitte Sie, Dostom«, sagte Alix, erleichtert, ihre armselige Lüge durch einen anderen übermitteln zu können, »Sie können das in Ihrer Sprache besser erklären, und Majestät spart Zeit.«

Sie beobachtete ungestört die Schwalben, während der junge Afghane die Erfindung wiedergab, die sie ihm auf dem Weg nach Ferrahabad anvertraut hatte. Der Palast, so berichtete er, berge einen bedeutenden Schatz, die märchenhafte Beute, die Schah Abbas einst von seinen Eroberungszügen heimgebracht hatte. Diese Wunder, eingeschlossen in vierzehn versiegelten Truhen, waren an einer Stelle verborgen, die nur ein Zufall der Fremden enthüllt hatte. Mit Unterstützung des Nasirs bereitete Hossein sich darauf vor, diese Reichtümer in einem Monat aus der Stadt zu schaffen und sie außer Reichweite der Afghanen an einen sicheren Ort zu bringen. Dann würde er die Stadt aufgeben.

Alix fand die Geschichte so primitiv und dumm, daß es ihr peinlich gewesen wäre, sie selbst zu erzählen. Sie verzweifelte noch an ihrer mangelnden Phantasie. In ihren Träumen erfand sie endlose Romane, in denen die Menschen, die sie liebte, oder andere, die ihr Böses getan hatten, die Hauptrollen spielten. Um sich jedoch so schöne abstrakte Geschichten auszudenken, wie Jean-Baptiste sie ausspann, taugte sie nicht.

Ihr Glück war der ungeschliffene Geist der Afghanen, der geradlinige und eindeutige Gedanken liebte. Diese Bedingung erfüllte ihre Legende. Sie hatte Dostom überzeugt, obwohl er bereits von der persischen Kultur beeinflußt war. Sie begeisterte Mahmud, den es nicht länger auf seinem Teppich hielt.

Man konnte nicht sagen, daß ihn diese lächerliche Schatzgeschichte mitgerissen hätte. Natürlich war eine solche Beute immer gut. Das Unerträglichste war für ihn die Mitteilung, daß dieser Schakal von Perser noch immer versuchte, ihn übers Ohr zu hauen. Sein Ehrgefühl war bei alledem stets sein eigentlicher Antrieb, und Alix hatte in dem Glauben, seine Raffgier zu erregen, unbewußt diese geheime Saite angerührt.

»In einem Monat, sagen Sie?« fragte der König.

Das war das Ende des dritten Mondes nach der Prophezeiung des Yahia Beg. Alix nickte.

»Diese Frist ist sehr kurz«, überlegte Mahmud, der auf und ab lief.

Plötzlich kam ihm ein letzter Zweifel. Er stellte sich dicht vor Alix. »Und worin besteht Ihr Interesse, hierherzukommen und mir davon zu erzählen?«

Sie hatte die Frage vorhergesehen. »Ich hoffe, Eure Dankbarkeit zu verdienen.«

»Und worin soll diese bestehen?«

»Wenn Ihr die Stadt eingenommen habt – und ich bin sicher, daß es Euch gelingen wird und zwar in einer Zeit, die selbst die schlimmsten Eurer Feinde furchtbar erschüttern wird –, dann ... werde ich Euch um das Leben von genau drei Personen bitten.«

»Ihr Leben? Zu welchem Zweck?«

»Um sie zu retten ... oder sie sterben zu lassen, wie es mir beliebt.«

Darin erkannte Mahmud eindeutig die Verrücktheit dieser Frau, die nur echt sein konnte. Er zweifelte nicht mehr an ihrer Aufrichtigkeit. Ohne sie auch nur nach den Namen der drei Personen zu fragen, die ihm gewiß völlig unbekannt waren, stimmte er zu. »Lassen Sie mich jetzt allein«, sagte er. »Machen Sie es sich irgendwo im Lager bequem.«

Dann fragte er Dostom: »Was machen wir jetzt mit dieser Fremden?«

»Majestät, sie ist sehr mutig«, antwortete der junge Mann. »Sie wird sogar am Kampf teilnehmen, wenn es nötig ist.«

Mahmud fand ein solches Vergnügen an seiner neuen Höflichkeit als Souverän, daß er voller Dankbarkeit war für diese elegante Frau, die eine neue Lebensart an seinem Hof einführen würde. Es war allerdings noch etwas früh, um diese neuen Sitten allgemein durchzusetzen, aber bei Hofe ... Ein Rest von Vorsicht bestimmte Mahmud zu einer provisorischen Lösung.

»In diesem Fall soll man ihr Männerkleidung geben, eine Uniform, wie wir alle sie tragen, und sie soll in diesem Palast bleiben und ihn ja nicht verlassen. Wir behandeln sie als ... Offizier. Übersetze ihr das.«

Alix dankte und zog sich mit Dostom zurück. Sie konnte sich nicht zurückhalten und bedrängte den Spion mit Fragen. Wie würde sich der Herrscher entscheiden?

»Als er Sie hinausbegleitete, sprach der König mit sich selbst, haben Sie das bemerkt?« fragte der Afghane. »Er stieß Verwünschungen gegen Hossein aus. Aber dann sagte er noch: ›Oh! Hoffentlich kommen sie rechtzeitig!‹ Ich weiß nicht, von wem er sprach.«

Afghanistan gleicht einer zornigen Einöde.

Es ist ebenso rauh, karg und trocken wie die Wüste, grau und eintönig, mit einer brüchigen Kieseloberfläche. Anstatt aber so flach zu sein wie die Steppe, so wellig und unterwürfig, bäumt sich die afghanische Wüste auf und windet sich um sich selbst. Sie ist nur Verwerfung, Steilhang, schroffer Fels. Je höher man steigt, desto stärker bewegt und rüttelt sie dieser Zorn aus ihrem Innern. Nichts kann sie beruhigen. Dort findet man niemals jene hohen, ruhigen Gipfel, schön senkrecht auf ihren vier Hängen, wie sie die Klarheit der Alpen oder des Kaukasus bestimmen. Der Berg zeigt höchstens furchterregende Zähne, von Windstößen zerbrochen, zerfetzte Pässe, auf denen eisige Wirbelstürme ihre Verzweiflung herausschreien und sich nach unten in die feuchten Schluchten stürzen, die schwarz sind wie die Bäuche von Wasserspeiern.

Schweigend folgten die vier Sklaven ihrem Herrn über die

engen Pfade dieser feindseligen Erde. Die Höhenluft, die ein ständiges Schwindelgefühl erzeugte, die beißende Kälte der schattigen Schluchten, die ihre Hände blau färbte, die Trockenheit der Südhänge im weißen Licht der Frühlingssonne – all das trug dazu bei, daß sie dieser Welt und irgendwann auch ihren eigenen Körpern fremd wurden. Sie träumten, ohne auch nur drei Worte am Tag miteinander zu wechseln. Mit ihrem Besitzer sprachen sie noch weniger. Seit sie Chiva verlassen hatten, hörten sie in jedem Dorf, in dem sie haltmachten, unerfreuliche Gespräche, die sie selbst zum Thema hatten. Der alte Afghane traute weder seinen eigenen Augen noch dem Händler, der ihm diese zweifelhaften Exemplare verkauft hatte. Überall verlangte er nach Bestätigung für seine Wahl. Eine weitverbreitete Boshaftigkeit, die ebenso von Dummheit wie von Eifersucht herrührt, führt dazu, daß die Sterblichen oft dazu neigen, das schlechtzumachen, was die anderen gekauft haben und was sie selbst nicht hätten erwerben können, sobald man unvorsichtig genug ist, Zweifel zu zeigen und sie nach ihrer Meinung zu fragen.

Diese Ratgeber hatten den alten Afghanen schließlich davon überzeugt, daß diese Sklaven ein gar kärglicher Zuwachs waren, daß sie zahlreiche Fehler hatten, einige versteckt, andere ganz offensichtlich, wie Juremis Narben oder Bibitschews Kamelknie, und daß er außerdem viel zuviel für sie bezahlt hatte.

Diese Verleumdungen hatten die praktische Folge, zunächst einmal diejenigen zu befriedigen, die sie aussprachen, und dann die Lebensbedingungen der kleinen Truppe noch härter zu machen. Der Alte kürzte die Rationen, die er seiner Menschenherde zweimal täglich zubilligte: ein wenig Reis, etwas Gemüse, gekochte Saubohnen. Er ließ seine schlechte Laune an den armen Gefangenen aus, stieß sie herum und verbot ihnen, miteinander zu reden.

Jean-Baptiste war überzeugt, daß er sich vor allem davor fürchtete, mit ihnen nach Hause zu kommen. Er hatte das Geld seiner Gemeinschaft ausgegeben, und man würde ihm Vorwürfe machen. Ihre Umwege im Gebirge hatten offensichtlich den Zweck, die Stunde der Abrechnung hinauszuzögern. Vielleicht suchte der Alte sogar einen Weg, sich ihrer zu einem ordentlichen Preis zu entledigen, um das ganze Geld oder wenigstens einen Teil davon zurückzuholen. Es war besser, ganz ohne Beute zurückzukehren und zu erklären, daß er in Chiva nichts Anständiges gefunden habe, als eine beschädigte Ware zurückzubringen, die ihm eine Menge Schwierigkeiten machen würde.

Der Frühling war in den afghanischen Bergen eingezogen, aber er ließ seine Farbpalette am Himmel kreisen, ohne auf dem Boden etwas zum Färben zu finden: kein Strauch zum Begrünen, keine Blume, um ihre Blütenblätter zu schmücken, kein Tier, das sein Winterfell ablegen wollte, um etwas fröhlicher auszusehen.

Eines Morgens erreichten sie jedoch nach einem langen Marsch über einen steilen, steinigen Pfad ein trichterförmiges Hochtal inmitten zerklüfteter Felsen, das nicht nur einen weniger düsteren, sondern sogar ausgesprochen lieblichen Anblick bot. Ein See lag inmitten des Tales. Seit sie durch diese Gegend zogen, hatten sie noch keinen einzigen gesehen. Dieser war wunderschön, frisch und rein. Sein Wasser war aus der Nähe tiefschwarz. Diese Dunkelheit machte ihn jedoch zu einem perfekten Spiegel. Aus größerer Entfernung nahm er deshalb das blasse Blau des Himmels an und glich einem riesigen Luftbrunnen inmitten des Geröllfeldes. Am Ufer des Sees, wo das Wasser aus einem schmalen Fluß hineinströmte, der unter den Steinen verborgen war, vollendeten dunkelgrüne Algen und gelb strahlende Seerosen das Gemälde in durchscheinenden Pastelltönen.

Die Sklaven jammerten und zeigten sich so unwillig, daß sie den alten Afghanen schließlich dazu brachten, ein Lager neben dieser Wasserstelle zu errichten. Sie machten ein Feuer aus dem getrockneten Kuhmist, den Juremi in einem Sack auf dem Rücken trug. Jean-Baptiste war für den Topf verantwortlich, und George gab trockenes Gemüse und Reis hinein. Bibitschew mußte Wasser besorgen, was diesmal gar nicht schwierig war, und dann mit einem langen Löffel rühren. Der

Polizist, der nicht weniger träumte als die anderen, stellte sich dabei vor, er halte eine riesige Schreibfeder in der Hand. Er bewegte sie in dieser Brühe hin und her und verzeichnete dabei auf ihrer vergänglichen Oberfläche die unsterblichen Depeschen, die er weiterhin in Gedanken verfaßte.

Nach ihrem bescheidenen Mahl saßen sie auf der Erde, alle vier und ihr Herr, und betrachteten schweigend das Schauspiel des Sees. Plötzlich zog ein mächtiger Lärm ihre Aufmerksamkeit in die Tiefe des Tales, wo ein Weg bis auf die Kuppe eines Berges hinaufführte. Ein riesiger Felsblock stürzte den Abhang hinunter. Er zerbrach in drei Stücke, sobald er das Tal erreicht hatte. Offensichtlich hatte eine Karawane gerade den Paß erreicht und kam nun auf sie zu. Die Reisenden mußten sehr ungeschickt sein oder aber schwer beladen, um solche Steinmassen zum Absturz zu bringen. Nach kaum einer Minute rollte ein weiterer Felsen, noch größer als der erste, nach unten. Vier weitere folgten und lösten jedesmal wahre Explosionen aus, die an den Berghängen rings um den See widerhallten. Jetzt sah man die Karawane bereits. Die vier Sklaven waren aufgestanden, kniffen die Augen zusammen und versuchten zu erkennen, woraus sie bestand.

»Sind das Pferde, die ein solches Unheil anrichten?« fragte der alte Afghane, der nicht so weit sehen konnte.

»Nein«, antwortete Jean-Baptiste. »Das sind weder Pferde noch Maultiere.«

»Kamele?«

»Nein, warten Sie, man könnte meinen, ja, ich glaube wirklich, nicht wahr, Juremi? Das sind Elefanten.«

Man sah sie jetzt immer deutlicher, wie sie den Serpentinen folgten, die zum See hinabführten. Es waren acht Tiere hintereinander, die über den engen Pfad schaukelten und dabei dicke Steine beiseite stießen, die ihn säumten. Nur zwei Männer hüteten diese beeindruckende Herde, einer lief vorneweg, der andere hinterher. Sie schrien und gestikulierten heftig, um die Karawane zu lenken. Schließlich erreichten sie das Ufer des Sees und bald darauf den Platz, an dem Jean-Baptiste und seine Gefährten ihr kleines Lager errichtet hatten.

Das Stampfen der Tiere ließ den Boden erbeben, und sogar auf der Oberfläche des Sees bildeten sich kleine Wellen. Der Herdenführer, ein magerer und nervöser Afghane, schien nur aus Armen und Beinen zu bestehen. Er brachte die Tiere zum Stehen, indem er mit den Armen herumfuchtelte, dann lenkte er sie vorsichtig ans Seeufer. Acht Rüssel streckten sich aus und tauchten ihre Spitzen ins Wasser. Nach den Sauggeräuschen zu urteilen, die nun das Tal erfüllten, war zu befürchten, daß die Dickhäutern bald den ganzen See geleert haben würden.

Ohne seine Tiere aus den Augen zu lassen, kam der Afghane zu ihrem Lager und begrüßte seinen Landsmann. Die Sklaven lauschten dem afghanischen Wortschwall, ohne etwas zu verstehen. An den Unterschieden in der Kleidung konnten sie jedoch erkennen, daß der Neuankömmling zu einem anderen Stamm gehörte als ihr Herr.

Afghanistan ist ein feudales Mosaik ohne innere Einheit. Jede Region hat ihre Sitten und Gebräuche. Dieser hier war ein Paschtu aus dem Süden, der Gegend um Kandahar. In der afghanischen Kultur mischen sich persische und sogar griechische Einflüsse, denn Alexander der Große hatte das Land auf dem Weg nach Sogdiana durchquert. Das bernsteinblonde Haar des Neuankömmlings war vielleicht ein fernes Erbe des Mazedoniers und seiner Krieger.

Nach ein paar Minuten befahl der alte Afghane seinen Sklaven, dem anderen Begleiter des Konvois beim Füttern der Elefanten zu helfen. An die Seiten der Tiere waren riesige Korbkisten gebunden, von denen einige mit Futter gefüllt waren. Der Mann, dem sie helfen sollten, war auf einen dieser Körbe geklettert und warf mit einer Heugabel Stroh und trockenes Gras auf die Erde. Dann sprang er herunter und zeigte den anderen, wie die Rationen zwischen den Tieren aufzuteilen waren. Sie sahen, daß er, wie sie selbst, Ketten an den Knöcheln trug. Er sprach weder Persisch, noch Arabisch, Türkisch, Französisch, Italienisch oder Englisch, so daß jedes Gespräch unmöglich schien. Dann aber versuchte Bibitschew es mit Russisch, und der andere antwortete. Er war Bulgare.

Die beiden Afghanen hatten sich entfernt und plauderten angeregt. Der Ankömmling sah immer wieder nach den Franken. Die von Bibitschew übersetzten Auskünfte des Bulgaren gaben ihnen eine mögliche Erklärung dafür.

Der große, blonde Afghane hieß Aman-Ullah. Er war zwei Wochen zuvor mit zwei Landsleuten und fünf Sklaven von Kandahar aufgebrochen. Sie waren bis Samarkand galoppiert, wo sie diese Elefanten gekauft hatten. Jetzt kehrten sie, so schnell sie konnten, zurück, allerdings in Richtung Persien. Leider hatte in den vergangenen Tagen ein geheimnisvolles Fieber, das wohl aus den stinkenden Ebenen Usbekistans stammte, Schlag auf Schlag zwei Afghanen und vier Sklaven dahingerafft. Nur der Kräftigste, Aman-Ullah, und der Kümmerlichste, also er selbst, hatten überlebt. Das war keineswegs ausreichend, um eine solche Herde von Dickhäutern in Schach zu halten. Sie konnten sie nicht mehr einzeln lenken und hatten sie deshalb zusammenbinden müssen. Wenn nur einer einen falschen Schritt machte, würden alle Tiere in den Abgrund stürzen.

»Hat dein Herr Gold?« fragte Jean-Baptiste.

»Daran mangelt es ihm nicht«, antwortete der Bulgare, »denn er hatte genug mitgenommen, um fünfzehn Elefanten zu kaufen. Aber trotz aller Mühe hat er in Samarkand nur acht gefunden.«

»Dann wird alles gut.«

Im Tonfall der beiden Afghanen deutete sich eine Entscheidung an. Bald klatschten sie zufrieden in die Hände. Sie verschwanden hinter einem Felsen, um den Handel zu besiegeln, und kamen dann strahlend zu den Elefanten zurück. Der Alte sah sehr glücklich aus.

»He, ihr da!« rief er seiner kleinen Truppe zu, »ich habe eine große Neuigkeit für euch. Ihr gehört mir nicht mehr. Ab sofort werdet ihr diesem großen Herrn dienen, der Aman-Ullah heißt.«

Die vier Europäer verneigten sich respektvoll.

Aman-Ullah war kein Mann, der sich mit übertriebenen Höflichkeiten aufhielt. Sobald die Tiere getrunken und gefressen hatten, ließ er sie bis auf ein Paar losbinden. Die Sklaven und er selbst kletterten auf die Rücken der Tiere und griffen nach dem Stachel, mit dem sie gelenkt werden.

Aman-Ullah verabschiedete sich kurz von dem alten Afghanen, und ohne sich weiter darum zu kümmern, ob seine neuen Sklaven jemals auf so erstaunlichen Tieren gesessen hätten, wandte er sich dem Abhang zu.

Die Nacht war bereits hereingebrochen, als er endlich das Zeichen zum Anhalten gab. Nach diesem langen Ritt fühlten sich die frischgebackenen Elefantenhirten wie gerädert. Trotzdem waren sie glücklich, ihre Elefantentaufe ehrenvoll hinter sich gebracht zu haben. Sie schliefen auf der Stelle ein. Erst am nächsten Morgen, als sie die Tiere beluden, um ihren Weg nach Westen fortzusetzen, erkundigten sie sich bei dem Bulgaren nach dem Grund für diese Eile.

»Er sagt«, übersetzte Bibitschew mit dem ironischen Unterton dessen, der seinen Gesprächspartner über etwas längst Bekanntes informiert, »daß wir als Verstärkung erwartet werden. Um Isfahan zu erobern.«


## Viertes Kapitel


Aman-Ullah, dieser große, blonde afghanische Teufel, führte seine Elefantentruppe in halsbrecherischem Tempo nach Isfahan. Er stand fast auf seinem Reittier und bearbeitete den Rüssel mit dem Stachel, damit es so schnell lief, wie es konnte. Die Dickhäuter ließen sich nicht lange bitten. Sie bewegten ihre Körpermasse in einem wilden, tänzerischen Galopp, was ihnen um so mehr Spaß und um so weniger Mühe bereitete, als sie nun die afghanischen Hänge hinabstiegen, um das niedriger gelegene Persien zu erreichen.

Jean-Baptiste und seine Gefährten, noch immer in Ketten, saßen im Amazonensitz auf den Elefantenrücken und klammerten sich an die langen Lederriemen, die den Tieren um den Hals geschlungen waren. In einer Kurve riß ein Strick und zwei Körbe krachten herunter. Tausendmal glaubten die frischgebackenen Elefantenhirten herunterzufallen oder mit dem Tier in einem Abgrund zu landen. Aman-Ullah blieb niemals stehen. Sie sahen seine dichte, blonde Mähne vor sich wehen und hörten ihn ein wildes Kriegsgeschrei ausstoßen oder Lieder aus seiner Bergheimat grölen.

Er war weder verrückt noch grausam, wie sie anfangs befürchtet hatten. Er war ein afghanischer Krieger, weiter nichts. Da sie nie zuvor einen solchen kennengelernt hatten, konnten sich die armen europäischen Sklaven nicht vorstellen, daß es Menschen wie ihn überhaupt gab: Sie waren absolut der Ehre und dem Kampf ergeben, gleichgültig gegen den Tod, und sie genossen den heiligen Rausch der Gefahr und der Einsamkeit, der durch alle möglichen Mohnextrakte noch unterstützt wurde. Abgesehen von dem Höllentempo, in dem er seine Begleiter vorantrieb, behandelte Aman-Ullah sie nicht schlecht. Er zeigte nicht die geringste Verachtung gegen diese Ungläubigen und teilte mit ihnen das wenige Essen. Er betrachtete sie weniger als Sklaven denn als Soldaten, und sie fühlten sich einander in rauher Brüderlichkeit verbunden. Damit sie die Müdigkeit und die Schmerzen leichter vergaßen und sich mit der kargen Nahrung und dem kurzen Schlaf begnügen konnten, teilte der Afghane mit seinen Gefährten das wundertätige Harz, das er rauchte. Mit Ausnahme von Bibitschew, der verächtlich ablehnte, kletterten sie morgens alle – der Afghane als erster und die anderen ohne lange zu zögern – in den Sattel, nachdem sie lange Züge dieses heiligen Öls inhaliert hatten. Es gab ihnen das Gefühl, nicht auf Elefanten, sondern auf Adlern zu reiten, und es nahm ihnen alle Angst.

Die acht Tiere ließen mit ihrem Galopp den Boden erbeben, noch ehe sie zu sehen waren. Die Bewohner der afghanischen Bergdörfer hielten dieses dumpfe Grollen des Bodens für die ersten Erschütterungen eines Erdbebens. Sie stürzten aus ihren Hütten und nahmen ihre größten Kostbarkeiten mit sich. Die schreiende Truppe Aman-Ullahs überraschte sie mitten in dieser Panik: Jedesmal, wenn sie an einem Dorf vorbeikamen, standen die Einwohner mit einer Strohmatte auf dem Kopf und einer Wiege im Arm verstört vor ihren Häusern. Sie starrten voller Entsetzen auf dieses unglaubliche Bild freier Tiere und gefesselter Menschen.

Aman-Ullah wählte für ihre Pausen immer verlassene Plätze, offenbar deshalb, weil er sich nicht auf dem Territorium seines eigenen Stammes befand und jede Auseinandersetzung vermeiden wollte. Sie machten erst spätabends halt, schoben ein paar Steine beiseite und streckten sich zum Schlafen aus. Die Tiere verbrachten die Nacht damit, in den Korkeichen oder Lorbeerbüschen zu weiden. Eine Mondfackel beleuchtete dieses Festmahl duftender Blätter, die mit fröhlichem Krachen und schwerem Stampfen verspeist wurden.

Eines Nachts sahen sie in der Ferne eine lange Prozession von Kamelen mit Packsätteln vorbeiziehen: Das war die große Karawane, die Kandahar und das Indien des Großmoguls verband. Sie hüteten sich, mit einer Bewegung die Aufmerksamkeit auf sich zu ziehen. Aman-Ullah hielt sich nicht nur von seinen Feinden fern: Von einer Karawane, in der sicher auch viele seiner Brüder zogen, hätte er gewiß nur Hilfe bekommen. Er mied einfach alles, was sie irgendwie aufhalten könnte, so sehr verlangte seine Mission nach Schnelligkeit.

Als der Abstieg endete, erreichten sie die große Salzwüste. Ohne zu zögern wandte sich Aman-Ullah auf dem kürzesten Weg direkt nach Westen, daß heißt in die Richtung, in der seit Jahrtausenden die Salzkruste alles Leben vernichtet hatte, mit Ausnahme der schwarzen Geier, die sich von kaum etwas anderem ernähren können als von ihren Brüdern.

Der Afghane kannte auch die kleinsten Brunnen. Die meisten waren brackig oder faulig. Glücklicherweise war es jetzt zu Frühlingsbeginn noch nicht so warm, und die Tiere kamen so schnell voran, daß sie nicht lange in dieser Hölle bleiben mußten.

Mit der Klimaveränderung, dem Abschied vom Gebirge und der langsameren Gangart der Tiere auf dem lockeren Boden verloren Jean-Baptiste, Juremi und George ihre erste Sorglosigkeit. Sie kehrten zu ihren sehr irdischen Problemen zurück und lehnten die tröstenden Drogen des Afghanen ab, um sich noch tiefer in ihre düsteren Gedanken zu versenken. Da sein Vorrat stark abgenommen hatte, bestand er auch nicht weiter darauf, mit ihnen zu teilen.

Während die Elefantentreiber auf den Nacken ihrer Monster schaukelten, hatten sie sich zunächst darüber gefreut, nach Isfahan zurückzukehren. Jetzt aber waren sie verzweifelt darüber, daß sie der afghanischen Armee eine entscheidende Verstärkung brachten, um die Stadt zu erobern, und suchten deshalb nach einem Mittel, diese Katastrophe nicht auch noch zu beschleunigen, ja sogar hinauszuzögern.

Der kleine Bulgare war sehr geschwätzig. Er hatte Bibitschew sein Leben bis ins kleinste erzählt und bestand darauf, daß der Russe den anderen dreien seinen Bericht übersetzte. Zu seiner großen Entrüstung schenkten weder Jean-Baptiste noch seine Begleiter den Wechselfällen dieses Lebens, das offenbar unter einem schlechten Stern stand, die geringste Aufmerksamkeit. Sie hatten einfach genug davon, immer wieder Ungewöhnliches, Phantastisches oder gar Tragisches zu hören. Die Fragen, die sie dem Bulgaren stellten, betrafen allein die Belagerung Isfahans und die Absichten der Afghanen.

Der arme Kerl wußte nur sehr wenig, lediglich, daß die Stadt wegen der starken Strömung im Fluß nicht umzingelt werden konnte. Er hatte gehört, wie Aman-Ullah vom Massaker an der persischen Armee sprach, mehr hatte er nicht erfahren.

»Jetzt hab' ich es begriffen!« rief Jean-Baptiste eines Nachts, als sie sich auf dem steinigen Salzboden ausgestreckt hatten und nicht schlafen konnten.

Er schüttelte Juremi neben sich. Der Protestant grunzte.

»Die Ziegenfurt!« erklärte Jean-Baptiste.

Er sah nach Aman-Ullah. Der Afghane schlief mit offenen Augen. George stützte sich auf einen Ellbogen und fragte:

»Die Ziegenfurt?«

»Ja«, erklärte Jean-Baptiste, »Sie ist etwa eine Meile von

Djolfa entfernt, den Zayandehrod flußaufwärts. Wenn das Wasser im Sommer sinkt, ist dies die erste Stelle, die man zu Pferd durchqueren kann. Ein paar Tage später treiben die Hirten ihre Ziegen hindurch.«

»Und weiter?« brummte Juremi, der die Hoffnung auf ein wenig Schlaf noch nicht aufgegeben hatte.

»Und weiter? Jetzt kann man weder Pferde noch Ziegen hindurchtreiben, aber vielleicht ...«

»Elefanten!« rief George.

»Das ist es, was wir gerade tun«, bestätigte Jean-Baptiste. »Wir geben Mahmud die Möglichkeit, seine Truppen über den Fluß zu bringen.«

»Mit acht Tieren?« wandte Juremi mißmutig ein.

»Man kann zehn Männer auf eins laden: Das sind achtzig bei jeder Tour. Zehnmal am Tag, achthundert. In drei Tagen genug, um die Stadt zu umzingeln, die Konvois auszurauben, die sie mit Lebensmitteln versorgen, und die ganze Umgebung zu verwüsten. Hast du den Bulgaren gehört? Die Perser haben keine Armee mehr. Die Unglücklichen werden hinter den Mauern die Katastrophe auf sich zukommen sehen, ohne etwas unternehmen zu können.«

»Wir müssen einen Weg finden, um das zu verhindern«, meinte George, der sich voller Angst aufgesetzt hatte.

Die großen Schatten der Dickhäuter waren in weitem Umkreis in der Wüste verteilt, auf der Suche nach wohlschmeckenden kleinen Akazien, deren flaches Geäst dicht über dem Boden rankte.

»Wenn wir sie selbst dorthin führen, können wir sie gegen die Afghanen wenden ...«, begann George.

»Keine Chance!« unterbrach ihn Juremi. »Der Bulgare hat Bibitschew erzählt, daß afghanische Soldaten unsere Plätze einnehmen, sobald wir nach Isfahan kommen. Wir werden höchstens noch hinterherrennen und die Tiere abends füttern dürfen.«

Nach diesen Worten herrschte peinliches Schweigen. Es war klar, daß sich ihnen nur noch eine einzige Lösung bot, wenn sie den Afghanen diese Verstärkung rauben wollten. Die riesigen, friedlichen, freundschaftlichen Tiere wanderten über den Salzsee, der im Mondlicht wie ein Diamant funkelte. Sie waren erhaben über die winzigen Streitereien der Menschen, die sie soeben zum Tode verurteilt hatten.

In den nächsten Tagen konnte Jean-Baptiste seinen Kameraden nicht in die Augen sehen, und er spürte bei ihnen die gleiche Verlegenheit. Mit mutiger Geradheit gingen die braven Dickhäuter unermüdlich voran, trotz der zunehmenden Hitze und der Reizung ihrer Haut durch die Salzkristalle. Es waren robuste Elefanten aus Asien mit kurzen Ohren, die sie am Hals anlegten, einer vorstehenden Stirn und langen Stoßzähnen, die für den Kampf um ein Drittel gekürzt waren. Zwischen ihnen und den winzigen Menschlein, die seit so vielen Tagen über ihrem Hals saßen, hatte sich eine große Vertrautheit entwickelt. Vor allem George hatte sich mit seinem Elefanten angefreundet. Die beiden spielten wie Kinder und machten sogar Armdrücken wie echte Matrosen, einer mit der Rüsselspitze, der andere mit der Faust. George hatte ihn Garou getauft, nach dem Gebirgsstrauch, den man in westlichen Breiten Seidelbast nennt, wohl, weil er dem Tier besonders gut schmeckte. Garou hörte brav auf diesen Spitznamen, wenn er dabei war, mit seinen Artgenossen zu weiden.

Wie sollten sie die armen Tiere erledigen? Sie konnten nicht darauf hoffen, daß diese vor ihren Henkern fliehen würden: Man brauchte sie abends nicht einmal anzubinden, so sehr hatten sie sich an ihre Begleiter gewöhnt. Alle anderen Lösungen beruhten auf Grausamkeiten, die sie sich nicht einmal vorstellen mochten.

Seit Aman-Ullah sie gekauft hatte, waren sie fast drei Wochen in diesem teuflischen Tempo unterwegs gewesen, um die Salzwüste zu durchqueren und die Ausläufer der Hochebene zu erreichen, auf denen Isfahan erbaut war. Bei diesem Aufstieg schaukelten die Elefanten schnaufend mit den Köpfen. Sie freuten sich, als sie am Abend wieder auf Weißdorn und Vogelbeerbäume zum Fressen stießen. Abschüssige Wiesen voller Gebirgsblumen boten ihnen eine erfrischendere, süßere Pause. Wegen der Anstrengung des Gefälles mußte sogar Aman-Ullah die Tiere zwei- bis dreimal täglich rasten lassen. Sonst blieben sie stehen, halb erstickt, mit rosa Schaum vor dem Maul, der um ihr Leben fürchten ließ.

Bei einer dieser Rasten an einem schönen, sonnigen Nachmittag rief Juremi aufgeregt nach seinen Freunden. Er wies mit dem Finger auf eine Böschung am Waldrand, an der hohe Pflanzen voller Beeren wuchsen. »Seht ihr dasselbe wie ich?« fragte der Protestant.

»Tollkirschen!« antwortete George.

»Die dein Vater und ich in Italien Belladonna nannten. Die reichen Venezianerinnen benutzten den Extrakt als Augentropfen, um ihre Pupillen zu weiten und so tiefschwarze Augen zu bekommen, daß ihre Liebhaber sie vergötterten.«

Sie sahen einander lächelnd an: Die gleiche Idee schoß ihnen durch den Kopf und weckte die gleiche Hoffnung. Das Gift der Belladonna trübt den Blick und macht krank. Aber wenn man es gut dosiert verwendet, tötet es nicht und hinterläßt nicht einmal eine Spur.

Sie warfen einen Blick auf die Dickhäuter. Wieviel würde man ihnen geben müssen, um sie außer Gefecht zu setzen und daran zu hindern, die ihnen zugedachte Aufgabe zu erfüllen, ohne sie umzubringen? Sie diskutierten kurz, dann entfernte sich George, um zu rechnen.

»Ein halbes Pfund pro Kopf«, erklärte er wenig später.

»Insgesamt also zwei Kilo«, sagte Jean-Baptiste.

Aman-Ullah saß weiter unten hinter einer Hecke und sprach sein Gebet. Der Bulgare kaute auf einem Grashalm herum und erzählte dem schlummernden Bibitschew immer noch aus seinem Leben.

»Erledigen wir es gleich«, meinte Juremi.

Er zog die Leinenweste aus, die er über dem Hemd trug, breitete sie auf dem Boden aus und warf die gepflückten Belladonna-Beeren hinein. Die beiden anderen taten es ihm gleich. Nachdem sie eine Weile gesammelt hatten, schätzte Juremi das Gewicht.

»Kaum zwei Pfund«, sagte er abfällig.

Sie fuhren eifrig fort. Es war eine anstrengende Arbeit, die ihre ganze Aufmerksamkeit verlangte. Sie zuckten zusammen, als sie Aman-Ullahs laute Stimme hörten. Der Afghane stand drei Schritte neben der Weste und sah ihnen bei der Arbeit zu. Sie richteten sich auf und ließen, von Panik ergriffen, die Beeren fallen, die sie noch in den Händen hielten. Der blonde Krieger wiederholte denselben Satz. Die rauhen Laute der afghanischen Sprache ließen ihn stets zornig erscheinen, diesmal aber noch mehr als sonst. Sie mußten warten, bis der Bulgare herangekommen war und Bibitschew dessen Übersetzung übersetzen konnte.

»Der Afghane fragt, ob man das rauchen kann«, fragte er schließlich.

Riesige Erleichterung war auf den Gesichtern der drei Sammler zu lesen.

»Sag ihm, daß man das kann«, sagte Juremi eilig. »Diese Beeren sind sogar sehr bekannt. Ich wundere mich, daß er sie nicht kennt. Wir brauchen nur ein paar Tage, um die Samen zu trocknen, zu zerkleinern und auf eine Art zuzubereiten, die er ganz sicher zu schätzen weiß...«

Der Afghane ließ sie zwei Kilo, vielleicht sogar drei einsammeln und sah ihnen gerührt und voller Appetit zu.

In den nächsten beiden Tagen durchquerten sie einsame Landstriche. Jean-Baptiste war früher oft in der Umgebung von Isfahan unterwegs gewesen; die Gegend war nicht wiederzuerkennen. Die Gärten lagen brach, die Obstbäume waren abgeholzt, die Brunnen vergiftet, die Hütten verbrannt. Die Erde in dieser Region war sehr fruchtbar, aber es fehlte ihr an Feuchtigkeit. Wenn man sie sorgfältig bewässerte, konnte man dort die herrlichsten Blumen und die besten Früchte ernten. Ohne diese mühevolle Pflege ging alles rasch ein, und das Brachland wurde von Weißdorn und Pimpernell überwuchert. Nach dem Grauen, das die Afghanen verbreitet hatten, war dieses Unkraut die einzige Ernte, die man noch einbringen konnte. Dank der Elefanten Aman-Ullahs würde sich diese Zerstörung jetzt auch auf das anderen Ufer ausdehnen können. Angesichts all dieser Grausamkeit dachte Jean-Baptiste an Alix, an Saba und Françoise, an das Furchtbare, das ihnen drohte, und er war zu allem fähig. Der Beerensack war mehr denn je ihr einziges Heil.

Am zweiten Tag um ein Uhr nachmittags näherten sie sich Isfahan. Den drei Franken traten bei diesem Anblick Tränen in die Augen. Über die Stadtmauern hinweg, die unter der Sonne der Hochebene majestätisch glänzten, begrüßten sie die mongolischen Minarette, die Fayencekuppeln und die Reihe hoher Pappeln des Chahar Bagh. Dort war ihre Liebe, dort waren Schönheit und Eleganz, Lebensfreude und Vergnügen. Das Unglück wollte nur, daß sie auf der falschen Seite dieser Mauern standen und daß ihre Ankunft deren Ende bedeutete.

Sie wollten deshalb sogleich damit beginnen, ihren Plan in die Tat umzusetzen. Doch leider ging an diesem ersten Tag alles schneller, als sie gehofft hatten. Mahmud, der König von Kandahar, den man von ihrer Ankunft benachrichtigt hatte, kam ihnen mit einer Gruppe von Reitern entgegen. Sie sahen das große Lager der afghanischen Armee zwar in der Ferne, schwarz vor dem Horizont. Die Elefantentruppe wurde jedoch nicht dorthin geführt.

Aman-Ullah, der sich mit Mahmud getroffen hatte, gab seinen Sklaven keine Erklärung dazu. Sie verstanden nur, daß in der Umgebung des Königs größte Ungeduld herrschte. Ohne den Tieren und ihren Führern Zeit zur Erholung zu lassen, wandte Aman-Ullah seine blonde Mähne nach Norden und folgte dem König. Nach wenigen Minuten hatten sie alle das Ufer des Flusses ein wenig oberhalb der Stadt erreicht. Jean-Baptiste hatte recht. Hufspuren im trockenen Schlamm deuteten darauf hin, daß sie an der Ziegenfurt standen.

Der Fluß war angeschwollen von starkem Regen und unpassierbarer denn je. Aber die Afghanen machten sich – wie sie es vorhergesehen hatten – daran, einen Elefanten hindurchzuführen. Es ging ihnen darum, einen Plan umzusetzen, an dem sie seit Wochen gearbeitet hatten.

Wie der Bulgare vorhergesagt hatte, wurden die Diener von den Elefanten geholt und mußten Soldaten Platz machen. Jean-Baptiste und die drei anderen setzten sich zwischen die Bambusrohre ans Ufer. Sie waren in der ersten Reihe, um das Manöver zu beobachten. Aus Vorsicht schickten die Afghanen zunächst nur einen Elefanten los. Es war der von Aman-Ullah, der voller Stolz auf dem Tier sitzen geblieben war. Er trieb es mit dem Stachel an, und der Dickhäuter stieg schwerfällig das schlammige Ufer hinab bis ans Wasser. Aman-Ullah drehte sich um, grüßte den König und lenkte das Tier in die Fluten, dort, wo im Sommer die Ziegen wateten. Vorsichtig ging es voran. Sofort, noch ganz nah beim Ufer, stand ihm das Wasser bis an die Brust, und bei jedem Schritt versank es tiefer.

Der König wurde bleich. Jean-Baptiste faßte neue Hoffnung. Der Elefantenlenker schien einen Moment zu zögern: Wenn die Neigung des Flußbettes sich nicht änderte, würde der Dickhäuter ertrinken, ehe sie die Mitte erreicht hätten. Dann aber gab Aman-Ullah dem Tier mutig das Zeichen weiterzugehen. Beim nächsten Schritt stieg das schiefergraue Wasser noch höher an seinen Flanken. Alle Zuschauer am Ufer schwiegen. Man hörte nur das Rauschen des Wassers und die Schreie von Aman-Ullah, der sein Tier antrieb.

Nachdem der Elefant lange überlegt hatte, beschloß er – vielleicht von einem geheimnisvollen Instinkt geleitet, den die Gefahr in ihm geweckt hatte –, dem Zureden seines Reiters nicht mehr zu folgen. Er begann auf dem Flußgrund zu stampfen und reckte den Rüssel empor. Plötzlich schwankte er ein wenig zur Seite und schien auf etwas Festes zu stoßen. Er machte einen weiteren Schritt in dieselbe Richtung, und sein Körper tauchte mehr als einen Meter aus dem Wasser auf. Er hatte unter den Fluten das schmale, unsichtbare Band der Furt gefunden. Nun wandte er sich wieder zur Mitte des Flusses und erreichte sie, ohne tiefer im Wasser zu versinken. Aman-Ullah stieß einen Triumphschrei aus, richtete sich auf, schwenkte seinen Stachel und wandte dem Herrscher sein strahlendes Gesicht zu. Lauter Jubel begrüßte diesen Sieg vom Ufer her. Die Sklaven beteiligten sich nicht daran.

Aber offensichtlich sollte an diesem grausamen Nachmittag nichts problemlos ablaufen. Bisher hatte man nur Afghanen gesehen. Jetzt tauchten die Perser auf der Bühne auf. Bekanntlich überwachten sie den Fluß Tag und Nacht, weil sie einen Angriff von dieser Seite fürchteten. Ihre Phantasie hatte immer kühnere Pläne ausgesponnen, an denen auch überirdische Hilfe beteiligt war. An Elefanten hatten sie allerdings nicht gedacht. Glücklicherweise hatten sich die Perser bereits überlegt, was einige Wochen später geschehen könnte, wenn das Wasser sinken und die Furt passierbar sein würde. Sie hatten deshalb eine raffinierte Vorrichtung entwickelt, die sie nun früher als vorgesehen einsetzten, sobald sie die Elefanten kommen sahen.

Die Furt befand sich nämlich an einem ungeschützten Ort und war vom Ufer aus nicht zu verteidigen. Ein kleines Stück stromaufwärts war der Fluß jedoch von Ulmen gesäumt gewesen, die Abbas der Große dort einst hatte pflanzen lassen. Diese hundertjährigen kräftigen, verehrungswürdigen Bäume waren nichtsdestoweniger von den Persern gefällt worden, denn diesen war jedes Mittel recht, um ihre Stadt zu retten. Sobald Aman-Ullah seine kühne Überquerung begonnen hatte, gaben Späher auf der persischen Seite das Signal, fünf oder sechs dieser Stämme, die man flußaufwärts am Ufer mit dicken Seilen festgebunden hatte, loszumachen. Mit drei Axtschlägen waren sie frei, und der Strom trug sie nun direkt auf den Elefanten zu. Das arme Tier wich dem ersten aus, der direkt vor ihm ankam. Zwei weitere trafen ihn in die Flanken. Es verlor das Gleichgewicht und legte sich zur Seite wie eine vom Sturm getroffene Karavelle. Aman-Ullah stürzte vom Triumph direkt ins kalte Wasser. Man sah ihn noch einen Moment schwimmen, dann verschwand er in den schlammigen Fluten. Der Elefant suchte vergebens nach einem Halt und trieb ab wie eine riesige graue Boje. Die Wächter an der Brücke des Chahar Bagh sahen ihn voller Überraschung wenig später unter einem der Bögen hindurchschwimmen. Dort blieb er stecken, und die verängstigte Menge bewarf ihn mit Lanzen und Wurfgeschossen aller Art, ehe sie merkte, daß das arme Tier ertrunken war. Es verschwand während der Nacht, und man sah es nicht wieder.

Diese Niederlage erfüllte Mahmud und alle Afghanen mit Bitterkeit und Wut. Die anderen Elefanten wurden mit den Sklaven, die für ihre Betreuung zuständig waren, in einem Lager nahe des Flusses untergebracht, in einiger Entfernung von der Truppe, um nicht zuviel Neugier zu wecken.

Jeder Versuch, den Fluß zu überqueren, war damit erst einmal ausgesetzt. Man mußte verhindern, daß dieser Fehlschlag die Moral der Belagerer angriff und sie dazu brachte, sich erneut gegen die Unentschlossenheit ihres Anführers zu wenden. Um seine Autorität wiederherzustellen befahl Mahmud für den folgenden Tag eine große Parade, um die Ankunft der Dickhäuter würdig zu begehen und des mutigen Aman-Ullah zu gedenken, der sie hergebracht hatte – so rasch, von so weit her und für so geringen Nutzen.

## Fünftes Kapitel

Es war keineswegs ein Gefängnis, darauf legte der Nasir größten Wert. Der kleine Pavillon lag nur etwas abseits von den anderen, die den Palast des Obersten Verwalters bildeten. Gut, der Garten ringsum war durch Mauern abgeschlossen, aber man hatte doch genug Geschmack bewiesen, diese unter gestutzten Buchen zu verbergen. Der unvermeidliche Springbrunnen plätscherte inmitten der quadratischen Rasenfläche gegenüber des kleinen Häuschens. Dieser anmutige Ort, den der Frühling in den Duft der Clematis hüllte, die an den Wänden rankte, war einst erschaffen worden, um eine Geliebte zu beherbergen.

Diese Erinnerung entlockte dem Nasir allabendlich laute Seufzer, wenn er den Schlüssel in der großen blauen Tür drehte, um Monsieur de Maillet zu besuchen. Die Zeiten hatten sich weiß Gott geändert. Nun, da alles ins Wanken geraten war, sperrte man dort, wo die Natur viel lieber die Jugend und ihre Leidenschaft gefeiert hätte, einen magersüchtigen Greis ein. Nichts zu machen.

Gewiß wäre es einfacher und auch vernünftiger gewesen, diesen Mann, der ohnehin nicht mehr lange zu leben hatte, gleich zu erledigen. Da er um keinen Preis schweigen wollte, da er behauptete, außerhalb der Stadt Anweisungen hinterlegt zu haben, dank derer sein Verschwinden nicht unbemerkt bleiben würde, da er sich obendrein noch entschlossen zeigte, die Wahrheit um jeden Preis ans Tageslicht zu bringen, hätte der Nasir ein für allemal mit diesem lästigen Konsul Schluß machen sollen. In der chaotischen Atmosphäre, die in Isfahan herrschte, hätte sich niemand um das Schicksal dieses halbverrückten alten Ausländers gekümmert.

Und dennoch, wenngleich es dabei auch gewiß nicht um Menschlichkeit ging, hielt der Nasir es für klüger, diese Geisel noch zu behalten. Ein solcher Gesandter war ein bequemes Unterpfand. Die Informationen, die er ihm gebracht hatte, zeigten, daß er tatsächlich der Abgesandte Alberonis war. Wenn der Geistliche auch nicht bereit war, für seine vermeintliche Konkubine zu zahlen, würde er doch eines Tages gewiß etwas dafür geben, diesen eindeutigen Boten zurückzubekommen. Falls die Stadt fallen, die Flucht unvermeidbar werden sollte, hatte der Nasir bereits einen Plan gefaßt. Er würde Monsieur de Maillet mit sich nehmen und nach Rom reisen.

Inzwischen besuchte er seinen Gefangenen weiterhin in der Hoffnung, ihn zu beugen. Vergebliche Liebesmüh. Der Alte versteifte sich darauf, daß die vorgebliche Konkubine des Kardinals in Wahrheit seine Dienerin in Kairo gewesen sei, die mit einem Abenteurer aus dieser Stadt geflohen war und unzählige Beweise für ihr lügnerisches, bösartiges Wesen gegeben hatte ... Kurz und gut, daß all das nichts als Hochstapelei sei. Bald hatte der Nasir genug davon und ging nur noch zweimal in der Woche zu ihm.

Monsieur de Maillet füllte seine Zeit damit, im Garten, nahe des Springbrunnens, wieder und wieder seinen teuren »Telliamed« zu lesen und dessen Schönheiten zu genießen. Für ihn war es kein philosophisches Buch, sondern die Geschichte seines Lebens. Er erinnerte sich an den allerersten Tag, den Tag der großen, der ersten Eingebung: An jenem Morgen ging er durch die Straßen von Kairo und verließ die Stadt, ohne es recht zu bemerken. Es war bereits sehr heiß. Nachdem er an der kleinen Baustelle vorbeigekommen war, wo halbnackte Zimmerleute Feluken bauten, hatte er jenen winzigen Felsen erreicht, der den Fluß säumte. Er hatte sich hingesetzt und die Muscheln gesehen. Muscheln! So weit vom Meer entfernt! Alles war aus diesem Anblick entstanden.

Der Konsul schloß das Buch und atmete tief. Was für ein Glück! Das Denken! Die reine Idee! Die Bewegung der Intelligenz! Dennoch stahl sich etwas Bitteres in diese Lieblichkeiten und entstellte ihren Geschmack. Was war das? Er hatte es bereits mehrfach gespürt, ohne es sich je erklären zu können. Er überlegte. Eine Gartentaube gurrte in einem Taxus an der Hausecke. Was für ein seltsames Geschrei! Wie eine quälende Frage. Der Vogel wiederholte seinen Ruf. Beim dritten Mal richtete sich der Konsul auf. Er hatte verstanden. ›Was haben Sie an jenem Tag in den Straßen von Kairo gemacht?‹ fragte die Taube. Wie recht sie hatte. Es war zu jener Zeit keineswegs normal, daß er zu Fuß ausging. Zweifellos war es sogar … das erste Mal.

Das erste Mal! Warum? Nun, weil *sie* abgereist war. Monsieur de Maillet hatte ganz selbstverständlich geantwortet, und diese Offensichtlichkeit traf ihn gleichzeitig mit einem starken Schmerz. Ja, Alix war abgereist, besser gesagt, er hatte gerade die Wahrheit erfahren: Sie war mit diesem Apotheker geflohen, sie hatten einen Janitscharen und die Konsulatswachen getötet, er war verraten, entehrt von seiner eigenen Tochter. Und er war immer geradeaus durch die Straßen von Kairo gelaufen.

Seine Theorie! Die Muscheln!

Der alte Mann schluchzte kurz, es war eher ein Schluckauf, der seine Eingeweide erschütterte. Alix! Er preßte die Hände gegen seinen teuren »Telliamed«.

»Ist es möglich, daß dieses kleine Werk, was sage ich da, dieses große Werk, mir bis heute diesen Schmerz erspart hat ...«

Das in Leder gebundene Buch fiel aus seinen zitternden Händen ins Gras; er hob es auf und faßte sich:»Nicht doch, man muß diese Gefühlsduselei bekämpfen!« Alles kam von der Untätigkeit, zu der ihn diese ungerechte Gefangenschaft zwang. Er stand auf und lief mit hinter dem Rücken verschränkten Hände hin und her. Er hatte kaum zwei Runden gedreht, als ein Diener auf der Schwelle zum Garten erschien und respektvoll grüßte. Der Konsul ging ihm entgegen, erkannte aber nicht den üblichen Burschen.

»Mein Name ist Gregorius, Exzellenz«, erklärte der Mann mit sanfter Stimme.»Ich stehe von nun an zu Ihren Diensten.«

»Du meinst ›zu meiner Bewachung‹?« Monsieur de Maillet lachte hämisch.

»Nein, Exzellenz, ich sagte ganz richtig ›zu Ihren Diensten‹.« Und mit leiserer Stimme fügte er hinzu:»Ich rechne auf Ihre Nachsicht, damit Sie mich nicht beim Nasir denunzieren.«

»Dich denunzieren! Und weshalb?«

»Für das, was ich Ihnen sagen werde, Exzellenz.«

Der Konsul sah sich den Diener an. Er war jung, aber sein runder Bauch und die Kahlköpfigkeit ließen ihn reifer aussehen. Dicke Männer, wie alt sie auch sein mögen, scheinen immer ein Ufer der Weisheit erreicht zu haben, an dem sich die Wellen der Zeit im Rhythmus des Vergnügens, und nicht des Lebens brechen. Irgendwie berührt diese Genüßlichkeit die Ewigkeit. Dieser Gregorius in seinem langen Gewand, das den Bauch zusammenhielt, erinnerte ihn an einen Mönch, und sein angedeutetes Lächeln harmonierte vollkommen mit diesem Eindruck.

»Und was willst du mir sagen?« fragte der Konsul, da ihn der andere offenbar nach den Grundsätzen der Mäeutik dazu bringen wollte, die richtigen Fragen zu stellen.

»Daß ich Armenier bin, Exzellenz.«

»Um so besser für dich. Es gibt anständige Kerle unter ihnen. Hab keine Angst, der Nasir wird nicht von mir erfahren, daß du Christ bist.«

»Er weiß es, Exzellenz. Wir sind mehrere, die ihm dienen.«

»Nun, dann steht ja alles zum besten«, rief der Konsul unwillig. »Gibt es nichts anderes, was du mir gestehen willst und was schon alle wissen?«

»Nein, Exzellenz, aber es gibt etwas, das außer mir und bald schon Ihnen niemand weiß.« Dieser armenische Teufel hätte mit seiner Art auch einen Steinklotz die Geduld verlieren lassen.

»Sprich endlich!« brüllte der Konsul außer sich.

»Psst! Exzellenz. Man kann Sie hören.«

Erschöpft ließ sich der Konsul auf einen Stuhl fallen. »Ich höre«, murmelte er resigniert.

»Exzellenz, unser Patriarch Nerses ist ein Heiliger. Er ist verzweifelt ob der Ungerechtigkeit, die in Ihrer Person einem Christen angetan wird. O ja, wir sind leider an derartige Kränkungen gewöhnt, besonders von dem, der auch Sie beleidigt.«

»Danke deinem Patriarchen für seine Anteilnahme«, sagte Monsieur de Maillet, der von diesen Worten ganz aufrichtig gerührt war.

»Es ist nicht nur Anteilnahme«, entgegnete Gregorius rätselhaft. »Es können auch Taten folgen, wenn Sie es wünschen, Exzellenz.«

»Taten? Welche?«

»Möchten Sie vielleicht ... nach Rom zurückkehren, Exzellenz?«

»Ob ich nach Rom zurückkehren möchte?« Der Konsul war aufgesprungen. »Aber selbstverständlich, mein Freund. Ich bin fest dazu entschlossen.«

»In diesem Fall können wir einen ... Weg nach draußen arrangieren.«

Der Konsul sah diesen seltsamen Diener starr an. Er neigte sich zu ihm und wiederholte: »Einen Weg nach draußen?«

»Ja«, bestätigte Gregorius flüsternd. »Ich meine natürlich einen Ausbruch.«

Getroffen richtete sich Monsieur de Maillet sogleich auf. »Niemals!« rief er.

»Aber ...«

»Versuchen Sie es nicht weiter, Gregorius. Ich habe ›niemals‹ gesagt. Ich will Gerechtigkeit, verstehen Sie. Und ich werde sie auch erhalten. Meine Mission verlangt von mir, daß ich eine gewisse Hochstapelei entlarve, und ich bin im Begriff, diese voll und ganz zu zerschlagen. Ich habe um eine Audienz beim König von Persien gebeten. Dieser Nasir ist ein Bandit, na und? Aber er war sehr wohl verpflichtet, meine Bittschreiben zu berücksichtigen. Ich habe ihm drei Briefe an seinen Herrscher übergeben. Also erwarte ich auch die Audienz.«

Nach kurzem Erstaunen setzte der Diener wieder sein feines Lächeln auf. »Glauben Sie ernstlich, daß der Nasir die Absicht hat, Ihre Schreiben weiterzuleiten?«

»Natürlich! Was meinen Sie, wie es um seine Ehre bestellt ist?«

»Seine Ehre ... Natürlich ...«, wandte der Armenier mit der Geduld eines Händlers ein, der sieht, wie sein Kunde ein sehr teures, aber für die eigene Körpergröße bei weitem viel zu kleines Kleidungsstück auswählt. »Dennoch ist es möglich, daß der Nasir eine andere Vorstellung davon hat als Sie, Exzellenz.«

Den Konsul verwirrte die ruhige Sicherheit dieses Mannes. Neben ihm kam er sich unangenehm naiv vor, und das war der Gipfel. »Bedränge mich nicht weiter«, unterbrach er ihn mißgelaunt. »Ich werde hierbleiben, bis meine Mission erfüllt ist.«

Dann, nachdem er einen Moment überlegt hatte, fügte er hinzu: »Das Einzige, was mir nützen könnte, wäre ...«

»Ich stehe Ihnen ganz und gar zur Verfügung«, sagte Gregorius, als er den Alten zögern sah.

»... daß Sie diesen Schlüssel jemandem zukommen lassen, der mich zu dieser Stunde in der Karawanserei von Kashan erwartet.«

Der Konsul griff nach seinem Hals, wo an einer kleinen

Schnur der Schlüssel für die Truhe hing, die er Murad anvertraut hatte.

›Von einem Armenier zum anderen ...‹, dachte er, und vielleicht war es diese amüsante Idee, die ihm zur Entscheidung verhalf.

Gregorius griff nach dem Schlüssel und hörte sich die Anweisungen des Diplomaten an.

»Ich bin glücklich, Ihnen diesen Dienst zu erweisen, Exzellenz«, sagte er dann. »Ich wage zu hoffen, daß ich mich dessen würdig erweisen werde und daß Sie, Exzellenz, vor Kardinal Alberoni unterstreichen werden, wieviel Hoffnung die armenischen Christen dieses Landes auf seine Unterstützung setzen.«

»Ich verpflichte mich in aller Form, ihm einen genauen Bericht über Ihre Ergebenheit zu erstatten«, sagte der Konsul gewichtig. »Wenn Sie können, bringen Sie mir eine Denkschrift über die Probleme Ihrer Kirche, und wenn es mir gegeben ist, den Kardinal wiederzusehen ...«

Gregorius fiel auf die Knie und küßte die Hand von Monsieur de Maillet, der sich diese Huldigung großzügig gefallen ließ. Er war seit langem daran gewöhnt, im Orient niemals Widerstand gegen die seltsamsten Gesten der Unterwürfigkeit und des Überschwangs zu leisten, die man an ihm vollführte.

Der Diener stand auf, machte einige Schritte, um sich zurückzuziehen, dann kam er zurück und fügte hinzu: »Beinahe hätte ich es vergessen. Der Patriarch hat mich mit beauftragt, Ihnen Nachricht von Ihrer Tochter zu geben, Exzellenz. Es geht ihr gut, wie es heißt, sie ist glücklich und ... verzeihen Sie mir meine Indiskretion ... sie hofft, daß Sie ihr verziehen haben.«

Um sechs Uhr, als die kühle Nacht hereinbrach, saß Monsieur de Maillet noch immer unbeweglich im Garten, vollkommen überwältigt von der Verwirrung, in die ihn diese Nachricht gestürzt hatte.

☙

Juremi, der sich darin auskannte, befand, daß die afghanischen Elefantenhüter, die sich ihrer Tiere bemächtigt hatten, ungeschickte und erbärmliche Lenker seien. Sie kündeten einmal mehr von der Einheit von Unfähigkeit und Eitelkeit. Sie behandelten die Sklaven, die die Tiere zu füttern und zu pflegen hatten, brutal und verächtlich. Glücklicherweise verbrachten die Soldaten, die sich für bedeutende Persönlichkeiten hielten, den Großteil ihrer Zeit in der Kaserne von Ferrahabad in der Nähe von König Mahmud und seinem Hof.

Jean-Baptiste und seine Gefährten hatten deshalb meistens ihre Ruhe. Sie konnten kommen und gehen, wann sie wollten, denn ihre Ketten rasselten laut genug, um eine Flucht zu verhindern. Als sie untereinander den Untergang von Aman-Ullah diskutierten, waren sie sich schnell einig, daß weitere Versuche, den Fluß zu durchqueren, folgen würden. Sie durften also ihr Vorhaben, die Elefanten außer Gefecht zu setzen, nicht aufgeben.

Gleich am ersten Morgen nach dem traurigen Untergang machten sie sich wieder unauffällig an die Vorbereitung ihres Giftes. Sie breiteten die Beeren in einer großen Schale aus, die sie in die Sonne stellten. Juremi wühlte wie verliebt mit den Händen in der Masse, während er ihnen beim Trocknen zusah. »Ich frage mich, ob diese faulen Tierlenker nicht auch eine Portion davon verdient hätten«, sagte er mit bösem Lächeln.

Jean-Baptiste war auf der Suche nach einem ausgehöhlten Felsen, der ihnen als Mörser dienen könnte, während George einen Holzstößel schnitzte. Bibitschew beobachtete diese Vorbereitungen unauffällig, als würde er sich nicht dafür interessieren. Seine Haltung hatte sich sehr geändert. Er konnte nicht anders, als diese Verdächtigen aus ganzem Herzen zu bewundern. Derartige Irrfahrten mitzumachen, an den verschiedensten Stationen Kontakte mit so vielen Agenten zu knüpfen, von denen einer besser getarnt war als der andere, um sich schließlich zum Zeitpunkt der Eroberung der Stadt pünktlich an der Seite der Afghanen einzufinden, das war wahrlich eine starke Leistung. Er wartete neugierig auf die

Fortsetzung, wie jemand, der vertrauensvoll dem erneuten Auftritt eines Künstlers entgegensieht, der ihn noch nie enttäuscht hat.

Nach ihrer Ankunft in dieser zusammengewürfelten Armee konnte Bibitschew bei den slawischen Söldnern oder Dienern nützliche Informationen zusammentragen. So erfuhr er, daß das persische Reich nicht nur vor seiner Hauptstadt von den Afghanen bedroht wurde, sondern auch Opfer einer wahren Zerlegung durch seine Nachbarn geworden war. Die Usbeken hatten Khorasan besetzt, und die Türken zogen gen Aserbaidshan. Die heiligen Armeen von Zar Peter dem Großen schließlich – die Tränen kamen ihm, als er an ihn dachte – hatten einen siegreichen Feldzug nach Baku geführt, waren dann ans Kaspische Meer gelangt und hatten all seine Ufer erobert. Für den Augenblick wollten sich die Russen offensichtlich damit zufriedengeben. Bibitschew berechnete, daß er ihren Linien sehr nahe sein müsse und nach der Überquerung des Flusses leicht einen Weg finden würde, um eine Depesche weiterzuleiten, die bis nach Moskau gelangen würde.

Die Mahlzeit beschränkte sich für die Gefangenen auf grauen Reis und ein paar Stücken von einem ausgesprochen seltsamen Tier, das offenbar nur aus Knochen bestand und kein bißchen Fleisch zu bieten hatte. Wenig später sahen sie die Elefantentreiber zurückkommen.

Die stolzen Soldaten trugen denselben ewigen Filzmantel wie alle anderen Afghanen, aber sie hatten ihre Gürtel gewachst und sich den Bart gekämmt. Die flache Mütze war sorgfältig aufgesetzt und verbarg die Haare, die weniger wild abstanden als üblich. Kurz, sie waren bereit für die große Parade. Zwei von ihnen trugen eine viereckige Truhe an einem Griff, die sie neben den Elefanten auf den Boden stellten. Sie enthielt achtlos hineingestopfte Stoffe, die sie voller Bewunderung ausbreiteten. Sie gehörten zweifellos zu der Beute aus den Plünderungen nach dem Massaker an der persischen Armee.

Die Soldaten holten zunächst sieben goldgeschmückte Decken aus Kaschmirsamt heraus, die mit goldenen Fransen verziert waren. Nach ihrer Größe zu urteilen, mochten sie die edlen Streitrosse der persischen Offiziere geschmückt haben. Die Sklaven erhielten die Aufgabe, die Stoffe als Satteldecken auf den Rücken der Elefanten auszubreiten. Die Tiere trugen diese Zierde voller Eleganz. Mit einer komplizierten Vorrichtung aus Riemen, die Pferdehalftern nachempfunden war, bastelten sie ihnen dann eine Art Helm, der an den Stoßzähnen und auf dem Widerrist befestigt wurde. Daran konnte man Schellen befestigen und über die Stirn der Tiere ein breites Fähnchen aus grünem Baumwollstoff hängen. Soldaten und Sklaven waren sehr zufrieden mit dem Ergebnis.

Dann wurde es schwieriger. Auf dem Boden der Truhe lag zusammengeknittert der Aufputz, den die Franken anlegen sollten, denn es gehörte zur Tradition, daß die Elefanten in der Parade von ihrem Lenker geritten und von ihrem Diener zu Fuß begleitet wurden.

Juremi schrie, daß er dieses Zeug niemals anziehen könne. Es waren hautenge Gewänder, die bis zu den Knöcheln hinabreichten, ohne sich zu weiten. Sie mußten den Protestanten zu zweit in diesen Schlauch mit derber, unregelmäßiger Oberfläche hineinschieben und zerren. Bibitschew und der Bulgare kleideten sich ohne Schwierigkeiten und ohne Widerwillen an. George und Jean-Baptiste folgten als letzte, und der Anblick der anderen war keineswegs ermutigend. Schließlich steckten sie alle fünf in ihren Hüllen aus weißem Musselin. Dieser Aufzug hätte besser zu einer Prozession von Jungfrauen auf dem Weg zu ihrer feierlichen Kommunion gepaßt. Bibitschews haarloser Schädel über dem Gewand wirkte ebenso trostlos und unpassend wie Juremis in alle Richtungen stehende graue Wolle. Die Elefantenlenker zeigte sich ohne Ironie zufrieden mit ihren Gehilfen. Diese mochten noch soviel protestieren, es war nichts zu machen. Die Afghanen erlaubten gerade, die Kleider bis zu den Knien aufzutrennen, damit die Sklaven neben den Tieren herlaufen könnten. Die Schmach war jedoch noch nicht vollkommen. Einer der Soldaten holte aus der Tiefe des Koffers fünf Paar bunte indische Ballerinenschuhe, deren Spitzen nach oben zeigten und mit

Glöckchen geschmückt waren. Diese Beute aus der Plünderung einer Karawane hatte aus gutem Grund keine Abnehmer gefunden! Die Schuhe hatten einen kleinen Einstellriemen, also konnten sich die Europäer nicht einmal darauf berufen, sie seien zu weit.

Nach dem Gebet, das wohl das vereinbarte Zeichen war, sich zur Prozession zu begeben, stiegen die Lenker auf die Elefanten und wandten sich nach Ferrahabad. Neben jedem Tier trottete sein Gehilfe, begleitet vom dumpfen Klirren der Ketten und dem hellen Läuten der Schellen.

Seit sich Mahmud im Palast von Ferrahabad niedergelassen hatte, erlebte dieser zwei entgegengesetzte Entwicklungen. In seinem Äußeren war er dem Verfall anheim gegeben. Die Zerstörungswut der Besatzertruppen hatte sich an allen Gebäuden ausgetobt, sogar an jenen, die ihnen als Unterkunft dienten. Türen, Fenster, Möbel und Stoffe, alles war herausgerissen, verteilt, verkauft, verstreut, verbrannt. Selbst der Park, wo die Pferde weideten, begann mehr und mehr einer Steppe zu gleichen. Die Schirmpinien, die einst Schatten gespendet hatten, waren einem schnell wieder aufgegebenen Plan zum Bau von Flößen zum Opfer gefallen. Die schwarze Spur der großen Lagerfeuer bedeckte die einstigen Blumenbeete.

In seiner diplomatischen Bedeutung jedoch hatte Ferrahabad enorm an Bedeutung gewonnen. Mahmuds Lager war ein Hof, ja sogar eine Art Hauptstadt geworden. Boten des Großtürken erschienen, um dem künftigen Sieger ihre Aufwartung zu machen. Auch die Usbeken und der afghanische Stamm, der in Herat herrschte, hatten Gesandte geschickt. Sogar die Indiengesellschaft hatte es als nützlich für ihre Interessen angesehen, ihre Dienste anzubieten, indem sie einen sehr zivilisierten in Indien ansässigen Holländer zum König von Kandahar – der vielleicht auch bald der von Persien sein würde – reisen ließ.

Mahmud empfing diese Besucher in dem Saal, in dem er vorher Alix und Dostom begrüßt hatte. Er blieb der einzige, der nicht ruiniert wurde.

Man hat meistens Illusionen über die Empfindungen der Halsabschneider im wortwörtlichen Sinne. Sicher finden einige von ihnen Gefallen an dieser Tätigkeit. Die meisten aber, und zu ihnen gehörte Mahmud, führen sie ohne Begeisterung durch. Sie sehen es als eine Verpflichtung an, aber wenn das Leben sie davon freistellt, erlebt man sie als die menschenfreundlichsten Seelen, die man sich nur vorstellen kann. Ganz so war es um den jungen König von Kandahar nicht bestellt. Er empfand weiterhin einen abgrundtiefen Haß auf die Perser, der allmorgendlich durch den Anblick der unbeschädigten Stadt vor seinen Augen belebt wurde. Man spürte jedoch, daß er künftig, wenn dieses Hindernis überwunden wäre, ein friedlicher, ja sogar gutmütiger König sein würde. Schon jetzt tat sich eine besorgniserregende Kluft zwischen ihm und seiner brutalen, blutrünstigen Truppe auf. Um diese zu besänftigen, zeigte Mahmud zwei ganz unterschiedliche Gesichter. Als Heerführer blieb er ein erbarmungsloser Krieger. Als König jedoch bemühte er sich Tag für Tag darum, die Sitten der großen Welt zu erlernen. Leider gab es in seiner Umgebung nur wenige Menschen, die ihm dabei helfen konnten.

Deshalb waren ihm Dostom, der lange in Persien gelebt hatte, und Alix, diese Fremde voller Erfahrungen, kostbare Ratgeber. Er zog sie bei allen Fragen des Protokolls zu Rate und ließ sich beim Abfassen diplomatischer Botschaften helfen.

Alix, die auf afghanische Weise gekleidet war, wurde vom König als Offizier, ja sogar als Mann behandelt. Mahmud hatte genügend legitime Frauen, Sklavinnen und Gefangene, um seine Gelüste zu befriedigen, die er im übrigen bei dieser Fremden mit dem verwirrenden Blick kaum empfand. Fast fühlte er sich als kleiner Junge vor ihr, und tatsächlich mußte sie ihm das ABC des Königslebens beibringen.

Die Prozession sollte die Kraft des afghanischen Heeres würdigen, auch wenn sie nach dem Untergang Aman-Ullahs beschlossen worden war. Der König hatte alle ausländischen Gesandten zu diesem Anlaß um sich versammelt. Man verteilte sie auf Sesseln auf den Festungsmauern von Ferrahabad. Alix und Dostom saßen direkt hinter dem König, damit er sie bei eventuellen Zwischenfällen sofort um ihre Meinung bitten konnte.

Um drei Uhr nachmittags erschienen die ersten Truppen vor den Mauern. Sie gingen dicht an ihnen entlang und grüßten im Vorbeigehen den König. Das Gros der Armee bestand aus Reitern. Nie wären sie auf die Idee gekommen, in Reih und Glied zu marschieren. Sie kamen in heulenden Horden, wirbelten riesige Staubwolken auf, stießen sich gegenseitig und ließen ihre Pferde wiehern. Die Tiere bäumten sich auf, mit Schaum vor dem Maul, die Augen weiß vor Entsetzen über den Lärm der Waffen und die Tritte ihrer Reiter. Hier und da schmückten Beutestücke von den besiegten Persern diese Armseligkeit: Das neue Leder eines Sattels, ein Brokatkaftan oder kunstvoll gearbeitete Lanzen schwammen in einer Flut von Lumpen und Grimassen schneidenden Gesichter. Alix war entsetzt über diese gewalttätige und rohe Masse. Sie wagte sich nicht vorzustellen, wozu sie sich hinreißen lassen würde, wenn das herrliche Isfahan in ihre Hände fallen sollte. Und dennoch hatte das Schicksal es so gewollt, daß ihre Hoffnung jetzt auf dieser Apokalypse lag und sie sogar hoffen mußte, daß die Eroberung sehr schnell erfolgte. Es blieben noch fünf Tage bis zu dem von Yahia Beg gesetzten Termin.

Schließlich waren die letzten Pferde vorbeigezogen, und im Staub nahten mit dumpfem, majestätischem Dröhnen die Elefanten, ihre Lenker und ihre Diener.

## Sechstes Kapitel

Das Kleid bildete einen Wulst unter den Achseln. Obwohl Jean-Baptiste von oben zog und George, ja selbst Bibitschew von unten zerrten, bewegte sich der Stoff keinen Zentimeter. Unter dieser Hülle hörte man Juremi fluchen und brüllen. »Zieht doch, verdammt noch mal, zieht doch, ihr Schweinebande!«

Ein lautes Ratschen krönte den Erfolg der ganzen Mannschaft. Das Kleid zerriß mit einem Ruck in zwei Teile und fiel weich zu Boden, befreite den Riesen, der rot vor Wut in langen Unterhosen mit Schellenpantoffeln an den Füßen dastand.

Ein junger Afghane beobachtete lächelnd die Szene. Als Jean-Baptiste sich umdrehte und den Mann sah, stürzte er auf ihn zu. »Dostom! Lieber Dostom!«

Sie umarmten sich bewegt. Jean-Baptiste stellte George und Juremi, der versuchte sich anzukleiden, vor. Bibitschew grüßte höflich, ganz damit beschäftigt, den Namen für seine Depesche im Kopf zu notieren: D-O-S-T-O-M.

»Sie sahen wirklich schön aus!« scherzte der junge Mann, dessen Hand noch immer auf Jean-Baptistes Schulter lag, »Wie Sie da neben den Elefanten rannten, eine Goldtroddel in der einen Hand und mit der anderen den König grüßend.«

Poncet zuckte mit den Schultern. »Das hier erklärt alles«, sagte er ohne zu lächeln und wies achselzuckend auf die Ketten an seinen Knöcheln.

»Ich habe es gesehen und hätte Sie ebendeshalb zuerst fast nicht erkannt. O Jean-Baptiste, was für eine Freude, als ich endlich doch überzeugt war, daß Sie es wirklich sind. Glücklicherweise dauerte das nicht lange. Ich habe ihr die Hand auf den Arm gelegt, und deshalb hatte sie die Kraft, nicht zu schreien, als sie Sie ebenfalls erblickte.«

»Sie? Wer denn ...« murmelte Jean-Baptiste, der nicht wagte, sich die Antwort auszudenken.

»Natürlich Alix, mein Freund! Alix ist hier, bei König Mahmud. Ich verstehe, daß diese Nachricht Sie überwältigt. Ihre Frau war ebenso fassungslos, als sie erfuhr, daß Sie ein Sklave sind und Elefanten hüten.«

Dieser Schlag war zu stark. Geschwächt von den Strapazen der Reise, der Hoffnung, dem Kummer, brach Jean-Baptiste zusammen. Er sank George in die Arme und begann zu schluchzen. Alle waren zutiefst gerührt, und die Elefantentreiber jagten diese sentimentale Truppe nur deshalb nicht auseinander, weil sie Dostom oft in der Nähe des König gesehen hatten und ihn deshalb fürchteten. Nichts störte dieses schmerzliche Bild. Im Gegenteil, auch Juremi, George und sogar Dostom konnten die Tränen nicht mehr zurückhalten. Bibitschew wußte nicht, ob er bei den Verdächtigen mehr die Genialität ihrer Pläne oder die gespielte Aufrichtigkeit ihrer Gefühle bewundern sollte.

Jean-Baptiste, der als erster die Gewalt über sich verloren hatte, gewann sie auch als erster wieder zurück. »Gehen wir zu ihr!« rief er. »Schnell, Dostom, bring mich so schnell es irgend geht zu ihr.«

»Es tut mir leid!« sagte der Afghane, während er sich die letzte Träne aus den Augen wischte. »So einfach ist das nicht.«

»Was soll das heißen?« schimpfte Juremi. »Sie ist hier, wir auch, und wir können sie nicht treffen … Hält dieser Mahmud sie etwa als Gefangene?«

»Oh!« seufzte Dostom, »ich bräuchte viel Zeit, um Ihnen das alles genau zu erzählen. Auf jeden Fall ist Alix frei und steht unter dem Schutz des Königs …«

Jean-Baptiste runzelte die Stirn.

»… ohne daß er etwas von ihr verlangt, beruhigen Sie sich.«

»Nun, dann gehen wir zu ihr«, rief George, der ebenfalls ungeduldig wurde und den Afghanen mit einem Rest von Mißtrauen ansah.

»Um es in zwei Worten zu sagen«, unterbrach ihn Dostom, »denn den Rest werde ich Ihnen später erklären, Alix gilt hier als Witwe. Wir Bergbewohner sind ein einfaches Volk: Für uns sind die Toten tot und bleiben es auch. Wir haben nicht solche Bequemlichkeiten wie die Menschen in Indien, die an die ewige Rückkehr der Gestorbenen in den Lebenszyklus glauben. Für Mahmud sind Sie tot und begraben, Jean-Baptiste, habe ich mich deutlich ausgedrückt? Er würde nicht verstehen, daß Sie plötzlich wieder auftauchen, noch weniger unter diesen Umständen …«

»Aber das ist ja schrecklich!« schrie Jean-Baptiste. Dann richtete er sich auf und erklärte entschlossen: »Ich will sie sehen, verstehst du! Ich muß sie sehen! Ich sterbe auf der Stelle, wenn ich es nicht darf …«

»Beruhigen Sie sich«, sagte Dostom und streckte die Hände aus. »Es ist ja möglich. Ich bin hergekommen, um ein paar Einzelheiten zu klären, damit es keine Unannehmlichkeiten gibt. Alix wird in ein paar Minuten herkommen.«

Jean-Baptiste glaubte vor Aufregung das Bewußtsein zu verlieren.

»Hierher?« rief er und blickte auf seine Lumpen, die er nach der Parade wieder übergestreift hatte. »Gibt es keinen anderen Ort und Zeitpunkt, der …«

»Hören Sie zu«, sagte Dostom und bedeutete den drei Franken, ihm ein paar Schritte zu folgen, »es geht heute nicht mehr um Sie. Poncet, der Apotheker von Isfahan, ist tot, ist das klar?«

»Leider.«

»Nein, warten Sie. Sie sind fränkische Sklaven, gefangene Soldaten, egal woher Sie kommen. Diese schöne Ausländerin sieht Sie. Sie schenkt einem von Ihnen ihr Herz. Irgend etwas sagt mir, daß die Wahl auf Sie fallen könnte, Jean-Baptiste. Außerdem werden Sie ebendiesen Namen tragen, und dieses Zusammentreffen wird Alix an ihren verstorbenen Gatten erinnern und noch mehr zu Ihren Gunsten wirken.«

»Und dann?« murmelte Jean-Baptiste niedergeschlagen.

»Dann werden Sie sich wiedersehen, sie wird Ihre Nähe suchen, und ich werde mich bemühen, diese Beziehung zu fördern. Der König, der diese Fremde an seinem Hof sehr schätzt, wird keinen Grund sehen, ihr diese Laune zu versagen …«

»Eine Laune!«

Jean-Baptiste war am Ende. Seit Wochen malte er sich das Wiedersehen mit Alix aus, er hatte an alles gedacht: sie aus den Flammen der zerstörten Stadt zu retten, sie im Exil wiederzufinden, als Gefangene, in den Kellern versteckt – alles, wirklich alles war ihm in den Sinn gekommen, nur nicht, daß er sie als Elefantendiener würde verführen müssen, die Füße von einer Kette der Erniedrigung gefesselt. Er hatte keine Zeit mehr für weitere Gedanken, denn schon näherte sich ein Reitertrupp dem Elefantenlager.

403

»Da ist sie«, verkündete Dostom. »Zwei Offiziere des Hofes begleiten sie. Seien Sie äußerst vorsichtig.«

Ohne weiter nachzudenken, rannten die Sklaven zum Futterplatz und begannen sich bei den Tieren zu schaffen zu machen. Sie warfen ihnen mit Mistgabeln Stroh hin.

Alix, die in die gleiche Filzuniform gekleidet war wie die beiden Offiziere, zwang sich zu einer achtunggebietenden, entschlossenen Haltung. Dennoch fühlte sie innerlich ihre arme Seele beben. Als sie von der Stadtmauer Jean-Baptiste, George und Juremi erblickt hatte, hatte sie zunächst geglaubt, sie sei verrückt geworden. Dann hatte ein wilder Sturm der Hoffnung ihr Herz bewegt, das Verlangen, dem König alles zu gestehen, schließlich ihre Einwilligung in Dostoms Plan und nun die Scham. Hatte sie Jean-Baptiste nicht verflucht, weil er sie verlassen hatte, während er durch die halbe Welt zog, um seinen Freund und seinen Sohn gesund zurückzubringen und schließlich als Sklave zu enden? Hatte sie ihn nicht sogar betrogen, wenn auch nicht in Taten so doch zumindest in Gedanken, indem sie eine schuldhafte Neigung für diesen unglücklichen persischen Offizier in sich entstehen und wachsen ließ? Im Grunde wog all das nichts, gemessen an dem Gefühl, das sie nun überwältigte: das grenzenlose Verlangen, sich in die Arme des Mannes zu werfen, den sie liebte. Zu alldem kam die Angst, in Tränen auszubrechen und den Anblick der geliebten Menschen in diesem entsetzlichen Zustand nicht zu ertragen. Aus Furcht hielt sie die Augen gesenkt. Sie betrachtete die Dickhäuter mit solcher Inbrunst und schenkte den Sklaven so wenig Aufmerksamkeit, daß Dostom schon das Scheitern seines Planes befürchtete.

»Wollen Sie nicht einmal auf einem Elefanten sitzen?« fragte er, um die Angelegenheit etwas zu beschleunigen.

Alix nickte, und Dostom führte sie entschlossen zu dem Elefanten, den Jean-Baptiste gerade fütterte. Der große Körper dieser Tiere verströmte einen schweren, stechenden Geruch, wie er für das Fleisch von Pflanzenfressern typisch ist. Dieser Gestank nach Pflanzen, auch wenn sie verdaut oder sogar verfault sind, ist dem menschlichen Wesen so fremd, daß er in ihm nicht nur keine Abscheu weckt, sondern seinen Geist sogar an die Poesie der Wildnis und der freien Tiere erinnert. Der junge Afghane hoffte, daß diese primitiven Gerüche in den ein wenig zu friedlichen Europäern das wecken würde, was an Wildem, Raubtierhaften noch vorhanden war.

Die Elefantenlenker hielten sich in respektvollem Abstand von der Fremden. Dostom rief Jean-Baptiste in barschem Ton und wies ihn an, der Besucherin auf den Rücken des Tieres zu helfen. Mit einem leichten Schlag auf die Schulter des Elefanten bedeutete dieser dem Dickhäuter, seinen Rüssel zu senken, der als Trittbrett dienen sollte. Alix griff mit einer Hand nach dem Stoßzahn, mit der anderen nach Jean-Baptistes Arm und zog sich auf die rauhe Treppe, die ihr das Tier entgegenstreckte. Der Elefant hob sie sanft bis zu seinem Widerrist, den sie umklammerte. Dort blieb sie einen Augenblick, schien begeistert zu sein von diesem Erlebnis und wollte dann wieder hinunter. Leider rutschte sie ab, als sie den Fuß auf den Rüssel setzen wollte, und glitt in Jean-Baptistes Arme.

Dieser unerwartete Zwischenfall kam Dostom sehr gelegen, wußte er doch nicht, wie er diese beiden ungeschickten Liebenden, die zwanzig Jahre gemeinsamen Lebens nicht auf diese Situation vorbereitet hatten, einander näherbringen sollte.

Als Alix in Jean-Baptistes Armen lag, seine Haut und seinen Atem spürte, sein Haar sah, seinen Mund ganz nah vor sich, verspürte sie eine Erregung, die sie beinahe von größter Scham und Vorsicht in ein gefährliches Übermaß an Zärtlichkeit und Hingabe gestürzt hätte. Er selbst war nicht weniger mit allen Sinnen von Verlangen erfüllt.

Dennoch brachten beide genug Selbstbeherrschung auf, daß man auf ihren Gesichtern nur eine zwar unverkennbare, aber zurückhaltende Leidenschaft lesen konnte. Dieser Ausdruck reichte aus, damit alle Zeugen dieser Szene über diese liebevolle Begegnung gerührt waren. Eine so plötzlich erwachende Zuneigung bestätigte die mächtige Anziehung zwischen den Geschlechtern über alle gesellschaftlichen Schranken hinweg.

Noch am selben Abend ließ Dostom Jean-Baptiste eine Nachricht zukommen, in der er ihm einen weiteren Besuch am folgenden Tag ankündigte. Der Sklave bereitete sich darauf vor, indem er ein Bad im Fluß nahm: Er rieb sich die Haut mit einer Seife aus Asche und Stearin, wusch sich das Haar und ließ sich von Juremi den Bart schneiden. Als die afghanischen Offiziere ins Lager kamen und Alix ein verschwörerisches Lächeln schenkten, sah Jean-Baptiste, daß sie sich ebenso sorgsam vorbereitet hatte, ohne jedoch die triste Uniform ablegen zu können. Sie wechselten lange Blicke, die sie mit schier unerträglichem Verlangen erfüllten. Alix machte einen kleinen Spazierritt auf dem Elefanten. Jean-Baptiste hielt die lederne Leine und lief nebenher. Sie hätten sich ein paar Worte sagen können, als sie sich von den anderen entfernten, aber sie dachten nicht einmal daran, so deutlich drückten ihre ineinander versunkenen Blicke alle Geheimnisse aus, die kein Wort hätte in sich tragen können.

Leider folgte diesem Vergnügen sogleich eine erneute Trennung, und sie fragten sich, ob sie einander jemals wiedersehen würden. Sie erwarteten diese kurzen Augenblicke mit denselben Qualen wie zwei Jugendliche, die sich soeben zum ersten Mal begegnet waren. Der Alltag in Isfahan hatte aus ihnen Mann und Frau gemacht, ohne Ungewißheiten und ohne Überraschungen, hatte diese Regungen einer frischen Liebe begraben, die sie jetzt unbeschädigt wiederfanden, dank eines Verfahrens, das sie wohl kaum hätten weiterempfehlen mögen.

Der dritte Besuch zeigte die Grenzen dieses stummen Austauschs in der Öffentlichkeit. Er erschien ihnen sehr kurz und den Anstandsregeln unterworfen. Das zweideutige Lächeln der Zuschauer, auf das sie bisher nicht geachtet hatten, war ihnen unangenehm. Die tausend Dinge, die sie einander zu sagen hatten, kamen kaum bis an ihre Lippen, und sie fanden keinen angemessenen Weg, solche Worte einem Elefantendiener und einem weiblichen Offizier der Afghanen in den Mund zu legen. Das Leben bereitet nicht auf alle Rollen vor, und diese konnten sie nur stumm spielen.

Dieses Vorhängeschloß vor ihren Lippen war unerträglicher als alle Sklavenketten. Irgend etwas mußte geschehen. Dostom gab sich alle Mühe, indem er zunächst ein Gerücht verbreitete, dann direkt mit Mahmud sprach. Am Morgen des vierten Tages wurde Alix zum König gerufen.

Sie ging zu ihm, erfüllt von einer törichten Unsicherheit, die der unruhigen Leidenschaft eines verliebten jungen Mädchens glich.

»Mein Kompliment«, sagte Mahmud, als er Alix mit einem anmutigen Gruß willkommen hieß, den er von ihr gelernt hatte. »Man sagt mir, Ihre Witwenschaft sei vergessen. Der Frühling kehrt in Ihr Herz zurück.«

»Das heißt, Majestät, also…«

»Keine Geständnisse, keine Vertraulichkeiten! Ich weiß alles, und ich gebe Ihnen recht. Soll ich Ihnen sagen, daß ich selbst zwanzig weibliche Gefangene erwarte, die meine Soldaten aus Kerman mitbringen und die hier für mich allein in den nächsten Tagen eintreffen sollen. Mein Gott! Wir sind doch Soldaten!«

»Ja«, sagte Alix, die sich sehr aufrecht in ihrer Uniform hielt und mit martialischer Miene nach dem Säbel griff, der an ihrer Seite hing. Alle Achtung, dachte sie, zwanzig!

»Also, reden wir nicht lange herum«, fuhr Mahmud fort. »Gefällt Ihnen dieser Franke? Er gehört Ihnen.«

»O Majestät! Ich bin voller Dankbarkeit für Eure Gnade. Ihr werdet diesen Mann also freilassen?«

»Wer redet von freilassen? Nein, glauben Sie mir, das wäre nicht in Ihrem Interesse. Sobald diese Leute frei sind, haben sie nur einen Gedanken im Kopf: verschwinden und einen verraten. Nehmen Sie ihn, wie er ist. Das ist ganz einfach: Ab heute steht er in Ihren Diensten. Sie machen mit ihm, was Sie wollen.«

Alix dachte kurz daran, sich auch für George und Juremi zu verwenden. Aber auch wenn drei noch wenig waren im Vergleich zu zwanzig, würde dieser Eindruck von übermäßigem Appetit dem König ein etwas zu freizügiges Bild von ihr geben, und er könnte auf dumme Gedanken kommen. Sie verabschiedete sich mit langen Danksagungen und zog sich zurück.

Seit ihrer Ankunft war sie in einem Flügel des Palastes nahe bei den Gemächern Mahmuds untergebracht, die aus diesem Grunde noch nicht verwüstet waren. Ihr Zimmer war einst die Kammer eines Kochs gewesen. Das einzige Möbelstück war eine schmale Trennwand, die man gegen die Mauer lehnen konnte. Der Boden war gekachelt, die Wände waren mit Gips verputzt und hallten. Auf ihre Bitte brachte Dostom einen zweiten Strohsack und Decken. Sie verbrachte den Nachmittag damit, dieses erbärmliche Lager herzurichten und über die Unbequemlichkeit zu klagen.

Um fünf Uhr erschien Jean-Baptiste zwischen zwei Soldaten. Sie befahl, ihn loszulassen. Das Klirren seiner Ketten wurde von den Wänden in einem unerträglichen Echo zurückgeworfen. Er machte sich an dem Riegel zu schaffen, um die Tür richtig zu schließen. Als dieses Ablenkungsmanöver zu Ende war, standen sie einander einen Moment gegenüber, dumpf, verloren, erstarrt in der Furcht vor der ersten Begegnung, Dann warf sie sich in seine Arme, umschlang ihn, bot ihm ihren Mund und drückte ihn sanft auf das weiche Nest, das sie vorbereitet hatte. Kurze Zeit achteten sie noch darauf, die Kette des Gefangenen nicht zu stark zu bewegen, denn sie dröhnte wie ein Glockenspiel. Aber es schien geradezu, als fänden die Liebenden, nachdem sie sich anfangs an diesem Hindernis gestört hatten, eine geheime Annehmlichkeit darin. Bald ließen sie dieses Läuten der Wollust zu voller Lautstärke anschwellen, und es war noch einen Großteil der Nacht im ganzen Palast zu hören.

Der Patriarch Nerses stand auf seiner Terrasse und blickte in die Ferne in Richtung Ferrahabad. Seit der Elefant ertrunken war, schienen die Afghanen unentschlossen. Man sah sie zwar aufmarschieren, zunächst für sich selbst und jetzt direkt vor der Nase der Perser. Jeden Tag führten sie vor den Mauern unverständliche Bewegungen ihrer Kavallerie und der Elefanten aus, zweifellos, um die Belagerten zu beeindrucken und zur Kapitulation zu bewegen.

Aber daran dachte man in der engsten Umgebung König Hosseins nicht. Dieser vertraute mehr denn je auf die Sterne. Alle wußten, daß am folgenden Tag, bei Vollmond, eine großartige Danksagung stattfinden würde. Das Wort »Opfer« war offiziell bekanntgegeben worden. Einige besonders gut Informierte sprachen von der roten Jungfrau. Das Heidentum kehrte zurück. Nerses hatte keinen Grund gehabt, die Moslems zu preisen, aber er zog sie bei weitem den Magiern vor. Er seufzte.

Gregorius, von einem alten Sakristan angekündigt, betrat schweißüberströmt die Terrasse.

»Nun«, fragte der Patriarch, »hast du den Schlüssel übergeben?«

»Im letzten Moment, Hochwürden. Die Straße nach Kashan ist voll von Flüchtlingen. Ich kam an, als er gerade abreiste.«

»Wie sah er aus?«

»Ein Franke, wie ich ihn nie zuvor gesehen habe, und ich hatte große Mühe, seine Sprache zu verstehen. Er nennt sich Beugrat. Als ich ihn erreichte, war er im Begriff, die Karawanserei zu verlassen.«

»Zu Fuß?«

»Nein, stellen Sie sich vor, er hat eine Kutsche, wie es auf dieser Welt wohl keine zweite gibt. Man könnte vielleicht, warten Sie…«

Der Diakon starrte in die Ferne zu den Afghanen hinüber. Der Elefantentrupp war gut sichtbar.

»… eines dieser Tiere hineinsetzen!«

»Machst du Witze?«

»Nein, Hochwürden, es ist eine Kutsche, aber von unglaublicher Größe. Ich habe hineingesehen: Es gibt nur einen einzigen Platz, der aber ist riesig.«

»Egal«, meinte der Patriarch und beendete dieses Thema mit einer Handbewegung. »Was hat er gesagt?«

»Er hat den Schlüssel genommen, den mir der Gefangene
des Nasirs anvertraut hatte. Er hat nur gesagt, es sei höchste
Zeit, weil er nach Bagdad zurückkehren werde.«
»Wirklich nach Bagdad? Diese Leute haben wirklich über-
all ihre Verbindungen. Hat er vom Kardinal gesprochen?«
»Nein, und deshalb habe ich darum gebeten, diesen von Ih-
nen zu grüßen.«
»Und was hat er geantwortet?«
Das übliche Lächeln auf Gregorius' Lippen verschwand,
und er errötete. »Hochwürden werden glauben, ich scher-
ze...«
»Sag schon.«
»Vielleicht habe ich es falsch verstanden, obwohl ich ihn
gebeten habe, es zu wiederholen.«
»Nun?«
»Er hat mich gefragt, ob die Luft im Innern eines Dieners
rein sei.«
Der Patriarch richtete sich empört auf.
»Luft? In einem Diener? Igitt! Nein, diese Römer sind wirk-
lich keine Menschen. mit denen man sich verständigen kann.
Was hast du geantwortet?«
»Nichts. Dann hat er mir lachend geraten, die Fenster zu
öffnen. Mit diesen Worten hat er seinem Pferd die Peitsche
gegeben und seine Riesenkutsche ist davongeschwankt.«
»Mit dem Schlüssel?«
»Ja, Hochwürden.«
Aber der Patriarch hatte keine Muße mehr, sich diese Ant-
wort anzuhören, denn das Schauspiel vor der Stadtmauer hat-
te plötzlich eine seltsame Wendung genommen.

## Siebtes Kapitel

Gleich nach dem Erwachen eilte Jean-Baptiste mit Erlaubnis seiner neuen Herrin ins Elefantenlager. Auch wenn sie sich noch so große Mühe geben, wird es den Liebenden nie gelingen, so früh aufzustehen wie die Soldaten. Als Jean-Baptiste endlich bei seinen alten Kameraden eintraf, waren sie schon seit zwei Stunden fertig und aktiv. Juremi hatte das Durcheinander ausgenutzt, das in dieser unentschlossenen Armee herrschte, und das Belladonna-Gift angerichtet, das George jetzt langsam in einem großen irdenen Topf rührte. Um die Wirksamkeit zu überprüfen, hatte sich der Junge einen Tropfen auf jedes Lid gegeben: Er hatte stark geweitete Pupillen und sah alles verschwommen.

Jean-Baptiste befahl ihnen, diese Vorbereitungen zu unterbrechen und ihm sofort zu folgen. Bibitschew trieb sich wie immer in der Nähe herum. Poncet führte sie außer Hörweite des Russen. Womit sollte er anfangen? Er mußte ihnen soviel erzählen, was ihm Alix im Laufe der Nacht während der Ruhepausen offenbart hatte. Jean-Baptiste erzählte alles durcheinander. Von Françoise, ihrer Krankheit, von Alix' Flucht und den Gründen, deren erster und schrecklichster die Gefangenschaft von Saba war und die Drohung, die über ihr lag.

»Wann soll sie hingerichtet werden?« fragte George außer sich, und seine großen, durch die Tropfen verdunkelten Augen ließen ihn furchterregend aussehen.

»Morgen, bei Vollmond«, sagte Jean-Baptiste finster.

Sie schwiegen einen Moment. Nicht nur, daß ihre Pläne durchkreuzt wurden, nicht nur, daß sie den Elefanten kein bißchen Gift mehr geben durften, die gesamte Energie aller drei Männer, ihre Phantasie, ihre Intelligenz, ihre List – nicht zu reden von ihrer Kraft, die lächerlich war und in Ketten lag –, mußte nun in wenigen Stunden eingesetzt werden, um das durchzuführen, was sie hatten verhindern wollen: Die Stadt mußte so schnell wie möglich eingenommen werden.

Plötzlich erschien ihnen die Menge der Afghanen um sie

herum ungeordnet, wirr, ohne Kühnheit und Ziel. Aber was tun, bei allen Göttern! Juremi begann auf und ab zu laufen. Als er an dem Topf mit Belladonna vorbeikam, beförderte er den Inhalt mit einem wütenden Fußtritt in den Sand. George, der noch immer kniete, niedergeschmettert, der Blick ins Leere, wiederholte immer und immer wieder: »Saba! Morgen, bei Vollmond! Morgen!«

Jean-Baptiste verzweifelte an seiner Ratlosigkeit.

Erst jetzt bemerkten sie, daß die afghanischen Elefantenlenker seit geraumer Zeit nach ihnen riefen. Einer von ihnen kam sie holen und riß sie aus ihrer Dumpfheit. Wie jeden Tag würde ein absurdes Manöver beginnen, um den Belagerten die Muskeln zu zeigen, die man allerdings nicht einsetzen konnte. Die Elefanten spielten bei diesen Drohgebärden eine wichtige Rolle. Man führte sie vor die Mauern, geritten von ihren Lenkern und von ihren Dienern gefolgt, und wenn man ihnen leicht auf die Ohren schlug, trompeteten sie wie wild. Die Afghanen hofften, dieser Lärm würde die Moral ihrer Feinde untergraben. Glücklicherweise waren die Lenker zu weit von den Mauern entfernt, um das Lachen zu hören, in das die Perser jedesmal ausbrachen, wenn sie ihre Tiere am Ohr zogen.

An diesem Morgen begann das gleiche Theater. Es war der Zeitpunkt, als der armenische Patriarch mit Gregorius auf der Terrasse sprach. Alles begann wie immer. Nichts nahm jedoch den vorhergesehenen Verlauf.

Als die Elefantenlenker ihren Sklaven gerade befehlen wollten, die Dickhäuter zum Trompeten zu bringen, gerieten sie plötzlich unter Musketenfeuer. Da es keine persische Armee mehr gab, waren die Angreifer überzeugt gewesen, daß sie mit derartigen Entgegnungen nicht mehr zu rechnen hätten. Man mochte glauben, das Blatt habe sich gewendet und die Bevölkerung von Isfahan sich selbst bewaffnet. Womöglich handelte es sich auch um eine Inszenierung des Yahia Beg und seiner durchgedrehten Magier, die das Blut rechtfertigen wollten, das man am folgenden Tag opfern würde.

Was es auch war, auf jeden Fall fielen zwei Elefantenlenker tödlich getroffen zu Boden: die Reiter auf dem Tier des Bulgaren, welcher sofort davonrannte, und auf dem, für das George sorgte. Dem Jungen fiel der Afghane fast auf die Füße. Er brauchte einen Augenblick, um sich zu fassen. Jean-Baptiste schrie ihm zu, er solle in Deckung gehen. Dann sah er, wie der Engländer den Kopf in alle Richtungen wandte, aber das Belladonna tat noch immer seine Wirkung: Er konnte nur verschwommene Gestalten sehen. Das Folgende geschah rasend schnell. George, der sich bereits an den Sattelgurt seines Elefanten geklammert hatte, war mit zwei Bewegungen auf dessen Rücken. Garou kannte den Jungen und war gewöhnt, ihm zu gehorchen. Unter seiner Führung begann er zu rennen und entfaltete alle Kraft seiner Muskulatur. Er vollführte einen großen Bogen nach rechts und wandte sich schließlich geradewegs der Stadtmauer zu. Die Afghanen, von denen er sich immer mehr entfernte, waren fassungslos und wagten nicht, etwas gegen dieses Tier zu unternehmen. Die Belagerten und alle Bewohner, die dem Schauspiel von den Terrassen ihrer Häuser folgten, starrten stumm vor Erstaunen auf das mächtige Tier und seinen schmächtigen Reiter. Dieser ließ seine Locken wehen und brüllte englische Worte, die das Tier zu verstehen schien, denn es raste geradeaus weiter. George legte die Hand auf die Stirn des Elefanten, woraufhin dieser den Kopf senkte und den Rüssel zurücknahm. Sie galoppierten jetzt in vollem Tempo und es gab keine Zweifel mehr: Dieser von einem jungen Mann gelenkte Elefant griff die Festungsmauern einer ganzen Stadt an.

Eine große Stille hatte sich über die Wüste und die Stadt gelegt. Man hörte nichts als die dumpfen Vibrationen des Tieres auf dem Boden. Wie mächtig sein Lauf auch erscheinen mochte, Garou brauchte mehr als eine endlose Minute, um den weiten Weg zurückzulegen, der ihn von den Befestigungen trennte. Die Spannung aller Zuschauer auf beiden Seiten war grenzenlos. Schließlich erreichte der Dickhäuter die Steinböschung, auf der die Mauern erbaut waren. Man sah, wie er die Schultern noch weiter zurücknahm und seine mächtige, gewölbte Stirn tief senkte, man sah, wie sich eine lebende, bewegliche Mauer gegen eine andere warf und wie die leblose Mauer ganz und gar nicht mehr majestätisch wirkte, sondern gleichsam in jener Furcht erstarrt, die Gegenstände manchmal ausstrahlen, wenn man ihren Ruf von Schönheit, Ewigkeit oder Kraft ruiniert. Der Aufprall war schrecklich. Die Mauern erzitterten, und all jene, die den Angriff nicht gesehen hatten, glaubten an eine Explosion. Der Rauhputz, der die Mauer bedeckte, wirbelte um das Tier herum und fiel in einem Regen von Kieselsteinen zu Boden, der an Maschinengewehrfeuer erinnerte. Die Wachen hatten ebenso wie die Zuschauer auf den Zinnen instinktiv die Augen geschlossen.

Als sie sie wieder öffneten und sich vorbeugten, sahen sie Garou auf seinem Hintern sitzen, die kleinen Augen zum Himmel gewandt, um seine Sinne wieder zu sammeln. George, der halb auf der Seite des Tieres hing, hatte den Gurt nicht losgelassen. Auch er brauchte einen Moment, um zu sich zu kommen. Ehe jedoch die Belagerten Zeit hatten, irgend etwas auf ihn hinunterzuwerfen, saß der Junge wieder gerade auf dem Elefanten, ließ ihn aufstehen und kehrte so schnell in die Wüste zurück, wie er gekommen war.

Jean-Baptiste und Juremi wagten endlich wieder Atem zu holen. Auf der Mauer brach Geschrei aus, man sprach von einem Verrückten, einem wahnsinnigen Tier ... Die Afghanen aber schwiegen. Wie alle in der Ebene sahen sie den frischen, zehn Ellen breiten Riß, der die Mauer von oben bis unten durchzog. Jean-Baptiste kannte die Verteidigungsanlagen von Djolfa genau. Der Patriarch hatte sich oft bei ihm darüber beklagt. Sie konnten natürlich der Kugel einer Feldschlange widerstehen. Aber man hatte sie, gemessen an ihrer Dicke, viel zu hoch gebaut. Die Perser schoben den Fehler den armenischen Maurern in die Schuhe, die den Bruchstein gestohlen hatten, anstatt ihn für die Baustelle zu verwenden. Nach den starken Regenfällen der letzten Wochen war der Sockel dieser Mauern aus Ziegelsteinen, Lehm und Stroh von Wasser durchtränkt und so brüchig geworden, daß sich bei einem einzigen Schlag dieser große Riß gebildet hatte.

Wußte George das? Sein getrübter Blick hatte ihm den Mut zum ersten Ansturm gegeben; konnte er auch das Ergebnis ermessen? Er galoppierte immer noch auf die Afghanen zu. Juremi fluchte so wild, daß ihm die ewige Verdammnis sicher war. Plötzlich wich George von seinem Kurs ab, vollführte eine Kurve, dann eine ganze Wende. Der Protestant stieß einen lauten Freudenschrei aus und warf die Arme in die Luft: Er würde erneut rammen.

Diesmal dachten die Afghanen nicht mehr daran, den kühnen Elefantenlenker und sein Tier zurückzuhalten. Boten waren ins Lager geeilt, um Mahmud zu benachrichtigen, der jetzt in wildem Galopp aus Ferrahabad herankam. Alle afghanischen Reiter saßen im Sattel und erwarteten den Stoß.

Die Perser verschwanden im Eilschritt von den Zinnen. Diesmal eher von seinem Instinkt als von George gelenkt, traf Garou, ein methodischer Artillerist seines eigenen Leibes, genau die gleiche Stelle wie beim ersten Mal. Ein Stück Mauer brach auf beiden Seiten des Risses heraus, etwa so breit wie die Stirn des Elefanten. Ein wilder Triumphschrei stieg aus dem afghanischen Lager auf, und die Kavallerie setzte sich in Bewegung, um die Bresche zu erreichen. Garou, der diesmal seine Sinne schneller wiedergefunden hatte, war unter Georges Führung damit beschäftigt, das Loch zu erweitern, indem er mit den Stoßzähnen und dem Rüssel die Steine herausschlug. Als die Öffnung groß genug war, wich der Elefant zurück und gesellte sich seelenruhig zu den anderen. Mahmud und seine Reiter stürmten in wildem Galopp über das, was von der Mauer übriggeblieben war, und stürzten sich mit Gebrüll in die Stadt.

Kleine, runde, hellgrüne Algen verdeckten hier und da das blaue und goldene Email des Beckens. Es war ohne Rand gebaut, und die bebende Oberfläche des Wassers, auf einer Höhe mit dem Boden, bedeckte den Raum einiger Marmorquader, so daß man glauben mochte, der Stein sei flüssig, und Lust bekam, die Festigkeit der Wellen mit dem Fuß zu prüfen. Saba, das Kinn auf die Knie gestützt, saß stundenlang auf dem

Boden neben dieser Wasserfläche, eine Hand in das frische Naß getaucht. Zwei rote Fische, die in diesem Wasser lebten, waren inzwischen so gewöhnt an die weiße Haut, daß sie sich wie Katzen an ihr rieben.

Dieser Hof, irgendwo im Labyrinth des Königspalastes, war von einem fensterlosen Balkon mit einem Fayencesockel umgeben. Die Wände darüber waren in Augenhöhe mit Gipsarabesken geschmückt, die das Auge erfreuten. Eine riesige Tür aus geschnitztem Holz führte in andere Höfe. Saba hatte sie nie anders als geschlossen erlebt. Sie hatte zum Schlafen ein kleines Zimmer, dessen Decke aus einem niedrigen dunklen Gewölbe bestand. Nachts streckte sie sich auf Teppichen aus, legte den Kopf auf ein Samtkissen und lauschte nach jedem Geräusch. Sie hörte sogar den Ostwind in den Pappeln der angrenzenden Gärten, von denen sie hohe Mauern trennten. Zweimal am Tag dröhnte ein knarrender Riegel wie ein Kanonenschuß im Hof. Die Pantoffeln einer Dienerin schlurften über den Boden, und das Tablett, das sie vor dem Zimmer der Gefangenen abstellte, klirrte, wenn zwei Tassen und eine Karaffe gegeneinanderstießen.

Zwei Monate dieser furchtbaren Einsamkeit hatten die Sinne des jungen Mädchens verwirrt. Zunächst war sie ganz und gar von der Schande erfüllt. Die rote Jungfrau. So hatte man sie genannt. Die ganze Welt der Gefühle, der Ängste, der Hoffnungen, der Erinnerung, der Eigenschaften, die in ihr lebte, all das, was ein menschliches Wesen vor Schwäche und Willenskraft erzittern läßt, war in diesem obszönen Aushängeschild zusammengefaßt, das symbolisch an ihrer Tür hing: die rote Jungfrau. Sie wurde nach ihrer Farbe bezeichnet, wie ein Tier, wie ein Gegenstand. Die Bezeichnung als Jungfrau stellte das Intimste ihres Wesens vor der Menschheit zur Schau, als wäre nicht die Freiheit, eine solche zu bleiben oder nicht, etwas, das nur sie allein anging.

Mit der Zeit war dieses anfängliche Schamgefühl geschwunden, und sie begann allmählich stolz zu sein auf diesen Titel, mit dem man sie geschmückt hatte. Jungfrau, ja. Rein, unschuldig, unberührt, unverschämt, leidenschaftlich, das alles war sie. Also Jungfrau. Und rot. Welch andere Farbe hätte sie darbieten mögen, wie Wolle, die auf ihrer Haut gewachsen war, wie eine Zierde, wie eine glänzende Rüstung? Die rote Jungfrau. Nun gut. Sie hatten es so gewollt.

Das Unglück war nur, daß all ihre Tugenden für den Kampf geschaffen waren, während sie ihren Kopf wie ein Lamm dem Messer darbieten würde.

Die Frühlingssonne wärmte nacheinander alle Seiten des Hofes. Sie folgte ihr auf ihrem Weg und fühlte sich nur wohl, wenn diese sanfte Wärme sie bestrahlte. Hinter diesem Schleier wurden die Farben gedämpft und undeutlich, störten die Träume nicht mehr. Eine solche Einsamkeit rief ihr die Kindheit ins Gedächtnis, und diese Erinnerung verwunderte sie. Man konnte doch nicht besser behütet sein, als sie es während ihrer ersten Jahre gewesen war. In den großen orientalischen Häusern trifft man immer jemanden, der sich um die kleinen Kinder kümmert, sie liebkost, wiegt, ihnen endlose Geschichten erzählt. Auch Saba war mit jenen Märchen groß geworden, in denen die Diamanten in einsamen Tälern auf Bäumen wachsen, auf einem Boden, der mit Gold bedeckt ist, wo schöne Liebende von einem bösen Fluch gefangengehalten werden. Sie brauchte selbst sehr lange, um diesem süßen Gefängnis der Legenden zu entkommen und zu begreifen, daß sie dort von ihren eigenen Eltern eingesperrt worden war.

Sie war sechs, vielleicht sieben Jahre und bekam allmählich genug von der Gesellschaft der Dienerinnen und Ammen. Plötzlich wurde ihr bewußt, daß Alix, diese schöne Prinzessin, die sie so selten sah und die ohne Unterlaß eine Parade von Festen und Empfängen dirigierte, die aus Tausendundeiner Nacht zu stammen schienen, daß sie ihre Mutter war, der sie sich gern anvertraut hätte.

Dabei war die Zuneigung, die Alix für ihre Tochter empfand, tief und aufrichtig: Sie hatte sich einfach nicht darum gesorgt, sie ihr zu zeigen. Sie sah ihr kleines Mädchen umgeben von Dienern, wie sie in einem Garten voller Blumen und Vögel hinter den Schmetterlingen herlief. Es kam ihr einfach nicht in den Sinn, daß sie noch etwas anderes brauchen könnte. Sie hätte sich sehr gewundert, hätte man ihr gesagt, daß ihre Tochter, die sie jeden Tag umarmte, sich ebenso verlassen fühlte, wie sie selbst es einst gewesen war, als ihre Eltern sie in eine Pension in Frankreich geschickt hatten.

Aus jener Zeit stammte Sabas scheue Einsamkeit. Sie stand an der Grenze zwischen Traum und Leben, und ihr einziger Trost bestand darin, zu sehen, zu verstehen und zu urteilen. Mit ihrem roten Haar und den wie Karfunkelsteine glänzenden Augen begann sie sich selbst für eine Art Dschinn zu halten, einen Geist, der aus den Wäldern des Traums gekommen war, um ohne Freundlichkeit das Leben und die Sitten der Menschen zu betrachten. Ihre Eltern wurden ihr bevorzugtes Beobachtungsobjekt. Sie erfuhr alle Einzelheiten über ihre Vergangenheit, über ihre Leidenschaft, andere zu pflegen, ohne nach dem Vermögen des Kranken zu fragen. Aber all diese Gründe, die sie hatte, die Eltern zu lieben und zu bewundern, machten ihr die Unmöglichkeit nur noch bitterer, es ihnen zu zeigen.

Saba, deren Liebesfähigkeit enge Zügel angelegt waren, entdeckte dafür eine um so größere Freiheit in sich, andere zu verabscheuen. Sie haßte all die großen Persönlichkeiten, die zu ihnen kamen und die sie in ihren reichen Gewändern sah. Sie verabscheute die Feste, die Ausgaben, dieses Leben der Vergnügungen, der Lüge und der Künstlichkeit, das ihr das einfache Glück raubte, Eltern zu haben.

Jetzt, auf der glatten Leinwand ihres Kerkers traten ihr jene Momente wieder vor die Augen. Der Gedanke, bald zu sterben, ließ sie all das nicht mehr mit der Elle der Ewigkeit messen, die junge Menschen vor sich zu haben meinen, sondern als menschliche, flüchtige Gesten, ungeschickt, aber der Anteilnahme würdig. Sie hatte geglaubt, ihre Eltern seien damit beschäftigt, oberflächlichen Vergnügungen nachzujagen, während sie nur versuchten, das Glück zu leben. Dieser ganz einfache Gedanke ließ Saba lächeln und gleich darauf in Tränen ausbrechen. Alix und Jean-Baptiste hatten einst unerträgliche Qualen durchlitten, die ihre Liebe unmöglich machten. Sie hatten die Wahl getroffen, allem zu entfliehen und frei zu sein. Die unaufhörliche Folge von Festen hatte nur ein Ziel: diese zerreißende Wahl zu rechtfertigen, einander zu zeigen, daß sie bei diesem Leben, das ihnen so viel Freude brachte, nichts zu bedauern hatten. Im Grunde, so dachte Saba jetzt, hatten sie Angst. Wäre ihre Entscheidung durch Unglück oder einfach nur Langeweile in Frage gestellt worden, hätten sie nichts und niemanden beschuldigen können, sie dazu gezwungen zu haben. Deshalb mußte alles schön, einfach, lustig, luxuriös, lebendig sein. Ihre Tochter war in diesem Bild nur eine weitere Zierde des Glücks; sie sollte es nicht beeinträchtigen. Allmählich hatten sie sich beruhigt, aber die Empörung ihrer Tochter hatte deshalb nicht abgenommen. Sie hatte bis zu dieser Gefangenschaft und der Erwartung des nahen Todes warten müssen, um endlich ihre Vorwürfe vergessen und sie lieben zu können, einfach lieben, überzeugt von ihren Gefühlen und voller Verlangen sie zu sehen und zu umarmen.

Und George? Wo war er? Was tat er? Sie sah ihn wieder in jener Zeit vor sich, als er zu ihnen gekommen war. Als wäre es gestern gewesen, spürte sie die unendliche Freude, diesen Kameraden in ihr Dasein treten zu sehen. Das Leben hatte ihr in Gestalt von George ein unvorstellbares Geschenk gemacht: jemanden, den sie einfach lieben konnte, einen Bruder, auch noch einen älteren Bruder, bei dem sie ohne Zurückhaltung den Staudamm ihrer angestauten Zärtlichkeit öffnen konnte, das überflutende Becken ihrer ungenutzten Liebe. Ob George während der Reise Jean-Baptiste ihre reinen, fröhlichen Spiele im Garten von Isfahan gestanden hatte, die Näpfe frischer Milch, die sie abends tranken, wenn sie von den langen Spaziergängen durch den Chahar Bagh zurückkehrten, die Ausflüge zum Ufer des Flusses und den Inseln, die im Sommer zutage traten, wenn er wenig Wasser führte, oder die Angelpartien, die Nachmittage der Zweisamkeit, die ersten Zärtlichkeiten? Hatte er das Geheimnis offenbart, von dem sie einander an einem Aprilabend geschworen hatten, es erst zu enthüllen, wenn der Tag gekommen wäre, da sie alt genug sein würden? Ein Geheimnis! Sie lächelte. Das Geheimnis, sich immer zu lieben, niemals weniger, niemals einen anderen. Ein Kindergeheimnis. Das einzige, das sie jemals mit jemandem geteilt hatte. Und dieser lächerliche, winzige, unbekannte, unvollendete Teil ihres Lebens war in dieser Stunde, da sie sterben würde, der, welcher ihr das größte Glück schenkte.

Eines Morgens hörte Saba, die wie immer im Hof ihres Kerkers saß, weit entfernt, vom Wind herangetragen, den Lärm von Kanonendonner, kurze, trockene Erschütterungen. Sie wußte nicht, daß dies Reza war. Ebensowenig erfuhr sie von seinem Tod und der Zerstörung der persischen Armee an jenem Nachmittag. Es wurde wieder ruhig. Die Tage verstrichen. Noch ehe man sie selbst für diese Verwendung auswählte, hatte sie gehört, daß die rote Jungfrau beim dritten Vollmond geopfert werden sollte. Jede Nacht suchte sie im Hof, wo der Porphyrstein noch von den Sonnenstrahlen leuchtete, die er in seinen Kristallen gefangen hatte, nach dem Himmelskörper.

Nun war es soweit. Ihr Ende war für den nächsten Tag bestimmt. Ihre Einsamkeit hatte sie bereits der Menschen beraubt, nun mußte sie nur noch diese Umgebung verlassen. Das Schauspiel würde nach dem ersten Akt enden.

Am späten Vormittag dieses Tages der inneren Sammlung war sie fast verärgert darüber, von Geräuschen gestört zu werden, die aus der Ferne, von Süden her kamen. Gewiß wieder irgendein Aufstand bei den Armeniern, ein Streit unter Händlern oder irgend etwas anderes ohne Bedeutung! Dann herrschte wieder Stille, bis zwei gewaltige dumpfe Schläge, die nicht von Kanonen stammten, den Boden erbeben ließen.

»Oh!« jammerte sie, »Man soll aufhören, die rote Jungfrau zu belästigen, denn sie bereitet sich auf ihren Tod vor.«

Aber der Lärm hörte nicht auf. Im Gegenteil, bald schien er vielfältiger zu werden, immer noch von Süden, fern, aber schon näher. Saba lauschte auf jedes Geräusch. Ihr Gehör war durch die Einsamkeit in höchster Bereitschaft, noch den leisesten Atemzug wahrzunehmen, so daß sie fast einen Schrei ausstieß, als der Riegel heftig zurückgeschoben wurde. Es war keine Essenszeit. Sie richtete sich auf und verbarg sich mit einem leichten Sprung im violetten Schatten der Galerie hinter einem Pfeiler.

Eine Frau kam herein und rannte in das kleine Zimmer. Saba hatte kaum ihre Gestalt gesehen, aber es war jedenfalls nicht die Dienerin. Da sie in der Kammer niemanden fand, kam sie in den Hof zurück und trat ins helle Licht. Sie hielt einen blutigen Dolch in der Hand. Saba stieß einen Schrei aus: Es war Nour al-Houda.

»Kommen Sie hervor, Saba«, rief die Tscherkessin leise, die, geblendet von der Sonne, die Gefangene nicht sehen konnte. Das junge Mädchen zögerte einen Augenblick. So hatte sie sich ihren Tod nicht vorgestellt. Sie hatte sich auf einen Scheiterhaufen vorbereitet, auf Beschwörungen, ein Ritual. Dies hier würde letztlich eine bloße Rache sein. Nur Stille, Sonne und eine Klinge.

»Haben Sie keine Angst!« sagte Nour al-Houda, ohne die Stimme zu heben. »Und kommen Sie schnell, ich flehe Sie an.«

Saba machte zwei Schritte ins Sonnenlicht. Die rote Jungfrau. Niemand sollte später behaupten, sie hätte sich versteckt.

Ihr Gesicht war so ernst und so stolz, daß diesmal Nour al-Houda mit Mühe einen Ausruf unterdrückte. Aber sie faßte sich schnell, trat zu dem Mädchen, nahm sanft ihre Hand und zog sie hinter sich her.

»Sagen Sie mir vielleicht...« meinte Saba, die zögerte, ihr zu folgen.

»Später. Jetzt müssen wir uns erst einmal retten.«

Saba spürte die Aufrichtigkeit dieser Worte und die kaum gebändigte Angst, die sie verrieten. Sie folgte Nour al-Houda, ohne weiter nachzufragen.

Als sie den Hof verließen, entfaltete die Tscherkessin einen großen blauen Schleier, den sie in der Hand gehalten hatte, und bedeckte damit Sabas Gesicht und Oberkörper, dann öffnete sie die Tür, die nach draußen führte. Eine Leiche lag auf der Schwelle in einer Pfütze von Blut. Saba erkannte einen der Gefolgsmänner des Yahia Beg, die sie gefangengenommen hatten und sich bei der Bewachung ablösten. Nour al-Houdas

Messer! Das war es also! Sie wechselten einen kurzen Blick, und die Tänzerin ordnete ohne jede Verlegenheit die Falten ihres Schleiers, um darunter den blutigen Dolch zu verbergen, den sie immer noch in der rechten Hand hielt. »Verlieren wir keine Zeit«, sagte sie leise.

Sie standen in einem Hof, der mit Zwergorangenbäumen mit glatten, geraden Stämmen bepflanzt war, hinter denen man sich unmöglich verbergen konnte. Glücklicherweise war der Hof leer. Sie durchquerten ihn mit raschen Schritten, aber ohne sichtbare Hast. Durch ein halboffenes Tor erreichten sie den großen Haremsgarten, der zu dieser Jahreszeit üppig bewachsen war. Sie folgten einer Allee von Feigenbäumen im Schatten der großen, lichtundurchlässigen Blätter. Trotz der Erregung der Flucht hörte Saba noch immer auf der anderen Seite der Mauern, jenseits der Höfe und unsichtbaren Gärten, dumpfen Lärm von Stimmen und ein Grollen.

Eine Gruppe von Eunuchen, auf die sie zufällig stießen, als sie den Garten gerade verlassen wollten, war in eine lebhafte Diskussion vertieft. Sie schenkten den Flüchtlingen keinerlei Aufmerksamkeit. Sie gingen durch einen dunklen Laubengang, der durch ein Rippengewölbe abgeschlossen war, wo sich die Räume der Soldaten und des obersten Haremswächters befanden. Niemand war zu sehen. Am Ende dieses Schlauches gelangten sie in die Wirtschaftsgebäude des Palastes, wo gewöhnlich unzählige Lieferanten, Diener und Besucher beschäftigt waren. Sie trafen fast keinen Menschen, bis auf verängstigte Wachen, die ziellos umherrannten. Endlich waren sie am großen Tor des Palastes, das in den Chahar Bagh führte. Nour al-Houda preßte die Hand des jungen Mädchens etwas stärker, und diese verstand, daß ein letztes Hindernis aufgetaucht war.

Das Gittertor war verschlossen. Wachen standen in einer Reihe davor. Auf der anderen Seite drängte sich eine Menschenmenge, die man kaum sah, von der man aber jetzt Schreie und Drohungen vernahm. Karren und Kutschen voll von wütenden Menschen quietschten über die Steinplatten der Straße. Zweifellos hatte Nour al-Houda bei der Ankunft das

Tor offen vorgefunden, denn sie war sehr erstaunt. Sie ging zu einem Soldaten und verlangte, hinausgelassen zu werden. Er schüttelte den Kopf und wies auf die Menge. Sie fragte einen anderen und erhielt die gleiche Antwort. Betteln half nichts. Der Palast war abgeriegelt, niemand durfte ihn verlassen. So lautete der Befehl. Nour al-Houda suchte mit Blicken nach einem Offizier. Es gab nur noch wenige seit dem Massaker an der Armee. Einfache Soldaten, die nicht einmal besondere Uniformen trugen, hatten sie mehr schlecht als recht ersetzt. Sie erblickte einen kleinwüchsigen Soldaten mit einem riesigen schwarzen Schnurrbart, der mit erhobenem Kinn Befehle brüllte. Die anderen schienen ihm zu gehorchen. Sie ging zu ihm, Saba immer noch an der Hand.

Der Mann war ganz von seiner lächerlichen Bedeutsamkeit erfüllt. Herablassend hörte er der Frau zu: Sie erklärte, ihre Freundin sei sehr krank. Er sah sie aus dem Augenwinkel an, hatte wohl den Eindruck, sie liege noch nicht im Sterben, und schüttelte den Kopf. Die Menge wogte immer noch brüllend vor dem Gitter. Nour al-Houda wurde lauter, dann flehte sie. Es handele sich um ein Frauenproblem, sagte sie, ein Ereignis, das sich unter dem Schleier ihrer Freundin abspiele und eine Frage von Leben und Tod sei. Darauf ließ sie unauffällig den Dolch von der rechten Hand in die linke gleiten, trat an Saba heran, tat, als würde sie die Hand unter das Gewand des Mädchens schieben und schwenkte sie dann blutig vor dem Schnurrbart des Korporals.

Blut ist nicht gleich Blut. Das der Männer fasziniert andere Männer, bildet die Anziehungskraft des Kampfes und glänzt stolz auf dem Arm des Siegers. Das Blut der Frauen, dem Körper in geheimnisvollen Kämpfen entronnen, an denen zweifellos die Götter ihren Anteil haben, weckt bei den Männern, und vor allem in diesem moslemischen Persien, einen unsagbaren Widerwillen, weniger aus Ekel denn aus heiliger Angst. Dieses Blut, das gewöhnlich verborgen bleibt, hat, wenn es ans Tageslicht geholt wird, die gleiche Wirkung wie die Katastrophen, die durch eine Sonnenfinsternis oder die durch den Mond gelenkten Gezeiten hervorgerufen werden, welche im übrigen mit den weiblichen Zyklen eng verwandt zu sein scheinen.

Der kleine Offizier wich beim Anblick dieser glänzenden Flüssigkeit zwei Schritte zurück. Er überwand sein Entsetzen, stammelte einen Befehl, und die beiden Frauen traten würdig, aber in aller Eile durch das einen Spalt geöffnete Gitter und mischten sich unter die Menge.

## Achtes Kapitel

Jean-Baptiste, und Alix, Juremi und George saßen auf der Mauer des eroberten Djolfa und blickten finster in den reinen Himmel.

Im armenischen Stadtviertel hörte man die Geräusche einer Schlemmerei, Lachen und Rufe. Tatsächlich ein sehr viel geringerer Lärm, als ein vollkommener Sieg erzeugt hätte. Und den gab es auch nicht. Dieser Sieg war keineswegs vollkommen. Der Fall von Djolfa hatte nicht, wie es die Afghanen gedacht hatten, den Fall von Isfahan mit sich gebracht. Diese Stadt ohne Armee, von der nun ein Vorort erobert war, hätte sich ganz und gar den Angreifern ergeben müssen. Als man aber vom Durchbruch der Befestigung des armenischen Viertels hörte, war etwas Außerordentliches geschehen. Die gesamte Bevölkerung in den Stadtvierteln auf der anderen Seite des Flusses hatte sich mit Messern, großen Hämmern, Glasscherben und Hacken bewaffnet und war in den Chahar Bagh gestürmt. Eine riesige Menge versammelte sich am Ende der Brücke der dreiunddreißig Bögen, die Djolfa mit der eigentlichen Stadt verband. Als die Afghanen zu der Brücke kamen, fanden sie sie brennend, versperrt durch Balken und das Gemäuer zerstörter Geschäfte. Tausende Wurfgeschosse aus den Händen von Frauen, Kindern und einfachen Zivilisten hatten die stolzen Afghanen, die sich bereits für Sieger hielten, aus den Sätteln geworfen, und Hun-

derte wurden tot von den Fluten des Zayandehrod fortge-
tragen. Drei von Mahmud selbst geführte Angriffsstürme
hatten diesen Widerstand nicht brechen können. Die Brücke
bot keine Möglichkeit für irgendwelche Manöver: Es war ein
tödliches Defilee für die Reiter, und auf der anderen Seite
wuchs die Menge immer weiter an. Am Abend gab der König von Kandahar schließlich Befehl, in Djolfa das Nachtla-
ger zu errichten. Er hatte alle Plünderungen verboten, dennoch fanden sie hier und da statt, aber nicht in größerem
Umfang. Er selbst bezog den Palast des Patriarchen, den er
hinauswerfen ließ.

Alix und Jean-Baptiste hatten an einem einzigen Tag erst
größte Erregung und dann tiefste Verzweiflung erleben müssen. Georges Kühnheit, mit der er eine Bresche in die Stadtmauer schlug, hatte die Hoffnung geweckt, Saba sei gerettet.
Und jetzt zog der dritte Vollmond herauf.

Sie verbrachten diese unendliche Nacht auf einem Terras-
sendach, ganz oben in jenem Vorort, und starrten in den un-
zugänglichen Rest der Stadt. Sie spähten nach dem kleinsten
Licht, dem leisesten Geräusch, als bedürften sie eines konkreten Signals, um ihrem Kummer freien Lauf zu lassen, eines Schreis, Feuers, einer Bewegung, die von Sabas Tod kün-
den könnte, ihm das Gefühl von Wirklichkeit geben. Sie
sprachen die ganze Nacht von ihr, und indem sie die Leere
mit ihrer Anwesenheit füllten, meinten sie ihr Leben zu schützen, mit ihren gebeugten, murmelnden Körpern einen
Schutzwall um sie zu errichten. Der dritte Vollmond erschien, folgte seiner Bahn über den Himmel und verschwand
in einem klaren Morgengrauen, in dem man die Sterne leuchten sah.

Nichts war geschehen. Die Nacht über der Stadt war vollkommen ruhig gewesen. George hatte sich kurz vor dem Morgengrauen entschlossen, sein lastendes Geheimnis zu offenbaren. Diese lange kindliche Scham, durch ein Drama
beendet, war wohl der Anteilnahme würdig. Sein Geständnis
war nötig, um ihnen allen Tränen in die Augen treten zu lassen.

Als aber der Tag wahrhaft angebrochen war, als die Stadt und ihr von Feinden besetzter Vorort wieder von der Bewegung der Truppen und der Menschenmenge erfüllt wurde, erschien ihnen allen der bloße Gedanke, Saba könnte tot sein, unmöglich, ja absurd. Die außergewöhnlichen Ereignisse, welche die Stadt am Vortag bewegt hatten, mußten auch den König und seine Magier von ihren kriminellen Plänen abgebracht haben. Ein seltsames Vertrauen erwachte in ihnen, dem Juremi eine kraftvolle Taufe gab, als er rief: »Sie lebt, verdammt noch mal! Anders kann es gar nicht sein!« Gleichzeitig hob er die Faust drohend gen Himmel, zu dem, der dort oben im ewigen Himmel wachte und den er allzeit an seine Pflichten erinnerte.

Niedergeschlagenheit half nichts, der Schmerz kam zu früh, war vielleicht unnötig und durch die Ungewißheit der Ereignisse nahezu unmöglich. Man mußte handeln, überall zugleich sein, in dem eroberten Vorort alle befragen, die etwas wissen konnten. Trotz ihrer Bemühungen brachte ihnen dieser zweite Tag nichts Neues. Die einzige Gewißheit war, daß sich das einfache Volk von Isfahan organisierte, fest entschlossen, die Brücke zu halten. Die Initiative dazu schien nicht vom König oder von den Überresten der Staatsmacht zu kommen. Freiwillige hatten sich spontan zu Offizieren ernannt und eine buntgescheckte Miliz angeworben, die sich mit unerwarteter Energie gegen die Angreifer empörte. Dieser Plebs wurde, wie es schien, von einem gewissen Ahmad angeführt. Er schrie den afghanischen Vorposten drohende Deklarationen zu, die Freiheit und die Aufhebung der Belagerung forderten, und verkündete, daß die Bevölkerung bis zum letzten Mann kämpfen würde.

Diese spontane Rebellion des Volkes wurde von Jean-Baptiste als gutes Vorzeichen interpretiert: Der König war überfordert, seine Autorität verloren und die Pläne seiner Magier gewiß gescheitert. Dennoch hörten sie nichts, das sich direkt auf Saba bezog. Unter den tausend Gerüchten, die in den Straßen kursierten, bezog sich keines auf die rote Jungfrau.

Juremi erklärte, das sei ein gutes Zeichen. Trotz des Kummers und der Angst, die seine Freunde erfaßte, wollte keiner als erster seine Verzweiflung offenbaren. Die zweite Nacht war voller Liebenswürdigkeiten und gezwungener Fröhlichkeit. Die Müdigkeit und die Mühe, diese Komödie lange durchzuhalten, ließen sie in einen Schlaf fallen, in dem jeder sich selbst seine Befürchtungen und Hoffnungslosigkeit offenbaren konnte.

Juremi und George kehrten zu ihren Elefantenlenkern zurück, um sich um die Tiere zu kümmern, die jetzt nutzlos geworden waren und den ganzen Tag Weißdorntriebe auf der Stadtmauer von Djolfa fraßen, nahe der Bresche, die Garou geschlagen hatte. Mahmud rief Alix mit allen Offizieren und den ausländischen Vertretern, die an seinem Hof dienten, zu sich, um ihnen die Fortsetzung der Kampfhandlungen darzulegen.

Er bemühte sich, die Angelegenheit in dem günstigsten Licht darzustellen. Vor allem beglückwünschte er sich selbst zum Mut seiner Truppen und verkündete, er werde die fränkischen Sklaven zum Dank für ihre Wachsamkeit freilassen, selbstverständlich mit Ausnahme des Mannes, den er Alix geschenkt hatte und den sie unbedingt behalten sollte. Dann erwähnte der Monarch wie eine Nebensächlichkeit den Widerstand der Bevölkerung auf der Brücke des Chahar Bagh. Viel stärker betonte er die Existenz einer zweiten Brücke, vielmehr eines Aquädukts, das Djolfa zwar nicht mit Isfahan, dafür jedoch mit dem Umland verband und zur Bewässerung der Gärten diente. Schon jetzt hatten zahlreiche afghanische Reiter es passiert und damit das Fehlen einer Furt und das Scheitern der Elefanten als Fähre aufgewogen. Mehrere tausend Männer waren also im Rücken der Stadt, mit dem Auftrag, Zerstörung zu bringen, die Gärten und Wiesen zu vernichten, die Dörfer zu verbrennen und jeden Konvoi aufzuhalten, der zur Versorgung der Stadt bestimmt war.

Die Menge mochte ruhig auf ihrer armseligen Brücke herumkreisen; binnen kurzem würden sie nur noch vor Hunger schreien. Man würde sehen, wie lange Hossein diese Fastenkur aushielt.

Alix überbrachte Jean-Baptiste die schlechten Nachrichten. Am frühen Nachmittag wurden die Befehle des Königs ausgeführt: George, Juremi und Bibitschew waren ihrer Ketten ledig, von denen man nur noch die Schwielen an ihren Knöcheln sah. Der Bulgare hatte ihnen alles Gute gewünscht und war verschwunden. Jean-Baptiste, dessen Schicksal zunächst viel günstiger erschienen war, blieb nun der letzte Gefangene der Gruppe. Aber diese Unannehmlichkeiten waren nichts im Vergleich zu dem, was den Unglücklichen bevorstand, die in der Stadt eingeschlossen waren: Françoise, vielleicht dem Vater von Alix. Und Saba, die der Opferung nur entgangen sein würde, wie sie sich alle noch immer zu glauben zwangen, um die Qualen von Hunger und Seuchen zu erleiden.

Die Freigelassenen richteten sich in einem Klempnerladen ein, der aufgebrochen und geplündert war. Sie machten es sich dort gemütlich, inmitten von Messinggießkannen und allen denkbaren Arten und Größen von Eimern, Kellen und Kehrschaufeln, für die sich die Plünderer nicht interessiert hatten.

Alix und ihr persönlicher Diener waren in einem Flügel des Palastes untergebracht, den Mahmud in Djolfa provisorisch hatte herrichten lassen. Sie kamen jeden Morgen in den Klempnerladen, um einen trüben Kriegsrat zu halten. Nach den Wirren und Ängsten der letzten Tage brachte die geänderte Taktik der Belagerung nichts Neues und keine Überraschungen. Die Afghanen zogen den Knoten um die Stadt geduldig immer enger. Die Bevölkerung wartete. Die Reserven gingen allmählich zu Ende.

Die Untätigkeit machte Jean-Baptiste und seine Gefährten bitter und finster. Um diese schmerzhafte Starre zu durchbrechen, schlug Alix vor, den Patriarchen Nerses aufzusuchen, um Nachricht von ihrem Vater zu erhalten. Sie machten sich am späten Nachmittag auf den Weg durch die Gassen des Viertels und erreichten die kleine Pforte, hinter der sich der Patriarch verbarg, wenn die Dinge eine schlechte Wendung nahmen. Er preßte sich selbst an seinen Türspion, als er es klopfen hörte.

»Poncet?« rief er kichernd. »Wer soll diese Lüge schlucken? Mach dich davon, du Dieb. Glaubst du, ich habe den Tod des Apothekers vergessen?«

Jean-Baptiste ließ nicht locker und gab so überzeugende Beweise für seine Identität, daß der Alte schließlich öffnete.

»Sie sind es wahrhaftig!« rief er mit aufgerissenen Augen. Dann sah er Jean-Baptiste von oben bis unten an und fügte, als er die dicke Kette um seine Beine sah, hinzu:

»Welch ein Elend! Mein armer Freund!«

»Sicher erkennen Sie auch meine Frau«, sagte Jean-Baptiste etwas verlegen und wies auf Alix neben sich, die noch immer die afghanische Uniform und eine breite Schärpe um die Hüften trug.

»Großer Gott!« stöhnte der Patriarch. »Was für eine Zeit! Nun, jeder nach seinem Geschmack. Kommen Sie herein.«

Sie folgten ihm in Begleitung von George und Juremi. Bibitschew war zurückgeblieben, um ihren Laden zu bewachen. Kaum hatten sie Platz genommen, gab Jean-Baptiste Nerses eine kurze Zusammenfassung ihrer Erlebnisse, um seinen Aufzug und den seiner Frau zu erklären und George und Juremi vorzustellen. Dann fragte er ihn, ob er irgend etwas über die rote Jungfrau wisse, die man in der Stadt dem wahnsinnigen Aberglauben der Magier ausgeliefert habe. Der Patriarch wußte sehr wohl über diese Angelegenheit Bescheid, denn er hatte mit Schmerzen die lächerliche Konversion des Königs zu den zoroastrischen Delirien des Yahia Beg verfolgt. Von der Hinrichtung dieser Unglücklichen wußte er jedoch nichts. Die Besucher sahen einander stumm an und bemühten sich, in diese Blicke den Rest Hoffnung zu legen, der ihnen blieb.

Dann ergriff Alix das Wort und dankte dem Patriarchen für seine Hilfe bei ihrer Flucht. Ohne den Namen ihres Vaters zu erwähnen, fragte sie Nerses, ob es ihm gelungen sei, dem Gesandten des Kardinal Alberoni zur Flucht aus der Stadt zu verhelfen.

»Es tut mir sehr leid. Wir haben es ihm vorgeschlagen. Er wollte nichts davon wissen. Er wird immer noch vom Nasir gefangengehalten und nährt in sich die absurde und darüber hinaus unnütze Hoffnung, den König zu treffen.«

»Welchen?«

»Hossein, der es nicht mehr lange machen wird. Alles, was wir tun konnten, war, in seinem Auftrag einen Schlüssel einem Mann zu bringen, der ihn in Kashan erwartete.«

Weder Alix noch Jean-Baptiste wußten, als sie die Beschreibung dieses Mannes hörten, um wen es sich handeln könnte.

»So ist mein armer Vater also zu dieser Stunde noch in der Stadt«, stöhnte Alix.

»Ihr Vater!« rief Nerses. »Dieser Mann ist Ihr Vater?«

»Ich meine, der Vater meiner Freundin«, berichtigte sich Alix, die lieber keine anderen Erklärungen geben wollte.

»Ja«, sagte Nerses. »Nach den letzten Nachrichten war der Unglückliche gestern nachmittag bei guter Gesundheit noch immer im Haus des Nasirs.«

»Gestern nachmittag? Also bekommen Sie trotz der Belagerung Nachricht aus der Stadt?« wunderte sich Jean-Baptiste.

»Unser Unglück ist unendlich groß«, erklärte der Patriarch bescheiden und lächelte. »Dennoch müssen wir nicht ganz auf Trost verzichten: Diese Moslems hassen einander von ganzem Herzen, die Afghanen sind überzeugte Sunniten, und die hiesigen glauben an Ali und die Imams. Deshalb sind die Christen für beide Seiten das geringere Übel. Einander schenken sie keine Gnade, aber uns Armeniern gönnen sie einen Gottesfrieden.«

»Worin besteht er?«

»Nun, wir dürfen jeden Tag einen Boten zu Fuß über die Brücke des Chahar Bagh schicken. Ahmad, der frühere Eunuch – sofern man jemals aufhören kann, das zu sein –, läßt den Boten hinein und heraus, Mahmud ebenso. Die Bedingung ist, daß er durchsucht wird und nichts bei sich trägt. Er bricht am Morgen auf und kehrt am Abend zurück.«

»Aber wozu ist das gut?« erkundigte sich Alix.

»Feinde brauchen immer einen Kanal, um Botschaften auszutauschen. Sie bewahren diese Verbindung. Mir hingegen hilft dieser Gesandte, unsere Brüder nicht im Stich zu lassen.«
Angesichts dieser Neuigkeit versanken alle Anwesenden in ein nachdenkliches Schweigen. Wenn Nerses über Informationen verfügte, die direkt von der anderen Seite kamen, gewann das, was er über Saba gesagt hatte, an Gewicht. Durch die Vermittlung des Patriarchen würde es möglich sein, die Nachforschungen intensiv fortzusetzen. Jean-Baptiste begann darüber nachzudenken, wie man diese neuen Möglichkeiten nutzen konnte. Als das Schweigen andauerte, schien Nerses einen Augenblick versucht zu sein, Tee zu bestellen. Dann zählte er jedoch die anwesenden Personen und zog es vor, ihren Aufbruch abzuwarten, um seinen Durst zu löschen.

»Hochwürden, gibt es niemanden, den Sie gern aus der Stadt herausbringen würden?« fragte plötzlich Juremi, der etwas im Hintergrund saß.

»O doch, leider!« antwortete der Patriarch. »Sie müssen wissen, daß mein eigener Sohn am Tag der tragischen Ereignisse im Stadtzentrum war und nun unter den Belagerten festgehalten wird.«

»Können Sie ihn nicht durch diesen berühmten Gottesfrieden herausholen?« fragte Alix.

»Sie können sich vorstellen, daß dies auch meine Absicht war. Aber nein! Der Bote, den ich jeden Tag losschicke, muß von dieser Seite kommen. Dadurch sind sie sicher, daß er zurückkommen wird und daß wir auf diesem Weg niemandem zur Flucht verhelfen können. Wenn ich meinen Sohn wiedersehen will, muß ich einen unserer Brüder, die auf dieser Seite sind – zwar unterdrückt, aber gut ernährt und frei in ihrem Handeln –, dem Tod ausliefern. Sie können sich vorstellen, daß niemand Lust verspürt, diese Bedingungen gegen die Gewißheit einzutauschen, vor Hunger zu sterben.«

»Und wenn jemand Lust dazu hätte?«

»Oh! Das wird nicht geschehen. Aber wenn dem so wäre, würde ich ihn natürlich gleich morgen früh losschicken.«

»Nun, Hochwürden«, sagte der Protestant und sah Nerses direkt in die Augen, »schicken Sie mich, und Ihr Sohn wird morgen abend bei Ihnen sein.«

»Du, Juremi!« riefen seine Freunde im Chor.

Der Riese drehte sich schwerfällig um und sah sie ernst an: »Verdammt noch mal! Ja, ich, ich, das alte Gerippe, das sich weder vor dem Leben noch vor dem Tod fürchtet, ich, den ihr am Ende der Welt suchen gekommen seid. Glaubt ihr, daß ich Françoise zwei Schritte entfernt leiden lasse, ohne meinen Platz an ihrer Seite einzunehmen?«

»Aber, Juremi«, murmelte Jean-Baptiste, »das ist dein Tod, den du ...«

»Wir sind alle einmal dran, und wenn ich vorgehe, verlaßt euch drauf, warte ich dort auf euch. Lebt wohl, meine Freunde. Ihr Wort, Hochwürden?«

»Aber ... bei der Liebe zu meinem teuren Sohn ... Oh! Diese Wahl ist grausam, aber ich kann nicht anders. Und da Sie selbst es mir vorschlagen. Also gut, einverstanden! Ich werde Sie morgen früh persönlich zur Brücke begleiten.«

Sie gingen schweigend zurück. Der Protestant lief mit großen Schritten vor den anderen her, um ihren Fragen zu entgehen.

Bibitschew empfing sie mit einem blassen Lächeln. Er war sehr stolz, weil er zwei Kochgeschirre und einen Kocher verkauft hatte. Der Eisenwarenhändler war zu Unrecht geflohen: Die Geschäfte kamen wieder in Gang. Niemand schenkte ihm Aufmerksamkeit. Verärgert setzte er sich hinter den Ladentisch, griff nach dem Heft, das er in einem Schubfach entdeckt hatte, und fuhr fort, in seiner schönen kyrillischen Schrift, die einst an der Polizeischule seine Karriere begründet hatte, Seite um Seite mit den Depeschen zu füllen, die er in seinem Kopf während der Reise angesammelt hatte.

Der Abend verging mit Seufzern und Tränen. Alix flocht Juremi die Haare nach armenischer Art um den Kopf, wie sie es einst für Jean-Baptiste getan hatte, als er aus der Stadt floh. Am nächsten Morgen trafen sie den Patriarchen im unteren Teil von Djolfa und begleiteten den alten Protestanten bis zur

Brücke. Alle hatten Tränen in den Augen, bis auf Juremi, der starr vor sich blickte.

Das Überschreiten der Brücke war ein schwieriger Moment. Die beiden Truppen, die einander gegenüberlagen, spähten nach der leisesten Provokation. Der Bote wurde auf der einen Seite von einem Afghanen durchsucht, auf der anderen von Ahmad persönlich. Er bestand diese Untersuchungen ohne Zwischenfall und war kurz darauf frei in der eingeschlossenen Stadt.

Juremi war nie zuvor in Isfahan gewesen. Er wandte sich zunächst zum Basar, neben dem Mausoleum des Harun Velayat, um dort Nerses' Sohn zu treffen und ihm zu sagen, daß er bei Einbruch der Nacht an seiner Stelle zurückgehen sollte. Der Patriarch und Jean-Baptiste hatten bemerkenswerte Bäume, besonders schöne Häuser und bestimmte Brunnen beschrieben, damit er sich in der Stadt zurechtfände. Statt dessen sah er nichts als Baumstämme, die dicht über dem Boden abgeschlagen waren, von Einschüssen übersäte Fassaden, Brunnen, die hinter dichten Trauben von Menschen und Tieren versteckt waren, die hier die letzten Tropfen Trinkwasser zu finden hofften. Der Chahar Bagh war verwüstet. Die großen Bäume hatten als Bohlen für die Barrikaden gedient, ihre Zweige nährten die Herde in den Häusern. Die Beete waren zertrampelt oder mit Gemüse bepflanzt, in Erwartung der Hungersnot, die dicht bevorstand.

Nachdem Juremi seine Botschaft überbracht hatte, ging er bis zum Haus von Alix und Jean-Baptiste. Der Garten war noch verschont, gewiß dank des alten Wächters, der hinter dem Tor aufpaßte. Der Protestant machte sich bemerkbar. Man öffnete ihm. Die Köchin war ganz erschüttert und erklärte ihm, Françoise sei sehr schwach und schlafe. Er bestand darauf, in ihr Zimmer zu gehen und sah sie zunächst lange schweigend im Halbdunkel an. Das Licht ist ein Instrument, mit dem uns die Zeit ihren Trost und ihre Qualen gibt. Im hellen Tageslicht hätte er gewiß die Falten in ihrem Gesicht gesehen, ihre Erschöpfung, den Hunger. Diese bläuliche Dunkelheit bewahrte sie vor dieser Kränkung, und führte sie für Juremis Augen voller Liebe zurück in die Zeiten ihrer Begegnung und ihres Glücks.

Er legte seine große Hand auf die Stirn seiner Freundin. Sie öffnete die Augen, und gemeinsam tauchten sie in denselben Traum ein.

## Neuntes Kapitel

Der Eunuch Ahmad hatte seine kleine Familie ganz oben in einem Haus untergebracht, das sich im ältesten Teil der Stadt befand. Diese ursprünglich dreigeschossige Bruchbude aus Holz trug seit dem letzten Jahrhundert zwei zusätzliche Etagen und neigte sich bedrohlich über die benachbarten Gassen. Die Bewohner hatten sich daran gewöhnt und waren in ihrem Übermut so weit gegangen, die Terrasse mit einem Anbau zu krönen, der durch ein hölzernes Vordach noch größer erschien.

In dieser Hütte zwischen Himmel und Erde knackte, bebte und schlingerte bei starkem Wind alles wie auf der Brücke eines Schiffes. Der Vorteil dieses Platzes, der im übrigen auch noch furchtbar eng und undicht war, bestand darin, daß die Kinder an den ersten schönen Tagen auf der Terrasse zwischen den zum Trocknen aufgehängten Laken spielen konnten. Außerdem, und das war in diesen aufrührerischen Zeiten eine beachtliche Eigenschaft, konnte man die ganze Stadt überblicken, vom Königspalast bis zum Hügel von Djolfa. Die Moschee des Imam und die von Schah Lotfollah erfreuten das Auge, indem sie ganz nah ihre riesigen Kuppeln aus smaragdgrüner Fayence darboten.

Sobald sie den Palast verlassen hatten, führte Nour al-Houda Saba in diese Unterkunft. Das junge Mädchen durfte sich dort auf einem Strohsack in der Kinderecke einrichten. Die drei kleinen Söhne Ahmads, wild, schmutzig, aber sehr zärtlich, waren begeistert, mit dieser rothaarigen Fremden spielen zu können, die zwar nicht mehr richtig Kind war, aber dennoch gern mit ihnen lachte. Ihre Mutter hatte kaum Zeit für sie. Die Frau des Eunuchen, klein und sehr unauffällig, hatte ein trauriges, bescheidenes Gesicht, das zeigte, wie sehr sie in jeder Hinsicht daran gewöhnt war, sich mit wenig zufriedenzugeben.

Nour al-Houda und Ahmad rannten den ganzen Tag durch die Stadt und versuchten den Widerstand der Bevölkerung anzustacheln. Abends kehrten sie zurück, begleitet von bunten Grüppchen, deren Aufnahme die Tscherkessin anordnete. Die Terrasse richtete sich auf eine lange Nacht ein. Man zündete Kohlenbecken mit duftenden Obsthölzern an. Sänger, Geschichtenerzähler, Tänzer lösten einander ab, damit die Anwesenden vergaßen, wie wenig es zu essen und zu trinken gab. Dieses Wenige war jeden Tag geringer als am Vortag. Na und! Man hatte seine Träume, um sich zu nähren. Die großen poetischen Heldengesänge der Masnavi sättigten stundenlang mit den heldenhaften Wechselfällen im Leben Alexanders des Großen oder den unerfüllbaren Liebessehnsüchten sassanidischer Könige. Die Münder kauten die runden Worte der mystischen Poeme des Saadi, die Körper vergaßen die Müdigkeit und erschöpften sich in Tanz und Klatschen. Überall in der Stadt erhoben sich die gleichen Geräusche von Rezitationen, Liedern oder Lachen. Saba, die zu lange allein gewesen war, war ganz berauscht von dieser Lust der Verdammten, die der Gefahr und dem Tod so nah waren, daß jede Furcht sie verlassen hatte.

Nour al-Houda wartete zwei Tage, ehe sie sich ihr zuwandte. Eines Abends setzte sie sich schließlich neben sie, erkundigte sich nach ihrer Gesundheit und sprach mit ihr über die Nacht, den Tanz, andere Nebensächlichkeiten. Das Mädchen hörte ihr mit unergründlicher Miene zu, dann richtete sie sich plötzlich auf und unterbrach sie: »Ich habe Ihnen zwei wichtige Dinge zu sagen.«

Nour al-Houda klatschte weiter in die Hände zu den Klängen einer Zither.

»Zunächst bitte ich Sie um Verzeihung, denn ich habe Sie sehr schlecht beurteilt«, erklärte Saba ernst.

»Und außerdem?« fragte Nour al-Houda, immer noch begeistert von der Musik.

»Außerdem danke ich Ihnen, weil Sie mir das Leben gerettet haben.«

Der Spieler beendete sein Stück. Alle applaudierten und jauchzten.

»Nun, das ist gesagt«, entgegnete die Tscherkessin, ohne daß ihr Lächeln verschwand. »Lassen Sie mich zwei andere gestehen, dann sind wir quitt. Ich hänge an Ihrer Mutter, Saba. Sie ist meine liebste Freundin, egal, was sie gesagt, getan oder gedacht hat. Im Namen dieser Freundschaft habe ich Sie befreit.«

Der Zitherspieler hatte seine vier kleinen Hämmerchen einen Moment in der Luft schweben lassen. Jetzt begann er ein neues Lied. Es war eine alte Melodie aus Indien. Nour al-Houda summte sie mit, als sie sie erkannt hatte. »Das andere«, fuhr sie dann fort, »ist ganz einfach und nicht sehr ruhmreich. Es war der Nasir, der Sie denunziert hat. Sie sollen es wissen und gleich wieder vergessen. Kümmern Sie sich jetzt lieber um ernsthafte Dinge: Singen und tanzen Sie mit uns.«

Alle Anwesenden stimmten in das Lied ein, das der Musikant spielte, und übertönten die spitzen Töne des Instruments mit zarten menschlichen Stimmen. Nour al-Houda artikulierte überdeutlich, damit Saba den Worten auf ihren Lippen folgen konnte. Als der Refrain wiederkehrte, sang die Rothaarige erst leise, dann etwas lauter, und bald lachte sie gemeinsam mit allen anderen.

Ohne diese gute Stimmung zu verderben, brachte doch jeder folgende Tag eine schlechte Nachricht. Die Lebensmitteltransporte, die man erwartete, waren einer nach dem anderen von den Afghanen geplündert worden, auch wenn sie versuchten, ihr Ziel bei Nacht zu erreichen. Dann befahl Mahmud, um die Bevölkerung zu terrorisieren, von Djolfa aus mit den Feldschlangen zu schießen. Glücklicherweise waren die Maschinen alt und vom Salz der Wüste zerfressen. Eine explodierte, als man sie zündete, und durchbohrte das Kamel, das sie trug, wie einen Weinschlauch. Das arme Tier war das einzige Opfer dieser Artillerievorführungen, und der König von Kandahar hielt es fortan für besser, darauf zu verzichten.

Als Handelsstadt und Zentrum des Tauschs hatte Isfahan nur wenig Reserven. Durch die Rationierung wurden sie noch aufgespart. Dennoch waren sie bald erschöpft. Der Hunger siegte. Er versetzt die Menschen in einen Rausch, wie man ihn nach dem besten Wein erlebt, wenngleich er auf weniger angenehme Weise entsteht: Die Fröhlichkeit an den Abenden wurde immer wilder. Aber man spürte die Ermattung der Tänzer. Es kam vor, daß ein Musiker das Bewußtsein verlor. Manchmal schrien die Kinder ganz unverhohlen: »Ich habe Hunger«, und der Schleier der Heiterkeit zerriß.

Eines Morgens berieten Nour al-Houda und Ahmad auf der Terrasse. Saba ging zu ihnen. Da man sie nicht aufforderte, sich zu entfernen, folgte sie dem Gespräch.

»Wir müssen heute noch handeln«, sagte Nour al-Houda. »Wir haben Widerstand geleistet: Diese afghanischen Hunde haben trotzdem nicht lockergelassen. Es ist klar, daß sie nicht darauf verzichten werden, uns alle zu töten. Ich weiß nicht, auf welches Wunder wir warten, aber es ist nicht geschehen, und es wird nicht geschehen.«

»Handeln?« wiederholte der Eunuch. »Aber der König ist es, der handeln muß, mit den Truppen, die ihm geblieben sind.«

Obwohl Ahmad einen Teil seines Lebens verbergen mußte, war er stets ein treuer Diener gewesen, bis sein Herr in Ungnade fiel. Die Ereignisse hatten dazu geführt, daß er auf die Straße geworfen wurde und dort überleben mußte. In der Tiefe seines Herzens war er dem König treu geblieben und vertraute trotz allem noch auf ihn.

»Der König!« rief Nour. »Hast du ihn gesehen, den armen Hossein? Gibt es ihn überhaupt noch? Yahia Beg macht an seiner Stelle das Gesetz. Und dieser Scharlatan läßt uns alle bis zum letzten krepieren, wenn er dadurch seine Macht erhalten kann. Nein, nein, Ahmad, ich versichere dir, wir selbst müssen handeln, solange wir uns noch auf den Beinen halten können.«

»Was wollt ihr denn noch mehr gegen eine ganze Armee unternehmen?«

Nour al-Houda griff nach dem Arm des Eunuchen und preßte sich an ihn, um in einem Zug weiterzureden, ohne auch nur Atem zu holen. »Djolfa erobern, Ahmad, daran denke ich seit drei Tagen und drei Nächten, verstehst du? Das sind gepflasterte Gassen, eng und rutschig. Dort sind die Reiter nicht überlegen, im Gegenteil. Gehen wir über die Brücke, überraschen wir sie, werfen wir uns zu Tausenden in dieses Viertel, töten wir alle, die wir kriegen, treiben wir die anderen in die Flucht. Morgen wirst du nicht mehr die Brücke bewachen, sondern die Bresche, die sie in die Mauer geschlagen haben und die auch nicht breiter ist.«

Außer Atem hielt sie inne. Aber der Mann war noch nicht überzeugt. »Wir nehmen Djolfa ein, vorausgesetzt, es ist möglich, und dann?« wandte er ein.

»Dann ist das Viertel voller Lebensmittel.«

»Drei Tage Aufschub.«

»Zehn. Aber ich zähle mehr auf die Gefangenen.«

»Die Gefangenen?«

»Mahmud hat dort sein Quartier eingerichtet, hast du das vergessen? Wenn wir schnell genug handeln, ist er in unseren Händen. Und wenn nicht er, dann seine Offiziere, vielleicht Verwandte. Die kann man als Geiseln austauschen, verkaufen.«

»Eher sich rächen«, sagte Ahmad finster.

Saba wagte nicht, sich einzumischen. Dennoch stand sie von ganzem Herzen auf der Seite der Tscherkessin. Es war nicht die Auseinandersetzung zwischen zwei Persönlichkeiten allein, die sich vor ihren Augen abspielte, sondern, schlicht und entsetzlich, zwischen Leben und Tod, zwischen Resignation und Willenskraft.

»Ich will es, Ahmad«, sagte Nour al-Houda plötzlich, indem sie den Arm des Eunuchen losließ und ihm gerade in die Augen sah.

Saba war entsetzt über diese Kühnheit. Würde der Mann nicht tödlich beleidigt sein?

Ganz im Gegenteil erinnerte dieser Satz den Diener an seinen Gehorsam und bewirkte mehr, als jeder Überzeugungsversuch es vermocht hatte. Zwar sorgte er sich immer noch um die Ziele, aber sie beruhigte ihn, was die Mittel anging. Er sollte nicht entscheiden, sondern gehorchen. Saba begriff, daß die seltsame Hierarchie des Harems dessen Verschwinden überlebt hatte.

Eine Stunde später waren Ahmad und Nour al-Houda unterwegs, um die Menge in Bewegung zu bringen. Die rote Jungfrau hatte die Erlaubnis erhalten, sie zu begleiten, wenn sie unter einem Schleier verborgen blieb, weil die Magier sie immer noch suchten.

Wie jeden Morgen versammelte sich das Volk auf dem Königsplatz, um Gerüchte auszutauschen und – wie jeder hoffte – endlich eine Proklamation des Herrschers zu hören. Gruppen von Freiwilligen mit nassen Kaftanen, die die Nacht im Freien verbracht hatten, kamen vom Chahar Bagh hinauf und überließen ihren Platz einer bunt zusammengesetzten Ablösung. Großgewachsene Greise mit breiten Turbanen und gekämmten Bärten gingen neben jungen Burschen, die gerade erst die Pubertät erreichten und wilde Mienen aufsetzten, um männlich zu erscheinen. Alles war geeignet, um als Waffe benutzt zu werden: Ein Stück Seil diente als Schleuder, ein Pflock als Hellebarde. Das einfachste war noch ein großer, spitzer Stein, den man in der Hand hielt.

Nour al-Houda setzte die Ellbogen ein, um sich durch die diskutierenden Grüppchen zu drängen. Ahmad und Saba folgten ihr. Am Ende des Platzes, dort, wo der Basar begann, betrat sie mit ihnen ein Haus, dessen schwere Tür halb geöffnet war. Dieses Gebäude gehörte zu den königlichen Besitzungen, war aber seit den Säuberungen des Yahia Beg von seinen Bewohnern verlassen. Ein Vertrauter des Nasirs, ein früherer Soldat, der fast taub war, saß unter dem Gewölbe. Nour al-Houda hatte die Gegebenheiten offensichtlich ausgekundschaftet; ohne einen Blick für den Wächter, der im übrigen auch nicht die Absicht hatte, sich von der Stelle zu rühren, ging sie zur Treppe und stieg ins Obergeschoß hinauf. Dort gelangte sie in ein großes Zimmer mit nackten Mauern und einem Balkon, der von durchbrochenen Fensterläden aus Zedernholz verschlossen war. Sie drückte dagegen. Die Türen gaben nicht nach. Sie preßte stärker, und das Schloß öffnete sich mit einem lauten Knacken. Dieses Geräusch, dessen Echo sich über den ganzen Platz fortsetzte, brachte alle Gespräche zum Verstummen. Alle Köpfe wandten sich zum Balkon

»Jetzt bist du dran«, sagte Nour al-Houda und schob Ahmad ins Licht.

Der Blick aus diesem Fenster war beeindruckend. Auf beiden Seiten des Platzes standen sich zwei monumentale Symbole gegenüber, und es war offensichtlich, daß nur einer dieser Pfeiler der Nation noch einen festen Stand hatte.

Auf einer Seite wachte die Religion in der nüchternen Gestalt der Moschee des Imam mit ihrem spitzen graugrünen Helm. Die engen Maschen des Fayencegewandes schützten seine Seiten, und tausend steinerne Stalaktiten richteten sich vor seinem riesigen Tor auf wie ebenso viele Messer, bereit, den Ungläubigen zu durchbohren. Gegenüber dieser Erinnerung an die martialischen Erfordernisse des Heiligen Krieges wirkten die Kolonnaden der sogenannten Hohen Pforte, die den monumentalen Eingang zum Königspalast bildeten und auch als Tribüne für bestimmte Zeremonien dienten, nur um so leerer. Sie kündeten mit der Erhabenheit ihres nutzlosen Glanzes von der erdrückenden Abwesenheit des Königtums.

Nour al-Houda hatte keine Angst. Sie hätte selbst reden können und hatte die Worte im Kopf, welche die Menge aufrütteln würden. Dennoch wußte sie, daß es nur einem Mann gelingen würde, sie zu überzeugen, und er mußte ein Perser sein, der zu diesen Menschen in der Sprache ihrer Herzen reden würde. Ahmad war am besten geeignet, um diese Botschaft zu übermitteln. Seit er die Verteidigung der Brücke geleitet hatte, wurde der Eunuch gefeiert wie ein Held. Man sah ihn überall zugleich, seit die Belagerung begonnen hatte. Seine Befehle wurden unverzüglich ausgeführt. Er hatte allerdings noch nie eine öffentliche Erklärung abgegeben.

Eine große Stille trat ein. Ahmad zögerte einen Augenblick und ergriff dann das Wort. In seiner bisherigen Tätigkeit hatte er wegen des Protokolls und um die Stimmlage eines Entmannten zu wahren, immer nur mit leiser Stimme gesprochen. Diesmal verlieh er ihr im Gegenteil alle Kraft, zu der sie fähig war, und zwang sie in eine tiefe Tonlage. Sie war ein wenig rauh, warm, überzeugend. Er benutzte die gleichen Worte wie Nour al-Houda. Aus seinem Mund klangen sie nicht mehr wie ein Plan, sondern wie Wirklichkeit, kein Traum, sondern eine Prophezeiung. Die Menge wurde immer dichter. Das Gerücht verbreitete sich über den Basar, daß endlich geschah, was alle erwartet hatten, ohne es vorauszuahnen oder sich auch nur vorzustellen. Der Angriff, nichts anderes war es, was Ahmad vorschlug! Sterben, aber aufrecht! Die Rache ins Herz des Feindes tragen, und wenn man das eigene Leben opfern mußte, um sie auszuführen. Mit riesigem Beifall feierte die Menge den Redner, als er geendet hatte. Jeder auf dem Platz streckte seinen Arm empor, schrie seine Energie und seine Freude heraus.

Ahmad verließ den Balkon, gefolgt von Nour al-Houda und Saba, und ging die Treppe hinunter. Als sie an der Toreinfahrt standen, ergriff die Menge alle drei und verschlang sie. Der Eunuch mußte die beiden Frauen fest an den Händen halten, um nicht von ihnen getrennt zu werden. Man schob sie, man zog sie. Mit großer Mühe erreichten sie die andere Seite des Königsplatzes. Immer noch strömten Männer und Frauen von allen Seiten zu diesem Sammelpunkt. Niemand wollte den Angriff verpassen. Manche schwankten vor Hunger. Die Gesichter waren eingefallen, und die Züge von Entbehrung und Schlaflosigkeit gezeichnet. Dennoch sah man, daß die letzten Energien für diesen ersehnten Augenblick bewahrt worden waren. Selbst diejenigen, die den Tod im Schatten ablehnten, waren bereit, ihn an diesem Blutmorgen im hellen Licht ohne zu wanken zu empfangen.

Ahmad und seine Gefährtinnen, die noch immer von der

Menge mitgerissen wurden, konnten endlich den Weg zum Chahar Bagh einschlagen. Dort beruhigte sich das Gedränge ein wenig, denn die Masse zerstreute sich in den Gärten. Um die Brücke zu erreichen, mußte man aber erneut kämpfen. Die Wächter begriffen nicht, was vor sich ging. Sie schoben die Aufständischen zurück. Man hörte Schreie, Kampfgeräusche. Inmitten dieses Durcheinanders drängelte sich ein großer, schlaksiger Kerl, der halbwegs wie ein Armenier frisiert war, und brüllte in unverständlichen Sprachen. Dieser arme Verirrte machte vergebens Zeichen, daß er nur den Chahar Bagh durchqueren und nach Hause gehen wollte. Er verteidigte ein geköpftes Huhn, das er an einem Flügel hielt. Den anderen Flügel sowie ein Bein hatte es bereits in der Schlacht verloren. Ahmad und die beiden Frauen näherten sich dem Ort, wo der unglückliche Ausländer kämpfte. Geschah es vorsätzlich, war es ein Versehen? Niemand wußte es. Auf jeden Fall griff in diesem Moment ein alter Perser, der wohl im Gedränge das Gleichgewicht verloren hatte, nach Sabas Schleier und zog daran. Das rote Haar des Mädchens bot sich der Sonne dar.

So dicht eine Menge auch sein mag, jederzeit kann eine große Gefahr augenblicklich einen leeren Kreis des Erstaunens oder Entsetzens öffnen.

»Die rote Jungfrau!« Ein Murmeln, ein Grollen, ein Schrei ging durch die Menge. Die Einwohner von Isfahan hatten seit mehreren Wochen die Predigten der Magier und die Ankündigung des Opfers dieser roten Jungfrau gehört, aber niemand wußte, was letztendlich aus dem Opfer geworden war. Beim Anblick von Sabas Haar erkannten alle Anwesenden sofort instinktiv diejenige, der Yahia Beg den Tod bestimmt hatte.

Ohne die Hand des Mädchens loszulassen, versuchte Nour al-Houda zu erkennen, welche Gefühle diese Entdeckung im Volk weckte.

»Die rote Jungfrau!« grollte es noch immer

War es Erstaunen, Empörung, Angst? Die Tscherkessin sagte sich, daß diese Menschen offenbar selbst noch nicht wußten, was sie empfanden. Sie zog Saba neben sich auf einen hohen Baumstumpf und wandte sich an die Menge, während sie leicht hinter das Mädchen zurücktrat, dessen befreites Haar wie Kupfer in der Sonne glänzte.

»Ja«, rief Nour al-Houda. »Die rote Jungfrau, geopfert und zu uns zurückgekehrt, um uns zu führen. Retten wir sie! Retten wir Isfahan! Es lebe die rote Jungfrau!«

»Es lebe die rote Jungfrau!« wiederholten tausend Stimmen, und die Welle dieses Schreis erreichte sogar die Oberstadt.

Während dieser feierlichen Verkündung hielt Saba die Augen gesenkt. Noch immer war vor ihr ein leerer Raum. Nur ein Mann hatte sich hineingewagt. Er war einen Schritt von ihr entfernt. Sie sah ihn an. Seine Frisur war seltsam, nach armenischer Art. Er hatte ein europäisches Gesicht voller Falten und trug einen grauen Bart, dicht und lockig. Er hatte immer noch sein verrenktes Huhn in der Hand. Sie sah, daß er etwas vor sich hin murmelte. Er kam noch näher. »Saba?« rief er lauter.

»Ja«, antwortete sie.

Er starrte sie merkwürdig an. Sie glaubte Tränen zu sehen. »Juremi«, sagte er. »Ich bin Juremi.«

Sie sprang auf die Erde und warf sich in seine Arme. Es kam ihr vor, als würde sie ihn schon lange kennen. Juremi! Der Mann, den ihr Vater am anderen Ende der Welt gesucht hatte und dem sie nie begegnet war. Sie wunderte sich nicht, daß er vor ihr stand. Alles war so außergewöhnlich an diesem Tag.

»Es lebe die rote Jungfrau!« rief Nour al-Houda immer noch ohne Pause, denn sie wußte nicht, was sie tun konnte, außer die Erregung dieser Menschen für den letzten Ansturm wachzuhalten.

»Was haben diese Verrückten vor?« fragte Juremi. Er hielt Saba mit ausgestreckten Armen vor sich und sah sie zärtlich an.

»Ich weiß nicht ... Djolfa erobern, glaube ich.«

»Djolfa erobern!« schrie er. »Das wäre Wahnsinn! Dein Vater und deine Mutter sind doch dort. Ihr werdet vielleicht erst sie massakrieren, aber dann euch selbst umbringen, denn die Afghanen haben überall Fallen aufgestellt und die Straßen sind voller Barrikaden. Sie werden euch von den Dächern aus den Tod bringen.«

»Es lebe die rote Jungfrau!« wiederholte die Menge immer noch, unentschlossen und verwirrt.

»Aber was können wir anderes tun?« fragte Saba, die sich kurz nach Nour al-Houda umwandte und dann wieder Juremi ansah. »Wir werden vor Hunger sterben, und es heißt, daß die Afghanen uns alle töten werden, wenn die Stadt fällt.«

»Sie glaubt das?« entgegnete Juremi und wies auf die Tscherkessin.

Ohne Sabas Antwort abzuwarten, stürzte sich der Protestant auf Nour al-Houda und zwang sie, von dem Baumstumpf herabzusteigen. Sobald sie neben ihm stand, ließ er Saba folgende Worte übersetzen, ohne die Zigeunerin aus den Augen zu lassen.

»Alix und Jean-Baptiste sind bei Mahmud. Ich verbürge mich dafür, daß es kein Massaker in dieser Stadt geben wird, wenn sie sich ergibt. Man muß nicht nach Djolfa marschieren, sondern zum Königspalast, damit dieser halbe König ganz und gar kapituliert.«

Nour al-Houda überlegte einen Augenblick. Die Entschlossenheit dieses Mannes verwirrte sie. Sie war selbst so unsicher mit ihrem Plan, daß sie ihm kein Argument entgegenzusetzen wußte.

Die Menge um sie herum grollte. Da ihre Anführer verschwunden waren, war sie ziellos, schwankend, zu allem fähig, vielleicht schon verloren für die Aktion. Nour al-Houda rief Ahmad und sagte ihm zwei Worte ins Ohr. Es gab eine kurze Diskussion zwischen ihnen, dann stieg der Eunuch auf den Baumstumpf. Er hob die Arme, ließ wieder Ruhe unter dem versammelten Volk einkehren und rief schließlich: »Laßt uns den König holen!«

Nach kurzem Zögern begann die Menge wieder zu murmeln. Er wiederholte: »Zum König, zum König! Zum Königspalast!«

Der Schrei hallte, rollte durch die Luft und kehrte als Echo
zurück, stärker, mächtig, ein Gebrüll, das den ganzen Chahar
Bagh erbeben ließ: »Zum Königspalast! Zum Königspalast!«

∞

»Sie lebt. Sie ist glücklich. Oh! Ja, ich verzeihe ihr, mein Gott,
ich verzeihe ihr.« Monsieur de Maillet, allein in der Stille seines luxuriösen Gefängnisses, wiederholte diese Worte den
ganzen Tag. Er trank nicht mehr, aß nicht mehr, schlief nicht
mehr, aber keine dieser Entbehrungen schien ihn anzugreifen.
Er war nur noch ein wenig vertrockneter, ein wenig bleicher,
das war alles.

»Sie ist glücklich«, wiederholte er zärtlich. »Alix! Du bist
glücklich.«

Hin und wieder trieb ihn die Erstarrung seiner Glieder dazu, aufzustehen und ein paar Schritte auf dem Rasen herum-
zulaufen. Dabei bemerkte er eines Tages, daß das Tor offenstand.

»Ein bißchen frische Luft, sieh an, was für eine gute Idee!«
Er stieß die Tür weiter auf. Der Wächter, den der Nasir dort
aufgestellt hatte, war verschwunden. Sein Stuhl war leer.

»Er geht spazieren, er hat recht, der gute Mann«, murmelte
der Konsul. »Alix, mein liebes Kind, wie froh ich bin zu wissen, daß du lebst.« Der alte Mann ging allein weiter durch
das verlassene Labyrinth des Palastes. Aus der Stadt, jenseits
der Mauern, erreichte ihn ein dumpfes Stimmengewirr. Er öffnete andere Türen, bewunderte kostbare Möbel, einen Para-
vent aus Chinalack. Er lächelte jedem Gegenstand zu, den er
sah. »Schön, wahrhaftig! Dieser Nasir muß wirklich Vertrauen haben, daß er das alles meiner Bewachung überläßt.
Aber er hat recht.«

Ein letztes Gittertor führte auf die Straße. Der Konsul ging
hindurch und grüßte einen jungen, verängstigten Wachposten,
der nicht wagte, ihn zurückzuhalten. So gelangte er bis zu der
großen Straße, die durch die Vier Gärten führte. Der Chahar
Bagh wirkte wie eine Lichtung in einem Wald, auf der man

die Bäume gefällt hatte. Stämme lagen auf der Erde und überall sah man Baumstümpfe. Weiter weg bewegte sich eine Menschenmenge in eine andere Richtung. »Wohin geht wohl diese ganze Menschheit?« fragte sich Monsieur de Maillet. »Wahrscheinlich kehrt sie ins Meer zurück, aus dem sie einst gekommen ist.«

Ein Lächeln legte die Wangen des Alten in Falten. Er zuckte die Schultern und marschierte los. Der einzige Weg, den er kannte, führte zur französischen Gesandtschaft. Er schlug ihn ein, ohne nachzudenken, und stand bald darauf vor dem Gebäude. »Hier ist auch kein Wächter. Diese Stadt ist offenbar eine Wüste.«

Er ging hinein, durchquerte den Hof und stieg die Freitreppe hinauf. Die große Fenstertür war nicht abgeschlossen. Er drückte auf die Klinke und schob sie auf. »Welch eine Frische! Sieh an, frisch gebohnert! Oh, wie gut das duftet!« Er blickte nach den Türen, als müsse ein junges Mädchen im Sommerkleid herauskommen. »Wo bist du, wenn du doch lebst?« murmelte er.

Der große Salon war leer, das Arbeitszimmer stand halb offen. »Guten Tag, Majestät«, sagte er respektvoll zu einem Schatten, den nur er allein sehen konnte.

Die Möbel unter ihren weißen Bezügen, die aussahen wie Höflinge im Pyjama, warteten darauf, daß der Monarch zu Bett ging. »Höflinge im Pyjama!«

Er erlaubte sich ein kleines Lachen. Sobald er wieder ernst geworden war, ging er durch den Raum, zog den Sessel zurück, setzte sich und legte die Unterarme auf das Leder der Schreibtischplatte. Er verspürte weder Hunger noch Durst oder Müdigkeit. Nur Lust, an sie zu denken. »Wahrhaftig, sie haben gut daran getan, mich gehen zu lassen. Hier fühle ich mich viel wohler.«

# Zehntes Kapitel

Hossein, der König von Persien, war besorgt. Niemandem vertraute er das Amt an, jeden Morgen aus einem der drei großen vollen Fässer in seinem Keller den Wein zu zapfen. Er tat es allein, im Licht einer Kerze, und machte dann einen Strich auf dem Holzstab, der ihm als Meßlatte diente. Aber trotz dieser Vorsichtsmaßnahmen sank der Pegel der kostbaren Flüssigkeit schnell. Sollte er all das wahrhaftig allein getrunken haben? Dabei kontrollierte er seinen Konsum doch mit einer lebhaften, ja er könnte sogar sagen, grausamen Aufmerksamkeit...

Dennoch war es nicht zu leugnen: Er war fast am Ende seiner Vorräte angelangt. Das Verschwinden der roten Jungfrau hatte für Hossein den Ernst seiner Vorahnungen bestätigt: Alles wandte sich zum Schlechten. Dabei hatte er getan, was er konnte. Alle Köpfe, die abzuschlagen waren, hatte man abgeschlagen. Yahia Beg konnte bei allen grausamen und radikalen Taten auf seine Unterstützung zählen. Die Sonne hatte wahrlich keinen glühenderen Anbeter als ihren Sohn, den König von Persien. Trotzdem sank der Pegel in den Fässern unerbittlich weiter.

Der Herrscher war in seinen Überlegungen an diesen Punkt gelangt, als sich der Nasir zu einer außerordentlichen Audienz ankündigen ließ. Hossein war davon überzeugt, daß dieser Schurke von Oberstem Verwalter noch ein paar Fässer für seinen persönlichen Gebrauch bei sich versteckt hielt. Er hatte sich vorgenommen, diese zu beschlagnahmen, sobald er endgültig dem Mangel preisgegeben sein würde. Inzwischen war der Nasir noch nützlich, weil er über seine Fässer wachte. Das bewahrte ihm seinen Kopf.

»Eine Birne für den Durst, das ist es!« spottete der König bei sich.

»Majestät!« rief der Nasir, kaum daß er die Mitte des Zimmers erreicht hatte. »Die Menge!«

»Was heißt das, die Menge?«

»Sie ist entfesselt.«

»Laß sie nur, sie wird nicht weit kommen. Ha! Ha!«

»Ein Eunuch putscht sie auf ...«

»Jeder nach seinem Geschmack«, kicherte Hossein und betrachtete seine Fingernägel.

»Alle Wachen meines Hauses sind verschwunden, Majestät«, fügte der Nasir gehetzt hinzu und japste, atemlos vor Angst. »Die Köche, die Gärtner, sie alle rennen der Meute hinterher.«

»Wohin?«

»Zuerst zum Chahar Bagh. Man könnte meinen, dieses Bettlerpack will Djolfa angreifen.«

»Viel Erfolg! Die Afghanen werden sich schon um sie kümmern.«

Plötzlich erhob sich im Garten ungewohnter Lärm. Ein Wachposten kam herein, er zitterte am ganzen Leib und warf sich nicht einmal auf den Boden.

»Majestät! Majestät!«

»Was ist denn nun schon wieder?« schrie Hossein wütend. »Was für ein Tag, bei den Augen Alis! Wo ist denn Yahia Beg? Er wird Ordnung schaffen.«

Der Nasir und der Soldat zuckten mit den Schultern.

»Aber Majestät ...«, beharrte der Soldat. »Sie kommen ...«

»Wer denn?«

Die Frage war kaum gestellt, als man am Eingang des Palastes den Lärm einer großen Menschenmenge und Schreie hörte. Hossein bekam Angst und flüchtete sich hinter seinen Thron. Plötzlich drängte sich eine kleine Truppe am Eingang zum Pavillon. Als erste kamen Ahmad und Nour al-Houda, Juremi und Saba folgten ihnen. Als der König ihr Haar sah, rief er: »Die rote Jungfrau!«

»Sie selbst, Majestät«, entgegnete Nour al-Houda, die ohne Scheu an den Herrscher herantrat.

Die Stille im Zimmer wurde nur von den Geräuschen der Menge gestört, die weiter den Palast umzingelte. Das Gebäude, in dem sich der König an diesem Morgen befand, war unter seinen Palästen das unzugänglichste. Man nannte es den

Vierzig-Säulen-Palast, und die Legende wußte zu berichten, daß diese Säulenflucht zu den schönsten Bauten der Welt gehöre. Das Volk, das sich den Weg zu diesem Heiligtum erkämpft hatte, drängelte, um es zu bewundern. Die Gebildeteren unter ihnen hatten schnell die Säulen gezählt und festgestellt, daß es nur zwanzig waren. Die anderen zwanzig, so sagte es die Tradition, waren der Widerschein der ersten in dem Wasserlauf, der sich neben der Fassade befand. Anstatt diese poetische Verdopplung zu bewundern, murrten die Anwesenden vorwurfsvoll, und diese Täuschung beschädigte das ohnehin schon angekratzte Bild des Königtums in ihren Köpfen noch mehr.

Nour al-Houda wußte, daß es in dieser Situation nutzlos war, sich auf Ahmad verlassen zu wollen. Der Eunuch konnte die Menge begeistern, aber vor seinem Herrscher stand er wie erstarrt vor Entsetzen und Respekt. »Majestät«, erklärte sie mit sicherer und kräftiger Stimme, »Euer Volk hat Hunger. Euer Volk leidet Not. Was wollt Ihr tun, um ihm zu essen zu geben, es zu verteidigen, es aus dieser Not zu retten?«

»Aber ...«, stammelte Hossein.

Er dachte: Wo ist nur Yahia Beg? Und gleichzeitig: Wer ist denn diese Frau? Dann, um seine Verwundbarkeit zu krönen, kam ihm der finsterste Gedanke: Der Pegel sinkt.

»Euer Volk wartet, Majestät. Es wird Euch gehorchen, aber es erwartet Eure Befehle.«

»Yah...« Das Wort erstickte in der trockenen Kehle des Königs.

»Sucht nicht nach Yahia Beg«, unterbrach ihn Nour al-Houda erbarmungslos. »Wir haben ihn auf dem Weg hierher getroffen. Auf ein Wort der roten Jungfrau hat sich das Volk auf ihn gestürzt und ihn aufgehängt. Das ist aber völlig unwichtig. Die Menschen sind nicht gekommen, um Yahia Beg zu hören, sondern Euch, Majestät.«

Hossein ging vorsichtig um seinen Königssessel herum, setzte sich langsam, nahm den Turban ab und rieb sich die Augen wie ein völlig erschöpfter Mensch. »Was wollt ihr?« fragte er mit erloschener Stimme

Nour al-Houda war zu weit entfernt, um seine Tränen zu sehen.

Dennoch senkte sie einen Moment die Augen. »Die Freiheit, Majestät. Das Leben.«

»Nur zu!« sagte er mit einer Bewegung, die bedeutete: »Nehmt sie euch!«

»Mahmud hat diesen Krieg gewonnen«, verkündete die Tscherkessin. »Das Land ist verwüstet, die Hauptstadt liegt in Trümmern. Man kann nur noch dieses unschuldige Volk retten, Majestät, das Euch treu geblieben ist. Gebt es dem Sieger, unter der Bedingung, daß er es verschont.«

Die Zigeunerin rief Juremi zu sich. »Dieser Mann ist vor drei Tagen aus Djolfa gekommen. Er kennt Mahmud. Ihr könnt ihn zu den Afghanen zurückschicken. Gebt ihm die Vollmacht, die Bedingungen auszuhandeln für Eure ... Nachfolge.«

Es war zwecklos, eine Antwort zu erwarten. Hossein war erledigt, er saß reglos auf seinem Thron und schien nichts mehr zu hören oder gar in der Lage zu sein, etwas zu verweigern. Der Weg war frei, an seiner Stelle zu handeln. Man durfte keine Zeit mehr verlieren.

Nour al-Houda ließ die gesamte Palastgarde hinauswerfen, und Ahmad setzte eine Miliz unter seinem Befehl ein. Einige Höflinge, unter ihnen der Nasir, wurden gleichzeitig mit dem König gefangengesetzt, während man auf Juremis Rückkehr wartete. Was das Schicksal von Yahia Beg betraf, so hatte Nour al-Houda gelogen. Die Menge entdeckte ihn erst, als sie den Palast verließ, und erst nach dieser letzten Audienz wurde er aufgehängt.

Juremi kehrte mit der Fahne der Waffenruhe in der Hand ins afghanische Lager zurück. Alix begleitete ihn zu Mahmud. Es gelang ihnen um so leichter, ein Gnadenversprechen vom König von Kandahar zu erlangen, als dieser durch die lange Belagerung einer Schlaffheit verfallen war, die er nur zu gern abschüttelte. Der Gewinn aus der Plünderung von Djolfa, die milde persische Sommerluft und der Stolz über die Eroberung hatten die Herzen der Sieger erweicht, am meisten das ihres Anführers. Als Methode und Belustigung hatte das Kehlen durchschneiden seine Grenzen gezeigt. Die Gesänge und Tänze, deren fröhliche Geräusche der Wind jede Nacht zu den trübseligen Belagerern trug, ließ sie mehr wünschen, an dem Fest teilzunehmen, als es zu unterbrechen. Mahmud verkündete einen Gnadenerlaß und gab strenge Befehle zu dessen Sicherung, dann verließ er Djolfa und eilte nach Ferrahabad zurück.

Dort erwartete er Hossein. Dieser war noch für ein paar Stunden König von Persien. Am nächsten Tag begab er sich zu Fuß zu Mahmud, umgeben von einer Garde, die aus seinen treuesten Untertanen bestand. Es war warm. Die Luft wäre von großer Reinheit gewesen, hätte der scharfe Rauch, der von den Bränden der Ruinen in den Dörfern aufstieg, sie nicht verpestet. Trunken vor Entbehrung und zutiefst bewegt erschien dieses Gefolge eines besiegten Königs, der auf dem Weg war, zu den einfachen Menschen zurückzukehren, am frühen Nachmittag an der Stadtgrenze von Ferrahabad. Als letzte Kränkung ließ Mahmud den um Gnade Flehenden eine Stunde warten. Er behauptete zu schlafen und wollte nicht gestört werden. Schließlich empfing er Hossein. Der arme kleine König mußte allein den ganzen Saal durchqueren, an dessen Ende er selbst einst gethront hatte. Mahmud sprach im Sitzen zu ihm und nahm aus seinen Händen die königliche Agraffe entgegen, die er sich sofort an den Turban steckte.

»Mein Sohn«, sagte Hossein mit einem Rest von Majestät, »der oberste Herrscher des Universums hat den Moment bestimmt, da Ihr den Thron von Persien besteigen sollt. Herrschet in Frieden!«

Mahmud dachte in diesem Augenblick nur an Mir Vais, seinen Vater. Er war gerührt, und ein Ausdruck unerwarteter Sanftheit war auf seinem Kriegergesicht zu lesen.

»Gott bestimmt mit seinem Willen über die Reiche der Menschen!« sagte er. »Er nimmt sie dem einen, um sie dem anderen zu geben. Ich verspreche Euch aber, Euch wie meinen Vater zu behandeln und nichts zu unternehmen, ohne Euch um Rat zu fragen.«

Er sprach die Wahrheit. Er gehörte zu den Menschen, die kein anderes Schicksal verfolgen können als das, was ihnen durch einen Älteren vorgezeichnet ist. Das Schicksal von Mir Vais hatte sich vollendet. Also behielt er Hossein für die Fortsetzung. Der frühere König wurde in einem kleinen Palast neben dem Chahar Bagh untergebracht. Man ließ ihm fünf Gesellschafter in seinem Haus und fünf Ehefrauen. Das war sehr knapp gerechnet. Dennoch hätte Hossein gern auf vier seiner Frauen verzichtet, wenn man ihn dafür vom Nasir befreit hätte. Er bedauerte zutiefst, ihn nicht rechtzeitig enthauptet zu haben, so daß er jetzt zum letzten Rest seiner Gefolgschaft gehörte. Abgesehen von dieser Unannehmlichkeit fehlte es ihm jedoch an nichts, und er hatte sich nie so glücklich gefühlt wie jetzt, wo er von seiner Königlichkeit befreit war.

Unter allgemeinem Schweigen wurden alle Hindernisse geduldig von der Brücke des Chahar Bagh entfernt, und die neuen afghanischen Herren betraten eingeschüchtert die halbtote Stadt. Alix und Jean-Baptiste gingen in Begleitung von Saba und George direkt nach Hause. Abgesehen von den vertrockneten Rosen, den abgeschnittenen Hecken und dem gefällten Maulbeerbaum war alles nahezu unversehrt. Seinen Träumen nachhängend, machte jeder seinen Rundgang durch den Garten, als wollte er überprüfen, daß dieser Ort tatsächlich war, was er zu sein vorgab: der vom Gold der Nostalgie verzierte Ort, der ihn auf all seinen Irrfahrten begleitet hatte. Sie brauchten lange, ehe sie sich entschlossen, das Haus zu betreten, und als sie es endlich taten, gingen sie ebenso langsam voran wie zuvor im Garten. Schließlich kamen sie schweigend in das Zimmer mit den geschlossenen Vorhängen, wo Françoise ruhte, die alle Entbehrungen der Belagerung überlebt hatte.

Im Halbdunkel erkannte man Juremis hohe Gestalt. Er saß

neben dem Bett und hielt die Hand der Kranken. Saba stürzte zur anderen Seite des Bettes und umarmte Françoise mit einem Schluchzen. Alix, Jean-Baptiste und George ließen sich ebenfalls am Krankenlager nieder. Die arme Frau war von Mattigkeit und Freude doppelt erschöpft. Sie sagte jedem ein liebes Wort, wobei sie die trockenen, brennenden Lippen nur mit Mühe bewegte. Am späten Nachmittag winkte sie Saba und George zu sich heran. Sie, die ihr Geheimnis seit langem kannte, legte ihre Hände ineinander und segnete sie.

In den nächsten Tagen vollbrachten Alix und Saba wahre Wunder, um in der zerstörten Stadt, dem zerstörten Land die besten Früchte, das zarteste Fleisch, den leckersten Kuchen aufzustöbern, alles, was der Kranken Freude bereiten konnte. Die Arme hatte große Mühe, diese Leckereien zu essen, aber sie führte sie an ihre Lippen, und diese Düfte, immer jung, frisch und bunt, waren wie Künstler, die sich zum Abschied von der Bühne herab verneigen, ehe der Vorhang fällt.

Juremi hatte ihr schon den größten Teil ihrer Irrfahrten erzählt. George und Jean-Baptiste ergänzten den Bericht, Saba schilderte ihre Gefangenschaft. Die Welt hatte sich während all dieser Monate der Verfolgung und Trennung praktisch um Françoise gedreht. Sie war wie das Auge des Wirbelsturms, und jeder von ihnen verspürte eine seltsame Erleichterung, seine Freuden und Qualen an dieser Quelle der Zärtlichkeit zu berichten, die ihr Ursprung zu sein schien.

Mit all diesen Schätzen beladen, wurde Françoise doch täglich schwächer und ließ die anderen verstehen, daß nunmehr sie für die Reise bereit war. Obwohl sie keine besondere Religion gepflegt hatte, mußte sie in diesen letzten Momenten die Worte Gottes hören. Der Patriarch Nerses brachte ihr diesen Trost, und Jean-Baptiste, der inzwischen die Gebräuche der armenischen Kirche kannte, bot ihm eine beträchtliche Menge Gold als Bezahlung für seine Fürsprache an. Nerses nahm es mit einem Seufzer.

Alix hatte Mahmud für den Fall des Sieges um drei Menschenleben gebeten. Damals hatte sie an Françoise, Saba und ihren Vater gedacht. Monsieur de Maillet aber war unauffindbar, Saba hatte allein wegen ihrer Rolle bei der Kapitulation Hosseins die Dankbarkeit der Afghanen gewonnen – es blieb nur Françoise. Ihr Zustand war so hoffnungslos, daß sie bereits jenseits jeder menschlichen Gnade war. Als Mahmud Alix fragte, was sie wolle, fand sie nur ein einziges Leben, das sie erbitten konnte: das von Jean-Baptiste. Der neue König schenkte es ihr gern, und erfuhr – welch ein glückliches Zusammentreffen –, daß dieser Sklave gewisse Kenntnisse in Botanik besaß und seiner Geliebten sogar als Apotheker hilfreich zur Seite stehen konnte.

Jean-Baptiste kehrte nach Djolfa ins Viertel der Schmiede zurück, wo zwei kräftige Kerle, die an ihrem Amboß schwitzten, keine zwei Stunden brauchten, um die Stahlketten fallen zu lassen, die ihre Kollegen in Chiva um die Knöchel des einstigen Sklaven gelegt hatten.

Als Jean-Baptiste zurückkehrte, hatte er ein seltsames Gefühl. Es war nicht Freiheit, denn er hatte sich daran gewöhnt, auch mit seiner Kette alles zu tun, sondern Leichtigkeit, fast Körperlosigkeit. Er schien die Welt kaum zu berühren, schwebte mehr, als daß er lief, und näherte sich seinen Mitmenschen, ohne sie durch sein Klirren zu alarmieren. Zu Hause verstärkte sich dieser Eindruck: Alles war still, und als er die Familie in Françoises Zimmer versammelt fand, schenkte ihm keiner Aufmerksamkeit. Niemand rührte sich. Die Kranke war regloser denn je, und Jean-Baptiste brauchte eine Weile, ehe er begriff, daß auch sie sich ihrer irdischen Ketten entledigt hatte und auf der Welt nichts mehr wog, ja diese sogar ganz und gar verlassen hatte.

Nachdem Saba einen Tag und eine Nacht bei ihr gewacht hatte, schlug sie vor, Françoise auf den Hügeln jenseits der Stadt zu begraben, an ebenjenem Ort, wo sie ein Zeichen des Himmels erwartet hatten. Das Mädchen erinnerte sich, daß Françoise ihr dort anvertraut hatte, wie gern sie auf ewig an diesem Ort bleiben würde. Man war zwischen Himmel und Erde, die Stadt war ganz nah, leuchtend und lebendig. Sie, die nie etwas besessen, die frei gelebt und die ganze Welt durchquert hatte, konnte den Gedanken an ein Grab in der Stadt nicht ertragen, das einem kleinen Häuschen gleichen würde, das kümmerlich auf seinem Stückchen Boden eingezwängt war. Für die Ewigkeit brauchte sie die Weite, einen unbegrenzten Blick, mit einem Wort: Freiheit. Alix sprach nicht über den leichten Widerstand, den sie empfand, und machte alles so, wie Françoise es sich gewünscht hatte. Nerses segnete das mit Steinen ausgelegte Viereck und den Grabstein, in den man eilig ihren Namen graviert hatte.

Nach der kurzen Zeremonie kehrten alle in die Stadt zurück. Inmitten eines verwüsteten, trockenen, grauen Umlands glich sie mit ihren Kuppeln aus Jade und Smaragden nun um so mehr einer Märchenstadt, wie aus einem Zauber geboren, gleich denen, mit denen Sabas Ammen so lange ihre Träume bevölkert hatten.

Sie gingen schweigend hinab und dachten voller Bitterkeit an den bösen Bann, der diesmal nicht Wunder an einem einsamen Ort hatte entstehen lassen, sondern die Umgebung eines Schatzes zerstört hatte.

»Beugrat!« brüllte Murad aus der Tiefe seiner Höhle. »Sie haben sich Zeit gelassen. Wie lange haben Sie denn gebraucht, um aus Persien zurückzukehren?«

»Die Straßen sind schlecht, Herr Botschafter, und die Kutsche ein wenig...«

Das Wort »schwer« war in diesem Hause verboten.

»Hat Ihnen Monsieur de Maillet etwas für mich übergeben?«

»Diesen Schlüssel, Herr Botschafter.«

»Sieh an, der Schlüssel zur Kassette! Leandra!«

Die arme Frau hatte gerade ihre Zöpfe gefärbt, um die grauen Haaransätze zu verbergen. »Hier bin ich.«

»Na, du kleiner Schelm«, sagte er vergnügt, angeregt durch ihre Anwesenheit, »kriech mal unter meinen Stuhl und nimm die kleine Kassette von dort hoch, die ich dem Konsul geborgt habe.«

Das Kammermädchen ließ sich so elegant, wie es ihr Rheuma erlaubte, auf allen vieren nieder und schaute unter das Bett. Murads Hand, schwer wie eine Waschkeule, strich über das, was unter dieser Kruppe noch an Fett zu finden war.

»Hmm! Such nicht zu lange«, rief Murad, »du regst mich zu sehr auf.«

»Hier ist sie«, sagte Leandra und richtete sich mühsam auf. Der Armenier griff nach der kleinen, mit Eisen beschlagenen Kiste, legte sie auf seinen Bauch und öffnete sie.

»Ein Brief«, verkündete er. »Ist das alles?«

Er drehte die Kassette um.

»Nichts weiter. Und was steht auf dem Umschlag? ›An seine Eminenz, Kardinal Julio Alberoni. Vatikanpalast. Rom.‹ Alberoni! Ah, da erkenne ich den Herrn Konsul wieder, immer auf vertrautem Fuß mit den vornehmsten Leuten ...«

Er seufzte. »Aber wie soll ich diese Botschaft jetzt überbringen? Es kommt nicht in Frage, diese Geheimnisse der türkischen Post anzuvertrauen, die durchleuchtet den Brief in ihrer Dunkelkammer.«

Leandra, zu der sich jetzt eine andere Grazie gesellt hatte, war damit beschäftigt, die staubigen Wandbehänge zu schütteln und die befleckten Kissen zu klopfen.

Murad sah sie an. »Ich weiß es!« rief er. »Komm her, Leandra.«

Er nahm ihre Hand. »Beugrat wird wieder in die Kutsche steigen. Im Grunde liebt er Ausflüge. Nun, dann wird er diesmal bis Rom fahren und dich dorthin bringen. Ja, dich, Leandra. Reiß nicht die Augen auf. Du wirst diesen Brief persönlich überbringen. In Rom, verstehst du? Diese Kardinäle haben vielleicht ein Glück!«

Vertraulich zog Murad die Dienerin heran und tätschelte ihren Nacken. »Ich hoffe, du schlägst dich wacker, mein Ferkelchen.«

Die arme Nymphe lachte schallend, vergaß aber nicht, die Hand vor den Mund zu legen. Am selben Morgen hatte sie wieder einen Vorderzahn verloren, der eine weitere häßliche Lücke hinterlassen hatte.

# Elftes Kapitel

Nach dem Fall der Stadt Isfahan hielten die Afghanen ihr Versprechen, die Einwohner zu verschonen. Diese Milde hatte nur eine Wirkung: die Anzahl derer zu erhöhen, deren Leidenschaft entfesselt wurde, um den Sieg zu feiern. Sieger und Besiegte waren in derselben Erleichterung vereint. Erschöpft vom Warten und von den Entbehrungen, die bei den einen durch die Reise und den Kampf, bei den anderen durch das Eingeschlossensein und das Leiden der Belagerung entstanden waren, sprengten sie die Türen der letzten Speicher, errichteten riesige Feuer mit dem Holz, das sie einst für den Kampf geschlagen hatten, und betäubten sich mit Gesang und Tanz. Am dritten Tag dieser Raserei erwachte Isfahan, stumm, ausgehungert und in düsterer Stimmung.

Auf dem Land war das Bewässerungsnetz, das um den Preis hundertjähriger Mühen die Erde der Fars fruchtbar für Blumen und Früchte gemacht hatte, durch den Krieg zerstört. Da die Afghanen dem Boden die notwendige Pflege weder geben wollten noch konnten, taten sie nichts, um die Kanalisation aus gebranntem Ton zu reparieren oder die vergifteten Brunnen zu reinigen. Im Gegenteil, sie mißtrauten jedem, der frei durch die Landschaft zu laufen versuchte, und hielten die Perser lieber innerhalb der Stadtmauern, um sie besser überwachen zu können. Verstärkt durch mehrere Monate ohne Regen, griff die Dürre immer weiter um sich. Isfahan, das einst in einem Meer von Grün gebadet hatte, wurde für immer zu einer Oase inmitten einer trockenen Wüste. Nachdem die Stadt erobert war, erkannten Sieger wie Besiegte das tragische Mißverständnis: Jeder glaubte, der Reichtum liege beim anderen. Statt dessen herrschten drinnen wie draußen nur noch Mangel und Armut. Der Handel schuf langsam Abhilfe, aber der Wohlstand hatte die Stadt in den Koffern der Ausländer und der reichen Händler verlassen, die mit all ihrer Habe vor dem Krieg geflohen waren. Der Stadt, die sich einst am Überfluß berauscht hatte, gelang es nun kaum noch, das Notwendigste heranzuschaffen.

Der Chahar Bagh war zerstört, die Paläste geschändet, die Reichtümer verschwunden, Isfahan war keine Stadt mehr, sondern nur noch ihr Schatten. Als die ersten Tage nach dem afghanischen Sieg vergangen waren, hatte niemand mehr das Herz oder auch nur die Mittel, um Feste zu organisieren. Die neuen Herren des Landes verfügten nur über das Elend, das sie herrschen ließen. Ihre hauptsächlichste Zerstreuung waren düstere Schlemmereien, bei denen das Essen karg und der Wein verboten waren. Um dieser trostlosen Wirklichkeit zu entfliehen, konnten die Versammelten nur Trost in den Träumen suchen, in die sie der Rausch ihrer wundertätigen Beeren versinken ließ.

Die Perser blickten voller Verachtung auf diese Vergnügungen. Nichts kündete deutlicher von ihrem Status der Besiegten als der Zwang, solche Schauspiele mit anzusehen. Sie, die mit gutem Recht von sich behaupten konnten, daß sie wußten, was Feste waren, die diesen Namen auch verdienten, und die diese Ausschweifungen sogar mit ihrer Freiheit bezahlt hatten, konnten jetzt nur noch still die Erinnerungen daran feiern. Nach den ersten Augenblicken der Bewußtlosigkeit, die auf die Kapitulation Hosseins gefolgt war, waren die Einwohner zu der Vorsicht zurückgekehrt, die den Erniedrigten eigen ist. Auch wenn sie gewollt hätten, wären sie nie das Risiko eingegangen, ihre Freude mit Liedern oder Tänzen zum Ausdruck zu bringen. Sie fürchteten zu sehr, die Afghanen würden diese Fröhlichkeit einem unangemessenen Wohlstand zuschreiben und ihren Anteil daran verlangen, einen Löwenanteil, wie anzunehmen war. Nirgends in der Stadt hörte man noch Musik oder das Gläserklirren der Bankette, und man traf nur Menschen in den einfachsten Kleidern. Nach der Munterkeit des Krieges war der Ernst des Friedens angebrochen.

Dieses Verbot von Vergnügungen war in jedem Kopf, wenngleich niemand es verkündet hatte. Es genügte, daß jemand die Kühnheit aufbrachte, es zu verletzen, um zu erfahren, ob die Zeit der Feste wirklich vorbei war.

Diese Kühnheit kam von ganz unerwarteter Seite. Die erste, die sie zeigte, war Saba.

Seit dem Fall von Isfahan und der Rückkehr der Reisenden, die Juremi gesucht hatten, wußten alle über das Geheimnis von ihr und George Bescheid. Die beiden wurden nicht mehr als Bruder und Schwester angesehen. Allerdings hatte man noch nicht ganz herausgefunden, wie man sie sonst behandeln sollte. Sie selbst schienen unfähig, in der Öffentlichkeit ein Benehmen zu zeigen, das den Gefühlen entsprach, die sie eingestanden hatten. So konnten sie sich jetzt nicht mehr wie Kinder umarmen, und waren doch zu schüchtern für die Zärtlichkeiten der Erwachsenen. Deshalb hielten sie Abstand, sobald ein Dritter in ihrer Nähe war. In diesem Haus, in das alle Diener zurückgekehrt waren, wo sich Juremi niedergelassen hatte, der so diskret wie möglich – aber es war ihm kaum möglich – Jean-Baptistes Labor besetzt hatte, diesem Haus, das ständig von Gästen wimmelte und von Kranken besucht wurde, die Medikamente holten, von Persern voller Bitterkeit und Wehmut, denen der Sinn nach Vertraulichkeiten stand, ja sogar von Afghanen, die wußten, daß sie auf Alix rechnen konnten, um beim neuen König vorstellig zu werden – in diesem Haus, so groß es auch war, gab es keinerlei Intimität für zwei Kinder, die dort einst Ruhe und eine süße Isolation erlebt hatten. Sie warteten auf die dunkelste Nacht, um sich in der Tiefe des Gartens auf der von Rosenduft erfüllten Wiese zu treffen, aber es gab kaum eine Gelegenheit, wo sie nicht von Schatten gestört wurden, die ebenfalls Zuflucht in der Dunkelheit suchten und diese schließlich noch indiskreter werden ließen als das Tageslicht.

Mehrere Wochen nach dem Tod von Françoise gesellte sich Saba eines Morgens in dem kleinen, von der Morgensonne erhellten Eßzimmer im hinteren Teil des Hauses zu ihrer Mutter. Sie waren allein und saßen einander an dem langen Tisch gegenüber, auf dem zwei Tassen Milch dampften, ein seltener Genuß in dieser Zeit der Entbehrung. Ein Patient von Jean-Baptiste hatte im Morgengrauen eine Kanne voll vorbeigebracht.

Seit der Trauer um Françoise hatten Mutter und Tochter nur selten miteinander gesprochen. Da sie jedoch dieselbe

Freundin beweinten, war eine neue Vertrautheit zwischen ihnen entstanden. Alix sah ihre Tochter an und spürte, daß sie sich verändert hatte. Sie wußte nicht genau, in welcher Weise, und hätte gern mit Nour al-Houda darüber gesprochen.

Saba wartete nicht, bis Alix ihre Milch ausgetrunken hatte. Sie wollte es ausnutzen, daß sie endlich einmal allein miteinander waren. Mit dem Lächeln, das jetzt sehr oft auf ihren Lippen lag und dazu beitrug, daß man sie kaum wiedererkannte, schenkte sie ihrer Mutter einen fröhlichen Blick.

»Mama«, sagte sie, »fehlen Ihnen die Feste nicht?«

»Die Feste!« rief Alix.

Ausgerechnet ihre Tochter, die früher so streng und voller Vorwürfe gewesen war, wenn es um Vergnügungen ging, stellte ihr diese Frage! Alix verspürte kein Unbehagen, eher Mitleid. Sie sah in dieser Erwähnung der Feste ein weiteres Beispiel für die Wehmut nach den vergangenen Zeiten, die man ihr täglich anvertraute und die sie auch selbst verspürte.

»Es ist ein Jammer!« seufzte sie. Ein leichtes Schamgefühl über ihr glückliches und sorgloses Leben erfaßte sie, und sie seufzte erneut.

»Warum seufzen Sie?« fragte Saba, noch immer lächelnd.

Wie ahnungslos sie ist! dachte Alix. Oder war es eine seltsame Grausamkeit…

»Saba, mein Kind«, sagte sie bewegt, »rühre nicht mehr an diesen schmerzlichen Punkt. Alle Eltern möchten ihren Kindern das beste Leben geben, das man sich vorstellen kann, sie in einer glücklichen Zeit aufwachsen lassen…«

»Ich habe keineswegs vor, Ihnen Vorwürfe zu machen«, erklärte Saba sanft und griff über den Tisch hinweg nach der zitternden Hand ihrer Mutter. »Außerdem weiß ich überhaupt nicht, was eine glückliche Zeit ist.«

»Saba!« rief Alix am Rand der Tränen.

»Nicht doch«, sagte Saba lebhaft. Sie strahlte, und ihr Gesicht, erleuchtet von diesem Ausdruck, hatte eine Kraft, die ihr rotes Haar flammen ließ. »Hören Sie auf mit diesen Gedanken, dieser Melancholie. Ich weiß nicht, was eine glückliche Zeit ist, weil für mich alle Zeiten es sind.«

Alix war stumm vor Staunen.

»Ich will Ihnen etwas gestehen, Mama«, sagte Saba. Sie erhob sich und trat an das sonnige Fenster. »Sie wissen ja, daß wir während der Belagerung nichts mehr zu essen hatten. Der Tod war da und kam jeden Tag ein Stück näher. Um sein abscheuliches Gesicht zu sehen, mußte man nur morgens auf die Stadtmauern gehen: Man sah die Brände überall in der Umgebung, und der Wind trug den Gestank nach Leichen mit sich ...«

Alix senkte die Augen. Nach kurzem Schweigen kam Saba zu ihrem Stuhl zurück, stützte das Knie darauf und beugte sich mit einem Ausdruck voller Leidenschaft über den Tisch.

»Aber wir waren glücklich. Ich habe nie zuvor ein solches Glück erlebt, verstehen Sie? Und warum? Weil wir alle es so beschlossen hatten. Oh! Wie soll man das jemandem begreiflich machen, der es nicht erlebt hat? Es war die größte Not, das Ende. Aber der Wille zur Freude hielt den Tod auf Abstand und ließ in den ausgehungerten Körpern eine immer größere Ration von Fröhlichkeit und Brüderlichkeit brennen.«

»Nour al-Houda ...«, murmelte Alix.

»Ja«, sagte Saba und setzte sich wieder. »Sicher habe ich diese Ideen von Nour al-Houda. Aber nicht nur von ihr. Niemals hätte sie mich überzeugen können, wenn da nicht all die anderen gewesen wären.«

»All die anderen?«

»Ja, die Elenden, die Armen, die Ausgehungerten, all diese Menschen ohne Hoffnung, die uns umdrängten. Ach, Mama, ja, ich muß Ihnen gestehen, wie sehr ich Ihre Feste verabscheute, als ich ein Kind war. Ich sah darin den widerwärtigsten Ausdruck des Reichtums, so etwas wie ein rituelles Opfer, das die Geldsäcke dem Gott des Goldes darbringen, der sie beschenkt hat. Und all das in der Hoffnung, die Armut für immer fernzuhalten.«

»Was für eine merkwürdige Idee ...«

»Ich offenbare sie Ihnen in aller Aufrichtigkeit, als ein Kindergefühl. Ich hatte vielleicht unrecht, aber ich habe es so empfunden. Ich mußte erst diese wunderbaren Wochen der Belagerung erleben, um das alles endlich in einem anderen Licht zu sehen. Wie soll ich es Ihnen erklären? Ich habe plötzlich verstanden, daß die Freude nicht nur ein Zubehör des Reichtums, ein Geschenk der Welt ist, sondern zuerst eine Fähigkeit in uns selbst, eine Form unseres Willens, ja. Plötzlich war das Fest für mich nicht mehr ein Luxus, sondern ein Kampf. Nun, und ich glaube, wir haben heute mehr Grund denn je, das zu beweisen.«

Seltsames Kind! Alix sah ihre Tochter mit einer Verwirrung an, die weder von Verlegenheit noch von Vorwurf bestimmt wurde, eher von einer neuartigen Bewunderung und dem Gefühl für das, was sie beide gleichzeitig so unterschiedlich und so ähnlich sein ließ. »Ach so«, sagte sie schließlich streng, mit einem Lächeln, das ihrem Ton widersprach und die Überzeugung verriet, die in ihr geboren war, »wir sollten also in dieser zerstörten Stadt ein Fest feiern, wo man sich jeden Tag fragt, ob man etwas zu essen findet, wo die neuen Herren nichts als Verzweiflung und die Strafen des Chaos verbreiten können?«

»Ja«, entgegnete Saba dickköpfig.

Das Staunen ließ Alix einen Moment verstummen. Dann brachen beide in ein langes, wildes Lachen aus, das in Umarmungen und Küssen mündete.

Als sie sich beruhigt hatten, sagte Saba: »Ich kenne einen Zitherspieler, ein paar Geschichtenerzähler und sogar eine Tänzerin, die nicht geflohen ist...«

»Nun, dann können wir anfangen, zu planen.«

Sie überlegten sich tausend Einzelheiten und stellten fröhlich eine Gästeliste zusammen.

»Aber da fällt mir etwas ein«, sagte Alix mit plötzlichem Ernst. »Welchen Anlaß wollen wir bekanntgeben, um diese Lustbarkeiten zu rechtfertigen?«

Saba hatte geduldig auf diesen Moment gewartet, denn sie wollte, daß die Frage von der Mutter aufgeworfen wurde. Ohne ihr schönes Lächeln aufzugeben, schlug sie vor: »Es könnte... Ihre Verlobung sein.«

So überraschend diese Idee auch erschien, sie war nicht schlecht. Seit Alix als Herrin eines früheren Sklaven in die Stadt zurückgekehrt war, lebte sie in einer völlig ungeklärten Situation. Alle Perser hatten Jean-Baptiste natürlich wiedererkannt, aber in ihrer Stellung als Unterlegene machten sie sich sofort zu Komplizen einer Lüge, bei der die Besatzer die Betrogenen waren. Niemand hatte den Apotheker verraten, und Mahmud glaubte noch immer an das Märchen, das die Witwe und den befreiten Sklaven zusammengeführt hatte. Man konnte diese Legende jedoch nicht allzu lange ohne Gefahr aufrechterhalten. Da es zu spät war, einfach die ganze Geschichte zu gestehen, war es das beste, noch etwas tiefer in die Illusion einzutauchen.

»Eine hervorragende Idee«, bekannte Alix amüsiert. »Das ist es, wir sagen, es sei meine Verlobung.«

Saba in ihrer bewundernswürdigen Geduld fühlte sich endlich erleichtert. Sie schenkte George einen zärtlichen Gedanken und hielt den Moment gekommen, anzubringen, weshalb sie eigentlich gekommen war: »Ihre Verlobung, das ist gut«, sagte sie lächelnd. »Und gleichzeitig«, bei diesen Worten wurde sie sehr ernst, »gleichzeitig meine.«

Alix und Jean-Baptiste, Saba und George, Eltern und Kinder verlobten sich also am selben Frühlingstag. Das Fest, mit dem diese Ereignisse begangen wurden, war das erste in Isfahan seit dem Fall des persischen Königreichs und sicher eines der schönsten.

Alix informierte Mahmud persönlich über die Feier, und er hatte keine Einwände. Sie glaubte einen Moment, er würde sogar seine Teilnahme erwägen. Ein Rest von Schüchternheit ließ den Bergbewohner fürchten, diese Geste sei unangebracht. Er wünschte den Verlobten viel Glück und machte ihnen prachtvolle Geschenke. Damit Alix ihren einstigen Elefantenhüter ordentlich ernähren könne, schenkte ihr der König einen Garten nahe am Ufer, wo die Erde noch genügend Feuchtigkeit besaß, damit man Gemüse pflanzen und herrliches Obst ernten konnte.

Die doppelte Verlobung wurde für einen Sonntag angekündigt, und nach zwei Wochen Vorbereitung kam der große Tag. Wollte man nach den Speisen und dem Zierat urteilen, war es eine recht armselige Zeremonie im Vergleich zu der Pracht und der Phantasie, die diese Stadt und vor allem dieses Haus einst erlebt hatten. Aber während all die Feste vergangener Zeiten in den Erinnerungen zu einem untrennbaren Magma verschmolzen, sollte dieses als unvergeßliche Nacht im Geist eines jeden eingebrannt bleiben. Trotz Mahmuds Zustimmung war es nicht sicher, ob sich die Afghanen nicht doch noch entschlossen, die Fröhlichkeit unvermittelt zu stören. Dieser kleine Rest von Furcht erregte die schon angespannten Geister aufs äußerste und ließ sie alles mit köstlicher Intensität erleben. Um den Preis unerhörter Anstrengungen, die sogar das Abfangen einer Karawane umfaßten, welche sich zwei Tagereisen von der Stadt entfernt nach Osten bewegte, hatten Alix und Saba Kräuter, Rosinen und all die tausend Kleinigkeiten besorgt, die nötig waren, damit alles einfach normal erschien, ohne Luxus – aber der Luxus kam von selbst, durch die Seltenheit solcher Ereignisse.

Viele reiche Bewohner Isfahans waren geflohen, als Djolfa fiel, oder noch früher, bei der zeitweisen Evakuierung der Stadt. Die Übriggebliebenen hatten Stück für Stück ihren Schmuck und ihr Geschirr verkauft, um zu überleben. Wenn das Unglück zu irgend etwas gut gewesen war, dann dazu, daß zwischen Reichen und Armen kaum noch ein Unterschied im Aussehen bestand und daß man sie zusammen einladen konnte. Die Abscheu, die sie einst gegeneinander empfunden hatten, ließ sie jetzt im gleichen Schritt in der Uniform des Elends nebeneinander gehen. Einige alte Würdenträger hatten noch schöne Reste von Stoffen und Pelzen oder schwere Turbane aus feiner Seide. Sie hielten es jedoch für unvorsichtig, diese zur Schau zu stellen. Alle Perser, die zum Fest kamen, waren mit der unvergleichlichen Würde geschmückt, die diesem Volk eigen ist, und in einfache verwaschene Kittel gekleidet. Alix hatte in allen Häusern zum Sammeln geblasen, um herrliches Geschirr zusammenzubringen. Kleine Kerzen, die überall in Tongeschirr verteilt waren, erleuchteten den Garten und das Haus, ließen die Silberplatten und die glänzenden, roten Schalen funkeln. Die Gäste in ihrem groben Tuch schienen dieses Strahlen des Luxus aufzusaugen wie ein schwarzer Körper das Sonnenlicht. Nur ihre Augen strahlten vor Lust, trunken von einem jähen und geheimen Rachegefühl.

Die Diplomaten, Vertreter der Handelshäuser, Wechsler und die meisten Geistlichen waren verschwunden, als der Krieg drohte. Nur wenige Ausländer waren nicht geflohen, und diese hatten ihre Sitten ganz und gar dem Mangel angepaßt: zunächst dem der Belagerung, jetzt dem des Ruins. Ein kleiner polnischer Jesuit namens Krusinzki bewegte seine bescheidene Gestalt durch die Häuser. Manchmal sah man ihn beiseite treten und in einem Notizbuch Stichpunkte sammeln. Er hatte sich vorgenommen, die jüngste Geschichte dieses Landes aufzuzeichnen, und sammelte diese Splitter in der Absicht, sie eines Tages in das Feuer eines großen Essays zu werfen, der die Menschheit erleuchten würde.

Einige Ausländer waren noch vor der Abdankung Hosseins zu Mahmud nach Ferrahabad gesandt worden, aber die Anarchie, die seit der Ankunft der Afghanen herrschte, und deren Feindschaft gegenüber allen Nachbarn hatten diese Gesandten und mehr noch die Händler entmutigt. Der einzige, der sich sofort an die Arbeit gemacht hatte, ohne die geringste Ungeduld zu zeigen, war Bibitschew.

Nachdem er im Eisenwarenladen von Djolfa sein Heft mit Depeschen vollgeschrieben hatte, war es dem Spion endlich gelungen, einen Weg zu finden, um diese nach Moskau zu befördern. Diese äußerst sorgfältige Denunziantenarbeit aus der Feder eines totgeglaubten Agenten weckte in den russischen Büros die Bewunderung von Kennern. Alles war schlüssig bewiesen: Man konnte an höchster Stelle begreifen, wie der schreckliche Kardinal Alberoni mit Hilfe des Goldes aus den

Höhlen des Urals die Monarchie in Persien gestürzt und seine Getreuen in der Nähe des neuen Königs plaziert hatte. Per Expreß erhielt Bibitschew den Befehl, an Ort und Stelle zu bleiben, und mit gleichem Schreiben erhielt er die Akkreditierung als Botschafter. Er war stolz, dem Zar in einem Rang dienen zu können, der seinem Wert und seiner allzeit bewiesenen Ergebenheit entsprach. Nun mußte er vor allem nicht mehr fürchten, daß man seinen Analysen widerspreche: Wenn das Komplott, das er beschrieben hatte, keine Folgen zeigen sollte, würde niemand daran denken, seine Phantasie dafür verantwortlich zu machen, im Gegenteil, alle würden seine Wachsamkeit loben.

Bibitschew hatte seine alten Hosen abgelegt und die Biberschwänze durch ein strenges Gewand ersetzt, das man auf dem Basar nach seinen Anweisungen genäht hatte und das ihm endlich wieder sein bevorzugtes Aussehen eines Sargträgers verlieh. Der neue Gesandte kam als einer der ersten zum Fest, wild entschlossen, alles, was er sehen würde, zu seinen Gunsten zu nutzen. Er teilte Alix mit, daß seine Gattin in den nächsten Tagen aus Moskau in Isfahan erwartet würde. Bibitschew hoffte, die gute Frau würde sicher ankommen, ohne einen ihrer acht Sprößlinge zu verlieren, denn er hatte inzwischen jenes reifere und weniger fruchtbare Alter erreicht, in dem man nicht mehr die Kraft in sich spürt, solche Verluste zu ersetzen.

Das Fest fing langsam an: Jeder ging schüchternen Schrittes über diese gefährliche Bühne. Saba war überall zugleich, in den Küchen, im Salon, im Gartenhaus. Als die Gäste die duftenden Schalen voller köstlicher Speisen entdeckten, die um so liebevoller angerichtet waren, je weniger Zutaten sie enthielten, ließen sie ihrer Freude freien Lauf. Der Zitherspieler, den Saba wiedergefunden hatte, nahm eine der Terrassen in Besitz und war rasch von einem Kreis strahlender Gesichter umgeben. Zwei Dichter – einer im Garten, der andere neben einem Kamin im Salon – begannen die weiten Bilder ihrer großen und ehrwürdigen Heldengeschichten zu entwerfen.

Als der Abend schon weit fortgeschritten war, traten die beiden Paare auf die Freitreppe, und alle versammelten sich schweigend um sie. Der Patriarch Nerses hielt als Freund eine kleine, anrührende Rede, die die Verlobten vereinte. Man dachte nicht an die wahren Sakramente der Ehe: Eines der Paare hob sie sich für die Zukunft auf, das andere hatte sie bereits in der Vergangenheit empfangen. Der Segen, den sie erhielten, war voller Zärtlichkeit und Lachen, denn alle hier wußten um die Verwandtschaft der Verlobten, und man freute sich darüber, daß die Afghanen weder davon erfahren noch, selbst wenn es ihnen jemand verriete, es glauben würden.

Zwar war das Ritual eingeschränkt, der heilige Trunk aber wurde nicht vergessen. Die Diener füllten die Gläser, und die Gäste stießen in einer Mischung aus Angst und Begeisterung mit einem köstlichen georgischen Wein an, den ein Freund in seinem Keller vor dem Krieg bewahrt hatte. Saba hatte ihre Mutter zu dieser letzten Kühnheit überredet. Sie meinte, die sunnitischen Afghanen würden die Perser ohnehin als Ketzer ansehen und sich wenig darum kümmern, auf welche Weise sie sich selbst verdammten. Während der Wein weiter die Gäste ergötzte, erschienen Tänzerinnen im Garten, die untere Gesichtshälfte sittsam von einem Schleier bedeckt, der jedoch keineswegs ihren nackten Bauch verhüllte.

Von diesem Moment an nahm das Fest eine neue Wendung. Die letzten Reste von Vorsicht hatten die Teilnehmer verlassen. Nachdem sie ohne Folgen die erste Todsünde begangen hatten, konnte man auch gleich alle anderen auf sich nehmen, um nicht umsonst verdammt zu werden. Der Chahar Bagh und die umliegenden Viertel begannen von den Liedern und Jubelrufen widerzuhallen wie in den schönsten Zeiten der Belagerung.

Jean-Baptiste und Alix entfernten sich Hand in Hand von dieser fröhlichen Menge und setzten sich auf einen Baumstamm am Rand der Straße. Sie, die sich vor der Alltagsroutine gefürchtet hatten und auf der Flucht vor ihr voreinander geflohen waren, fanden gemeinsam und bei sich zu Hause alle Ungewißheit des Lebens, seine Gefahr, seine Schönheiten und die Notwendigkeit des Kampfes wieder, die ihnen für kurze Zeit gefehlt hatten.

Die Afghanen hatten vielleicht nicht ganz unrecht, sie als Fremde anzusehen, die erst seit kurzem vereint waren. Der anständige, weltgewandte Apotheker, der hier in Isfahan zur Ruhe gekommen war, war tatsächlich tot, und Jean-Baptiste hatte sich oft damit amüsiert, nach seinem Grab im Garten zu sehen. Ein anderer Mann war zurückgekehrt, dessen Geist gerundet war wie ein Pfannkuchen, der durch alle Unwetter gerollt ist, gesättigt von Abenteuern, trunken von den Schönheiten der Welt, erfüllt von einer Liebe, die keineswegs mehr auf den Umständen beruhte, sondern einzig auf dem Traum und der Freiheit. Aber auch die junge, gar zu glückliche Frau gab es nicht mehr, die dem einschneidenden Verstoß gegen Anstand und Gesetz treu geblieben war, der sie noch als Kind dem Mann ihres Lebens ausgeliefert hatte. Ihre Nachfolgerin war frei von der Wehmut, nicht genügend geliebt zu haben. Sie fürchtete sich nicht mehr vor dem Ende der glücklichen Zeiten. Sie fühlte sich stark genug, um überall das Glück entstehen zu lassen, und war von nichts mehr abhängig, um es zu erschaffen.

Da saßen sie, ein wenig abseits vom Fest, der frühere Elefantenhüter und die, die er erwählt hatte, umarmt, gerührt, erneuert, als sie plötzlich ihre Köpfe nach dem Geräusch einer Kutsche, die aus dem Chahar Bagh kam, umwandten und erbleichten.

## Zwölftes Kapitel

Die vier Pferde kamen herangaloppiert und blieben mit ängstlichem Wiehern und wildem Schütteln ihrer Mähnen neben Alix und Jean-Baptiste stehen. Obwohl sie ohne jede Sorgfalt angeschirrt waren, verrieten der Reichtum ihres Zaumzeugs und der Rest eines wackligen Federbuschs auf ihren geschorenen Scheiteln die noble Herkunft des Gespanns. Auf der Straße gab es seit dem Krieg keine Beleuchtung mehr, deshalb erkannte Jean-Baptiste die Kutsche erst, als sich die mit Wappen verzierte Wagentür vor seiner Nase öffnete. »Hosseins Kutsche!« rief er und umklammerte fest den Arm seiner Begleiterin.

Es war tatsächlich das Luxusgefährt des früheren Königs. Allerdings wurde es nicht, wie einst, von kostbaren Sklaven in goldbestickten Livreen, sondern von zwei bärtigen, abgerissenen Afghanen gelenkt. Drei weitere Krieger mit noch wilderen Gesichtern sprangen von der Fußbank und stellten sich mit bedrohlichen Mienen rings um den Wagen auf.

»Ob Mahmud sie übernommen hat...« flüsterte Alix. Sie zitterte davor, den neuen Herrscher auftauchen zu sehen. Obwohl er seine Zustimmung zu diesem Fest gegeben hatte, blieb die Furcht, er könnte Lust bekommen, es mit seinem persönlichen Erscheinen zu ruinieren. Aber der Mann, der mühsam aus der Kutsche stieg und mit dem Fuß nach dem Trittbrett tastete, hatte nicht die kraftvolle Gestalt des Herrschers von Kandahar. Er war behäbig und jammerte vor Anstrengung, als er sich unbeholfen daranmachte, seinen mächtigen Leib auf festem Boden aufzurichtete. Ein weiter *feredje* umhüllte ihn mit seinen Falten und verbarg sein Gesicht in einem dicken Pelzkragen. Endlich stand er, kam auf sie zu, und sie erkannten ihn.

»Der Nasir!« stieß Alix wie in Trance hervor.

Als der alte Perser seinen Titel hörte, kam er noch näher zu ihnen und erkannte nun seinerseits die beiden Spaziergänger. »Man möchte meinen, Sie hätten mich erwartet«, sagte er lächelnd und zog sie zum Haus, ohne ihnen Zeit zum Antworten zu lassen. »Gehen wir«, fügte er hinzu, »hier wollen wir nicht stehenbleiben. Ich habe wenig Zeit. Lassen Sie mich ein wenig dieses Fest genießen, das ich um ein Haar verpaßt hätte.«

Alix und Jean-Baptiste, beide von einer Klaue des kräftigen Alten gehalten, betraten ihren Garten. Dann gingen sie die Freitreppe hinauf, wo ihnen die Gäste keine Aufmerksamkeit schenkten, weil sie damit beschäftigt waren, einen Musiker mit rhythmischem Klatschen zu begleiten.

Die bunten Kerzen waren heruntergebrannt, die Dochte schwammen auf kleinen Wachspfützen und versprühten Funken. Saba war ein einziges Lachen, während sie ihr rotes Haar von einem Raum zu anderen fliegen ließ, um die kleinen Freudenfeuer zu schüren, in die die Erzähler, die Tamburinspieler und die Gäste all ihren Schmerz und all ihre Qualen geworfen hatten, um sie zu Barren von Heiterkeit und Hoffnung zu schmelzen.

Der Nasir brüllte vor Wohlgefallen angesichts dieser Fröhlichkeit. »Und was trinken diese Leute?« fragte er und stürzte sich auf eine Dienerin, die mit einem Steinkrug in der Hand vorbeilief.

Er packte ihn beim Henkel, setzte ihn wie eine Tasse an den Mund und leerte ihn in einem Zug. »Teufel! Ist der gut!«

Dann gab er dem armen, fassungslosen Mädchen den Krug zurück und bat sie, ganz schnell einen neuen zu holen.

Im Licht der Kerzen begriff Jean-Baptiste, der den alten Perser anschaute, endlich, was ihn so unkenntlich machte: Er hatte seinen Schnurrbart abgeschnitten. Die endlosen Fransen, die sich früher in langen Locken über die Wangen gelegt hatten, waren verschwunden. Anstelle dieser Strähnen sah man jetzt eine nackte Lippe, unbeweglich und zu hoch, auf der noch zwei kleine Tropfen des Weins glänzten, den der Nasir gierig hinuntergestürzt hatte.

»Kommen Sie«, sagte Alix und drängte ihren neuen Gast weiter, »bleiben Sie doch nicht stehen. Setzen wir uns in den Hof.«

Der Nasir war entzückt über all die Herrlichkeiten, die er sah und hörte. Er ließ sich zu einem Sofa führen und nahm umständlich Platz wobei er die Kissen als Armstützen benutzte.

Auf ein Zeichen ihrer Herrin brachten Dienerinnen Teller, die mit ihrer Anzahl und ihren lebhaften Farben die triste Monotonie der Speisen vergessen machen wollten. Aber Saba hatte recht, und das von den Menschen verkündete Glück hatte auch die Dinge ergriffen: So grau und kalt der Reis auch war, den der Nasir aß, er weckte in diesem größeren Appetit, als es die reichen Platten in den Zeiten des Überflusses je vermocht hatten.

Als er sich mit zwei weiteren Krügen Wein aufgemuntert und erfrischt hatte, entspannte sich der Nasir und ließ mit einem zufriedenen Blick erkennen, daß er zum Reden bereit war.

»Ich dachte, Sie wären ... bei König Hossein?« wagte Alix, die ihre Worte sorgfältig wählte, zu fragen.

»Sagen Sie ›Gefangener‹, das ist angemessener. Und Hossein braucht man auch nicht König nennen. Ja, ja, ich verbringe meine Tage Auge in Auge mit diesem Ungeheuer.«

»Und ... Sie dürfen sich frei in der Stadt bewegen?« fragte Jean-Baptiste.

»Selten, viel zu selten. Aber doch, ich habe dieses Glück. Die Afghanen, die uns Gefangene bewachen, erlauben, daß jeweils einer von den fünf Unglücklichen, aus denen die Gesellschaft des Elenden besteht, ausgeht, um seine Geschäfte zu erledigen und Botschaften zu überbringen. Heute habe ich diesen Auftrag.«

»Also hat Hossein Sie mit einer Botschaft für uns beauftragt?« fragte Alix mit leichter Furcht.

»O nein!« entgegnete der Nasir mit einem lauten Seufzer. »Durch eine Indiskretion bei einem der viel zu seltenen Ausgänge habe ich vor zwei Tagen erfahren, daß Sie dieses Fest geben. Ich habe mich wohl gehütet, diesem Hund davon zu erzählen. Er hätte mich niemals weggelassen. Sie können sicher sein, daß er alles tut, was in seiner Macht steht, um mich zu ärgern. Er verabscheut mich. Wenn er noch die Macht dazu besäße, hätte er mir schon lange meinen Kopf abschlagen lassen. Die Afghanen haben ihm derartige Vertraulichkeiten untersagt! Ein Glück. Wie Sie gesehen haben, hat er statt dessen einen Weg gefunden, mir den Schnurrbart abzuschneiden.«

Dem armen Mann standen Tränen in den Augen.

»Aber wie verbringen Sie Ihre Tage in dieser Gefangenschaft?« wollte Jean-Baptiste wissen.

»Stellen Sie sich vor, wir sind in einem Palast eingesperrt, der eigentlich nicht unangenehm wäre, könnte man nur einen Augenblick der Einsamkeit genießen. Das ist leider unmöglich. Vom frühen Morgen an versammeln wir uns in einem Hof, um dem Geschwätz dieses Verrückten zu lauschen. Am Anfang war das Leben nicht so unerträglich. Man hatte uns fünf Frauen gegeben. Wir überließen sie auch gern dem König, weil wir hofften, seine Laune dadurch zu verbessern. Aber Hossein ist ebensowenig ein kraftvoller Mann, wie er ein weiser König war. Die Gefangenschaft scheint ihm die letzten Fähigkeiten zu derartigen Spielen geraubt zu haben. Schließlich hat er alle Frauen weggeschickt, weil er es nicht ertragen konnte, daß wir deren Gunst genossen. So sind nun alle unzufrieden: die Frauen, die in einem kleinen Hof eingesperrt sind, wir, weil wir nicht einmal mehr diesen Trost haben, und Hossein, verwirrter denn je, dessen einziger Spaß darin besteht, uns mit seinen Beschimpfungen zu quälen.

Anfangs empfing er noch Besuch. Mahmud selbst kam, um seinen Rat zu erbitten. Aber er hat sehr schnell begriffen, daß er von einer solch erbärmlichen Person, die nur durch Zufall König geworden war und nicht einmal zu bleiben vermochte, kaum etwas lernen kann.«

Der Nasir wurde bei der Beschreibung dieses Alltags so trübsinnig, daß Jean-Baptiste es vorzog, keine weiteren Fragen zu diesem Thema zu stellen. Sie schwiegen eine Weile. Der fröhliche Rhythmus der Tamburine erfüllte die Dunkelheit und schlich sich durch die lauen Gärten bis in die Tiefe der Herzen.

»Wir haben uns nicht mehr gesehen ... seit meinem Tod«, sagte Jean-Baptiste schließlich.

»Ach ja, Ihr Tod! Ha! Ha! Das haben Sie fein eingefädelt.«

»Sie wissen, daß ich nicht mehr derselbe bin.«

»Das habe ich gehört. Mein Kompliment. Ihre neue Verlobte ist noch entzückender als Ihre frühere Frau.«

Sie lachten alle, und der Nasir zog dabei seine große, platte Lippe zurück wie ein wütender Hund.

»Wissen Sie, daß ich schlimmes Bauchweh vorgespiegelt habe, um heute abend hierherzukommen und mir Medizin zu holen? Hossein hat irgend etwas geahnt. Er hat mich so lange aufgehalten, wie es nur ging. Kurz nach acht kam es ihm in den Sinn, mich zu einer Partie Schach zu zwingen. Er spielt sehr schlecht, und ich kann ihn in sechs Zügen schlagen, aber dann wird er wild. Heute abend dauerten meine Qualen zwei Stunden. Beinahe hätte ich Ihr Fest verpaßt. Das wäre so schade gewesen!«

Der ehemalige Oberste Verwalter war jetzt vollkommen entspannt. Der Wein, an den er nicht gewöhnt war, denn die Afghanen lieferten ihrem königlichen Gefangenen nur wenig – und dieser ließ den anderen gar nichts übrig –, dieser Wein füllte die schmerzende Seele des Nasirs mit wehmütiger Süße. All seiner Machenschaften beraubt, ruiniert und ohne Hoffnung, ließ der alte Intrigant nun die Tiefen seiner Seele aufscheinen, die erstaunlicherweise von Nachsicht und Philosophie erfüllt war.

»Eine schöne Lüge, Ihr Tod«, sagte er verträumt zu Jean-Baptiste. »Und alles andere ... Alberoni ... auch eine Erfindung?«

»Ja«, gestand Jean-Baptiste mit gesenktem Blick.

»Meine Hochachtung.«

Poncet sah ihn bescheiden und etwas verlegen an.

»Doch, doch, ich meine es ehrlich. Glauben Sie mir, das ist etwas, das man nur selten bei den Europäern findet. Ihre Lügen sind immer armselig und winzig. Sie beantworten die Frage, die man ihnen stellt, mit ja, obwohl es nein ist. Dann sind sie mit ihrer Kunst auch schon am Ende. So etwas nennen wir wahrlich nicht eine richtige Lüge.«

Alix hatte sie verlassen, um zu ihrer Tochter zu gehen und sich um andere Gäste zu kümmern. Der Nasir winkte Jean-Baptiste näher heran. Er wurde wieder munterer und durchzog die Luft mit lebhaften Gesten seiner dicken, mit grauen Stoppeln bewachsenen Hand.

»Eine gute Lüge erfinden«, fuhr er mit Genießermiene fort, »heißt für uns, sich eine gute Geschichte auszudenken, bei der

473

der Zuhörer der Geprellte ist. Was man dafür von ihm bekommt, ist der verdiente Lohn des Künstlers, der sein Werk als Illusionist vollbracht hat. Damit eine Illusion glaubhaft ist, muß sie schön sein, man muß sie mit Talent präsentieren, der Erzähler muß die tausend kleinen Zwischentöne kennen, die von der Wahrheit stammen und die Lüge ausmachen...«

»Aber dennoch, das eine Kunst zu nennen...«, protestierte Jean-Baptiste halbherzig.

»Sehen Sie: Sie selbst entwerten die Disziplin, in der Sie Meister sind. Denn Sie sind ein Meister, glauben Sie mir. Sie haben mich vollkommen getäuscht. Aber etwas muß ich Ihnen doch gestehen: Vorher habe ich an Ihnen gezweifelt, Poncet. Diese Ihre Art, sich immer an Ihr Wort zu halten, brachte mich zur Verzweiflung. Ich habe es Ihnen einmal gesagt, erinnern Sie sich: ›Halten Sie sich für den Propheten und Ihr Wort für heilig?‹«

Jean-Baptiste, der immer noch nicht ganz überzeugt war, daß der Nasir im Ernst sprach, entschuldigte sich:

»Sie dürfen mir diese Alberoni-Geschichte nicht übelnehmen, ich konnte Ihnen nicht die Wahrheit sagen, sonst...«

»Die Wahrheit!« unterbrach ihn der Nasir empört. »Glauben Sie, daß ich darauf auch nur einen Gedanken verschwende? Nichts ist öder, enttäuschender, kurzum nutzloser. Wissen Sie, Poncet, die Wahrheit ist nichts für die Menschen. Obwohl sie behaupten, diese aufzudecken oder zu bewahren, wird sie ihnen niemals gehören. Sie sind höchstens ihre Sklaven. Sie erleiden sie, wiederholen sie, quälen sich damit und beugen sich ihr schließlich. Eine Lüge dagegen! O Poncet, eine große, eine wahre Lüge, die macht uns göttergleich. Mit der Lüge schaffen wir eigene Welten, ein Leben, das gar nicht existiert. Ohne diese Fähigkeit gäbe es kein Genie, keine Eroberung, keine Religion, keine Liebe.«

Im Nebenzimmer begann ein Dichter, eine epische Erzählung zu rezitieren. Seine Worte fielen in ein respektvolles Schweigen

»Was glauben Sie, warum wir Perser unsere Geschichtenerzähler und Dichter so sehr schätzen?« fragte der Nasir und hob seinen dicken Finger, als wolle er die unsichtbare Laufbahn der bezaubernden Silben in die von dickem Rauch geschwängerte Luft zeichnen. »Wir liegen auf halbem Weg zwischen Indien und dem Abendland, vergessen Sie das nicht. Zwischen dem Kreislauf der Reinkarnationen und der erstickenden Herrschaft der einzigen Wahrheit haben wir unseren eigenen Weg gewählt: Wir erschaffen vergängliche Welten, Träume, Märchen, Lügen, wenn Sie wollen. Der Wind verstreut sie. Sie vervielfachen unsere Leben, ohne uns tatsächlich mehr als ein Leben zu schenken.«

»Bis die Afghanen kamen«, sagte Jean-Baptiste und bereute die Härte dieser Bemerkung sogleich.

»Ja«, gab der Nasir schlicht zu. »Vielleicht waren unsere Träume einfach nicht stark genug. Aber glauben Sie mir, wenn die Afghanen alles zerstört haben werden, was bald geschehen wird, werden unsere Träume ihre Kraft zurückgewinnen. Dann wird sich einer von uns erheben und Welten in Bewegung setzen.«

Tiefe Melancholie übermannte den alten Mann. Jean-Baptiste glaubte einen Moment, er sei eingeschlafen. Er zuckte zusammen, als der Nasir ihn mit lauterer Stimme fragte: »Aber wenn all das falsch war, warum hat dieser Alberoni dann einen Gesandten hierher geschickt?«

»Ich weiß es nicht.«

»Sehen Sie: Lüge, Wahrheit, wie soll man das trennen. Haben Sie diesen Kauz wenigstens getroffen?«

»Nein. Aber ich werde Ihnen noch etwas gestehen: Er ist der Vater von Alix.«

»Der Konsul?«

»Ja, Monsieur de Maillet, der frühere Konsul in Kairo, dem ich einst die Kränkung antat, seine Tochter Alix zu entführen.«

»Wußte er über Ihr Märchen Bescheid?«

»Ich glaube nicht. Meiner Meinung nach muß man darin ein ganz fernes Echo der ersten Lüge sehen, die ich Ihnen präsentiert habe und die dann ein Eigenleben entwickelt hat.«

»Erstaunlich! Und ... wo ist er jetzt?«

»Wir haben ihn nie wiedergefunden. Die ganze Stadt wurde durchsucht.«

»Waren Sie in meinem früheren Palast?«

»Er war nicht mehr dort. Niemand weiß, was aus ihm geworden ist.«

»Wahrhaftig? Da sehen Sie die Wunder der Lüge: Ihre Folgen sind nicht aufzuhalten. Da fällt mir ein: Haben Sie ihn in der französischen Gesandtschaft gesucht? Dort wohnte er, als er ankam.«

»Nein«, sagte Jean-Baptiste. »Sie haben recht. Aber man hätte uns doch Bescheid gesagt, wenn er dort wäre.«

»Zweifellos«, sagte der Nasir nachdenklich. Er versank wieder in seine Gedanken.

Jean-Baptiste verließ ihn, als er eingeschlummert war, und begab sich zu Alix.

Im Morgengrauen, als sich die letzten Gäste begeistert verabschiedeten, erwachte der Nasir plötzlich, war entsetzt über die Uhrzeit, verabschiedete sich in aller Eile von seinen Gastgebern und zog seine Pluderhosen hoch. Seine afghanischen Bewacher waren bereits im Begriff, ihn holen zu kommen und rechtzeitig zur Morgeninspektion in sein Gefängnis zurückzubringen. Die Peitsche knallte, und die Kutsche fuhr mit krachender Deichsel und quietschenden Achsen die Straße hinauf.

Am Tag nach dem Fest begab sich Jean-Baptiste zur französischen Gesandtschaft. Hassan, der Wächter, war während der Besetzung der Stadt verschwunden. Offenbar gehörte er zu den wenigen Opfern, die jene Tage gefordert hatten. Sein Neffe, ein ganz junger Bursche, wartete auf seinem Posten neben dem Eingangstor. Er hatte sich nie in das Gebäude selbst gewagt.

Jean-Baptiste überredete den Jungen, ihn hineinzulassen. Die große Tür war nicht verschlossen. Er betrat die Vorhalle, durchsuchte die Salons und gelangte ins Arbeitszimmer.

Der Konsul saß unter dem Porträt Ludwigs XIV., in seinen Traum versunken, vertrocknet, unverletzt. Ein Gewicht an seinem Hals zog ihn ein wenig nach vorn. Als Jean-Baptiste näherkam, erkannte er einen Sack voller Goldstücke.

Der Tod hatte den Konsul in dieser feierlichen Position erstarren lassen. Man ließ ihm einen Sarg bauen, der einem Thron glich. Alix nahm von ihm Abschied, als man ihn hineingebettet hatte. Die Tränen, die sie gern vergossen hätte, wurden von dieser feierlichen Atmosphäre einer protokollarischen Audienz zurückgehalten, die nach dem Tod gewährt wurde und die keine Gefühlsausbrüche duldete. Saba und George sahen bewegt ihren Vorfahren in dieser majestätischen Pose.

Ein tiefes Loch wurde im Garten der Gesandtschaft gegraben. Am Abend wurde der seltsame Sarg im Beisein der kleinen – eher entsetzten als bewegten – Gruppe in der Erde versenkt. So wurde der Konsul aufrecht begraben, mit seinem Goldschmuck um den Hals, wie ein skythischer König.

Das von den Afghanen besetzte Persien verging allmählich in der Anarchie und verlor alles bis auf die Fröhlichkeit, die zahllose Feste erfüllte, seit die Verlobung von Alix und Jean-Baptiste eine Bresche in die Strenge der Eroberer geschlagen hatte.

Der einstige Elefantenhüter, der sich den Afghanen allmählich als geschickter Apotheker offenbart hatte, konnte seine Kunst ohne Schwierigkeiten ausüben, und in diesem ruinierten Land fehlte es ihm leider nicht an Kunden.

Dem kühnen George, der allein die Mauern von Djolfa angegriffen hatte, und der roten Jungfrau, von der man so viel gesprochen hatte, schenkte Mahmud eine der königlichen Residenzen. Sie bestand aus zwei Haupthäusern, die durch einen breiten Garten getrennt waren. Als die jungen Leute diese Nachricht erhielten, beschlossen sie, Juremi eines der beiden Gebäude anzubieten. Der alte Protestant könnte dort ein Labor einrichten und darüber in einer großen Mansarde leben, die durch zahlreiche Dachluken erhellt wurde. Juremi nahm das Angebot um so lieber an, als er und George inzwischen nahezu unzertrennlich geworden waren. Sie arbeiteten gemeinsam in Jean-Baptistes Labor, und der erfahrene Heilpflanzenkundige gab seine Kunstfertigkeit an den jungen Wissenschaftler weiter. Oft stritten sie sich über den Glauben und die Vernunft. Der eine behauptete, die größte Macht des Menschen bestehe darin, Heiliges und Götter zu schaffen, der andere wandte ein, nur die Vernunft und das Gesetz könnten die Exzesse begrenzen, zu denen der Glaube und der Wille, diesen Glauben der Welt aufzuzwingen, natürlicherweise führen müsse. Die Reise hatte ihnen genug Argumente für ihre jeweilige Position geliefert. Sie waren fest davon überzeugt, daß es in diesem Streit keinen Sieger geben werde und daß er ebenso alt werden würde wie die Menschheit. Dessenungeachtet stritten sie leidenschaftlich weiter und wechselten immer wieder die Rollen. Trotz seiner einstigen Vorurteile gegen das Trugbild der Wissenschaft hatte Juremi schließlich begonnen, sich für die trockenen Disziplinen der Vernunft zu interessieren, und las sogar Leibniz mit Vergnügen. Was George betraf, so pflegte er zwar seinen Glauben an den Fortschritt, die Berechnung und die rationale Methode, hütete sich jedoch davor, diese fortan allzu ernst zu nehmen. Er publizierte sogar in einer sehr ernsthaften englischen Zeitschrift einen wissenschaftlichen Artikel, in dem er eine neue Tierart beschrieb. Man kannte nur ein einziges Exemplar davon, das der junge Naturwissenschaftler in Persien entdeckt hatte: ein Zwitter von Elefant und Nashorn, mit einem Buckel auf der Stirn, der nahezu einem Horn glich. Eine schöne Graphik zur Illustration dieses Artikels zeigte Garou, der auf einer Insel im Fluß, die mit Weiden und Bambus bewachsen war, glückliche Tage verlebte.

Alix hatte Nour al-Houda überall gesucht. Sie war nach dem Fall Isfahans verschwunden. Die Härte der Afghanen, gemildert durch ihre Versprechen an die Bevölkerung, würde an Frauen mit schlechtem Lebenswandel ausgelassen, und die

Tscherkessin fürchtete nicht zu Unrecht, zu diesen gezählt zu werden. Alix gelangte schließlich zu der Überzeugung, daß ihre Freundin noch in der Stunde der Abdankung Hosseins die Stadt verlassen hatte. Ahmad, dem der neue Herrscher nicht verzieh, daß er der Anführer des Volksaufstandes gewesen war, hatte Nour al-Houda mit seiner Frau und seinen Kindern auf ihrem Exodus begleitet. Alix befragte alle Zigeuner, die in die Stadt kamen, und erhielt so einige Hinweise, die darauf schließen ließen, daß Nour mit ihren Begleitern weit in den Westen gezogen war, bis zum Euphrat und sogar darüber hinaus. Sie tröstete sich über ihr Verschwinden mit dem Gedanken, daß die Zukunft immer wieder zusammenführt, was getrennt ist, wenn nur die Liebe noch lebt, und sie bewahrte Nour al-Houdas Bild ungetrübt in ihrer Erinnerung.

Einige Monate nach diesen Ereignissen mußte Alix, die wieder ihre alten persischen und abendländischen Kleider trug, zur Schneiderin gehen, um die Sachen weiten zu lassen. Aber auch großzügige Schleier verbargen nur kurz das Offensichtliche: Sie war schwanger, und konnte es um so weniger verbergen, als ihr Bauch einen erstaunlichen, eindrucksvollen Umfang erreichte. Und da es hieß, daß die Kinder von Alix und Jean-Baptiste immer in Paaren erschienen, brachte sie Zwillinge zur Welt.

# Epilog

»Ist das alles, Pozzi?«

»Ja«, erklärte der Sekretär salbungsvoll. »Euer Eminenz können in Ruhe abreisen. Sie lassen weder unbeantwortete Briefe noch offene Angelegenheiten zurück.«

»Nun, das ist wunderbar!« seufzte Kardinal Alberoni und blickte, womöglich zum letzten Mal, auf Raffaels Fresko.

»Beinahe hätte ich es vergessen«, sagte Pozzi und verzog sein Gesicht noch angewiderter als gewöhnlich. »Eine... merkwürdige Person... hat diesen Brief für Sie abgegeben.« Er reichte dem Kardinal einen Umschlag aus grobem Papier mit einem rissigen Siegel.

»Merkwürdig... inwiefern?« fragte der Kardinal, während er nach der Botschaft griff.

»Eminenz, lassen Sie mich meinen Anstand wahren und Ihnen ersparen, diese Person zu beschreiben. Es sei mir nur gestattet zu erwähnen, daß sie ohne die Fürsprache ihres Schweizer Kutschers, der wohl bei der Garde irgendwelche Helfershelfer gefunden hat, niemals in den Hof gelangt wäre. Glücklicherweise ist sie auch sofort wieder verschwunden.«

Der Prälat überflog leise murmelnd den geöffneten Brief. »Der brave Mann!« rief er dann voller Erstaunen aus. »Und ich hatte ihn schon fast vergessen...«

Pozzi erhob sich diskret auf die Zehenspitzen und versuchte das Geschriebene zu erkennen.

»Erinnern Sie sich an diesen Maillet?« fragte der Kardinal. »Der frühere Konsul. Sie selbst haben darauf bestanden, daß ich ihn empfange.«

Pozzi neigte den Kopf zur Seite, als wollte er andeuten, daß er eine unbedachte Regung bereue.

»Sollte er sich vielleicht undankbar gezeigt haben?« versetzte Alberoni mit einem bösen Lächeln und zeigte damit, daß er über die Praktiken seines Sekretärs sehr wohl Bescheid wußte.

Pozzi blähte die Nasenflügel.

»Auf jeden Fall hat dieser arme Mann mit treu gedient«, fuhr der Prälat fort. »Hören Sie seine Schlußfolgerung: ›Wenn Euer Eminenz diesen Brief erhält, bedeutet dies, daß ich den Betrug aufgedeckt habe, dessen Opfer Sie geworden sind. Leider werden mich widrige Umstände daran gehindert haben, Ihnen selbst die Einzelheiten zu berichten. Aber ich werde alles geben, um die Schurken zu entlarven, die versucht haben, sich an Ihrer Heiligen Person zu vergreifen.‹ Der Unglückliche! Er wird sich für mich in irgendeine böse Lage gebracht haben. Auf jeden Fall bin ich jetzt beruhigt, weil ich nicht mehr befürchten muß, daß mich diese Geschichte gerade dann einholt, wenn mir der Papst erneut ein Erzbistum anvertrauen will.«

Durch das offene Fenster erfüllte der von kleinen, runden Wolken gezierte Herbsthimmel den hohen Raum mit seinem Frieden.

»Apropos«, rief der neue Erzbischof, »haben Sie die Siegel des Heiligen Vaters schon zurückgegeben?«

»Nein, Eminenz. Ich muß sie gleich nachher in die Sekretarie zurückbringen.«

»Nun, dann verfassen Sie schnell ein Schreiben, um das Werk dieses armen Mannes zu rehabilitieren. Wie hieß es doch gleich?«

Er griff wieder nach dem Brief, fand den Absatz. »Ah ja! ›Telliamed‹, in Holland erschienen und in Paris bei Duchesne verkauft, Buchhändler in der Rue Saint-Jacques, unterhalb des Springbrunnens Saint-Benoît.«

Der Sekretär verschwand.

Der Kardinal ging zu seinem großen Tresor, öffnete ihn, steckte den Inhalt in eine große, schwarze Ledertasche und legte diese auf seinen Schreibtisch. Er machte einen letzten Rundgang durch den großen Saal, strich behutsam mit seinen gepflegten Händen über den Schreibtisch, ergötzte sich ein letztes Mal an dem Deckengemälde und der großen »Anbetung der Hirten« von Raffael. Er kehrte zum Kamin zurück, setzte das kleine Pendel der Porzellanuhr in Bewegung und richtete den Docht einer Kerze auf.

Der Sekretär kam zurück und brachte das Blatt, auf dem die wenigen Zeilen geschrieben standen, welche den »Telliamed« retteten. Alberoni setzte sein Zeichen unter den Text.

»Bringen Sie es sofort zur Registratur, damit es veröffentlicht wird.«

»Ja, Eminenz.«

»Ich bin froh, daß ich im Moment meiner Abreise noch jemanden in den Himmel schicken kann, falls er nicht schon dort ist«, sagte der Prälat. Er reichte Pozzi seinen Ring, der von zahllosen Küssen glänzte, griff nach der Tasche und ging hinaus.

Die Kutsche erwartete ihn im Hof, der von den sonnenbeschienenen Grünpflanzen erhellt wurde. Eine Feder quietschte, als er den Fuß auf das Trittbrett setzte. Die Pferde fielen in schnellen Trab, der tänzerischsten, fröhlichsten Gangart. Sie fuhren über den Petersplatz und folgten den kleinen Straßen bis zum Tiber. Der Kardinal nahm seine Lieblingsposition ein und legte die Arme in die Furche über seinem gewölbten Bauch.

Als er an einem Palast gegenüber der Engelsbrücke vorbeikam, sah er eine junge Frau, die sich ebenso auf die Rundung ihres Bauches einer werdenden Mutter stützte. Die Augen voller Freudentränen, hielt sie einen Brief in den Händen, in dem sie wieder und wieder las: »Marcellina, meine Geliebte ...«

Sogar das Violett der Soutanen wirkte in diesem Oktoberlicht heiter. Die ockerfarbenen Fassaden zogen freundlich vorbei, fast eintönig in ihrem Ergötzen. Hier und da stach die dunkle Spitze einer Zypresse ins Auge und machte es empfänglich für neue Schönheiten. Eine wohlwollende Stimmung erfüllte das Herz des Kardinals und verließ es nicht mehr, bis er Parma erreicht hatte.

## Über die Quellen von
## »Der Abessinier« und
## »Die Tochter des Abessiniers«

### Nachwort des Autors

Ein historischer Roman erschafft die Fülle der Geschichte aufs neue, er gestaltet also, was tatsächlich geschehen ist. Ein Abenteuerroman spielt eher in den Leerstellen der Geschichte. Er zeigt uns das Unbekannte und bietet eine Wirklichkeit (unter anderen) von dem, was uns vollkommen unbekannt ist.

*Der Abessinier* und *Die Tochter des Abessiniers* gehören zur zweiten Kategorie. Die Geschichte fehlt in diesen beiden Romanen keineswegs – im Gegenteil: Sie ist da, um die Grenzen zu setzen und Fixpunkte zu schaffen, zwischen denen sich die Phantasie entfaltet.

Daraus entsteht das für den Leser verwirrende Gefühl, nicht zu wissen, was »wahr« ist. Als Romanautor neige ich dazu, diese Frage damit zu beantworten, daß die höchste Wahrheit die der Phantasie sei. Sie beruft sich auf keine Autorität und gewinnt ihre Kraft einzig aus der Überzeugung, die sie im Leser weckt. Diese Romanwahrheit befriedigt allerdings nicht jeden. Manche fühlen sich getäuscht und wollen es nur aus freiem Willen sein, wenn sie wissen, was »historisch« ist und was nicht.

Diese Enthüllungen sind oft enttäuschend und immer erstaunlich. Denn das Romanhafteste in *Der Abessinier* beispielsweise ist oft authentisch: Le Nour du Roule und seine Zerrspiegel, die verfaulten Elefantenohren, der armenische Koch, der zum Botschafter ernannt wurde…

Poncet dagegen ist ein Zwitterwesen: Eine Seite seines Lebens ist wahr (Apotheker, in Begleitung eines Jesuiten nach Abessinien gesandt, in Paris wegen ausgedachter Geschichten verurteilt und so weiter), eine andere ganz und gar erdacht (was erklärt, daß ich ihm seinen Nachnamen gelassen, den Vornamen aber geändert habe, der in Wahrheit Charles-Jacques lautete). Der wahre Poncet hat nicht mit den Jesuiten gebrochen, er ist vielmehr zu ihrem Werkzeug geworden. Diese Idee einer souveränen Sonnengestalt, die das Land, das sie entdeckt hat, schützt und hinter sich verschließt, gehört ganz und gar dem Roman *Der Abessinier* und nicht der authentischen Geschichte.

Alix hat es nie gegeben. Während ich das schreibe, glaube ich zu lügen, so lebendig kommt mir diese Frau vor, so notwendigerweise lebendig, als sei es eine Lüge, geradezu ein Verbrechen, ihre Realität in Zweifel zu ziehen. Aber dieser Gedanke gehört nur dem Autor, und mein Geständnis, so unangenehm es auch sein mag, ist dennoch wahr: Alix gibt es nicht.

Monsieur de Maillet, ihr Vater, hatte keine Kinder. Nur dieses Detail unterscheidet den Roman vom Leben dieses Mannes. Denn ansonsten war Benoît de Maillet genau so, wie er dargestellt wird. Er ist aus zwei historischen Quellen bekannt: zum einen aus den diplomatischen Archiven, die von seiner Tätigkeit im Dienste des Königs von Frankreich berichten, zum anderen durch seine philosophischen Werke, die fast heimlich publiziert wurden und ihm viel Kritik einbrachten. *Der Abessinier* beschreibt einen Maillet, wie er in den Konsulardepeschen sichtbar wird. *Die Tochter des Abessiniers* zeigt den Autor des *Telliamed*. Dieses Werk ist tatsächlich 1725 erschienen, eingeleitet durch eine poetische Widmung an ... Cyrano de Bergerac. Ich verdanke es Dr. Marcel Châtillon, daß ich von diesem Buch erfahren habe und es lesen durfte. Dieses Werk ist so bedeutend, daß Monsieur de Maillet in den Aufsätzen zur Ideengeschichte als europäischer Vorläufer des evolutionistischen Gedanken zitiert wird. Vor Georges Buffon und Charles Darwin hat de Maillet den Gedanken einer Verwandlung der Arten in einem so kühnen Dialog dargestellt, daß sein Buch zunächst in Amsterdam veröffentlicht wurde, um die Zensur zu umgehen. Der »zweite« Maillet, der aus *Die Tochter des Abessiniers*, ist – wenngleich sehr frei in der Darstellung seiner Taten –, doch getreu dieser unbekannten Seite des Schicksals dieser seltsamen Persönlichkeit dargestellt.

Der Roman *Die Tochter des Abessiniers* erweckt zweifellos den Eindruck, weniger geschichtliche Fakten zu enthalten als *Der Abessinier*. Er beruht aber ebenso auf Tatsachen: Kardinal Alberoni, der König von Persien und der Nasir, die in den Ural deportierten Schweden oder der Sklavenmarkt in Chiva sind historisch belegt. Der Fall von Isfahan und sogar die erstaunliche Tat des Elefanten Garou sind unter anderem den Chroniken des Paters Kruzinski entnommen, dem man im vorletzten Kapitel begegnet. Oft wurden die Daten etwas verändert. So war beispielsweise Israel Orii tatsächlich etwas früher Botschafter beim König von Persien.

Für beide Bücher, die den Romanzyklus über den »Abessinier« bilden, habe ich reich aus den wunderbaren Quellen der Reisenden des 17. und 18. Jahrhunderts geschöpft: Bruce, Chardin, Tournefort, Lady Montagu, Tavernier, Potocki, Arminius Vamberi und vielen anderen. Diese Literatur aus der damaligen Zeit nachzuvollziehen, sie mit zeitgenössischen Leidenschaften und romanhaften Intrigen zu erfüllen, das ist für den Autor ein doppeltes Vergnügen: Er wandert an der Seite dieser erstaunlichen Reisenden und – vielleicht noch wunderbarer – erweckt diese heute entschwundenen Quellen zu neuem Leben – Quellen, die immer frisch sind und von unberührten Welten gespeist werden, die nur noch in ihnen selbst existieren.

Die Originalausgabe erschien 1998 unter dem Titel Sauver Ispahan
bei Éditions Gallimard, Paris.

Der Claassen Verlag ist ein Unternehmen
der Verlagshaus Goethestraße GmbH & Co. KG.

ISBN 3-546-00200-8

Lektorat: Ulrike Brandt-Schwarze
Satz: Franzis print & media GmbH, München
Druck und Bindung: Graphischer Großbetrieb Pößneck